ISBN 978-0-428-74345-1
PIBN 11306084

Fr. L. von Soltau's

Deutsche Historische Volkslieder,

Zweites Hundert.

Aus Soltau's und Leyser's Nachlaß und anderen Quellen

herausgegeben mit Anmerkungen

von

H. R. Hildebrand,

Dr. ph., Lehrer an der Thomasschule zu Leipzig.

Leipzig,

Verlag von Gustav Mayer.

1856.

Vor nunmehr zwanzig Jahren erschien auf dem deutschen Büchermarkt ein Buch, das in dem einzelnen Gange der vaterländischen Wissenschaft, in welchem es arbeitete, sich als ein Ereigniß geltend gemacht hat: Ein Hundert Deutsche Historische Volkslieder, gesammelt und in urkundlichen Texten chronologisch geordnet herausgegeben von Fr. Leonard von Soltau, Leipzig 1836. Äußerlich zwar hat es ein glänzendes Schicksal nicht gesehen, denn seine Auflage ist bis heute noch nicht ganz verkauft und es hat währenddem den Verlagseigenthümer mehrmals gewechselt; aber die Sachkenner erkannten ihm den Preis zu, daß es in seinem Gebiete grundlegend gewirkt habe, in den Literaturgeschichten steht es in seinem Fache oben an oder füllt es vielmehr fast allein aus, Geschichtschreiber haben es hier und da als Quellenwerk benutzt, von Anthologien ist es als beste und erste Quelle mehrfach ausgebeutet worden. Nun fand sich in Soltaus Nachlaß gesammelter Stoff zu einem zweiten „Hundert“ solcher Volkslieder, wie es da genannt war, und diese Stoffsammlung ist die Veranlassung des vorliegenden Buches; sie kam mir in die Hand mit dem Antrag, eben ein Buch daraus zu machen, nachdem derselbe Antrag schon von andern Seiten abgelehnt worden war. Welches auch die Gründe dieser Ablehnung sein mochten, der angebotne Stoff, sah ich wol, konnte nicht allein daran schuld sein; zudem war ein anderer bewegender Umstand mitwirkend, nämlich der, daß die hinterlassene Familie Soltaus eine Verwerthung des Nachlasses dringend wünschte: so entschloß ich mich, zumal sich glücklicherweise ein Verleger fand, in Ermangelung eines Berufenern die Arbeit zu übernehmen, zu der ich freilich nicht viel mehr als ein warmes Interesse für das Volkslied mitbringen konnte. Allerdings fand sich bei näherem Zusehen, daß Soltaus Sammlung doch nicht so gehaltvoll war als ich anfangs geglaubt hatte. Er selbst hatte in dem Entwurf eines Titels hundert Lieder zur Mittheilung bestimmt und der Vorgang des gedruckten Soltauschen Buches gab dieß äußere Maß von selbst an die Hand; nun enthielt die Sammlung, fast durchaus Abschriften von Soltaus Hand, allerdings mehr als hundert Lieder, in die hundert und dreißig sogar: allein davon zeigte sich gleich anfangs höchstens die große Hälfte jetzt noch mittheilbar, denn viele waren inzwischen schon sonst leicht zugänglich gedruckt, viele auch konnten nicht als wahre Volkslieder gelten oder taugten aus anderen Gründen nicht zur Aufnahme. Schließlich aber hat der Nachlaß auch nicht die ganze Hälfte des verlangten Hundert liefern können, nur 45 Lieder sind im Buch von Soltaus Sammlung, für die Ausfüllung der großen Lücke hab ich selbst einstehn müssen, sodaß, auch abgesehen von meinen Zuthaten unter dem Texte, das Buch zur Hälfte mein eigenes ist. Bei der Bestimmung der aufzunehmenden Lieder hat natürlich die Rücksicht vorgewaltet, die Soltausche Sammlung möglichst zu verwerthen, denn das war ja die eigentliche Aufgabe; allein es konnten grundsätzlich nur solche Lieder Aufnahme finden welche in einer der größeren und als Quellen jetzt gangbaren Sammlungen noch nicht gegeben waren. Diesen Grundsatz hatte Soltau bei seiner ersten Sammlung als Maßstab gebraucht, s. das. S. XLVII fg., und auch die zweite Sammlung war nach demselben angelegt. Denn darauf war weder Soltau ausgegangen, daß etwa lauter bibliographisch Neues gegeben würde, noch konnte ich darauf ausgehn bei der Beschränktheit der mir gebotenen Mittel; ich muß ausdrücklich bevorworten, daß mein Buch, insofern es ja doch nun das meine geworden ist, eine solche bibliographische Neuheit zum Zweck weder haben konnte noch sollte. Ich will freilich auch nicht mit der Äußerung zurückhalten, daß ich in solcher bibliographischer Neuheit — ich kenne den Zauber des Wortes „ungedruckt“ in den Augen der Kritik sehr wol — gar nicht das einzige Heil solcher Arbeiten erblicke, weil ich an dem schon Vorhandenen noch so viel zu thun finde, mehr als die Herausgeber manchmal zu finden scheinen, und weil es mir oft schien als würden die Herausgeber nicht selten zum Nachtheil der Sache zu sehr von dem Respect vor dem Zauberwort „ungedruckt“, überhaupt zu sehr von dem bloß bibliographischen Interesse beherrscht. Daß ich dabei die Berechtigung der Forderung, ein solches Buch solle möglichst Neues bringen, nicht etwa gar verkannt habe, kann glaube ich das Buch selbst ausweisen; denn einmal enthält es doch 46 solcher Lieder die bisher meines Wissens noch nirgend mitgetheilt sind und davon sind nur 15 aus Soltaus Nachlaß, dann aber hat mich eben dieß Verhältniß mit bewogen zur Hinzufügung erklärender Bemerkungen: diese sollten wenn es möglich wäre mit aufwiegen helfen was das Buch etwa von Seiten der bibliographischen Neuheit doch zu leicht wäre. Am günstigsten steht das Verhältniß, nach dieser Neuheit gemessen, bei der Abtheilung welche die neuern Lieder enthält, denn da sind unter 40 Liedern 25 die neu heißen können, ungünstiger schon bei den Liedern des 17. Jahrhunderts, wo 9 neue unter 20 sind, am ungünstigsten freilich gerade bei den Liedern die ein Gegenstand besonderer bibliographischer Liebhaberei sind, bei denen vor 1600: da bring ich nur 12 neue unter 40, und würde aus Soltaus Nachlaß nur eins haben bringen können; zehn solcher neuen verdank ich einem besondern Glücksumstand, der mir die Vorarbeiten eines Mannes in die Hände führte, welcher in diesem Fach einst mit Umsicht, Aufopferung und Begeisterung arbeitete und nun schon lange zu den Todten gehört, ich meine den Nachlaß Hermann Leysers, der reiche Sammlungen für alle Gebiete des älteren Volkslieds enthält und dessen Benutzung mir von Seiten der hiesigen Universitätsbibliothek auf das bereitwilligste gestattet ward. So trifft sichs eigen, daß Leyser, der auch nachher Uhlands Sammlung wesentlich bereichert hat, zu Soltaus erster Sammlung einst ein Bedeutendes beisteuerte, und zwar nicht ganz mit seinem Willen, und daß er nun zu der zweiten Sammlung wieder so bedeutend mitwirkt wo sein Wille gar nicht mehr in Frage kommt; denn von den 40 Liedern der ersten Abtheilung verdanke ich 17 ihm allein und ohne seinen Nachlaß würde ich nicht die Mittel und nicht den Muth gehabt haben, eine besondere Abtheilung für die ältere Zeit in passendem Umfang aufzustellen. So hat er zu drei Liedersammlungen mitgewirkt, zwei davon wesentlich mit möglich gemacht und mit dem Besten ausgestattet, der selbst nicht erleben sollte seinen Fleiß unter seinem Namen in die Welt gehn zu lassen. Die Wichtigkeit der ersten Abtheilung und diese Verhältnisse haben mich bestimmt, Leysers Namen mit auf dem Titel zu nennen.

Doch bevor ich weiter rede von der Rechtfertigung des Buchs und von seiner Art und Absicht, auch von meiner Arbeit daran, wird ein Rückblick passend sein auf das was seit Soltaus erster Arbeit für dieß Gebiet in der Bücherwelt geleistet worden ist, als Versuch einer Fortsetzung der Literatur des historischen Volkslieds, mit welcher Soltau i. J. 1836 sein Buch einleitete. Ich rede dabei zunächst vom älteren Volkslied, vom neueren nachher.

Die von Soltau S. XXXI damals „nächstens" versprochenen „Deutschen Seeräuberlieder" sind meines Wissens nicht erschienen; es sollten darin „mehrere noch unbekannte Texte des Stortebek" gegeben werden; was er damit gemeint hat, weiß ich nicht zu sagen, sicher war mit verstanden der nun hier unter Nr. 1 gelieferte Text, denn dessen Quelle war in seinem Besitz; auch von den „einigen andern verwandten niederdeutschen Liedern" ist aus dem Nachlaß nichts zu ersehen, höchst wahrscheinlich meinte er damit die hier unter Nr. 19 u. 20 stehenden Lieder, die er aus Leysers Sammlungen kennen mochte. S. LV seines Buchs sprach Soltau von der Absicht, eine umfassende Sammlung von niederdeutschen Liedern besonders herauszugeben; auch diese ist nicht zu Stande gekommen und der Nachlaß, wie er mir eingehändigt ward, enthält gar keine Vorarbeiten dazu, nur eine Spur findet sich davon in einer „vorläuf. Übersicht der für einen 2. Bd. aufzunehmenden hist. Volkslieder", in der einige niederdeutsche Lieder mit angesetzt sind die der Nachlaß nicht enthält und die ich nicht nachweisen kann.

Wenige Jahre nach Soltaus Buche erschien eine Sammlung, die durch jenes angeregt zu sein scheint, wie Soltau seinerseits durch O. L. B. Wolffs i. J. 1830 erschienene Sammlung zu der seinigen veranlaßt worden war: „Historische Volkslieder aus dem sechzehnten und siebenzehnten Jahrhundert nach den in der K. Hof- und Staatsbibliothek zu München vorhandenen fliegenden Blättern gesammelt und herausgegeben von Ph. Max Körner. Mit einem Vorworte von J. A. Schmeller. Stuttgart 1840." Dieses Buch ist das einzige, welches dem Soltauschen auf seinem Wege nachgefolgt ist, und eigentlich auch nicht einmal dieses, denn es beschränkt sich ja in seinen Quellen auf fliegende Blätter und in der Zeit auf das 16. 17. Jahrh., während Soltaus Plan so ausgesteckt war, daß die Geschichte vom möglichst frühsten Anfang bis in unser

Jahrhundert bedacht wurde. Damit ist das bibliographische Verdienst an diesem Buch weit geringer, als an dem Soltauschen, denn dieser sammelte großentheils mühsam und umsichtig aus den entlegensten und zerstreutesten Quellen, zu denen allerdings Herder zum Theil schon den Weg gewiesen hatte, der Bahnbrecher auch in diesem Gebiet; Körner aber gibt nur was schon gesammelt war in den Räumen einer einzigen Bibliothek. Doch eben dieß ist auch die Stärke und der Werth des Buchs, daß es die Lieder gibt aus Quellen die füglich Quellen erster Hand heißen können und den Werth von Urkunden haben für den Gesang ihrer Zeit; Soltau kam dagegen zu oft bloß an secundäre Quellen, es sind zum Theil geradezu unbrauchbare Texte in seinem Buche. Körner setzt denn auch die Absicht seiner Arbeit darein, die Lieder zu veröffentlichen „sprachgetreu nach durchaus urkundlichen Texten von fliegenden Blättern, was bei den früheren Herausgebern mehr oder weniger vermißt wird.“ Damit nimmt er nur das Wort auf welches von Soltau zuerst so stark und mit Selbstgefühl betont und der Wolff'schen Arbeit entgegengehalten war, das „Urkundliche“, wie um seinem Vorgänger zu beweisen was denn eigentlich und wahrhaft urkundlich sei. Diesem Widerspruch gegen Soltau wird wol das Buch entsprungen sein, wie eben Soltaus Buch dem Widerspruch gegen Wolff. Übrigens gibt Körner als Veranlassung zu seinem Buche den Reichthum der Münchner Bibliothek in diesem Fach an, in deren Bedienstung er stehe; aus dem reichen Stoff, sagt das Vorwort, habe er „nur das Bessere, das bisher Unbekannte“ genommen, „um Lieder die in früheren Sammlungen richtig enthalten sind, nicht wiederholt zu geben.“ Er betrachtet sein Buch als einen Beitrag zu einer gedachten „vollständigen Bibliothek deutscher Volkslieder“, damit einmal „dem Geschichtschreiber das reiche Bild vergangener Ereignisse in genaueren und ausgeprägteren Gestaltungen vorgeführt“ werden könne; also ähnlich wie Soltau S. LXV „ein corpus deutscher historischer Volkslieder zu Erläuterung der deutschen und europäischen Geschichte ... chronologisch und urkundlich“ als letzte Idee vorschwebte, als „ein poetischer Geschichtspiegel, der auch in dem, was er nicht berührt, unterrichtend sein würde, eine historische vox populi, die ferner der Geschichtforscher nicht unberücksichtigt lassen dürfte.“ Ich wiederhole mit Absicht Soltaus maßgebende Worte im Auszug, um das schöne

Ziel wieder aufzufrischen oder wo das nicht nöthig ist, doch auch dieses Buch unter das Licht jenes Ziels zu stellen.

Körners Sammlung enthält nun 40 Nummern, da aber die Zählung bei der bibliographischen Haltung des Buchs nach den Einzeldrucken geht, so enthält es in Wirklichkeit 50 Lieder, in chronologischer Ordnung, der letzte Druck ist vom J. 1685. Historische Lieder sind es aber keineswegs alle, sondern z. B. religiöse darunter, wenn sie in der Quelle mit einem historischen zusammengedruckt waren, wie Nr. 5ᵃ. 15. 25ᵇ, denn es sind eben die fliegenden Blätter als solche zum Abdruck gebracht. Ebenso ist als Nr. 13ᵃ der Danhuser mit abgedruckt, obwol er nach derselben Quelle schon in Mone's Anzeiger gegeben wurde. Nr. 28. 29. 30 sind Streit- und Hohnlieder, für Sittengeschichte, nicht für politische Geschichte werthvoll, allerdings von religiösem Interesse; aber Nr. 8. 9. 24 können als historische Lieder gar nicht gelten, es sind novellenartige Stoffe, nach Meistersängerweise für Gesang verfaßt. So dankenswerth zum Theil die Mittheilung dieser Lieder an sich ist, so entspricht doch der Inhalt des Buchs dem Titel nicht genau. Auch die Angabe von der Neuheit, welche die Auswahl geleitet habe, ist nicht genau, denn etwa 12 Lieder waren damals schon anderwärts mitgetheilt, wenn man absieht von den in Rochholz, Liederchronik, enthaltenen, zu denen Körner die Originale bringt; allerdings sind auch diese 12 hier meistens sehr willkommen, insofern sie die Quelle einsehen lassen, wie bei Nr. 11. 15ᵃ. 22. 25, die bei Soltau nur aus Hormayrs Taschenbuch gegeben waren, oder insofern sie noch nicht bekannte Drucke beibringen. Nr. 27 hatte auch Soltau S. 445 schon nach einem Originaldruck, und zwar jedenfalls nach demselben, nicht nach einem andern wie Körner meint, Körners Abdruck ist nur dadurch verschieden und brauchbar daß er zwei fatale Lese- oder Schreibfehler und zwei willkürliche Änderungen bei Soltau verbessert, das Akrostichon an dem Liede ist von beiden unbemerkt geblieben. Seine Vorgänger gibt Körner selbst an, freilich nur sehr allgemein, daß einem das Aufsuchen übrig bleibt; einmal hat er die Notiz auch unterlassen, Nr. 4 ist schon bei Wolff S. 517 vorhanden, aus einer anderen Quelle. Überhaupt haben die bibliographischen und literarischen Notizen nicht die Vollständigkeit und Genauigkeit die man von einem Buch erwarten sollte, welches hauptsächlich aus bibliographischem Interesse hervorgegangen scheint; was nützt z. B. eine Angabe wie S. 258: „auf der Seite 2ª des Orig. befindet sich ein zweiter Titel" u. s. w., wenn wie hier im Abdruck die Seiten des Orig. nicht angegeben sind! und doch kann es unter Umständen recht wichtig sein, die Stelle dieses zweiten Titels zu wissen; nun ja, der Herausg. gibt sie ja an. Von einer Thätigkeit der Kritik endlich, von einem Prüfen und Sichten und Vergleichen, wozu solche Dinge doch auch den leicht hinziehen, der nicht dazu geneigt ist, findet sich in dem Buche weiter nichts als ein flüchtiges, sehr flüchtiges Vergleichen mit dem Auge des Bibliographen. Die neun ersten flieg. Blätter sind Drucke von Augustin Frieß zu Zürich, alle undatiert; der Herausg. bemerkt zum ersten S. 8, er habe sich vergeblich bemüht das Druckjahr ausfindig zu machen (um danach die chronol. Anordnung treffen zu können) und bittet darum um Entschuldigung, daß er sie in dieser (d. h. willkürlichen) Reihe folgen ließ. Also bloß das zufällige Druckjahr sollte die Anordnung bestimmen, nach dem Inhalt eingeständlich keine Frage! und doch war es z. B. so leicht zu bemerken, ja wol schwer zu übersehen, daß Nr. 2 sich auf Nr. 5 bezieht, daß der 'alte Eydgnoß' S. 9 und was er warnend den Schweizern 'singt', nichts ist als das Lied vom Bruder Claus das Körner selbst auch gibt S. 29, jenes Lied citiert ihn S. 12 sogar namentlich. So war doch Nr. 5 leicht als vor Nr. 2 gehörig auszufinden, und damit das zeitliche Verhältniß der beiden Lieder vor Augen gebracht — nun ist das dem Leser zu finden überlassen: wer soll denn aber ein Buch aufmerksamer lesen als der Herausgeber vor der Herausgabe? Zu Nr. 28, einem für Sittengeschichte werthvollen Spottlied, war das Jahr des Aufkommens, also wol auch des Drucks, aus Nr. 30 Str. 2 S. 251. 252 zu entnehmen, der Herausg. sagt nichts davon. Was derselbe an dem Texte seiner Lieder gethan hat, beschränkt sich sonst darauf, daß er augenfällige Druckfehler, wenn z. B. Buchstaben ausgefallen sind oder ein r für ein e steht, in Parenthese berichtigt; weiter zu gehn erlaubt ihm wie es scheint der Respect vor den Originaldrucken nicht, deren Verzählen im Vers z. B. er stehn läßt und nur in Parenthese die rechte Zahl zusetzt; daß S. 219 'hinderthal' Druckfehler für 'hinderhalt' ist, hat er aber wol nicht gesehen, sonst stünde dieß in Parenthese dabei. Worterklärungen finden sich zwei in dieser Weise zugesetzt, S. 112 „verren (fern)", und eine kaum verzeihliche S. 12: „erarnen (verarmen)"; im Latein würde man einen Fehler von gleichem Grade nicht verzeihen: daß ein deutscher Gelehrter erarnen nicht kennt oder doch wenn er es nicht kennt, sich auf solches Rathen verlegt, statt um Belehrung nach den vorhandenen Hilfsmitteln zu greifen, ist im Grunde wenigstens eben so unverzeihlich. Die historischen und sonstigen Notizen mit Sacherklärung, die einzelnen Liedern zugegeben sind, weisen sich zum Theil als ganz dankenswerth, öfter noch als recht dürr und flüchtig aus.

So ist dieß Buch, das einzige eigentlich, das in Soltaus Spuren trat, genau genommen nichts als eine Nachlese zu jenes Buch, aus bloß bibliographischem Interesse hervorgegangen, werthvoll allein durch seine durchgängige Quellenmäßigkeit, und von eigenthümlichem Reiz durch seine Gleichmäßigkeit der Quellen, worin ihm keine andere Sammlung gleichkommt. Eben dadurch ist sie aber auch recht sehr werthvoll, denn sie enthält viel Neues und viel Bedeutendes, besonders in Schweizer Drucken.

Eine „zweite, wohlfeile Ausgabe" von E. L. Rochholz, Eidgenössische Liederchronik u. s. w. Bern 1842 ist bloße Titelausgabe, das Buch erschien Bern 1835, s. Soltau S. XLIII ff.; gerade ebenso hat Soltaus Buch bei einem Verlagswechsel eine „neue", d. i. Titelausgabe erlebt, Leipzig 1845. In „Hertha, Almanach für 1836," herausg. v. Ch. Knapp, Kempten 1836, gab Rochholz eine Anzahl Volkslieder aus einer Handschrift des 17. Jahrh., darunter auch geschichtliche.

Von größeren Sammlungen, die dem hist. Liede dienten, ist außer Körner nur noch ein vor Jahresfrist erschienenes Buch zu nennen: „Die Lieder des Dreißigjährigen Krieges nach den Originalen abgedruckt. Zum ersten Male gesammelt von Emil Weller. Mit einer Einleitung von W. Wackernagel. Basel 1855." Der Titel spricht nicht von Volkslied, und allerdings ist dasjenige Lied welches in dieser Zeit an dessen Stelle steht, des Volksmäßigen großentheils entkleidet in seinem Ursprung wie in seinem Wesen; dennoch gehört das Buch hierher, denn das betreffende Lied ist immer doch der rechte Erbe vom Volkslied des 16. Jahrh. Die Sammlung hatte als Zweck, „nicht bloß eine genauere Einsicht in den Zustand der deutschen Poesie damals zu verschaffen, sondern auch ein Bild von den damals geltenden Ideen zu geben, die wir jetzt nicht mehr richtig würdigen können, wenn wir uns nicht mitten in die Literatur des 30jähr. Kriegs versetzen, sie nicht gründlich studieren." Also in Verhältniß zu dem Plane wie ihn Soltau ausgesteckt hat, eine Art Monographie, wie sie noch für die und jene andere Periode unsrer Geschichte, z. B. die Reformationszeit recht wünschenswerth wären. Freilich wäre dabei möglichste Vollständigkeit in Anspruch zu nehmen, und diesem Anspruch genügt die Sammlung keineswegs, obwol ihn der Herausg. abzulehnen unterlassen hat, es thut das für ihn Wackernagel S. VII. Immerhin ist auch diese, an sich reiche, Zusammenstellung schon lehrreich und dankenswerth, sie bietet im Ganzen 47 Nummern, davon 32 Lieder und von letztern 20 vorher nicht neugedruckte. Aus Soltau aufgenommen sind sechs (S. XIII), außerdem hat Soltau schon auch die beiden S. 157 (bei Soltau S. LXXXI aus Leysers Sammlung) und 161 gedruckten, was der Herausg. nicht anzeigt. Auch die Relation S. 180 hat schon Soltau S. 472, aber der Abdruck der hiesigen älteren Fassung ist äußerst willkommen, denn diese und die Fassung bei Soltau stehn in einem höchst merkwürdigen und lehrreichen Verhältniß zu einander, Weller gibt wahrscheinlich das ursprüngliche Lied wie es zuerst im Druck erschien, Soltau diejenige Gestalt die dasselbe ein Jahr später im Mund der Sänger angenommen hatte, rhythmisch und syntaktisch glätter, verkürzt und erweitert, kurz nach dem Bedürfniß zurechtgesungen (vgl. unten S. 45). In ähnlichem für die Geschichte der Lieder lehrreichen Verhältniß stehen die beiden Fassungen eines andern Liedes die Weller S. 135 und 141 nach einander abdruckt. Weller selbst stellt solche Vergleichungen nicht an, die doch eigentlich den Stoff erst verwerthen, ja zu denen der Stoff herausfordert, und gehört das nicht mit zu dem „gründlich studieren" von dem der Herausgeber sprach? wer aber soll solche Lieder gründlicher studieren als der Herausgeber vor der Herausgabe? wer wird mehr Zeit, wer soll mehr Beruf dazu haben? Überhaupt aber ist auch diese Arbeit, wie die Körnersche, eine fast nur aus bibliographischem Interesse hervorgegangne, nur mit dem Unterschied daß Weller nicht mit jenem den Respect theilt vor der orthographischen und typographischen Zeiterscheinung seiner Lieder; er hat nicht nur Druckfehler, „wo irgend erkennbar", verbessert, sondern auch „das U bezeichnende V durch das moderne und mehr leserliche U ersetzt", ebenso „bei dem Doppel N oder M die Abkürzung nicht beobachtet". Das ist die ganze kritische Thätigkeit. Alter Druckfehler waren wol nicht schwer noch mehr zu bemerken, so S. 14 confiriren, es muß heißen confitiren, auch Wolff hat den Fehler; schlimmer, ja von der schlimmsten Art ist S. 240 'Suecus non liberavit, qui hos tyrannos stravit' statt nos liberavit, die Wittenberger Studenten sangen das Lied. Bei dem Gespräch S. 3 war wol leicht zu merken in welch merkwürdiger Form das strophische Spruchgedicht gearbeitet ist, jede Strophe gibt das Akrostichon „Jesuita"; daß der Herausg. durch 38 Strophen hindurch das nicht gemerkt hat, beweisen S. 6 die Zeile 'Als ein trewer Patriot', die ein J vorn braucht und eine Silbe zu wenig hat, es mußte heißen 'Ich als ein t. P.', und S. 9. 11 das Unterlassen der Strophenabtheilung; auf S. 12 in der letzten Str. muß in der ersten Zeile 'Zetter' doppelt stehn, das war von S. 64 leicht zu entnehmen. Auch in dem Lied S. 171 hat der Herausg. das Akrostichon nicht gemerkt, das zeigt der Fehler im ersten Wort der zweiten Strophe. Die Anordnung der einzelnen Stücke ist chronologisch, aber auch da ist genaueres Zusehen in den Inhalt dessen was der Herausg. zum Druck gab, mehrmals zu vermissen; denn eben der Inhalt zeigt, daß die S. 74. 76. 78. 91. 96 gedruckten Stücke der Zeit nach vor das auf S. 62 gehören, sie sind alle mit dem Druckjahr 1620 versehen und so hat sie der Herausg. nach irgend einer zufälligen Veranlassung zusammengestellt, nicht geordnet. Überhaupt ist es ein mißlich Ding um ein chronologisches Ordnen nach dem zufälligen Druckjahr, denn z. B. der Spruch S. 262, den Weller aus einer Flugschrift von 1633 bringt und danach einordnet, ist schon 1618 gedruckt in einer Spottschrift auf Kardinal Clesel: Nova Novorum Novissima, d. i. Zeytung von Bischoff Clösel ꝛc. getruckt i. J. Chr. 1618. 4 Bll. 4° (Leipz. Univ. Bibl.). Übrigens enthält das Buch nicht Lieder allein, sondern auch eine gute Anzahl Gedichte in Spruchform; diese aber begreift der Herausgeber, wie eine Äußerung S. XII sehen läßt, mit unter den „Liedern", und eben das ist genau genommen ein wunderlicher Fehler, dem man übrigens sehr oft begegnet. Die alte Zeit selbst unterschied mit Namen gewissenhaft das gesungene Lied von Spruch, Reim, Rede oder wie es sonst genannt wurde, ihr war die unterschiedne

Vortragsform lebendig gegenwärtig und das wesentlichste formelle Merkmal; bei unserm stillen Überlesen fällt freilich dieser Unterschied für die Sinne weg, aber doch sagt auch uns noch das Gefühl, daß der Name Lied für ein Spruchgedicht unpassend ist. Dem Buche vorauf geht auf 36 Seiten eine „Bibliographie der Lieder des dreißigjährigen Krieges“, ein Titelkatalog von Liedern und Gedichten in Spruchform nach den Druckjahren alphabetisch geordnet, hauptsächlich aus den Berliner, Ulmer und Züricher Bibliotheken entnommen. Die Tagesliteratur jener aufgeregten Jahre war freilich zu thätig und umfassend, schon aus einer Sammlung von Flugschriften des 30jähr. Kr. auf der Leipziger Universitätsbibliothek wären manche Titel nachzutragen.

Außer diesen beiden Büchern sind nun aber manche andere Werke mit für das historische Volkslied thätig gewesen, die theils einem weiteren theils einem beschränkteren oder überhaupt einem anderen Zwecke dienten, hauptsächlich durch Veröffentlichung von Texten, selten durch Erläuterung. So haben namentlich die Sammlungen welche das Gebiet des gesammten Volkslieds umfaßten, meistentheils das historische Lied mit berücksichtigt. Vor allen so für das Lied der ältern Zeit jenes epochemachende Buch, mit welchem für die künftigen Studien im alten Volkslied ein vorzugsweis dazu berufener Dichter den Grund gelegt hat: Alte hoch- und niederdeutsche Volkslieder in fünf Büchern, herausgegeben von Ludwig Uhland. Stuttg. u. Tüb. 1844. Da sind im dritten Buch, welches in der Hauptsache geschichtlichen Stoffen gewidmet ist, eine Reihe ausgewählter historischer Lieder mitgetheilt vom 14. Jahrhundert an, besonders aus dem 15. und 16., theils neue, theils schon bekannte in bewährten Texten; von solchen hist. Liedern, die zugleich in das religiöse Gebiet einschlagen, bringt eine kleine Zahl das fünfte Buch nach, auch in den Nachträgen sind einige historische Nummern. Die hohen Verdienste, die der Sammlung von Urtheilsfähigen für das Volkslied überhaupt zugesprochen worden sind, gelten natürlich auch von den geschichtlichen Liedern, nirgends in einem Buch ist eine solche Auswahl des Trefflichsten so bequem beisammen, und nirgends eine Sammlung in welcher eine so feine und umsichtige, eine so gediegene Behandlungsweise der alten Lieder zu finden wäre. Nur ist für die Wirkung die das Buch hätte ausüben können, der

Verlust nicht zu verschmerzen, daß der verheißene zweite Band ausgeblieben ist, in dem eine Abhandlung über das Volkslied und Anmerkungen zur Kritik, Erläuterung und Geschichte einzelner Lieder folgen sollten. Mit wie vielen falschen oder auch nur halbrichtigen Voraussetzungen und Erwartungen kommt noch unsere Zeit im allgemeinen an solche Dinge heran! wer aber hätte den Zeitgenossen besser sagen können was an diesen Liedern ist und was nicht dran ist, als Ludwig Uhland mit seinen voraufgegangenen Studien eines Lebens? und was die thatsächlichen Erklärungen betrifft die versprochen waren, wie viel mag oder muß uns damit verloren sein an rechtem Verständniß, wenigstens uns dem jüngeren Geschlecht das zum Lernen im allgemeinen so offen ist — wie viel auch müssen die armen Lieder damit eingebüßt haben an der rechten und rechtzeitigen Wirkung die doch ihr Recht ist!

Außerdem sind im Folgenden fast nur vereinzelte und gelegentliche Veröffentlichungen von Texten zu nennen, einige jedoch sich auszeichnend durch Fleiß der auf die Textkritik oder Sacherklärung verwendet ward. So mehrere monographische Geschichtsarbeiten, die Lieder als Quellen herbeizogen. Einer vortrefflichen Monographie hat sich die Hildesheimische Stiftsfehde zu erfreuen gehabt, mit einem zu unscheinbaren Titel: Die Stiftsfehde, Erzählungen und Lieder, herausgegeben von H. A. Lüntzel, Hildesheim 1846 als erster Band der Zeitschrift des Museums zu Hildesheim, Abtheilung für Geschichte und Kunst. Leider habe ich das Buch zu spät kennen lernen, um den Gebrauch davon zu machen den ich davon hätte machen müssen zu den Nrn. 12. 15. 17. Das Buch gibt die gleichzeitige Literatur über die Fehde, in der ersten Abtheilung drei prosaische Schriftstücke, in der zweiten eine Reihe poetischer, darunter zehn Lieder, auch die drei hier mit gedruckten und zwar nach mehreren Quellen in kritischer Textbehandlung mit Variantenangabe; S. 260 die alte Melodie zu dem Liede auf S. 197, zum Schluß ein reichlich gehaltnes, dankenswerthes Glossar der niederd. Ausdrücke mit genauem Nachweis der Stellen, und eine Zusammenstellung der in den Stücken vorkommenden sprichwörtlichen Redensarten, Scheltworte, Sitten, Spiele — eine gediegene, vortreffliche Arbeit, wie man deren mehr wünschen möchte; wäre nur noch eine philologische Hand daran helfend thätig gewesen. Von dem dichterischen Werth seiner Lieder, scheint mir, denkt der Herausg. S. X zu gering; wer solche Dinge nur mit dem Auge des 19. Jahrh. ansieht, dem erscheinen sie viel bleicher als sie wirklich waren. — Einen neuen Abdruck in kritischer Behandlung erfuhren die aus Dahlmanns Neocorus bekannten Ditmarsischen Lieder in K. Müllenhoffs Sagen, Märchen und Lieder der Herzogthümer Schleswig, Holstein und Lauenburg, Kiel 1845; auch erklärende Bemerkungen, Varianten sind beigegeben und in der Vorrede S. XXXV ff. wichtige allgemeine und thatsächliche Notizen zu den Liedern.

Sachliche Aufklärung fanden mehrere Lieder in zwei Monographien aus fränkischer Geschichte: Geschichte des ehemaligen Weilers Affalterbach, Beitrag zur Kriegs- und Sittengeschichte des Mittelalters, mit 6 Landsknechtliedern u. s. w. von Franz Freih. von Soden, Nürnb. 1841; und von demselben Verf.: Der Sturm auf Velden, Monographie aus dem ersten Jahrzehend des 30jähr. Kr. Nürnb. 1844. In beiden sind eine Anzahl Lieder im Anhang mitgetheilt, einfacher Abdruck aus Handschriften, aber sachlich durch das Voraufgehende erklärt, sodaß sie wieder mit hellen Farben aus ihrem Rahmen sehn. Ein Spottlied aus dem Bauernkrieg in Unterösterreich 1597 veröffentlichte mit geschichtlichen Erklärungen und Nachweisen Karajan in seiner Frühlingsgabe für Freunde älterer Literatur, Wien 1839 S. 53 ff. Aus dem Bauernkrieg in Oberösterreich 1626 erschien ein werthvolles Stück, das Fadingerlied, mit sacherklärender Einleitung in den Münchner Historisch-politischen Blättern, Jahrg. 1854, s. unten S. 343. Mit sprachlichen Erklärungen erschienen „Eidgenössische Schlachtlieder" von L. Ettmüller in den Mittheilungen der Antiquar. Gesellschaft zu Zürich, 2. Bd., 3. Heft; es ist eine kleine Anzahl Lieder, nicht neu, sämmtlich schon bei Wolff aus frühern Sammlungen, aber hier aus noch nicht benutzten Quellen, in theilweis sehr abweichenden Fassungen, auch sonst ohne Wolffs Nachlässigkeitsfehler, und darum dankenswerth als stofflicher Beitrag zu einer noch zu leistenden schließlichen Bearbeitung des reichen Schatzes von Schweizerliedern; seine Texte gibt Ettmüller in halb idealisierter Schreibung, mit einiger kritischen Behandlung und einzelnen Worterklärungen; letztere freilich wollen nicht viel sagen, sie sind meist trocken und halb, einige ungenau oder gar unrichtig, auch treffen sie nicht etwa immer die Punkte die der

Erklärung bedurften. Von niederdeutschen Liedern erfolgten mehrfache werthvolle Mittheilungen, meist mit sachlicher Aufklärung, zum Theil auch mit sprachlichen Erläuterungen und in kritischer Behandlung, in der Zeitschrift des Vereins für Hamburgische Geschichte, 2. Bd., Hamb. 1849; besonders Lappenberg theilte da nach und nach eine Reihe Lieder mit aus der Geschichte der Seestädte, Seeräuberlieder, Streitlieder aus den inneren Verhältnissen der Hanse und aus der Reformationszeit; vgl. unten S. 3. 114. 128. 314. Daselbst ist nun auch das bedeutende Lied Joh. Doman's von den Hansestädten zuerst vollständig abgedruckt (S. 451 ff.), das man bis dahin nur aus Morhofs Mittheilung kannte (Unterricht v. d. teutsch. Spr. u. Poesie, 3. Ausg. S. 347 ff.), um 12 Strophen von diesem verkürzt; daher zuletzt in W. Wackernagels D. Lesebuch, 2. Bd. 2. Aufl. Sp. 239 ff., hier aber von Lappenberg nach fünf Handschriften mitgetheilt nebst kritischer und literarhist. Einleitung. Ein niederd. Lied 'van Juncker Baltzer', ein Stück von hohem Werthe, ward durch Karl Gödeke veröffentlicht zugleich mit: Koninc Ermenrîkes dôt, ein niederd. Lied zur Dietrichssage, aufgefunden und herausg. v. K. G. Hanover 1851. S. 8. 9 im Vorwort. Es ist ein rechtes Landsknechtlied, für seine Gattung höchst charakteristisch, im Text ziemlich rein bewahrt, auch schwerlich, wie der Herausg. meint, am Ende verkürzt dem Raum des Druckbogens zu Liebe, auf dem es mit jenem Lied aus der Heldensage zusammen Platz finden sollte: so respectlos verfuhren wissentlich die alten Drucker gewiß nicht mit den Liedern, durften es wol nicht vor den Sängern und Käufern; der innere Zusammenhang aber setzt eine solche Verstümmelung nicht voraus, denn gerade mit dem Zuge mit dem der Kriegszug gegen Schweden Z. 60 schließt, wird auch die kurze Erwähnung des Feldzugs in braunschweigischen Diensten Z. 10 abgeschlossen. Eher könnte der Name des Lieds, der nur auf die zwei Anfangsstrophen paßt, vermuthen lassen, daß etwa diese zwei Strophen der Rest eines eignen frühern Lieds sind und vom Dichter hier nur voraufgeschickt wurden zum Anschluß des Folgenden, wie in der Sache der neue Kriegszug sich gleich an jenen anschloß. Der Ton ist der Stortebeker, dieser 'Junker Balzer' hat aber dann selbst noch länger als tongebend gedient, wie Gödeke S. 10 nachweist. Die Schlußstrophe nennt den Dichter, Meinert vam Hamme, und das ist ohne Zweifel der Meinert, Meinhard von Hamm, der in Karls V. Zeit den kriegslustigen Fürsten als Landsknechthauptmann diente und der, ein Landsknecht durch und durch, hier nun auch als landsknechtischer Dichter auftritt. Er versah also seine eignen Leute, seine 'Garde' mit Liedern, war ihr Führer in der Schlacht und im Gesang, wie das in altgermanischer Zeit wol auch vorgekommen sein mag; er selbst erscheint als bekannte Person im Antwerpner Liederbuch von 1544 Nr. 182. 186 (Hor. belg. 11, 278. 284), in einem niederländ. Landsknechtliede. — Ein einzelnes Lied aus dem dreißigjähr. Kriege machte in besonderm Druck Freih. v. Maltzahn bekannt: „Das Gustav-Adolphs-Lied von 1633. Mit einer lit. Einleitung und hist. Anmerkungen zum Ersten Mal wieder bekannt gemacht und herausgegeben von W. von Maltzahn. Berlin 1846," dem Gustav-Adolphs-Vereine gewidmet. Das Lied, in 81 achtzeiligen Strophen, berichtet des Schwedenkönigs Thaten und Tod, in protestantischem Sinn, „Gott zu Ehren vnd diesem Helden zu Lob vnd Preiß in Truck verfertiget", im Ton: Wilhelm bin ich der Telle (vgl. unten S. 45), nach einem Druck von 1633. Des Herausgebers Anmerkungen beschränken sich auf einige geschichtliche Notizen und Anführungen. Das Lied ist, wie auch die Tonangabe, noch mehr der einleitende Reimspruch vermuthen läßt, nach Reimen und Sprache von einem Schweizer gedichtet, nach der Wortgestalt und Orthographie auch in der Schweiz, wenigstens hoch im Oberlande gedruckt; es ist als Poesiestück ziemlich werthvoll, stellenweis sehr gelungen und kräftig, ein Zeitungslied der besten Art, das seiner Zeit gewiß manchen zahlreichen Hörerkreis um den Sänger versammelt und aufs tiefste bewegt hat. Umfängliche Proben davon gibt K. Gödeke, Eilf Bücher Deutscher Dichtung 1, 261 ff. — Zwei ältere Lieder fanden Mittheilung und sachliche Aufklärung in Leop. Ranke's Deutscher Geschichte im Zeitalter der Reformation, sie sind da unter den Quellen im 6. Bd., Berl. 1847 S. 160 ff. abgedruckt aus flieg. Bll., „Ein hüpsch neu lied von der Stat Genna vnd wie sy die Lantzknecht erobert haben" und „Ein schöns neuwes Lied von der Schlacht newlich vor Pauia geschehen ꝛc.", beide bis dahin unbekannt. Das Pavier Lied, in fünfzeiligen Strophen, „in dem newen thon von Mayland, oder des Wyßbecken thon, oder wie man die siben Stalbrüder singt" ist das dritte Lied dieses Namens, von dem

Soltau S. LXI als einem verlornen sprach. Die beiden ersten Tonangaben bezeichnen den Stortebeker, s. Solt. a. a. O. u. vgl. unten S. 83; die dritte Tonangabe ist insofern lehrreich, als sie aufs neue zeigt, wie die Strophen innerhalb des Tons oder mit dem Ton sich ausbildeten, denn die sieben Stallbrüder sind sicher Nr. 198 bei Uhland, deren Strophe statt fünf sieben Zeilen hat, aber die beiden letzten sind rhythmisch nur Repetition des Abgesangs: also auch diese Strophe eine neue Weiterbildung des Stortebekers, vgl. drei oder vier andere unten S. 27. (54.) 92. (297.) 115. 230. Das Lied selbst ist ein Landsknechtlied der geringern Art, interessant jedoch durch seinen raisonnierenden Eingang (vgl. unten S. 344) und manches Originelle im Ausdruck und in Wendungen; der Dichter mußte ein braves Gemüth sein. Das andere von Ranke an den Tag gebrachte Lied von Genua 1507 (die Form Genna ist nach dem Gehör an Ort und Stelle, die Genuesen nennen ihre Stadt Zenna) ist ebenfalls ein Gewinn, selbst Rochholz kannte es nicht, er erwähnt S. 380 zwei andere Genowelieder.

An verschiedenen Orten erfolgten einfache Textabdrücke von Liedern. So fuhr Hormayrs Taschenbuch für vaterländ. Geschichte fort, in einzelnen Jahrgängen ein und das andere Lied zu veröffentlichen, meist neu und getreuer als früher gewöhnlich, leider aber in der Regel ohne Angabe der Quelle. So im Jahrg. 1836 ein Lied auf Kaiser Maximilians I. Tod (vgl. unten S. 76), im J. 1838 S. 11 ff. ein langes Lied von Herz. Heinrich Julius von Braunschweig in der Mel. Wilhelmus von Nassawe, ein Streitlied gegen die Stadt Braunschweig. Ein merkwürdiges Lied nach einer vermuthlich handschr. Quelle steht in dem Jahrg. 1845 S. 382 ff., es handelt von einer streitigen Bischofswahl für das Stift Münster, ist stark niederdeutsch gefärbt und nennt in Str. 28 Martin Luther als den „der diß Liedtlein hatt gesungen", der Dichter legte also seine warnende und streitende Stimme dem großen Mann in den Mund. Einen merkwürdigen Beitrag zur Volksdichtung von der Agnes Bernauerin gibt der Jahrg. 1849 S. 22, Bruchstücke eines dramatisch gehaltnen Liedes aus „fliegenden Zetteln" des 17. u. 18. Jahrhunderts. — Vorzüglich thätig war in Mittheilung neuer Texte der „Anzeiger für Kunde der teutschen Vorzeit" auch in den vier Jahrgängen die seit 1836 noch folgten, diese besorgt durch Mone allein, welcher der Volkspoesie, auch der historischen, besondere Aufmerksamkeit zuwandte und dort Mittheilungen verschiedner Art machte, die dem Studium des Volkslieds theils unmittelbar theils mittelbar zu Gute kommen; und da auch andere Gelehrte daran sich betheiligten, so enthält der Anzeiger in seinen Heften verstreut einen solchen Reichthum von Liedern, oder Titeln und Nachweisungen, oder dahin gehörigen Notizen aller Art, daß er als eine der stoffreichsten Studienquellen gelten muß. Texte finden sich hauptsächlich im 7. und 8. Jahrg., Soltau hatte für seinen zweiten Band reichlich daraus gewählt, und ich habe die von ihm zur Aufnahme bestimmten Lieder meistens beibehalten.

Der vor kurzem erneuerte „Anzeiger für Kunde der deutschen Vorzeit, neue Folge, Organ des Germanischen Museums" zu Nürnberg verfolgt zwar zunächst einen andern Zweck als der alte Anzeiger, hat aber mit der ähnlichen Einrichtung auch die Rubrik des Volkslieds wieder mit aufgenommen und darin schon einige dankenswerthe Mittheilungen gebracht. Im ersten Bande 1853. 54 Sp. 301 ff. ein Lied von Albrecht von Rosenberg, ein Seitenstück zu dem Lied bei Uhland S. 376; beide haben denselben Helden, aber dieses ist ein landsknechtisches Reuterlied, jenes ein halb erzählendes halb streitendes Parteilied, jenes 'gesungen', dieses 'geschrieben'; sachliche Aufklärung geben vorausgehende Mittheilungen aus Nürnbergs Geschichte.

Eine im J. 1842 von Ludwig Bechstein gegründete Zeitschrift versprach für das Gebiet des Volkslieds, auch des historischen, viel Neues: Deutsches Museum für Geschichte, Literatur, Kunst und Alterthumsforschung, herausg. v. L. B. 1. Bd. Jena 1842, erlebte aber nur zwei Jahrgänge. Im ersten brachte der Herausg. einen Abdruck des schon bei Soltau gedruckten Pavierliedes, von diesem nicht unterschieden, aber in Gestalt eines Facsimile des orig. fliegenden Blattes; ebenda ein Lied von der Einführung der Reformation in Schweinfurt, auch einige neuere Lieder. Im zweiten Band 1843 eine Reihe poetischer satirischer Stücke aus dem 30jähr. Kriege, dabei ein dialogisches Lied von Tilly S. 225. Bechstein setzte dann seine Mittheilungen theilweis fort in einem Buche wo mans nicht gesucht hätte: Deutsches Dichterbuch, eine Sammlung der besten und kernhaftesten Gedichte aus allen Jahrhunderten, herausg. v. L. B.

Leipzig 1844 „für Schule und Haus" bestimmt. Die fünfte Abtheilung S. 79 ff., „Deutsche Volksdichtungen" bringt S. 85 wieder jenes Pavierlied nach Bechsteins flieg. Bl., S. 88 Jörg Wetzells Lied vom Bauernkrieg ebenfalls aus Bechsteins altem Originaldruck, aus dem es schon Soltau S. 297 gab; S. 95 gleichfalls aus der eignen Sammlung das Lied vom Bauernkrieg das auch schon Soltau S. 307 aus derselben Quelle abdruckte. S. 125 ff. kommen „Lieder aus der Zeit des deutschen Kriegs, der Grumbachischen Händel und des dreißigj. Krieges", es sind außer drei Liedern aus Hortleder und Soltau das Lied von dem Ende Grumbachs S. 130, das Soltau S. 425 schon aus Bechsteins flieg. Bl. mittheilte, und S. 133 ff. ein bis dahin unbekanntes „Magdeburgisch Hochzeitlied" aus einem flieg. Bl. Augsb. 1631, beschrieben in des Herausg. Museum 2, 258 fg.; es ist ein Lied in Form eines Gesprächs der verschiednen betheiligten Personen und Mächte, ist sehr werthvoll und hätte unten S. 371 von mir citiert werden müssen; es ist wieder abgedruckt in K. Gödekes Eilf Büchern Deutscher Dichtung, Lpz. 1849 1, 259 fg.

Einiges hierher Gehörige enthält das Neue Jahrbuch der Berlinischen Gesellschaft für Deutsche Sprache und Alterthumskunde, herausg. durch F. H. von der Hagen; z. B. der 7. Bd. Berl. 1846 S. 375 „ein nye Ledt van Godtseliger Doctor Martinus Lutter, vp de wise, Ydt gheit ein frischer Sommer darher" in 13 Strophen, von trefflicher Haltung als volksmäßiges Lied (3, 1 Godt gaff em synen hilligen Geist, dat he latin verdüdschen ded), gesungen von „eins Bwren Soene" und zwar später als die Mühlberger Schlacht; S. 378 „Ein Newes lied von dem heiligen Man Gottes vnserm lieben Vater Doctor Martin Luther in Gott verschieden. Anno 1546. Im Thon Bocks Emser lieber Domine", in 41 vierz. Strophen die aber nicht singbar aussehen; beide aus „fliegenden Volksblättern", s. v. d. Hagens Nachweisungen S. 383 ff. Das zweite ward auch gedruckt in den Neuen Mittheilungen aus dem Gebiet hist.-antiquar. Forschungen, im Namen des Thüringisch-Sächs. Vereins für Erforschung vat. Alt. u. s. w. herausg. v. K. E. Förstemann. 8. Bd. 1. Heft Halle 1846 S. 112, nach einem andern Druck, in dem es enthalten ist mit Leonh. Ketners Lied von D. Martini Luthers Sterben, Wittenb. durch G. Raw 1546, das ebenfalls das. S. 88

abgedruckt ist; beide sind auch schon im 18. Jh. wieder gedruckt, s. dort. — Auch in Naumanns Serapeum wurden einzelne ähnliche Mittheilungen gegeben, obwol mehr bibliographische Notizen, vgl. unten S. 60. 298.

Die „Mittheilungen aus Handschriften und seltenen Druckwerken, von Dr. J. V. Adrian. Frankf. a. M. 1846" brachten auch Lieder nach Einzeldrucken der Gießener Bibliothek, bloßen Textabdruck, S. 121 ff. „ein Nüwes Lied, wie es vor der Statt Ulm Ao. 1552 im Marggrevischen Krieg ist zugangen" zum Ruhm der Ulmer 'ufgeschriben' ohne Zweifel von einem städtischen Reimer, eine Art Zeitungslied; S. 129 aus demselben Krieg „das Helfensteiner Lied", ein treffliches echtes Landsknechtlied im Stortebekerton, von einem Knecht der in Ulmischen Diensten das Schloß Helfenstein mit eroberte und den ganzen Landsknechtstolz zeigt, er rühmt den tapfern Obristen Sebastian Bößerer er habe 'ein Landsknecht-Herz'. S. 365—396 folgen eine Reihe Lieder verschiednen Inhalts, darunter noch einige historischen Inhalts aus späterer Zeit, zuerst ein Zeitungslied von türkischen Dingen a. 1600, S. 376 ein gleiches von der Tartaren Einfall in Rußland 1601, am werthvollsten S. 393 ein Lied „gemacht zu ehren vnd wolgefallen dem Durchl. vnd Christl. Kriegsfürsten Mauritio Graven von Nassaw". Es ist in dem Tone des Wilhelmus von Nassawe (Soltau S. 430), ein schönes Seitenstück zu diesem und ihm nachgebildet; wie dieses seinen Vater, so führt es Moritz redend ein von seiner edlen Herkunft, seinen Thaten und Absichten für die Freiheit des Niederlands, auch seines Vaters Wilhelm wird rühmend gedacht, die Versanfänge geben als Akrostichon den Namen des Helden: Mauritz von Nassaw. Einigermaßen hier einschlagend sind auch die Pasquille S. 318—335, dabei drei politisch parodierte Vaterunser, vergl. Soltau S. LXXVI; nebenbei zu der dasigen Zusammenstellung Soltaus sei ergänzend bemerkt, daß ein Bauernvaterunser wider die Soldaten aus dem 30jähr. Kriege in Scheibles Fliegenden Blättern S. 177 mitgetheilt ward, ein kölnisches Bauernvaterunser von 1704 in Hormayrs Taschenbuch Jahrg. 1837 S. 9, ein gleiches von 1813 in Scheibles Volkswitz auf den gestürzten Bonaparte 3, 121.

In den Altdeutschen Blättern von M. Haupt und H. Hoffmann, 2. Bd. (Leipz. 1840) S. 138 theilte Jac. Grimm ein

Spottlied auf den Winterkönig mit, „des Pfalzgrafen Urlaub“, zugleich mit einer Äußerung über Soltaus hist. Liedersammlung, von der nachher Gebrauch zu machen sein wird; das Lied, trefflich und bis dahin neu, ist seitdem wieder bei Weller S. 117 gedruckt, auch nach eigener Quelle in Scheibles Flieg. Bll. S. 270. — In Haupts Zeitschrift für Deutsches Alterthum, Bd. 8, Leipz. 1851, S. 316 ff. veröffentlichte L. F. Hesse in Rudolstadt einige ältere Lieder aus Konrad Stolle's handschr. Erfurter Chronik, ein thüringisches Lied von Erfurts Streitigkeiten mit Mainz 1481, kräftig und werthvoll, im Stortebekerton, mit einem Schluß der einen schönen Nachtrag gibt zu Soltaus Zusammenstellung S. LIX:

Hentze Gutiar vns dicz lidelin sangk,
sine wintercleydere die sint ome krangk,
jr merket wol wye ichs meyne,
myne hern von Erffort die cleytten (kleideten) mich wol,
vnd schad on werlich cleyne.

Der Heinz Gutjahr muß ein heiterer Schalk gewesen sein. S. 319 ff. aus derselben Quelle ein längeres Lied von Karls von Burgund Krieg mit den Schweizern, auch im Stortebekerton, voll Ruhmes für die Schweizer, mit ziemlich anschaulicher Schilderung der Schlacht und besonders angelegentlicher Aufzählung der Beute die sie bei Granson von den 'Walen' gewannen; es folgt noch ein längerer Spruch von Karl dem Kühnen bis zu seinem Ende, wie jenes kräftig und vielfach eigenthümlich. Beide Stücke sind in thüring. Mundart und Schreibung, natürlich nicht dortigen Ursprungs, man erkennt ein oberdeutsches Original noch ziemlich gut hindurch; aber daß sie bis nach Erfurt getragen werden konnten, vermuthlich mündlich, und dort als wichtig aufgezeichnet, zeigt wie lebhaft man tief in Deutschland an diesen Ereignissen Antheil nahm, im Sinn der Schweizer. S. 336 noch einige katholische Parteilieder aus der Reformationszeit, Parodien lateinischer Kirchenhymnen, im Titel allemal das Vorbild benannt, z. B. „Ein Resonet in laudibus wider die falschen Euangelischen“, „Ein Dies est leticie wieder die f. E.“, „Ein O Armer Judas von den newen Christen“, man sieht schon daran den Ursprung im Stift oder Kloster. Heinze Gutjahrs Lied wiederholte Michelsen in einem Aufsatz über K. Stolles Chronik in der Zeitschrift des Vereins für thüring. Gesch. und Alterthumsk.

1, 230 mit einigen Abweichungen, nachher erschienen die Stücke alle auch wieder abgedruckt, außer die Parodien, in Hesse's auszugsweiser Ausgabe der Chronik in der Bibliothek des Literar. Vereins Bd. 32, Stuttg. 1854, S. 151. 109. 115. Aus einer handschr. thüring. Chronik gab Hesse in demselben Bande von Haupts Zeitschr. S. 470 ein älteres Lied von der Eroberung der Wachsenburg durch die Erfurter i. J. 1451, von einem Sänger Rosenberg (S. 476), leider in kritisch bedenklichem Zustande; es klingt meistersängerisch, mehr Parteilied als erzählend. Auch diese Mittheilung wiederholte theilweise Michelsen in der Zeitschr. des genannten thüring. Vereins 1, 84, mehrfach mit anderer Lesung.

Eine Anzahl Schweizerlieder des ausgehenden 15. Jh. erschienen gedruckt mit einer Reimchronik, in die sie vom Verfasser eingeflochten sind: „Der Schwabenkrieg, besungen von einem Zeitgenossen Johann Lenz, Bürger von Freiburg, herausg. v. H. von Dießbach, Zürich 1849.“ S. 28 zunächst ein landsknechtisches Trutzlied wider die Eidgenossen vom J. 1495, nach S. 27[b] bei Gelegenheit des Reichstags zu Worms gemacht, besonders formell interessant; es zählt in einer Art politischer Rundschau alle die europäischen Mächte auf die mit Maximilian im Bunde wären gegen die Schweizer, es klingt fast als wäre der dichtende Landsknecht der Vertraute des Königs und enthält viel landsknechtischen Stolz und Begeisterung für Maximilian, doch zum Schluß eine seltsam bescheidene Verwahrung gegen Tadel. S. 31[a] wird auch von andern ‘unchristlichen’ Liedern gesprochen, die die Landsknechte damals in Schwaben weit und breit und im Elsaß überall den Eidgenossen zu leide gesungen hätten. Darauf eine Reihe schweiz. und Landsknechtlieder aus dem Schwabenkrieg 1499, S. 70[b] von der Schlacht im Schwaderloch 11. April von einem Hans Wick, bei Rochholz S. 223 erwähnt, der es mit Unrecht unbedeutend nennt; S. 120[b] ‘Das Lied von der schlacht zu Glurns’, gedr. bei Rochholz S. 224, genau bei Körner S. 35; S. 136 ein landsknechtisches Drohlied wider die Schweizer, von Matthys Schanz gesungen zu Eßlingen, erwähnt b. Rochh. 274, werthvoll als Zeitstimme (137[b] Wann nun [d. i. nur] dz rich wills mit einandern han, So mag in nyeman widerstan), S. 137[a] mit einer ähnlichen Bescheidenheitsäußerung wegen etwaiger Ungründlichkeit wie das erste Landsknechtlied, es zeigt das wie sehr die Sänger sich unter der Controle ihrer Hörer fühlten. S. 149 das Lied von der Schlacht zu Dorneck das Rochholz S. 245 in seiner Weise zugestutzt brachte; S. 154[b] das treffliche Landsknechtlied das schon Rochholz S. 211 ziemlich genau abdruckte; S. 155 das unvollständige Landsknechtlied das Rochholz S. 234 erwähnt, hier ohne Unterscheidung an das vorige angeschlossen; S. 156 das Schweizerlied, genannt der graue Greis, bei Rochholz S. 259 und Wolff S. 580, hier nur als großes Bruchstück; S. 158[b] ein längeres Lied, bei Rochholz S. 253 nur umgearbeitet und bedeutend verkürzt, darauf S. 163 das Dornecker Lied in einer älteren Form als es Körner S. 43, Uhland 440, Rochholz 235 haben. Darauf noch S. 164[b] das Lied von Hans Waldmann bei Rochholz S. 319, der eine auch hier mangelhafte Strophe wegließ, und ein Lied vom Pfenning. Das Buch ist also eine wichtige Quelle für das Schweizerlied und das Landsknechtlied jener Jahre. Übrigens ist die Quelle von Rochholz schon benutzt, vgl. den Schluß von Lenz mit Rochholz S. 273 und S. XVII, die Handschr. Ludwig Sterners die dieser daselbst und sonst oft erwähnt, muß das Original sein, aus dem die von Dießbach gebrauchte Handschr. stammt, vielleicht als unmittelbare Abschrift; denn beide enthalten in den Liedern durchaus dieselben Lücken (vergl. z. B. Lenz S. 153[a] mit Rochh. S. 252, S. 156[a] mit Rochh. S. 272), dort aber sind das ausgerissene Blätter, hier leergelassene Blattseiten. Im Vorwort des Herausg. ist davon nichts zu finden, er führt vielmehr Ludwig Sterner mit unter den Liederdichtern seiner Handschr. an, indem er die Schreiberunterschriften S. 163 ff. für Dichterangaben nahm. Der Abdruck selbst ist ohne Urtheil gemacht, neben Druckfehlern durch manche Lesefehler entstellt.

Ein wichtiger Beitrag zur Zeitpoesie des 17. Jahrh. erschien in folgendem Buche: „Die Fliegenden Blätter des XVI. und XVII. Jahrhunderts, in sogenannten Einblatt-Drucken mit Kupferstichen und Holzschnitten, zunächst aus dem Gebiete der politischen und religiösen Caricatur. Aus den Schätzen der Ulmer Stadtbibliothek [vgl. Mones Anz. 8, 407] wort- und bildgetreu herausg. v. J. Scheible. Mit 88 Tafeln. Stuttg., 1850.“ Scheible hat da einen überaus reichen Schatz von Zeitdichtung auszubeuten gehabt, kein andres Buch führt so lebhaft in die Zeitströmungen besonders des beginnenden großen Kriegs ein; eine zuverlässige und für immer brauchbare Ausbeutung freilich ist davon von vorn herein nicht zu erwarten, der Herausg. stellt sein Buch im Vorwort selbst unter die „Kuriositäten-Literatur" und hat denn natürlich nach diesem Gesichtspunkt seine Auswahl getroffen. Die Texte sind modernisiert und, wo des Herausg. Verständniß es zu erheischen schien, auch im Wortlaut nach Willkür zugerichtet, z. B. in dem Lied von des Pfalzgrafen Urlaub (oben S. XXII). Dennoch hat das Buch einen bedeutenden Werth für seine Zeit durch den vorgelegten reichen Stoff und noch mehr durch die zahlreichen bildlichen Beigaben oder selbstständige Bildersatiren, verkleinernde Copien der alten Kupferstiche und Holzschnitte, deren Treue freilich genau zu untersuchen wäre. Den Hauptbestandtheil bilden Spruchgedichte in mancherlei Arten, zwischendurch kleine Prosastücke, und eine kleine Anzahl hierher gehörender Lieder, etwa acht oder neun (S. 64. 147. 154. 184. 235. 270. 294. 313), größtentheils neu, zum Theil sehr werthvoll. S. 135 steht als anonymes Stück ein Spruch von Hans Sachs (bei Göz 1, 153). Auch in Scheibles Schaltjahr findet sich einzelnes hierher Gehörige, vgl. unten S. 343.

Im „Archiv für friesisch-westfälische Gesch. u. Alterthumsk., herausg. v. J. H. D. Möhlmann, 1. Bd. 1. Heft. Leer 1841" (mehr ist nicht erschienen) S. 47 ff. ward das Stortebekerlied nach einer neuen Quelle gedruckt, einem undatierten flieg. Bl. des 16. Jahrh., mit einleitenden Notizen, darunter eine höchst werthvolle Nachricht, s. unten S. 3 fg.

In der Zeitschrift des historischen Vereins für Niedersachsen, Jahrg. 1850, Hannover 1854 S. 1—116, und Jahrg. 1852, Hann. 1855 S. 154—163 erschienen „Gedichte auf Heinrich den Jüngern, gesammelt von Karl Gödeke," aus alten Originaldrucken meist der K. Heyse'schen Bibliothek; Lieder sind Nr. 3. 7. 13. 14, davon das zweite schon bei Körner S. 166, das vierte, Herzog Heinrichs Klagelied von Burcard Waldis, zugleich von Mittler im Hess. Jahrb. 1855 und in besonderer Ausgabe gedruckt ist. Im Hessischen Jahrbuch, Cassel 1854 gab F. L. Mittler eine ähnliche monographische Zusammenstellung aus der hessischen Geschichte: „Fünf Volkslieder zur Geschichte Philipps des Großmüthigen"; neu davon sind zwei, S. 121 und 126, das erste im Stortebekerton mit einem wol fingierten Namen: „in dem thon Vnd der Bapst der ist ein heiliger Man, Wer das rett der leugt jn an", das andere „in des Bentzenawers melodey".

Kleinere Beiträge manigfacher Art wurden gegeben in verschiedenen Werken zerstreut, z. B. in einer Abhandlung über Pasquille, Spottlieder und Schmähschriften aus der 1. Hälfte des 16. Jahrh. von Joh. Voigt in Raumers Hist. Taschenbuch Jahrg. 1838; daselbst finden sich manche Bruchstücke aus Liedern, namentlich das Interim betreffend. Bibliographische Nachweisungen und Notizen, auch Bruchstücke von Liedern gab der 2. Bd. von Jacobs und Ukert's Beiträgen zur älteren Literatur aus den Schätzen der Gothaischen Bibliothek. Das schweiz. Streitlied wegen der Schlacht vor Bicocca bei Rochholz S. 370, das von Niclaus Manuel herrühren soll, und dort unvollständig war, wurde gedruckt aus mehreren Quellen und vollständig mit Variantenangabe in C. Grüneisen's Niclaus Manuel, Leben und Werke eines Malers und Dichters, Kriegers, Staatsmannes und Reformators im 16. Jahrh. Stuttg. u. Tüb. 1837 S. 400 ff., vgl. S. 214; ebenda S. 408 ff. zwei „Lieder auf das Badener Religionsgespräch", deren Verf. Manuel sein soll, vgl. S. 216 ff. — Erwähnung verdient auch ein gehaltvoller bibliographischer Beitrag: „Bücherschatz der Deutschen National-Litteratur des 16. und 17. Jahrhunderts. Systematisch geordnetes Verzeichniß einer reichhaltigen Sammlung deutscher Bücher u. s. w., besonders reich an Einzeldrucken von Volks- und Kirchenliedern, historischen und andern kleinen Gedichten und Flugschriften u. s. w. Berl. 1854," das Vorwort unterzeichnet „K. H." (Karl Heyse); darin ist unter vielem Bekannten auch der Titel manches neuen Stückes zu finden, ein genaues Register der Anfänge erleichtert die Benutzung. — Für einzelne Lieder endlich waren dienlich ein paar neue Gesammtabdrücke älterer Liedersammlungen, das vom Herausg. sogenannte „Ambraser Liederbuch" v. J. 1582, herausg. von Jos. Bergmann, als 12. Publication des Literarischen Vereins in Stuttgart, zu Nr. 107 dem Liede von König Ludwig aus Ungarn (Wolff S. 13 und 666) ist S. 381 eine geschichtliche Erörterung beigegeben; und „Bergreien, eine Liedersammlung des 16. Jahrh., nach dem Exempl. der großherz. Bibl. zu Weimar herausg. v. O. Schade. Weimar 1854," demselben welches schon Wolff für seine Sammlung benutzte (z. B. S. 75. 79, wahrsch. auch S. 666), und nach ihm Uhland; eine Inhaltsangabe des werthvollen Buchs gab der Mone-sche Anzeiger 8, 358 ff. Darin ist S. 133 dasselbe Lied von König Ludwig aus Ungarn, welches nebenbei bemerkt auch in dem unten S. 367 erwähnten Leipz. Druck des Hürnen Seyfrid von 1611 an-hangsweis enthalten ist, im allg. mit dem Text des Frankf. Liederb. Der Herausg. hat die Bergreihen mit Anmerkungen versehen, welche Varianten anderer Texte, kritische Vermuthungen und sprachliche Erklärungen geben; zu den einleitenden Erörterungen und Notizen ist hauptsächlich nachzutragen, daß im alten Druck die Lieder bis Nr. 38 nach den Anfängen alphabetisch geordnet sind, darauf aber noch 20 Lieder ohne diese Ordnung folgen, doch so daß man auch unter ihnen wieder kleinere ebenso geordnete Abtheilungen auslösen kann; das ist so wahrscheinlich wie möglich eine äußerlich gebliebene Spur der ältesten Gestalt der Sammlung und der in folgenden Ausgaben geschehenen Zusätze; das ʻgemehrtʼ auf dem Titel ist also keine gedankenlose Redensart. Dieselbe alphabetische Ordnung zeigt auch das Neuvermehrte Bergliederbüchlein (unten S. 398), ebenso das Antwerpener Liederbuch vom Jahre 1544, herausg. von Hoffmann von Fallersleben als 11. Band seiner Horae Belgicae Hann. 1855; auch bei diesem geht die ursprüngliche alphabet. Ordnung der Lieder nur bis Nr. 171, von da an sind noch drei oder vier spätere Zusätze nach ihrer innern alphabet. Anordnung zu unterscheiden. Dieses Antwerpener Liederbuch enthält auch eine Reihe niederländischer historischer Lieder.

Das historische Volkslied der neueren Zeit hat sich einer gleichen Aufmerksamkeit nicht zu erfreuen gehabt wie das ältere, welches gewissermaßen schon in die Würde eines wissenschaftlichen Objects hineingewachsen ist. Soltau hatte ihm zuerst die Ehre angethan in der höheren Bücherwelt von seinem Dasein Act zu nehmen, indem er es in einer kleinen Schar wie ebenbürtig zu den würdigen älteren Brüdern stellte, vergl. seine Äußerungen darüber S. LX. LXIII. LXIV. Was nach Soltau dafür gethan worden ist, beschränkt sich fast ganz auf theilweise Berücksichtigung in den allerdings zahlreichen Sammlungen, die für das neuere Volkslied überhaupt wirkten.

Von besonderen Veröffentlichungen solcher Lieder kenne ich nur zwei: „Preußische Soldatenlieder und einige andere Volkslieder und

Zeitgedichte aus dem Siebenjährigen Kriege und der Campagne in Holland von 1787, aus gleichzeitigen Einzel-Drucken und Fliegenden Blättern herausg. v. C. G. Kühn. Berl. 1852." Der Herausg. fand zufällig in dem Winkel einer Büchersammlung eine Menge fliegender Blätter aus vorigem Jahrh. und wählte daraus zum Druck hauptsächlich die Soldatenlieder als „sämmtlich von einer seltenen Frische und Naivetät des Ausdrucks und den ächt preußischen Sinn kund gebend," um „den Vaterlandsfreunden diese Reliquien einer großen Zeit, mit diplomatischer Treue nach den alten Drucken wie dieselben wörtlich und buchstäblich lauten, zu übergeben." Es sind 17 Stücke, echte Kinder ihrer Zeit, ein paar sogar in Alexandrinern, ein paar andere in kirchlichen Melodien, auch Gesprächslieder darunter; doch ist auch unter den eigentlichen Soldatenliedern keins in dem Sinn volksmäßig wie etwa das von der Prager Schlacht 1757. Dennoch ist die Mittheilung der Lieder, nicht bloß vom patriotisch preußischen Standpunkt, äußerst dankenswerth, nur ist von einigen der Text nicht im besten Stand. Außerdem ein Duodezheftchen von einem Bogen, veranlaßt durch die Enthüllungsfeier des Berliner Denkmals Friedrichs des Großen: „Der alte Fritz im Volksliede, zur Feier des 31. Mai, von Ludwig Erk. Berlin 1851", eine „zweite verbesserte und vermehrte Auflage" in demſ. Jahr; es sind zehn Nummern, meist schon bekannt und vom Herausg. theilweis auch anderwärts schon veröffentlicht, hier zum Theil in neuer kritischer Behandlung, mit Melodien.

Einzelne Beiträge, entweder zerstreut oder zusammengestellt unter eine Rubrik „Soldatenlieder" oder wie sonst, finden sich in den meisten neueren Sammlungen Deutscher Volkslieder, größtentheils mit den Melodien; so bei Zarnack, Kretschmer und Zuccalmaglio, in Hoffmanns und Richters Schlesischen Volksliedern, bei Walter (unten S. 418. 436), in Finks Musicalischem Hausschatz, im Allgemeinen Deutschen Liederlexicon (unten S. 416. 445. 455), in Simrocks Volksliedern Frankf. 1851, in L. Erks verschiedenen Sammlungen, besonders in dem 4. Bd. des Wunderhorns Berlin 1854, wo auch einige ältere schon bekannte Lieder wieder gedruckt sind, S. 325 mehrere Lieder aus Friedrichs des Gr. Zeit, die zugleich in des Verf. „Der alte Fritz im Volksliede" erschienen; vgl. auch des Verf. Deutschen Liederhort Berl. 1856 S. 384—388.

Neuerdings ist das historische Lied fleißig bedacht und durch Neues bereichert in H. Pröhle's Volksliedern und Volksschauspielen, Aschersleben 1855; in E. Meier's Schwäbischen Volksliedern, aus mündl. Überlieferung gesammelt, Berlin 1855; am meisten in der trefflichen Sammlung Fränkischer Volkslieder von Franz Wilh. Freiherrn von Ditfurth Leipzig 1855, deren zweiter Band auf S. 157—185 eine besondere reiche Abtheilung „geschichtliche Lieder" enthält, darunter viel Neues, auch die folgende starke Abtheilung Soldatenlieder bringt manchen geschichtlichen Zug. Aus dem Odenwald theilte W. v. Plönnies ein paar Lieder mit in J. W. Wolfs Zeitschrift für Deutsche Mythologie und Sittenkunde, 1. Bd. Gött. 1853 S. 97 fg., vgl. unten S. 482. 475. Von einigen andern gelegentlichen Mittheilungen s. unten S. 436, 438 (Fouqué), 447 (Gödekes Deutsche Wochenschrift), 498 (Bremer Sonntagsblatt), 424 (Weimarisches Jahrbuch), 438 (Lieder auf Schill); vergl. auch S. 448 über Emmerts Almanach für Geschichte u. s. w. in Tirol. E. M. Arndt gab in seinen Erinnerungen aus dem äußeren Leben, Leipzig 1840 S. 43 ein prächtiges Bruchstück, leider aber nicht mehr, von einem Liede des siebenjährigen Krieges; er hatte es aus seiner Knabenzeit im Gedächtniß behalten von den vielen Liedern die er von seinem alten Oheim Christian Arndt hatte singen hören, der nach dem großen Kriege in der preußischen Armee gedient hatte. Pröhle hat in seinen Volksliedern S. 183 das Stück wieder abgedruckt, mit drei Fehlern (z. B. am Schluß Tag statt Tanz). Endlich ist auch hier ein Sammelwerk von J. Scheible mitzu erwähnen: „Der Volkswitz der Deutschen über den gestürzten Bonaparte, seine Familie und seine Anhänger. Zusammengestellt aus den 1813 und 1814 erschienenen Flugschriften, und mit besonderer Bezugnahme auf die Napoleoniden der Gegenwart neu herausgegeben. Stuttgart 1849. 50" in 12 Sedezbändchen, als Theil der „Kleinen Leih-Bibliothek, gesammelt aus dem Gebiet des Abenteuerlichen u. s. w., mit besonderer Berücksichtigung der Volksbücher aller Zeiten und Gattungen." Hier ist außer den Liedern von Arndt, Niemeyer u. a. eine Fülle satirischer Druckstücke aus jenen Jahren beisammen, in Vers und Prosa, darunter zerstreut nicht wenig Soldatenlieder und andere Lieder die Volkslieder heißen können.

Das ist es was mir von neueren Mittheilungen in diesem

Gebiete bekannt geworden ist, seit ich veranlaßt war mich danach umzuthun; daß es aber auch alles sei was wirklich mitgetheilt worden ist, glaube ich selbst am wenigsten, möglich daß die fehlenden Publicationen sehr zahlreich sind. Es wird das namentlich von monographischen Geschichtswerken und von den unter verschiedenen Namen erscheinenden Mittheilungen der historischen und Alterthumsvereine gelten — wenn es für den Laien schon schwer ist, von denselben ausreichende Kenntniß zu erhalten, so ist es noch weit schwieriger, derselben an einem bestimmten Orte habhaft zu werden. Ich würde dankbar sein für jede Nachweisung hier fehlender Quellen.

Um nun zu dem vorliegenden Buche zurückzukommen, so wird bei der dauernden vielseitigen Theilnahme an dem historischen Volksliede, die schon durch die vorausgehenden Anführungen belegt ist, der Versuch gerechtfertigt sein, von dem zerstreuten Stoff wieder einmal einen Theil als eine Art Gesammtbild zusammenzufassen; denn eine in gewissem Sinn massenhafte Zusammenstellung gibt dem Einzelnen einen höheren Werth, oft allein seinen rechten Werth, jedes einzelne Stück wird ja in gewissem Grade von allen den anderen mit beleuchtet. Freilich kann ich nicht sagen daß die vorliegende Sammlung dem entsprechend eine allseitig umfassende und erwägende Auswahl sei aus dem gesammten nach Soltau vorgelegten Stoffe; doch bin ich bemüht gewesen in Bezug auf möglichst allseitige Vertretung des abgesteckten Zeitraums ein größeres Gleichgewicht herzustellen als Soltaus Nachlaß zuließ, und es ist nicht Zufall sondern eine Wirkung der Sache, wenn in dem umfaßten halben Jahrtausend zwei Zeitpunkte vorwiegend mit Liedern besetzt sind, der Zeitpunkt der Reformation, und der des Befreiungskrieges in unserm Jahrhundert; ja in diesem Gleichgewicht hat die vorliegende Sammlung vor Soltaus erster Sammlung einen deutlichen Vortheil voraus. Allerdings sprach sich in Bezug auf letztere eine gewichtige Stimme, Jac. Grimm (s. oben S. XXII) dahin aus; es wäre wolgethan gewesen sich auf die ältere Zeit einzuschränken und das 18. Jahrh. ganz aus dem Spiel zu lassen, und gar mancher Liebhaber der ältern Dichtung mag ebenso gedacht haben. Aber wenn man nach einem bestimmten Grunde fragen sollte, warum dem neuern Liede dieß Unrecht angethan werden müsse ihm als einem unebenbürtigen nicht die Aufbewahrung an demselben Ort mit seinem älteren Bruder zu gönnen, so würde der Grund wol nicht stichhaltig sein; ich wenigstens mochte dieß Unrecht nicht auf mich nehmen, ja ich glaubte vielmehr darauf ausgehn zu müssen, daß auch dem neueren Liede sein wolgewogener Theil würde, und bin nicht im Zweifel daß sie, nun so zusammengestellt, sich im Interesse des Vaterlandsfreundes durch ihr bloßes Dasein ihr Recht erringen werden. Ich habe sogar eine besondere Freude daran daß es mir möglich war die Sammlung bis auf die neueste Zeit heraufzuführen, weil ich glaube, die bloße Thatsache daß der Volksgesang auch auf diesem Gebiete noch immer lebt, muß auf die Betrachtenden erfrischend und erfreuend wirken; auch scheint mir, daß gerade das Neueste sich in einer Vergleichung mit dem älteren Guten gar wol sehen lassen kann. Wenn im allgemeinen das neuere Lied nicht die Geschlossenheit und sichere, individuelle Ausbildung zeigt wie namentlich das Lied des 15. und 16. Jahrhunderts, so ist das, so weh es einem thun kann in übler Stunde, doch für die höhere Betrachtung ein wichtiger Stoff; das Volk selbst war eben nicht schuld daran wenn es von den edelsten Kraftäußerungen dieser Zeit im Stich und bei Seite liegen gelassen wurde. Was übrigens den Punkt betrifft, in dem überhaupt der oberste Werth des Volkslieds liegt, die ungemachte, echte, treibende Stimmung die im Keime sitzt, so gehört wol gerade manches von den neuern Liedern zu dem allerbesten was es überhaupt gibt und geben kann. Aber wie dem auch sei, mich freut bei der vorliegenden Vertheilung der Lieder schon die hergestellte Continuität, wie sie die Zeit vom 15. Jahrh. bis in unsere Tage in leidlicher Gleichmäßigkeit umfaßt und wie Eins zusammenschließt; und diese Continuität ist keine bloß äußerliche, sondern es gehn der verbindenden Fäden genug durch im innersten Wesen aller der Lieder wie in ihrer Form.

Was die Auswahl der Stücke anlangt, so unterscheidet sich diese Sammlung von Soltaus erster Sammlung wesentlich dadurch, daß sie die Sprüche ausschließt; das verstand sich, scheint mir, von selbst. Jacob Grimm a. a. O. tadelte an Soltaus Buche: „die aufgenommenen Sprüche gehörten ebensowenig unter die Lieder, sie verdienen etwa ein besonderes Buch.“ Doch hatte sie Soltau nur als Beigabe angesehn, sie sind unter die hundert Lieder die der Titel angab nicht mit eingezählt; nicht ausgeschlossen hatte er sie vermuthlich, weil auch Wolff solche gab. Eine eigene wolangelegte Sammlung solcher politischer Sprüche, wie sie Grimm wünschte, wäre gewiß gar nützlich; es würde dann erst recht sichtbar werden, welche Summe von Geist, Witz, tüchtiger Gesinnung, Einsicht, Patriotismus in diesen kleinen meist vergessenen Stücken enthalten und vergraben ist, an denen das 16. und 17. Jahrhundert so reich sind. Einen dieser Sprüche aus der Reformationszeit von Schradin hat J. Voigt schön zu Ehren gebracht in seiner Abhandlung über Pasquille u. s. w. (s. oben S. XXVI). Bei der Auswahl des Gegebenen kehrte oft der Zweifel wieder, ob dieß oder jenes Lied als Volkslied gelten könne. Der Begriff des Volkslieds ist seiner Natur nach ein schwankender und vielseitiger, gibt es doch Leute genug die ihn ganz und gar leugnen; ich mußte einen weiteren Begriff als Maßstab brauchen und ließ im allgemeinen als Volkslied gelten ein solches Lied das von einem größeren Kreise, der dem frischen Leben angehörte, wirklich gesungen worden ist als willkommener Ausdruck einer gemeinsamen Stimmung. In diese Form würden aber noch nicht alle von den hundert Liedern passen, ich habe auch solche gelten lassen die in die Form des Volkslieds als in eine einmal feststehende Form hineingesungen wurden, um die Mittel des Volkslieds für einen gleichen Zweck zu benutzen, oder aus der Stimmung heraus die dem Volkslied eigen ist; einige wenige, die auch diesem Begriff noch nicht genügen wollten und die doch herzugehören schienen, habe ich nebst ein paar andern als überzählige zugegeben.

Der Antheil an der Sammlung, der den mehreren Mitwirkenden zufällt, ward schon oben ungefähr angegeben, es scheint nöthig denselben hier übersichtlich näher zu bestimmen. Aus Soltaus Nachlasse stammen in der ersten Abth. Nr. 2. 3. 7. 8. 9. 10. 11. 12. 13. 14. 16. 17[b]. 18. 21. 22. 23. 24. 25. 26. 29. 35. 36, davon nur 12 und 17[b] nicht aus naheliegenden gedruckten Quellen; in der zweiten Abth. Nr. 41. 42. 44. 45. 46. 47[a]. 47[b]. 49. 50. 51. 52. 53, wovon neu Nr. 42. 44. (49.) 50. 51. 52. 53; in der dritten Nr. 63. 67[b]. 68. 74. 77. 80[b]. 81. 82. 87[a]. 91. 92. 93. 95. Leyser zu verdanken sind Nr. 4. 5. 6. 17[a]. 19. 20. 28. 30. 31. 32. 33. 34. 37. 38. 39. 40, alle bis auf eins jetzt oder früher durch Leyser zuerst bekannt geworden; von Nr. 31. 32 sind die Originale in meinem Besitz, Nr. 39. 40 verdanke ich einer Notiz in Leysers Nachlaß; außerdem hat Leyser zu einigen andern

Liedern Texte zum Mitgebrauch geliefert, wie seinerseits auch Soltau. Von mir hinzugethan sind, abgesehen von einigen zur Mitwirkung gezogenen andern Texten schon genannter Lieder, Nr. 1 (die jedoch gleichmäßig zu Soltaus und Leysers Nachlaß gerechnet werden kann). 15. 27. (31. 32), in der zweiten Abth. Nr. 43. 48. 54. 55. 56. 57. 58. 59. 60, in der dritten alle außer den oben bei Soltau genannten. Für diese dritte Abtheilung habe ich aber freundliche Unterstützung durch Andere rühmend und dankend zu erwähnen; vor allen einen Beitrag von zwölf Liedern, frisch dem Volksmund entnommen, den ich Herrn Wilhelm von Plönnies in Darmstadt verdanke, es sind Nr. 62. 64. 65. 66. (80.) 84. 86. 87[b]. 89. 94. 96. 100. Derselbe stellte auf eine verlorene Anfrage hin mir als einem Unbekannten seinen ganzen Vorrath zur Verfügung aus seiner reichen Odenwälder Liedersammlung, ohne seinen Beitrag hätte ich die neuere Zeit nicht genügend ausstatten können. Für einzelne Nummern bin ich zu Dank verpflichtet Herrn Dr. Zestermann (Nr. 83 und 85) und Herrn Dr. F. Flügel in Leipzig (Nr. 61), ebenso Herrn Heinr. Pröhle (Nr. 98[a]) und Herrn H. Krause (Nr. 97).

Was die Behandlung der Lieder anlangt, so wurde natürlich an der urkundlichen Wiedergabe der Texte festgehalten; doch konnte ich mich nicht dazu verstehn, wie Soltau, jede Urkunde als gleich achtunggebietend anzusehn und der Kritik den Mund zu schließen die ein solches Lied als ein lebendiges Ding behandelt, nicht als ein todtes. Nicht nur, wo ein Stück aus mehreren Quellen vorlag, habe ich die Kritik arbeiten lassen, sondern auch sonst, wo es nöthig schien, sie nach bestem Wissen geübt; unter dem Texte ist in allem Wichtigen genau angegeben was ich vorfand. In der äußeren Form der Lieder, in Orthographie und Interpunction, bin ich Soltaus Grundsätzen gefolgt, die auf S. XLVIII fg. seines Buches ausgesprochen sind. Nur in einem nicht, in der genauen Wiedergabe der ausgelassenen n und m die durch einen Strich über ihrem Vocal angezeigt sind; diese unangenehmen Abkürzungen habe ich aufgelöst, denn sie haben weder für das Lied noch für die Sprache noch selbst für die Orthographie irgend welche Geltung, sie hiengen im 16. und 17. Jahrh. fast nur vom Bedürfniß des Setzers ab, der Raum zu sparen hatte, verlieren also gänzlich ihren Sinn, wo die Zeile sich bequem ausbreiten kann.

Ähnlich ist es mit den willkürlich gesetzten nn (z. B. vnnd), die gern zur Ausfüllung der Zeile dienten. Mag sonst für Grammatik und Wörterbuch ein Idealisieren der Sprachform tauglich oder nöthig sein, für solche Schriftstücke die als einer bestimmten Zeit angehörig vorzulegen sind, scheint mir umgekehrt tauglich oder nöthig zu sein daß man ihnen ihr Kleid lasse wie es eben ihre Zeit mit sich bringt; ja mir scheint als hätten wir gar kein Recht dazu ihnen ein anderes Kleid anzuziehen. Wenn man übrigens bei Schriftstücken des 16. und 17. Jahrh. von „wüster Schreibung" reden hört, von regelloser Willkür und Laune der Schreiber und Drucker, so spricht sich darin wol mehr ein Verdruß aus daß die Sprachgestalt nicht so ästhetisch schön ist wie man sie gern sähe, als eine ruhige Würdigung der Sache. Die beliebte „Regelung" hat mich zuweilen an Adelung erinnert und mit der regellosen, tollen Willkür die man jener Zeit zuschreibt, ist es eine mißliche Sache. Denn vieles was darin mit begriffen wird, war entschieden vielmehr Regel durch alle Gaue, und das 16. Jahrh. ist gerade die Zeit wo man anfieng die Sprache mit den Augen der Theorie anzusehn, und man fieng da eben mit Außendingen an. Wie viel uns daher häßlich scheinen mag, wer weiß denn schon genau was nicht davon gar auf einer Theorie beruht? wie z. B. offenbar die dt, gk im Auslaut, die oft zu bemerkende Unterscheidung von 'in' der Präposition und 'jn' dem Pronomen. Sodann, wer hat denn schon genau gesichtet was von dem orthographisch Auffälligen der Aussprache seiner Zeit dient, was nicht? Freilich fragt man im allgemeinen der Aussprache nicht viel nach in einer Zeit die nur noch mit den Augen liest, für die das Wort oft nur noch auf dem Papier zu leben scheint. Und doch, welcher Preis wäre zu hoch, der uns den lebendigen Klang zurückkaufen könnte in dem die Rede ertönte, mit der man sich nun doch einmal beschäftigt? nun, daß in der Wortgestalt wie sie eben ist die Zeichen dafür mit verborgen liegen, ist nothwendig, und der Herausgeber der da „regelt", kommt bei größter Vorsicht nicht aus der Gefahr heraus, das Kind mit dem Bade auszuschütten. Man findet z. B. öfter einen Verdruß darüber ausgesprochen, daß auf derselben Seite oft dasselbe Wort in verschiedener Schreibung erscheint; wie seltsam! statt Verdruß, könnte man oft genug eben daran Wolbehagen empfinden, denn das ist auch ein Zeichen einer lebendigen Zeit, die das Wort noch im

Klange suchte der laut oder gedacht im Ohre tönt, nicht in den Lettern, die ihr nur Zeichen waren, nicht die Sache selbst; gar oft sucht die verschiedne Schreibung nur dem lebendigen Klange von verschiedner Seite her beizukommen. Und wo auch das alles nicht gelten mag, wo bloße Gewohnheit, launenhafte Gewohnheit waltet, auch diese gehört zur Sprachgeschichte und fordert ihren Theil an der Achtung vor dem historisch Thatsächlichen; das Regellose darin hat man sich zum Theil selbst eingeredet, es wirken darin vielmehr bestimmte Neigungen, Liebhabereien, ja Regeln, die sich entwickeln, sich ablösen, die Zeit malen helfen und entschieden zur Geschichte des Geschmacks gehören. Ebenso mit der Interpunction, auch sie wie sie einmal ist, gehört zum Charakter der Zeit. In den Liedern gerade tritt im 16. Jahrh. Komma und Punkt als Lesezeichen eigentlich gar nicht auf, sondern als Singezeichen, s. unten S. 207. 221 ff. 246 ff. 254. 283 ff. 286 ff., vgl. bei Körner Nr. 17. 25a. 30. Nicht anders in dem häufigen Falle, wo nach jeder Zeile ein Komma steht; diese durchgeführten Kommata stehn im allgemeinen dann, wenn im Druck, wie meistens, die Strophenzeilen unabgesetzt fortlaufen, während bei abgesetzten Zeilen, dem seltneren Falle, in der Regel gar keine Interpunction sich findet. Wir nach unserer Gewöhnung sind davon gestört in beiden Fällen, sie mögen stehn oder nicht, wir finden uns wol gar zuerst von der Schwierigkeit beunruhigt, wie das ohne Anstoß gelesen werden könne. Aber wenns unsre Väter lesen konnten, wie solltens wir Lesegeübten nicht können? Fühlt man sich beim Lesen anfangs wie in einer Wüste oder einer Wildniß, so stellt sich nach einiger Übung ein ganz anderes Gefühl ein: man findet, daß es mehr Freude macht, weil es mehr Mühe fordert; man merkt daß man die Sache lebhafter, frischer faßt, weil man nicht über die Oberfläche hinhuschen kann, sondern hineinsehen muß ins Innere; man liest am Ende aufmerksamer als sonst, denn man liest von innen heraus, und kommt wol auch auf den Gedanken daß unsere Vorderen wenn sie immer so lasen frischere Leute gewesen sein müssen und einen fassungskräftigeren Sinn gehabt haben, als wir. Welches Unrecht wäre es nun, unsere schulmäßige Zeichensetzung die uns mit verzogen hat und die wir verlangen selbst wo wir sie nicht brauchen, der Rede und dem Liede unserer Vorfahren aufkleben zu wollen! Nur wo in der Quelle die alte Interpunction nicht mehr rein erhalten war, mußte ich willkürlich eintreten, um das Moderne zu mildern; so bei Nr. 3. 4. 7. 8. 9. 13. 14. 15. 16. 17ᵃ. 35. 41. 45. 46.

Endlich etwas über die Zugaben des Herausgebers unter dem Text und vor dem Text der Lieder. Zu den letzteren nur hat Soltaus Nachlaß Einzelnes beigesteuert, es sind einzelne bibliographische, wenige sachliche Notizen, außer den an Ort und Stelle angegebenen noch zu Nr. 9. 29. 49, alles Übrige ist von mir außer wo anderer Ursprung angegeben ist. Ebenso trage ich, mit wenigen bezeichneten Ausnahmen, die Verantwortung der Zugaben unter dem Texte — sie sollten versuchen zur Erläuterung und Verwerthung der Lieder beizutragen was eben in meiner Macht stand bei der Kürze der mir gegebenen Zeit. An sich ist klar, daß, wie jedes Lied durch Aufklärung seiner Veranlassung uns erst bedeutsam oder verständlich wird, gerade Lieder dieser Art allein richtig und ohne Fehlgriffe gewürdigt werden können, insofern es gelingt sie in ihrer zeitlichen und sonstigen Umgebung aufzuzeigen in der und aus der sie entstanden sind. Ganz abgesehen von wirklichen sachlichen Schwierigkeiten, bin ich bei meiner Beschäftigung damit oft genug erstaunt, wie durch Hinzutritt einer kleinen sachlichen Notiz oft etwas Bedeutendes sich herausstellte, wo ich vorher ohne Anstoß weitergelesen hatte, und ich hätte gewünscht mich gleich mit einem Geschichtskenner associieren zu können, damit den Liedern ihr volles Recht geschähe. Eine ganz genügende allseitige Aufklärung stünde schwerlich in der Macht eines Zeitgenossen, aus dieser Rücksicht hauptsächlich hatte Soltau selbst auf S. LIII fg. seiner Sammlung historische Erläuterungen von sich abgelehnt. Ich fühlte das ganze Gewicht dieser Bedenken und konnte mich doch nicht enthalten zu thun was ich im Augenblick vermochte, mir war es immer als forderten es die armen Lieder von mir. Auch von sprachlichen Erklärungen wollte Soltau a. a. O. nichts wissen, „weil sie bei den hochd. Liedern überhaupt weniger nöthig schienen, in den niederd. dem der Sprache Unkundigen aber alles erklärt werden müßte.“ Mir schienen beide Einwendungen nicht Stich zu halten; die niederd. Sprache des 16. Jahrh. ist im allgemeinen leichter zu verstehn als die jetzige, und was daran fremd ist in Lautlehre und Formenlehre, das kann auch der Gebildete mit einiger Lust bald so weit überwinden, daß er dann ein besonderes

Vergnügen daran findet. Daß aber Erklärung der hochd. Lieder weniger nöthig sei, scheint mir eine reine Selbsttäuschung, hervorgehend aus der stillen Voraussetzung daß man dem alten Stil Sonderbarkeiten, Ungenauigkeiten, Härten, halbe Ausdrücke, grammatische Roheiten u. dgl. nachsehen müsse, die ungebildete Zeit habe es einmal nicht besser gekonnt, vollends die Dichter des Volksliedes. Unsere Zeit ist, glaube ich, weit sicherer im Verständniß der Rede des 13. Jahrh., als der des 16. und 17., wir lesen im allgemeinen Schriftstücke des 16. Jahrh. fast noch mit den Augen etwa mit denen Bodmer, Gleim, Hölty, Möser die Minnesinger lasen, wir thun im Lesen unsern Vätern Unrecht über Unrecht, und reden dann wol mit ganz eigner stolz beschönigender Miene von den „ehrlichen, biedern, treuherzigen" Männern, reden und urtheilen auch frischweg von Inhalt und Ton ihrer Schriften ohne einen Schatten des Zweifels, ob wir sie auch verstanden haben, was so eigentlich verstehen heißt. Ich habe das an mir selbst erfahren und konnte daher nicht umhin, nach augenblicklich bestem Wissen und Können meine Lieder in Wort und Rede aufzuklären, berechnet für gebildete Freunde unsrer Vergangenheit, zumal da im Volkslied besonders viel Anlaß für uns vorliegt Anstoß zu nehmen wo vielmehr Erfreuliches oder doch Lehrreiches vorhanden ist, oder gleichgültig fortzulesen wo Bedeutendes verborgen liegt. Es bleibt uns ja ohnehin so viel noch verschlossen, was zu einem rechten Urtheil über die Lieder nöthig wäre, theils in der Sache, theils in ihrer lebendigen Erscheinung, die wir immer nur dunkel zu ahnen vermögen, da wir sie nicht mehr gesungen hören können. Für die Melodien etwas zu thun war ich ganz außer Stande, die Melodien der meisten neueren Lieder sind in anderen Sammlungen zu haben; man kann aber bei der Beschäftigung mit Volksliedern nicht oft genug und nicht lebhaft genug sich erinnern, daß sie allein in ihrer Melodie und für den Gesang entstanden sind.

Leipzig, im Jan. 1856.

H. R. Hildebrand.

Berichtigungen und Nachträge.

S. 12 Nr. 2, 5, 1: **Prunschweil** ist mit Unrecht geändert, die Form ist richtig, sie steht im Reim in einem Liede bei Joh. Lenz, der Schwabenkrieg (oben S. XXIII) S. 29b: **der hertzog von brunschwil** (: **vil**); im Grunde eine mit gutem Instinct vorgenommene Verhochdeutschung des Namens, vielleicht schon alt.

S. 14 Nr. 2, 9, 2: Wolff S. 65: **der Babst schreibt sich ein irdischen Gott**, in einem Reformationsliede. — S. 20 Nr. 4, 4, 4: **bruwer unt multer** zusammen im Redentiner Spiel bei Mone, Schauspiele des Mittelalters 2, 74.

S. 15 Nr. 3: Die „**Landsknechte**" in dem Liede müssen später von den Singenden hineingetragen sein, „Landsknechte" gab es ja erst seit dem Schlusse des Jahrhunderts unter Maximilian I., gemiethete Kriegsknechte hießen sonst im 15. Jh. „**Trabanten**", wie im urspr. Liede durchaus gestanden haben mag; die Bemerkung zu Str. 5, 4 gilt nur für die späteren Singer des Lieds, nicht für dessen Ursprung.

S. 27 Nr. 5, 1, 3: dieß **all** in einem hochd. Liede, wie hier gleichfalls im Auftakt, bei Körner 147: **das Teutsch vatterlande, zu retten yn der not, all von des Türcken hande.**

S. 41 Nr. 7, 17, 2: vielmehr Hohenems in Voratlberg.

S. 48 Nr. 9, 6, 2: die einfache Bedeutung dieses '**lat euch wol der weil**' im Gebrauch ist: nehmt euch Zeit, s. Schm. 4, 55.

S. 68 Nr. 11, 26, 2: auch in einem Liede bei Körner 102, Soltau 211 **gegen dem kayser Maximiane.**

S. 72: Von Nr. 12 steht das niederd. Original bei Lüntzel, Stiftsfehde S. 200 (s. oben S. XIV), nach fünf Handschriften, worunter die von Soltau gebrauchte; ebenda S. 116—147 der ganze Bericht Joh. Oldekops über die Fehde, das Bruchstück aus dem Liede S. 129. Lüntzels Text weicht wenig ab, bemerkenswerth: Str. 4, 7 **dat de Warheid betugen kan**, die Wahrheit als Person gedacht; 6, 2 verh. **reisige perde**; 6, 5. 6 **des seck de forsten frawen, von frouden lacheden se gar.** 8, 1 **sperden wagen**, dazu Lüntzels Anm. mit der Aufklärung des Ausdrucks: „currus sphaericus wird es lat. gegeben, es waren die mit einem halbrunden Verdecke versehenen Wagen die wie unsere Kutschen dienten;" demnach wird der deutsche Name eine umdeutende Entlehnung des lat. sein. 9, 5: **alse dat uns m. w.**, scheint unrichtig.

S. 82 Nr. 13, 20, 8: Rosenplüt im Beginn seines Spruchs vom Nürnberger Kriege: **ewiger got in deinem reich ... brich auf den tam deiner gnaden teich.** Wolffs hist. Volksl. S. 48.

S. 88: Nr. 15 ist auch gedruckt bei Lüntzel, Stiftsfehde S. 243 ff. nach drei Hss., mit mancherlei Abweichungen, wie Str. 1, 6 **den Lawen tho vorferen** (**vorferen**); 2, 5 **de kleinen waldvogelin**; 2, 6 **fremde geste**, dieß das eigentlich

Übliche (vgl. unten S. 98. 103, bes. 268). Str. 3 sehr abweichend, mit einigem Echteren:

De Law grof (grub) eine schanzen grot,
Der Ulen nest he ser torschot,
Mid sinem scharpen geschutte,
Schetendes ded he wundervel,
Dat was der Ulen froudenspel,
Et brocht om ock kein nutte.

4, 5 flog over vele tho dot; 4, 6 wolde se l.; 5, 4 ff. Mid manchem kunen krigesman Deden se wol up Peine stan, Se wosten kriges bruck und wise; 7, 1 Peiner slot; 8, 1 De Lawe hed seck rc.; 8, 2 rhythmischer De van Brunswick hebben der U. g.; 8, 4 ff. Wowol es de Ule nich hadde vordeint, De van Br. mid truen gemeint, In noden do se woren (weren?). 9, 1 An aller Hilligen dag eck iw sag. 9, 4 ff. Dat lager is von einander getogen, De duvel sind daruth geflogen, Vor Peine nich langer getovet. 10, 2 so ridderlick, das Wort das die Landsknechte gern von sich brauchen. 11, 1—3 De uns dut leid heft gedicht,' Den sal men prisen des sid bericht, Mid allen fromen landsknechten, worin deutlich der Sänger sich als Landsknecht angibt. 11, 6 mit eren und rechte.

S. 96 ff.: Nr. 17 schon bei Lüntzel, Stiftsfehde S. 245 ff. nach drei Hss.; Lüntzels (niederd.) Text schließt sich dem weniger echten Texte der Übers. unter Nr. 17^b als dessen Original enge an, welchen ich also vergleiche. 2, 2 wite h.; 7, 5 de eine, danach wird das hochd. der einer in 17^b als zweifacher Nominativ gemeint sein, wie sich das in niederdeutschem Hochdeutsch öfter findet. 10, 6 dat hadde on. 12, 2 de sele spieden se in dat gras, in einer and. Hs. heißt die verfängliche Zeile ihre schelen (?) spreden se, Schramms Lesart (s. unten S. 99 am Ende) gibt Lüntzel mit einem Druckfehler an, der das Ganze unkenntlich macht: de schele. 13, 5 wowol. 15, 1 nu trecket tho hus. 16, 1 Sus. 17, 6 tho orem. 18, 1 tho betalende. Str. 13—17 finden sich schon gedruckt als „Extract aus dem alten Lied von der Vlen von Peine im Stifft Hildeßheimb" im 1. Thl. der sog. Braunschweigischen Historischen Händel S. 462 (vgl. unten S. 297); dieß ist der Columnentitel des Buchs, einer Sammlung von Aktenstücken in Bezug der Streitigkeiten des Herz. Heinrich Julius mit der Stadt Braunschweig, auf Anordnung des Herzogs zusammengestellt zu seiner Rechtfertigung vor der Nachwelt, gedr. zu Helmstedt 1607: „Außführlicher Warhaffter Histor. Bericht, die Fürstl. Land- und Erbstadt Braunschweig, auch der Hertzoge ... darüber habende ... Gerechtigkeit ... betreffend" u. s. w.; die Abweichungen sind unerheblich: 13, 5 wowol se dem Lowen (immer so) syn verplicht, auf die Gegenwart bezogen, wie überhaupt aus dem Liede nur das Stück ausgehoben ist das die Braunschweiger verhöhnt; 14, 2 So hebben se alle d. g.

S. 145 Nr. 21, 12, 6: die seltsame Redensart schon in dem Spruche von Auslegung der sechs Farben bei der Hätzlerin S. 168 ff. V. 126: ein Mann, dem seine 'frawe' Hoffnung mache und der darauf hin sie schon zu haben meine, der vischet vor dem peren (reimt: geweren), der macht die Rechnung ohne den Wirth.

S. 157 Nr. 22, 22, 1. 2: die Hdschr. hat ettlicher ... dunckten.

S. 170 Nr. 24, 18, 5: lies **ermürdt**, vgl. zu Nr. 35, 13, 9.

S. 192: Nr. 27b hatte vor Wackernagel schon G. Th. Strobel aus einem flieg. Bl. mitgetheilt in den Neuen Beiträgen zur Litteratur besonders des sechszehnten Jahrh., 3. Bd. 2. Stück, Nürnb. u. Altdorf 1792 S. 195 ff. mit der Bemerkung: „Die Veranlassung zur Verfertigung dieser Schrift gab ohne Zweifel folgender Päbstliche Rathschlag zur Verbesserung der Kirche: Consilium delectorum Cardinalium de emendanda Ecclesia Paulo III. ipso iubente conscriptum et exhibitum a. 1537. s. l. 1538 in 4°, den auch Luther (Wittenb. 1538. 4°) deutsch edirte." Die Abweichungen bei Strobel sind bloß orthographisch und rühren schwerlich alle aus dem Orig. her. Leider ist unten übersehen das Jahr des Drucks hinzuzusetzen, das im Orig. angegeben ist, es ist 1538.

S. 266: Nr. 36 ward, wie ich leider zu spät finde, schon vor Hormayr mitgetheilt im Fünften Jahresbericht des historischen Vereins im Rezatkreis, für das Jahr 1834. Nürnberg 1835 S. 38 ff., aus derselben (auch hier nicht angegebnen) Quelle wie Hormayr, mit denselben Druckfehlern, denselben Auslassungen in Str. 15. 16; eine andere Auslassung aber kommt hier an den Tag, ein Flüchtigkeitsfehler bei Hormayr, im Abschreiben begangen, grob genug, obwol ich ihn nicht spürte. Str. 3 nämlich, aus deren 1. Zeile Hormayr in die 1. Zeile der 4. Str. sprang, heißt:

3 Eyn auffrur hait er gefangen an,
Seyn Vaterlandt deutzsch nacion,
In grundt gar zu verderben,
Des must sich vff künftiges Sommers zeit
Mennich kun held darumb sterben, Ja sterben.

4 Wie nun das spiel lengst gefangen an,
Erst ruff man u. s. w. (unten Str. 3, 2).

Str. 11, 1 **Eyns**, daher **Ehns** unten Druckf. Hormayrs; 17, 5 hier **Sie waren vorn beyde drane**, das ist das Bessere, Horm. hat das Wort wol auch überlesen; 19, 5 **Seyn**, nicht **Syn**; 23, 5 **leidt**. Außerdem auf Hormayrs Seite kleine Nachlässigkeiten in Wiedergabe der alten Orthographie, so heißt es immer **fursten**, 15, 5 **zwsamen**, 35, 5 **vberk**.

S. 274 Nr. 36, 42, 2: Daher ein Sprichwort: „**sich aus dem Rauche** (Staube) **machen**" Schottel, Ausf. Arb. v. der Teutschen Haubtsprache S. 1117b.

S. 278 ff.: zu Nr. 38 sind wesentliche historische Irrthümer zu berichtigen die ich begangen. Neuß war nicht der Utrechter Union beigetreten, es war als dem Erzstift Köln gehörig in den sog. Truchsessischen oder Kölnischen Krieg (1583—89) verwickelt worden. Die Stadt ward von Anhängern des entsetzten Kurfürsten Gebhardt im Mai 1585 mit Gewalt eingenommen und nun im Namen und Auftrag des neuen Kurfürsten Ernst (Str. 3, 5) von Alexander Farnese, Herzog von Parma, zurückerobert; die Belagerung war ausgezeichnet durch Tapferkeit der Besatzung unter ihrem, vom Grafen von Nevenaar eingesetzten Commandanten H. Cloedt, die Einnahme durch unerhörte Grausamkeit der Spanier und Abbrennung der Stadt. Ausführliches bei Löhrer, Gesch. der Stadt Neuß, Neuß 1840 S. 243 ff., der nach Strada erzählt. Str. 6, 4 bezieht sich auf ein verrätherisches Schießen, das bei einer Verhandlung unter Waffenstillstand auf den Herzog von den Mauern aus gerichtet wurde; von Cloedts Vorschlag Str. 7 weiß Löher nichts, dem überhaupt dieß Lied nicht bekannt ist. Zu Str. 15, 2: gerade so viel gab der Sieger officiell an.

S. 300 unten: „Katzen" hießen in der damaligen Befestigungskunst eine gewisse Art Schanzen, wie aus L. Fronspergers Kriegsbuch näher zu ersehen.

S. 318 Nr. 43, 9, 4, zu meiner Anm.: wirklich wird in dem Landsknechtlied 'Ach Karle großmächtiger man' Wunderh. (neue Ausg.) 1, 109 (vgl. 150), Körner S. 184 'der Ertzbößwicht Bapst Hildeprandt' der Helbrand genannt, die Fassung bei Wolff S. 186 hat Hildebrand.

S. 369 Nr. 51, 4, 8, zu meiner Anm.: in einem Lied auf Tylli bei Körner S. 312 wird der katholische Held gepriesen:

hab auch von keinem glesen,
der Tyllio gleich wär,
an Hertz, an glück, an Sigen,
jhr Römer schweiget still,
jhr müest da vnden ligen,
wann mans vergleichen will.

S. 392: Den eigentlichen Anlaß zu diesem Confectspott in Bezug auf die Leipziger Schlacht gab wol eine Satire, von der Gervinus spricht, Gesch. der Deutschen Dichtung 3, 302 (4. Ausg.): „Es ward ein Stück ausgegeben, wie die verschiedenen deutschen Länder zum Schmaus aufgestellt und abgenagt waren, Chursachsen war bis zuletzt zum Confect aufgehoben" u. s. w.

S. 452 Nr. 74, 8, 2, zu meiner Anm.: ich habe nun eine Halbstrophe zur Ausfüllung der Lücke, mündlich aus Thüringen, deren Einordnung mir nicht klar ist:

Bester König, laß dein Grämen,
Nimm gelassen hin dein Loß,
Könnt ich dich doch mit mir nehmen
In der Erde kühlen Schoß.
Doch ach nein, es ist nicht möglich u. s. w.

S. 455 Nr. 75: H. Pröhle in Fr. L. Jahn's Leben, Berl. 1855 S. 40 gibt als Dichter Jahn an, der allerdings immer zu treffendem Spott fertig war und mit dem sittlich-religiösen Ernst spotten konnte wie ihn das Lied zeigt: „Durch den kläglichen Rückzug der Franzosen aus Rußland wurde dieser veranlaßt zu einem kleinen Gedicht, dessen eine Strophe also lautete:

Trommel ohne Trommelstock,
Kürassier im Weiberrock,
Mit Mann und Roß und Wagen
Hat sie der Herr geschlagen."

Freilich führt Pröhle keinen Beleg für Jahns Autorschaft an, er citiert wie es scheint aus der Erinnerung.

Abkürzungen:

Adrian Mitth., s. S. XXI.
agſ. bedeutet: angelsächsisch.
ahd.: althochdeutsch.
altſ.: altsächsisch.
Antwerp. Lb., s. S. XXVII.
Brem. Wb.: Versuch eines bremisch-niedersächsischen Wörterbuchs ꝛc. 5 Theile. Bremen 1767 ff.
Erlach: Die Volkslieder der Deutschen, eine vollständige Sammlung ꝛc., herausg. von F. K. Freih. v. Erlach. 6 Bde. Mannheim 1834 ff.
Gramm.: Deutsche Grammatik von Jacob Grimm.
Grimms Wb.: Deutsches Wörterbuch von Jacob Grimm und Wilhelm Grimm.
Hätzl.: Liederbuch der Clara Hätzlerin, herausg. von Haltaus. Quedlinburg und Leipzig 1840.
Haupt: Zeitschrift für Deutsches Alterthum, herausg. von Moriz Haupt.
Hoffmann, Spenden: Spenden zur deutschen Litteraturgeschichte von Hoffmann von Fallersleben. 2 Bändchen. Leipzig 1844.
Körner, s. S. VI.
mhd.: mittelhochdeutsch.
mnl.: mittelniederländisch.
nd.: niederdeutsch.
nhd.: neuhochdeutsch.
nl.: niederländisch.
Rochholz, s. S. X.
Scheible Flieg. Bll., s. S. XXIV.
Schm., Schmeller: Bayerisches Wörterbuch von J. Andreas Schmeller. 4 Bde.
Simrock, s. S. XXVIII.
Solt., Soltau, s. S. III.
Uhland, s. S. XIII.
VL.: Volkslied.
Weller, s. S. X.
Wolff: Sammlung historischer Volkslieder und Gedichte der Deutschen, v. O. L. B. Wolff. Stuttg. u. Tüb. 1830.

Inhalt.

I. Funfzehntes und Sechzehntes Jahrhundert.

---

*) Die „Kaiserwahl“ in der Überschr. S. 76 habe ich leider in Soltaus Abschrift uncorrigiert mit in die Druckerei gegeben, Mone hatte so.

*) Die „Lutherischen“ in der Überschr. S. 141 rühren ebenso von Soltau her, ich habe schlimm genug den Fehler bis jetzt übersehen.

II. Siebzehntes Jahrhundert.

III. Achtzehntes und Neunzehntes Jahrhundert.

I.

nfzehntes und Sechzehntes Jahrhundert.

1.

Das Stortebekerlied.

(1402.)

Das merkwürdigste aller hist. Lieder; mir ist kein andres bekannt, dessen natürliches Leben sich so weit, nämlich über ein halbes Jahrtausend erstreckt hätte. Denn entstanden ist das L. doch sicher nicht sehr lange nach dem Ereigniß, und noch in unsrer Zeit hat man es singen hören, so nach Lappenberg auf Rügen, so in Friesland Möhlmann, Archiv für friesisch-westf. Gesch. Leer 1841. 1, 47 ff., der Bruchstücke davon mittheilt, leider ohne die Mel.; eine alte Frau sang:

Stortebeker un Güdje Micheel
sünd een paar Rovers glikedeel ...
Se roven so lange bet God verdrot,
do leden se grot Schande un Not ...
Do quam de bunte Koe van Flandern ...

Im 17. Jh. zu Anfang war es noch allbekannt und gesungen in Friesland, s. unten Nr. 43; im 16. Jh. war es sogar in Oberdeutschland allbekannt, sicher auch gesungen, es wurde damals in hochd. Fassung oft gedruckt und Fischart citiert es in seiner Weise in der Trunken Litaney (Garg. Cap. 8): **Huy stürtz den Becher, Gödecke Michel, da hat der Teuffel ein gleiches geworffen, Gelt Raumsattel, mein Schitdensam** ꝛc. mit zweien der beliebtesten Raubritterlieder. Gedruckt wurde es noch im 17. Jh. für die Singenden, und doch haben wir zur Zeit das L. nur in der hochd. Übers., vom niederd. Original bloß die erste Str. aus dem 17. Jh. durch Gunst einer von Petersen aufgefundenen Parodie (Nr. 43). Ich gebe es, um das Interesse an dem L. frisch zu erhalten, in einer noch nicht neugedruckten selbständigen Fassung, aus dem Frankfurter Liederb. von 1599 (nach demselben Ex., das einst Soltau gehörte, dann Herm. Leyser, vgl. Uhland S. 975; jetzt im Besitz des Hrn. Sal. Hirzel in Leipzig). In neuerer Zeit hat bes. die Zeitschrift des Vereins für Hamburg. Gesch. dem Stortebeker viel Interesse zugewandt, wo Bd. 2. S. 43 ff. Laurent vom Geschichtlichen handelte und Lappenberg ebend. werthvolle Beiträge gab, auch S. 285 ff. den Text des Frankfurter Liederbuchs von 1582 zuerst brachte, der dann durch Bergmanns Ausg. dieses 'Ambraser Liederbuchs' (Nr. 215) in seiner Quelle vorgelegt wurde. Diese Frankfurter Texte stimmen im ganzen überein; Lappenberg hatte noch mehrere Texte vor sich, die nach seiner Versicherung alle nichts Neues boten. Dem Orig. ein wenig näher steht der durch das Wunderhorn (2, 167. neue Ausg. 2, 162) verbreitete Text, der aus Canzler und Meißners Quartalschrift für Ältere Litteratur und Neuere Lectüre. Zweiter Jahrg. Ersten Quartals 1. Heft. Lpz. 1784. S. 29 ff. genommen war, aber ungenau, mit willkürlichen Änderungen, darunter ein paar Besserungen. Diesen brachten dann Wolff S. 693 („mündlich“!) und Erlach 2, 314. Canzler's Quelle war (S. 26) das 'Venusgärtlein, allen züchtigen Jungfrauen und Junggesellen zu Ehren' 2c. Hamb. 1659. Der obige Text, obwol ziemlich spät, hat doch einige Vorzüge, es könnte wol eine mündliche Quelle dabei zu Rathe gezogen sein; wiewol sonst die Drucker des Frankf. Lb. der je letzten Auflage folgten, und dies auch bei der Ausg. v. 1599 der Fall ist, so ist doch in dieser eine kritische Hand sichtbar. Den bis jetzt ältesten Text gab Möhlmann a. a. O. aus einem flieg. Bl. um 1550. Das niederd. Original wird ja doch wol noch gefunden werden.

1 Stortzenbecher vnd Goldecke Michael,
die raubten beyde auff gleichen theil,
zu Wasser vnd nicht zu Lande,
biß daß es Gott von Himmel verdroß,
deß mußten sie leiden grosse Schande.

2. Sie zogen für den Heydnischen Soldan,
die Heyden wolten ein Wirthschafft han,
sein Tochter wolt er berathen,
Sie rissen vnd krischen, wie zween wilde Bärn,
Hamburger Bier truncken sie gerne.

3 Störtzenbecher sprach sich all zu hand,
die Wester See ist mir wol bekannt,

1, 1. Das Ambr. Lb. **Störtzenbecker,** also eine andere Mischung von hochd. u. nd., noch anders Canzler **Störtebecher**, doch 19, 1 **Stürtzebecher. Goldecke** wol nicht Druckf.; Ambr. **Gödeke,** Möhlm. **Gödiche,** Canzl. **Gödte.** 1, 2. Ambr., Czl. **zu gl. th.**; auch der Schüttensam und seine Leute 'wagen es' **auf ainen gleichen tail** (der Beute) Uhl. 347; ziemlich dass. ist **bescheden del** Uhl. 537. 538. Stortebeker und die Seinen hießen davon **Likedeler.** 2, 2. Die Vitalienbrüder erstreckten ihre Züge bis Spanien, ein maurischer Fürst wird hier gemeint sein. 2, 3. **berathen,** ausstatten, verheiraten, vgl. Grimms Wörterb. 1, 1487. 2, 4. von **kreischen** braucht Jung Stilling (Leben) das Prät. **kriesch,** Schmeller 2, 395 gibt vom Mittelrhein das Part. **gekrischen.** Czl. **rissen und splissen,** Möhlm. **sie rissen sie spl.** Das Brem. Wörterb. hat 5, 297 **wreussen** ringen, balgen; 3, 507 **een rechten riet un spliet,** einer der viel Kleider zerreißt, ein toller Junge; **ritt** Zank, Schlägerei. Vom Hochzeitfest profitieren die Räuber nach ihrer Weise; oder meinte das **reißen** Possenreißen und die Räuber wären beim Sultan gern gesehene Gäste? vergl. 24, 4. 3, 2. Nordsee; auch Scheible, flieg. Blätter S. 12 **die Wester See** (a. 1607).

daß will ich vns wol holen,
Die Reichen Kauffleut von Hamburg,
sollen vns das Geloch bezohlen.

4 Sie lieffen Ostwart neben das Leick,
Hamburg, Hamburg, nun thu deinen fleiß,
an vns kanstu nichts gewinnen,
Was wir auch bey dir wöllen thun,
das wöllen wir jetzt beginnen.

5 Vnd das erhört ein schneller Bot,
er war von einem klugen rath,
kam gen Hamburg eingelauffen,
er fragt nach deß ältsten Burgermeisters Hauß,
den Rath fand er zuhauffen.

6 Mein liebe Herren all durch Gott,
nempt diese Red auff ohne spott,
die ich euch will verkünden,
Die Feind ligen euch gar nahe hie bey,
sie liegen an wilden Hafen.

7 Die Feind ligen euch für der Thür,
deß habt jhr Herren zewer kuhr,
Sie liegen da an dem Sande,
Laßt jr sie wider von hinnen ziehen,
deß habt jr Hamburger grosse Schande.

8 Der ältest Burgermeister sprach zu hand,
gut Gesell du bist vns vnbekannt,
wo bey sollen wir dir glauben,
Das solt jhr Edle Herren thun,
bey meinem Eyd vnd Trawen.

3, 3. daß, das H. Bier. 4. 1. Czl. langst des Lick. 4, 4. Czl. bey ihr. Ambr. bey dir auch; was .. auch ist das mhd. swaz. bei in feindl. Sinn, vgl. Grimms Wb. 1, 1352 unchristlich bei einem handeln. 5, 5. beisammen. 6, 5. Czl. an wilder Have. 7, 1. Czl. hart für. 7, 2. Möhlm., Ambr., Czl. zweyer kür, Wahl zweier Dinge; da ein zweites nicht bestimmt genannt wird (gemeint jedoch 7, 4), misverstand wol der Herausg. v. 1599: 'habt das zu eurem Ermessen', freilich des dann unpassend. 8, 5. Ambr. Trewen, obiges ist mehr

9 Ihr solt mich setzen auffs Castel,
so lang biß ihr ewer Feinde seht,
wol zu denselben stunden,
Spürt jr denn einig wancken an mir,
so senckt mich gar zu dem Grunde.

10 Die Edlen Herren von Hamburg,
giengen zu Segel wol mit der Flut,
hin nach dem newen Wercke,
vor Nebel kundten sie nichts sehen,
so dunckel waren die Wolcken.

11 Die Sonne brach durch, die Wolcken wurden klar,
sie fuhren fort vnd kamen dar,
grossen Preiß wolten sie erwerben,
Störtzenbecher vnd Gödecke Michael,
die musten darumb sterben.

12 Sie hetten ein Hülck mit Wein genommen,
damit waren sie auff die Weyser kommen,
dem Kauffmann da zu leyde,
Sie wolten damit in Flandern reisen,
aber sie musten davon scheiden.

13 Hört auff jr Gesellen trincket nun nicht mehr,
dort lauffen drey Schiff in jenem See,
vns graußt für der Hamburger Knechte,
Kommen vns die Hamburger ans Bort,
mit jnen müssen wir fechten.

eine mitteld. Form, die auch nd. sich findet; der Herausg. suchte die Reime zu bessern. 9, 1. Czl. **Vorkastel**, des Schiffes, thurmartiger Aufbau; ebenso ein 'Hinterkastell', das man ja im Scherz am menschl. Körper beibehalten hat. 10, 4. Ambr. **von N.**, alterthümlicher, ebenso **nicht**. 10, 5. Möhlm., Czl. **schwercken**, das ist das origin. Wort, dunkle Wolkenmasse; merkw. auch in einem Nürnb. Liederb. v. 1602, Hoffmann v. F., die D. Gesellschaftslieder S. 111; angels. **sveorcian**, altſ. **suuercan**, verfinstern, vgl. Brem. Wb. 4, 1132. 11, 1. Czl. **die Schwercken brachen d.** 12, 2. Czl **Weser**, Ambr. **wiesen**. Der Kampf war vielmehr bei Helgoland, Gödeke ward bei diesem Kampfe noch nicht gefangen; auf Weser und Ems war aber früher gegen sie gekämpft worden. 13, 2. Ambr., Czl. **jener**. 13, 4.

14 Sie brachten die Büchsen wol an die Bort,
zu allen schüssen giengen sie fort,
da hört man die Büchsen klingen,
Da sah man so manchen stoltzen Held,
sein Leben zum ende bringen.

15 Sie schlugen sich drey Tag vnd auch drey Nacht,
Hamburg die war darauff bedacht,
wol zu denselbigen Stunden,
Das vns ist lang zuuor gesagt,
das haben wir jetzt befunden.

16 Die bunde Kuh auß Flandern kam,
wie bald sie das Gerücht vernam,
mit jren starcken Hörnern,
Sie gieng her braussen durch die wilde See,
den Hüllick wolten sie verstören.

17 Der Schiffer sprach zu dem Steurmann,
treib vmb das Ruder zum Sturmbott an,
so bleibt der Hülck bey dem Winde,
Wir wöllen jm lauffen sein Castel entzwey,
das soll er wol befinden.

18 Sie lieffen jm sein Vorcastel entzwey,
Trauwen sprach sich Gödecke Michael,
die zeit ist nun gekommen,
Daß wir müssen fechten vmb vnser beyder Leib,
es mag vns schaden oder frommen.

19 Störtzenbecher sprach sich all zu hand,
jhr Herren von Hamburg thut vns kein Gewalt,

Ambr. **die von Hamburg.** 14, 1. **die Bört** plur. 14, 2. **fortgehn,** unser jetz. losgehn; nicht ein Schuß versagte, was in der Kindheit des Geschützwesens wol etwas Außerordentliches war. 15, 2. Möhlm. (Czl.) **Hamborg, dir war (ist) ein böses bedacht (gedacht),** dem Orig. näher; die Hamburger selbst reden. 16, 1. das Schiff Simons von Utrecht. 16, 2. **Gerücht,** eig. **Gerüfte,** Geschrei, hier im eig. Sinn. 17, 1. auf der bunten Kuh; Czl. **Schipffer.** 17, 2. seltsamer Fehler, Czl. **zur Stürbort,** Ambr. **sturbört,** Steuerbord. 17, 3. Ambr. **winden.**

wir wöllen euch das Gut auffgeben,
Wöllet jr vns stahn vor Leib vnd Gesund,
vnd fristen vnser junges Leben.

20 Nein sprach sich Simon von Vtrecht,
gebt euch gefangen all auff ein Recht,
vnnd lasts euch nicht verdriessen,
Habt jr den Kauffleuten kein leyd gethan,
deß werd jr wol geniessen.

21 Da sie nun auff die Richtstatt kamen,
nit vil guts sie da vernamen,
sie sahen die Köpffe stecken,
Ihr Herren das sind vnser Mitcompan,
so sprach sich Störtzenbecker.

22 Sie wurden gen Hamburg in die Hafft gebracht,
sie sassen da nicht lenger denn ein Nacht,
wol zu den selben Stunden,
Ihr Tod ward also sehr beklagt,
von Weibern vnnd Jungfrawen.

23 Ihr Herrn von Hamburg, wir bitten vmb ein Bitt,
die mag euch zwar auch schaden nicht,
vnd bringt euch auch kein Quade,
Daß wir mögen den Trorenberg hingahn,
in vnserm besten Gewade.

24 Die Herren von Hamburg theten jn die Ehr,
sie liessen jn Pfeiffen vnd Trummen vor gehn,

19, 3. das geraubte. 20, 2. alle auf gleiches R., näml. das Recht der Seeräuber. 20, 4. Ambr. Hett jr (schlechter) dem Kauffman. 21, 2. vernamen, d. i. bemerkten, sahen, s. zu Nr. 6, 10. Zu mehrern Malen vorher waren schon Vitaliner auf dem Grasbrook hingerichtet worden, die Köpfe blieben stecken auf Pfählen längs der Elbe. 22, 1. Ambr. hacht, Möhlm. Hechte. Vgl. die Theilnahme, die Kniphof findet, Nr. 19, 48. Bei seefahrenden Völkern galten häufig Seeräuber als Helden, wie das auch Landräubern widerfahren ist in civilisierter Zeit. In Smyrna, wie Reisende erzählen, hört man in der Griechenstadt, im Hafen, in Kaffeehäusern Lieder auf Seeräuber singen, oft auf dieselben, mit denen die türkische Polizei eben in Kriegszustand lebt. 23, 2. Ambr. nit, wie meist. 23, 3—5 sind im Druck

sie hetten es erkoren,
Weren sie wider in der Heydenschafft gewest,
sie hetten es lieber entboren.

25 Der Scharpffrichter hieß sich Rosenfeldt,
er hieb so manchen stoltzen Held,
mit also frechem muthe,
Er stundt in seinen geschnürten Schuhen
biß an die Enckel im Blute.

26 Hamburg, Hamburg, deß geb ich dir den preiß,
die See-Räuber werden es nun weiß,
vmb deinet willen mussen sie sterben,
Deß magstu von Golt ein Krone tragen,
den preiß hastu erworben.

verstellt: 4. 5. 3. quad, bös, schlimm, nd. Ambr. Trovenberg .., gewande, Möhlmann trawren berg. 24, 3. sichs erwählt, ausgebeten. 24, 5. dieser Ehre; entboren (Prät. entbar) die rechte alte Form. 25, 2. Czl. hawde. 25, 3. Ambr. frischem; frech hatte nicht den bösen Nebensinn wie jetzt. 25, 5. Enkel, Knöchel, engl. ankles. Uhl. 404 von einem Kampfe Dar mosle man went (bis) över de scho In dem blode waden; 515 Im blut musten wir gan Biß über die schuch; 518 biß eim rinnts blut in dschuch; 547 het bloet liep over haer voeten; Antwerp. Liederb. v. 1544 Nr. 195, 6 (Hor. belg. 11, 300) Veel vanden boeren sachmen als dan Het bloet over die schoenen vlieten. Ebenso in den Prophezeiungen von Kaiser Friedrichs Wiederkeht. 26, 2. eines Dinges (ein D.) weise werden, es gut kennen lernen (noch jetzt thür.), daher falsch 'einem etwas weiß machen', vgl. Schmeller 4, 177. 26, 1. 5. gleichs. den Habedank im Turnier.

2.

Aufruf an König Sigmund und die Fürsten zum Kampf wider die Hussiten.

1420.

In Mone's Anzeiger für Kunde der t. V. 8, 475 ff. mitgeth. von Franz Pfeiffer, aus d. Münchner Pap. Hs. No. 811, 15. Jh., Bl. 16b ff. Pfeiffer (auch Soltau) notierte das J. 1417, aber K. Sigmunds verunglückter Zug auf Prag 1420 ist (8, 5. 6 vgl. 7, 3. 4) geschehen, aus der Angst nach dem verfehlten Feldzug 1420 ist überhaupt das Lied hervorgegangen; 1417 waren die Fürsten meist noch in Constanz beisammen, dann hätten Str. 3. 4. 5 anders geklungen, Str. 2, 3 meint Sigmunds schon thätiges Heer. — Der Text ist mehrfach verderbt, Pfeiffers Conjecturen waren nur zum Theil brauchbar. Stollen und Abgesang sind auch im Orig. fast durchaus (wie bei voriger Nr.) durch große Buchstaben hervorgehoben, wie man dies bis ins 17. Jh. hinein zu thun pflegte, der Beginn des Abgesangs noch außerdem durch die Abbreviatur des sog. Reptiz (s. J. Grimm, altd. Meistergesang S. 112) für den Sänger bezeichnet. Der Dichter **Conrad Attinger** (9, 10) wird ein Österreicher sein, er hat rhythmisch ziemlich rein gedichtet und gute Reime, mundartlich nur 5, 8. 11 **tören : lere**, überschlagendes **n** auch 6, 8. 11 **raten : drate**.

1 Hailiger gaist nun gib mir rat
seyd es so kumerlichen stat
Maria hilff vns frů vnd spat
durch deines kindes schmerczen
Durchlauchtiger römischer kung sigmund
nun mans die kayserlichen pund
die cristenhait die ist verwunt
das la dir gan czu herczen.
Růff an dye magt die crist gepar
zehilff gott vnd der engel schar
vnd tů es one scherczen.

2 Jr edlen fursten nement war
vnd cziechent all mit krefften dar
stond pey der cristenlichen schar
vnd schaltet disen garten.
Dar ein hatt wiggloff gens gestifft
vnd ach so manig hercz vergifft

1, 2. **kumerlichen**, nicht kümmerlich, auch nicht kummervoll, sondern bedrängt, geängstigt; diese mhd. Adverbialendung lebt bis tief ins 17. Jh. (Hoffmannswaldau). 1, 3 formelhaft. 1, 6 **mans**, (es gen. neutr.), ermahne daran, näml. an das Folgende. **die kaiserl. bund**; die Adels- u. Städtebünde des Reiches. 1, 7. Hs. **verwut**. 1, 10. In der Hs. **vnder**, also wahrsch. Niederschrift nach dem Gehör. 1, 11 **one scherzen** halbtodte Formel, wie Nr. 34, 7. 2, 1. 2. **nement war vnd**, d. i. nehmt in Acht, daß ihr. **krefte**, wie mhd. **kraft**, Kriegsmacht. 2, 3. Hs. **pey cristenlich**; schon Pfeiffer ergänzt wie oben. 2, 4. Hs: **schalt**; bringt in Ordnung. 2, 5. **ein**, die Hs. **ain. gens**, die den Garten ruinieren. Das bekannte Wortspiel mit der slav. Bed. des Namens Huß wird glücklich ausgebeutet, s. 5, 10. 6, 3. 4. 9: 7, 3. 8, 2. 9, 8, bes. 8, 9. 2, 6. **ach** wird österr. **auch** sein, **au** (mhd. **ou**)

mit seiner keczerlichen gschrifft
wend ir darczů nit warten
Es wirt eurß kindes kinder laid
das sey euch allen vor gesait
eur lob gewinnet scharten.

3 Kung sigmund greiff es frolich an
man vint noch manigen piderman
dem got noch woll seins hayles gan
du soltz nit lon beleiben
Gib sold uerkünds in allu land
du edler kung nun piß gemant
denck an das laster vnd die schand
du solt den fürsten schreiben
Gib silber gold vnd edles gestain
die fursten all mit treuen ain
hilff vns die seckt uertreiben.

4 On die so mag es nit gesein
růff h[illegible]zog ludwig uon dem rein
uon prandenpurg důe helffen schein
ain edler furst so weise.
Ein fürst uon sachsen hoch geporn

gesprochen als klares â; s. 7, 2. 2, 7. Hs. **geschrifft.** 2. 8. **wend,** d. i. **wellend, welnd,** wollt; den Ausfall des **l** vor **n** erleichtert die allem. und bair. nasale Aussprache des **l** und **n. warten** (sehen) **zu** .. wie **sehen zu** .., engl. look to .., auf etwas sehen, es in Acht nehmen. 2, 9. **kinder** als Dativ ohne Casusendung; das 15. 16. 17. Jh. haben diese Freiheit, die schon mhd. für Gen. u. Dat. in gewissen Fällen gilt (Gramm. 4, 460 ff. vgl. Helmbr. 917 b. Haupt 4, 352 mit kæse und mit eier: meier), besond. unter Einfluß des Reimes weiter erstreckt; in diesen Liedern sind viele Beispiele, vgl. zu Nr. 38, 2; sie reicht bis in unser Jh. 3, 1. Hs. **sigmud. es angreifen,** Lieblingswendung bes. des 16. Jh. im Volksl., kräftiger als wir es fühlen. 3, 3. **gan,** gönnt, die rechte alte Form, mit der alten Construction. 3, 5. **allu** (-û), neutr. plur., mhd. alliu, elliu, hier ohne Umlaut, auch so gesprochen? so als fem. sing. **großu** 8, 8. 3, 10. **ain,** einige. Pfeiffer rieth **lad** für **all,** er nahm **ain** für **ein.** 4, 3. Die Hs. **die,** Pf. rieth **tut. dûe** ist Imperativ (vgl. **dônt** 6, 2. **dûstu** 7, 10) mit Anklang an den Conjunctiv. **schein tun,** sehen lassen, offenbaren, wie mhd.; **schein** ist Adj., **helfen** Infinitiv. 4, 4. **ain,** der unbest. Art. im Titel, wie bis in unsre Zeit; bleibt auch in der

czů werdikait pistu erkorn
nun merck vnd la dir werden zorn
so wellen wir dich preisen
Bischoff uon mencz. uon koln zů trier
nun rustend eüch ze helffen schier
werd ir in eren greisen.

5 Von prunschweic durckerleuchter fürst
des hercz nach hochen eren dürst
nun merck wie du gelobet würst
nun hilff die hussen stören
Die marggraffen uon meißen gnant
fridrich wilhalm seind sies genant
Nun cziechen hin gen pechmer land
vnd land euch niemant dören
Nach eren lond euch wesen gach
die gens die fliegend euch czů nach
vnd pflegend weiser lere.

Anrede. 4, 6. Hs. **erkoren.** 4, 7. **zorn** fehlt in der Hs., es ergänzt schon Pfeiffer. **merk vnd,** vgl. zu 2, 1. 4, 9. **Menz,** die Aussprache von **Mainz** an Ort u. Stelle. Die Hs. **kolen — triel.** 4, 11. Nachsatz, eigentl. mit so zu beginnen; **greisen,** mhd. grîsen, ergrauen. 5, 1. Die Hs. **prunschweil. durckerleucht,** perillustris; vgl. mhd. **durchliuhtec. durc,** durch, schon mhd. vereinzelt; vgl. **Stork** f. Storch sehr gewöhnlich. 5, 3. In d. Hs. sind die Reime **furst : durst : wirst,** mir schien **würst = würdst** gemeint; **würt = wird** ist allerdings auch schon früh. Hier, wie oft, spricht das Selbstgefühl der Dichter u. Sänger und die Wichtigkeit dieser Lieder, als welche die öffentliche Meinung gleichsam zu verwalten hatten; vgl. auch 2, 11. Dies Gefühl ist ein Erbe aus alter Zeit. 5, 4. **Hussen,** die gewöhnl. Form (Rosenplüt); Solt. 117 heißen sie **Hossen,** Hätzl. I, Nr. 132, 111 (S. 110b) **Hausen** (Muscatblüt), also lang **u?** 5, 5. Hs. **genant.** vgl. Solt. 314 **Götz von Berlingen genant;** S. 380 **Moritz Herzog zu Sachsen gnant,** und oft so, es ist formelhaft. 5, 6. **seind sies genant,** dies es, das sich dem pron. poss. anklebt, ist der Nachfolger des mhd. **bistuz Iwein, ich bin ez Iwein,** und lebte, immer klangloser werdend, bis in unsere Zeit fort gerade im Volksliede, vgl. Nr. 64, 1. Uhland 495 (a. 1523) **ain landsknecht ist ers ja genant.** ebend. 376 (a. 1545) **Albrecht von der Rosenburg ist ers genant,** und oft. 5, 7. **cziechen,** Imperativ (mit abgefallnem **t, d**), wie **pflegend** Z. 11. **pechemer = pehemer,** das **h** hart gesprochen, s. **pechem** 8, 4. 5, 8. **lônd,** mhd. lânt, lasset; 7, 8 **la, lâ,** laß. **dören,** bethören. 5, 10. **zu nach** (nahe), formelhaft um Gefahr zu bezeichnen, vgl. 'komm mir nicht zu nahe'. 5, 11. **lere,** allgemeiner als jetzt, Rath, ebenso **pflegen** ganz allg. gebraucht, um irgend ein Üben, Ausüben, Thun auszu-

6 Von österreich ir fürsten fest
nun wachend auff vnd dönd das pest
ich lad zů gensen fremde gest
die sint noch vngepraten.
Der kung uon denmarckt der kumpt dar
vnd der uon schweiden nement war
der kung von tracken mert die schar
der will den cristen raten
Wie man die genß beraiten sol
das es den fursten gevalle woll
nun cziechend dar gar drate.

7 Woll auf all kung die cristen seyn
all fursten graffen vnd ach freyn
die genß gar kreffticklichen schreyn
der adler můß sich schmiegen
Wer ie uon eren chumen ist
der denck an ainen spechen list
vnd helff vnd rat in kurczer frist
kung la den adler fliegen
Gdenck an dein grossen wirdikait
důstu es nüt es wirt dir laid
du macht dich selbs woll triegen.

drücken, etwa: 'folgt weisem Rathe'. 6, 1. Die verschiednen reg. Fürsten der tiroler u. steiermärk. Linie. 6, 2. Das wond der Hs. besserte Pfeiffer in wachend. dönd, mhd. tuont, hier mit Umlaut aus dem Conj. (vgl. 4, 3) von der Nebenform ton (Nr. 30, 6. 47ª, 7), die nebst tan (Nr. 11, 15, 8) nach der mittelhochdeutschen Zeit neben tuon sich entwickelte, alle drei bes. im 16. Jh., oft von demselben Dichter vermischt gebraucht. das beste tun, Formel (schon mhd.) für Auszeichnung im Kampfe, Aufwendung aller Kräfte; vergl. Nr. 31, 21. 6, 3. die Hs. genesen. 6, 5. Denmarkt, vgl. Steyrmarckt Mone's Anz. 8, 364. 6, 7. Vor mert hat die Hs. ein überflüssiges der. Wer ist der kung von tracken? Pfeiffer räth Croaten (heißt damals sonst Crabaten), aber es muß ein zweisilb. Name sein und nach 6, 8 ein Nichtchrist; etwa Tattern? oder gar Turcken? Ihr Sitz war Adrianopel, ihre Mächt reichte bis an die Donau, Mohammed I. († 1421) war als mild und mächtig bekannt und mit seinem christl. Nachbar, dem byzant. Kaiser auf gutem Fuße. 6, 9. sol fehlt in der Hs. 6, 10. Hs. gewaln, Pfeiffer gevalle. 7, 1. 2. 3. Hs. seyen, freyen, schreyen. ach, d. i. âch, bair.-östr., vgl. 2, 6. 7, 6. spech, mhd. spæhe, fein, kunstreich, subtil (Schm. 3, 558); list, urspr. masc. und, wie hier, nicht von falscher od. Hinterlist. 7, 9. Hs. Gedenck an die. 7, 10. nüt, rechte Nebenform v. nicht, = mhd. niut, aus niwiht, niwit; neben nüt auch neut. 7, 11. macht,

8 Kung sigmund wiltus recht uerstan
so hastu deinen gensen glan
den flug so weit hin auff dem plan
czů pechem in dem lande
Du hettest dich für prag gefügt
sigmund da wardstu überklügt
das monig czung noch uon dir rügt
das ist ain grossu schande.
Wer mit den gensen falcken paist
vnd eülen über sperber raist
ich wolt das man in prande.

9 Wer nit helt cristenlich uerpot
Martinus babst irdescher gott
pitt für die ritterlichen rott
so mag in wol gelingen
Kung sigmund stand peyn fursten gůt
durch den der an dem creucz sein plůt
uergoss in ritterlichen můt
der helff dir dein gens czwingen
O edler gott wend dise swer
das pitt dich conrat attinger
vnd wil auch frölich singen.

mhd. mabt, magst. 8, 1. 2. Hs. wiltu es. gelan. 8, 5. Du hattest dich vor Prag „verfügt", Uhland 636. 8, 6. Im Anz. über kluet; mhd. überklüegen, an Klugheit übertreffen, überlisten. 8, 7. das ist von mir, es fehlte dem Sinn u. Rhythmus; es kann Relativ oder = daß es sein. 8, 9. 10. Hs. geßen, von Pf. corrigiert; wer mit Gänsen (man denke Wildgänse) auf Falken jagt, mit Eulen auf Sperber, wer also verkehrte Welt macht. Die Str. deutet eine Verdächtigung K. Sigmunds an, als sei er im Grunde den Hussiten gewogen, wenigstens wird sein Rückzug von Prag verdächtigt, und 8, 9. 10 klingt, als rechne er auf den Schaden des Adels durch die Hussiten. Falke und Eule zur Bezeichnung des Edlen und Unedlen werden oft gegenübergestellt. raist, mhd. reizet, reizt = paist, beizet, s. Grimms Wb. 1, 1401. 8, 11. Hs. pronte, verbrannte, wie Huß! 9, 1? Pfeiffer räth nu für nit, oder mit? Martin V., 1417 zu Costenz gewählt, hatte das Kreuz gegen die Böhmen predigen lassen, dieß ist wol das cristenlich verpot = fürbot, (gerichtl.) Vorladung, mhd. verboten vorladen. 9, 2. Der Papst ein irdescher gott, das wirft das 16. Jh. den Katholiken vor: Uhl. 554 de pawest is ere got, vgl. ebend. 920. 9, 5. Hs. pey den; in stehn bei .. ist die Präp. noch selbstständig. 9, 9. swer, mhd. swære, drückende Lage. 9, 10. das, Acc. statt Gen., wie oft seit dem 15. Jh. 9, 11. noch für auch zu schreiben?

3.

Die Eroberung von Hettstädt.

22. Juli 1439.

„Bericht von der Stadt Hetstädt, anno 1564 zusammengetragen durch Andr. Hoppenrod," b. Schöttgen u. Kreysig, Diplom. Nachlese der Hist. von Ober-Sachsen. 5. Thl., Dresd. u. Lpz. 1731. S. 114 ff. Daher (ohne Quelle) Wolff S. 624, schlecht; er wußte davon aus Herders Volksl. (Lpz. 1779) 2, 15. Erlach 2, 262 aus Wolff, doch mit Angabe der urspr. Quelle. Hoppenrod leitet das Lied ein, an Tacitus denkend: „Es haben unsere Vorfahren alle ihre Geschichte in Lieder verfasset, derohalben will ich 'das' Lied [also ein wolbekanntes] von Einnehmung der Stadt auch setzen, so gut als ich es habe können überkommen." Es liegt uns im Gewand des anfang. 18. Jahrh. vor, schon Soltau hat es zum Theil ins 16. rückübersetzt, ich habe auch noch das ſ in groſe 5, 2. 10, 2. lieſen, Muſe 4, 5, das vermuthlich dem 18. Jh. gehört, entfernt. Das Lied ist gewiß nicht vollständig, der Dichter war vermuthlich ein Landsknecht (vgl. 9, 5) und der Kampf und die Einnahme sind gewiß eingehender und deutlicher behandelt gewesen; daß gerade die Thaten der Städter geblieben sind und die Einnahme eigentlich fehlt, läßt vermuthen, daß das Lied von den Hettstädtern oder ihren Freunden so zurechtgesungen worden ist. Die Landsknechtlieder haben diese Art, daß sie weniger Parteilieder sind, als das Heroische auf beiden Seiten mit Kennerblick anerkennen. Die Strophe ist die des Stortebekers, die vom 14—17. Jh. als die beliebteste herrschte, unter vielen Namen, vgl. Solt. S. LXI fg. — Die Hetstädter waren, wol durch Bergbau, reich und stolz geworden; ihr Herr, Bischof Burkard von Halberstadt, hatte 1437 das Schloß an sie verpfändet, nachdem es zuvor an Mansfeld verpfändet gewesen, dem nun die Hetstädter den Pfandschilling zahlten. Mansfeld verlangte aber auch die Unkosten für den baulichen Unterhalt, wofür endlich der Bischof den Grafen auch die Stadt noch anheimstellte. Diese machten nun ihr so seltsam gewonnenes Recht mit Gewalt geltend, sie mochten auf die ihnen ganz nahe gelegene reiche Stadt schon lange ein Auge haben; Markgraf Friedrich von Meißen übernahm die Ausführung. Ihren Widerstand mußte die Stadt 14 Jahre lang schrecklich büßen.

1 Auff einen Dienstag es geschach,
Da man für Hetstädt rennen sach,
Für Hetstädt viel im Felde;

1, 1. 2. geschach : sach Soltau statt geschahe : sahe; für da wollte er daß, unnöthig, vgl. Uhl. 440 **Wann es an einem mentag bschach, do man die landsknecht ziechen sach** (auch b. Körner S. 43. do). 1, 3. Diese Wiederaufnahme für Hetstädt zur Weiterführung des Gedankens, der in der vorigen Zeile nicht ganz Aufnahme finden konnte, da doch jede Zeile etwas Ganzes sein soll, ist

Sie zogen auff Mühlrode zu,
Da schlugen sie auff ihr Zelte.

2 Da solches sahn die in der Stadt,
Sie funden bald wohl einen Rath,
Dem Feind sich nicht zu ergeben;
Sie rüsten sich mit aller Macht,
Mit ihnn zu streiten eben.

3 Und wenns drei Tage Marggrafen regnt,
Und lägen hier in dieser Gegnd,
So wolln wir doch nicht zagen:
Wir haben eine feste Stadt,
Dazu viel Roß und Wagen.

4 Der Feind brach auff mit seinem Heer,
Er zog wohl um den Scheuberg her,
Zu Pferd und auch zu Fuße;
Die Landsknecht liefen alle daher,
Die ließen der Stadt keine Muße.

5 Da rieff sich Carl der Beuteler:
Reicht mir die große Büchse her,
Daß ich sie kan gewenden;
Die Trabanten lauffn alle daher,
Sie haben gar frische Hände.

dem rechten Volksl. stilistisch eigenthümlich und hängt genau mit seiner singbaren Natur, seinem melodischen innern Aufbau zusammen; es ist unendlich häufig und ein Merkmal des rechten Liedes dem Gedichte gegenüber; vgl. zu Nr. 18, 26. 35, 1. 2, 1. **solches** verdächtig. 2, 2. **funden**, in förmlicher Gemeindeberathung, vgl. **Urteil finden**. 2, 4. **rüsten**, richtig für **rüsteten**. 2, 5. **eben**, eig. wolgemessen, dann genau, sorgfältig. 3, 1. In Leipzig war eine Zeit, da die „Schusterjungen" den Ruhm der handfestesten Bursche hatten und mit mancherlei Heldenthaten bewährten; aus der Zeit mag der hiesige sprüchwörtliche Trumpf sein „und wenn es Schusterjungen regnet!" 3, 2. Die Quelle **Gegend**. 4, 2. **her** Solt. für 'sehr'. 5, 1. wol der städt. Büchsenmeister. **rief sich**, dies **sich** wuchert im Volksl. seit früher Zeit, die Reflexivwendung bei nicht reflexiven Verben war in ihm im 16. Jh. förmlich beliebt. 5, 3. Geschütze waren im 15. Jh. etwas bes. Kostbares, zumal für eine kleine Stadt; man machte sie um so größer. Nürnberg hat im 16. Jh. seine Geschütze mehrmals an Fürsten verleihen müssen. 5, 4. **Trabanten**, Spott-

6 Er schoß gar ferne in das Feld,
Er schoß dem von Schwarzburg ins Zelt,
Das thet er Carl mit Ehren,
Dazu alleine ihn beweget,
Die Stadt wohl zu erwehren.

7 Er schoß dem von Schwarzburg ins Zelt,
Der rieff: O theur Herr von Mansfeld,
Und wolln wir das nicht wehren,
So treiben sie uns gar davon,
Des haben sie Preiß und Ehre.

8 Da nahmen sie wohl ab ihr Speer,
Sagt Hans von Drot und Giseler,
Sie wollten ihnen pfeiffen,
Und gabe Graff Günther den Rath,
Man solt sie gar nit angreiffen.

9 Das dauchte Michel Beckern nicht gut,
Und Hans Badern das gute Blut,
Sie kunnten schleiffen und wenden;
Die Landsknecht lieffen alle daher,
Sie hetten frische Hände.

name der Landsknechte, Fürstendiener. 6, 2. Graf von Schwarzburg, Bundsgenosse des Markgrafen. 6, 3. **er Carl,** d. i. Herr C., Abschwächung des vielgebrauchten Titels. 6, 5. Dieser freie Gebrauch des Infinitivs ist echt volksmäßig, noch jetzt, übrigens von Haus aus gut deutsch. 7, 1. Solche Wiederaufnahme zur Weiterführung geschieht gewöhnlich wörtlich, das ist gut episch; liest mans nur recht, so kann es noch für uns gerade wirksam sein, wie mochte es gesungen klingen? 7, 5. '**Ehren**', Solt. **Ehre.** 8, 1. näml. von den Speerstangen; scheint Zeichen der Aufgabe des Kampfes, Selbstentwaffnung; die **sper** n. sind urspr. nur die Speereisen, vgl. Uhl. 778 **er fürt ein sper an einer stangen.** 8, 2. Hans von Droote, der Schloßhauptmann, Hopp. S. 147. 8, 3. mit dem Geschütz nämlich zum „Tanze"; **einem pfeifen,** d. i. musicieren, formelhaft in diesem Sinn, vgl. **krigis tanz pfifen** in einem Schlachtlied v. 1477 b. Haupt, Zeitschr. f. D. A. 8, 328. 8, 4. der Schwarzburger scheint Gegenstand des Spottes zu sein, schon 7, 2. Zwischen Str. 8. 9 scheint zu fehlen. 9, 1. ein Mich. Becker war 1460 Bürgermeister, Hopp. S. 156. 9, 3. **schleifen,** zur Geschützmusik tanzen, **Schleifer** eine Art Tanzes (Schmeller 3, 436). Dabei ist das **kunten,** verstanden es, bes. bitter. Wilde Flucht wird als Tanz dargestellt, b. Haupt, Zeitschr. 8, 332 von den Burgundiern bei Granson 1476: **do lernten sie ouch fliend tanzen.** 9, 4. 5. ziemlich gleich

Sie kamen für ein hohen Thurm,
Da erhub sich ein großer Sturm,
Da hört man Pfeiffen und Trummen,
Bald rieff das gantze Meisner Land:
Hetstädt ist nun gewunnen.

5, 4. 5, das hängt mit der Melodie zusammen, die in derselben Wendung gern dieselbe Sache nachzieht, eine Art Sachreim, gut episch und wichtiges Merkmal des volksmäßigen Stils; vgl. Nr. 8, 5. 18, 26. 10, 3. 5. **Trommel : gewonnen** von Soltau geändert, wie oben. **Pfeifen und Trummen** nicht bloß militärische Musik, die volksmäßige Orchestermusik überhaupt, beim Tanz, bei Hochzeiten (Uhl. 652. Neocorus, herausg. v. Dahlmann 1, 460), städtischen Festen seit dem 15. Jh. (Uhland 427. Solt. 154).

4.

Belagerung von Braunschweig.

1492.

Aus einer handschriftl. Braunschweigischen Chronik (in 4°, 16.—17. Jh., vgl. Aufseß u. Mone's Anzeiger f. Kunde des D. MA. 1834. S. 21. 1835. S. 122), die im Besitz des verstorbenen Herm. Leyser war, von diesem gedruckt im genannten Anz. 4, 34 ff., mit erklär. Anmerkungen; hier nach einer genaueren Collation, die sich in Leysers Nachlaß fand. Ebenda fand sich eine hochdeutsche Fassung des L., aus der Wolfenbüttler Bibl., entnommen aus einer hdschr. Braunschw. Chron., Ms. BL. fol. Nr. 88; dieses hochd. Lied, noch zur Zeit lebendigen Interesses an der Sache entstanden, vielleicht gar nicht mit der Feder, sondern im Gesang übersetzt, gibt viel zu Erklärung u. Textbeurtheilung, ist oft genug auch selbstständig, ich führe daraus alles Wichtige an. Das aus Leysers Erklär. Entnommene ist mit L. bezeichnet. — „In Folge vieler Streitigkeiten mit Braunschweig, bes. wegen verweigerter Zurückgabe einiger verpfändeter Gerichte, überzog Heinrich der Ältere v. Wolfenbüttel die Stadt mit Krieg im J. 1492. Die Belagerung fiel nicht zu Gunsten des Herzogs aus, da Br., im Bunde mit den Hansestädten, durch Geld und von Hildesheim mit Mannschaft u. Proviant unterstützt wurde. Doch kam 1494 ein Vergleich zu Stande, wonach sich Br. dem H. Heinrich unterwarf u. den Frieden erkaufte. In den Anfang der Belag. fällt das Lied, gegen die in der Nähe von Br. liegenden mit dem Herzog verbündeten Städte (im Spott **Hansestädte** genannt) gerichtet." L. Die Überschrift des hochd. L. gibt als Ton den Lindenschmid an, d. i. denselben wie bei Nr. 1 u. 3.

Ein leydt vonn den Hense Steden ihm Bronswigischen vndt Luneburgischen lande.

1 Wille jy horen ein nies gedicht,
wie sick de hense Stede vorpflicht,
se seiten ihn einem vorbunde,
se wolden tho Bronswig Mummen brawen,
des kemen se ouell tho funde.

2 Se kemen tho Bronswig vp den Plan,
ohrer ein sprack den anderen ahn,
de Mumme beginnt tho pruisten,
se iss so heit, se smecket ouell,
wie kundt ohr den schum nicht affpusten.

1, 1. Dieser Anfang formelhaft, bes. im 15. Jh. z. B. wörtlich in einem nd. Liede der Soester Fehde 1445 b. Uhl. 966, hochd. b. Solt. 139 (1462) und 164 (1491); vgl. den Anf. v. Nr. 6. 1, 2. Das alte **pflicht** ist das moderne 'Solidarität der Interessen', also **sich verpflichten** eine solche eingehen; es sind Mehrere dazu nöthig, deren gegenseitige Gemeinschaft eben in **pflicht** liegt, das ist zum Unterschied vom jetzigen 'Pflicht' nicht streng genug zu fassen. Uhland 470 '**der türkisch kaiser hat sich verpflicht**', näml. mit den andern zuvor genannten Potentaten zu Gunsten des Kön. Maximilian. 1, 3. **seiten**, saßen, eig. **sêten**, das ê zu ei zerdehnt, als die Länge durch nachlässige Aussprache in Gefahr kam, vgl. Nr. 5, 17, 5 und Haupts Zeitschr. 3, 60. **vorbunt** so Uhl. 968. 1, 4. so dient Nr. 17, 15 das Mummebrauen als Hohn gegen die Braunschweiger, vgl. Nr. 42, 31. 1, 5. eines D. **zu funde kommen**, es durch eigne Erfahrung kennen lernen, = **es (wol) befinden** Nr. 1, 15. 42, 28 und oft; die hochd. Übs. hier: **das haben sy vbel befunden**. Uhl. 449 **des kom eck nu to funde**. Claws Bur 664. 2, 2. Eine formelhafte Wendung, vgl. 7, 2. Nr. 7, 10. 14, 9. 42, 63. Uhl. 969 **die eine bürger to dem anderen sprack**. Körn. 91 **einer ruft dem andern zu**. Solt. 178 **ein burger sach den andern an**; 208 **ein bruder sah den andern an**; 288 **einer fragt den andern**. Es ist das anschaulichste, poetischste Mittel, eine Menge redend, denkend, fürchtend vorzuführen, gerade so das homerische *ὧδε δέ τις εἴπεσκε ἰδὼν ἐς πλησίον ἄλλον*. 2, 3. **pruisten, prusten**, nicht 'brausen', was allerdings die Übs. gibt, sondern z. B. das Schnauben u. Pfuchzen von Hamster und Katze (ein **prustender Kater** Voß, Idyll. 6, 140); auch heftiges Niesen, z. B. Sprüchwort um Göttingen (Schambach 1851 S. 86): **en nüchtern prûst bedüt sellen was gûes**. Hier das eigne Geräusch der Geschütze, wie es von ferne klingt, wie **brausten** Nr. 51, 6; vgl. **niesen** so Nr. 99, 8. Die Übs. hat den seltnen Conj. **begönte**. 2, 4. Übs. **sy ist bitter** rc. 2, 5. also nicht zum Trinken kom-

3 Do sprack sich (bald) der Freueler ein,
wie mothen beht ahn den Grauen thein
vnd lathen vns nicht vorueren;
jsset dat wie Mummen drinken wilt,
so mothe wie dat bruwerck leren.

4 Queren Hamelen vp der wessel ligt,
se kemen mit manheit ahn den stridt,
se wolden Prieß vorwerfen,
vnd senden ohre multer knechte her
de scholden de Mummen vordaruen.

5 De von Munder vnd van der Niestadt
de weren grimmig vnde quadt,
Mummen hedden se gern gedrunken;
se kemen vor Bronswig ihn dat felt
vnd röken vp de funken.

6 De von dem Springe kemen vp de bahnen,
vnd brochten ohren kuckelhanen,
mit Harnischen vnd mit Platen;
do schoet ohn de Mumme vp den fittig,
dat he sin kriegent moste laten.

men. Übs. Wer kan ihr d. sch. abe pusten. 3, 1. frevel, rechtswidrige Gewaltthat; bald nur in d. Übs. 3, 2. 'bis an den graben ziehn'. 3, 3. vorvêren, Übs. verfehren, in Schrecken setzen. 3. 4. isset dat, Übs. ists sache dz, wenn. 3, 5. leren, früh mit lernen vermengt, hochd. u. niedd. 4, 1. Querenhameln, der alte N. von Hameln; mhd. kürn, ahd. quirn Mühle, vgl. die Müllerknechte Z. 4; vgl. Querfurt, Quernheim. wessel, Übs. Weser. 4, 2. kêmen, kamen, so geven, weren (5, 2), seten (1, 3) u. ähnl. 4, 3. 'erwerben'. 4, 4. Übs. misverst. müllerknecht; multer = hochd. mulzer Malzmüller (Schm. 2, 575). 5, 1. Übs. Münder (an der Hamel), Newenstadt. 5, 2. Hs. vnd. quad, böse, schlimm; das Wort wurde durch Übers. auch in Oberdeutschl. bekannt, z. B. Frankf. Liederb. Nr. 104, 4, 8; Adrian, Mitth. S. 408 gros quat, groß Unglück. 5, 5. röken vp von upraken, aufstören, schüren; raken (auch reken?) scharren, praet. rakete (Rein. Vos 1998), hochd. rechen (Schmeller 3, 14) ebenfalls schwach u. doch b. Schm. 'das Feuer zusammengerochen'; auch die Übs. hat hier rochen auf d. F., was Schmellers Bedenken über die starke Form beseitigen könnte. Die funken unter dem Braukessel? sachlich gemeint das Geschützfeuer. 6, 1. Übs. von Springe (am Fuß des Deister). 6, 3. Platen, Plattenpanzer. 6, 5. kriegent (die Gerundivform zum Inf. geworden, wie in allen nd. Mundarten)

7 De von Patsen luden vp ohren Lassan,
ohrer ein wolde bie dem anderen stan,
de von Aldegessen des glicken;
se repen Bronswig schol vnse sin,
so werden wie ewig rike.

8 De von Bodenwerder kemen dar,
se weren ahn dem harnische so klar,
also Molde klaue vp der listen;
se hebben gern midde gewesen
als dat hemmet ihn der kisten.

9 De von Helmstede brochten ohren Streel,
dat duchte der Mummen sin ein Apenspeel,
offt ohr ein vp der Mowen klawede;
dat fandt ohr ein Burgermeister woll,
wo dat ohne mit der Mummen tawede.

10 Des heffen de Brunswichschen lude kregen,
de heffen ohne de Pannen tho rechte geslegen

Übs. **kreyhen**, krähen, vgl. auch **kregen** 10, 1. Der Göckelhahn wird ein Geschütz sein, wie **Lassan** 7, 1. 7, 1. Übs. **Pattensen**, „zusammengezogen aus Pattenhusen" L. Die Hs. **leden**, wol Schreibfehler, Übs. **luden** (vf); der Ausdruck ist geblieben von der alten Art der Wurfgeschosse. 7, 3. Übs. **Eldagessen**, jetzt Eldagsen, an der Gehle. 8, 3. „**molde**, Erde; **klave** von klieben, etwas Gespaltenes; so **holtklave**, Scheite; **moldeklave** daher wahrsch. Torfstücke: sie glänzten in d. H., wie Torf im Rahmen." L., vgl. zu Nr. 5, 15. 8, 5. gewiß ein Sprüchwort, auf irgend eine schnurrige Geschichte sich beziehend. Die Übs. ändert 3—5:

Wie eine alte Rumpelkeste
Vnd auch ein schüsselkorb im hauß
Mummen wolten sy drincken der besten.

Am Rande in der Übs.: **Ja lieben Hern guth Kortlingsbyer schmeckt men zw solcher kirchmesse.** 9, 1. „**streel**, Kamm der Tuchscherer." L. 9, 3. **offt**, ob; nicht anders, als ob sie einer im Ärmel juckte. 9, 4. **ohr**, ihrer, von ihnen, den Helmstedtern. 9, 5. wie es ihnen m. d. M. (schlecht) vonstatten gieng; hochd. **mir zouwet, zaut**, mir gelingt, geht vonstatten. Die Übs. weicht ab: **Dz fandt der eigne B. wol, wie fein die M. dawete**, (sich) verdaute. **wo dat**, dies 'daß' häufig als Ergänzung von Relativen, überhaupt als syntaktische Füllung. 10, 1. **lude kregen**, laut gejubelt, über den Fall des Helmst. Burgerm.; mhd. **krîen, krîgen**, Schlachtruf schreien, freilich schwachformig, aber die nd. Mundarten wechseln überhaupt in starker und schwacher Verbalform mit großer Freiheit, am leichtesten nehmen schwache Verba starkformiges Part. Prät. an (vgl. 26, 3), auch in hochd. Sprache des 15. 16. Jh. Leyser: „**lunde** zu lesen"; allerdings ist **kregen** sonst Part. von **krygen**, bekommen, aber was ist „Lunte kriegen"? 10, 2. haben ihnen die

vnd (ohne) dat Mummen gehenget;
se heffen vör Bronswick dat fuer gehalt,
dar se dat holt mit anzunden.

11 De von Schenningen wolden hebben Prjeß,
se repen belliff heise belliff,
wie willen Mummen drinken;
des heffen se vp de Pannen gerocken,
dat se tho huff mogen hinken.

12 Dar kemen de von Derenborch tho
mit ohrer banner khoe,
o (wee) wie suer ist de Mumme;
dar drinken wie vnsen Gödeken vor,
de sleit also nicht vmme.

13 Den von Blankenberg was dat leit,
se brochten mede ohren nunnen sweit,
dat smecket nicht von den besten;
se hadden gern Mummen gedrunken,
do was se ihn dem steine befestet.

Braupfanne 'zurecht' gemacht; geslegen, part. praet. von slygen, zurecht machen, in Stand setzen, putzen, Rein. Vos 1915: de ledder (Leiter) 'to rechte vlyen', vgl. gevlegen 3667. slege Putz, ditmarsisch. Auch heute braucht man zurecht machen ironisch für zerstören, z. B. Haarputz. 10, 3. ohne von mir; ihrem Mummenbrauen 'ein Ende gemacht' muß der Sinn sein; hengen heißt hochd. aufhören (Schm. 2, 212). 10, 4. Das Blitzen der Geschütze als nachbarliches Entleihen von Feuer gedacht. — Die Str. fehlt der Übs. 11, 1. hebben, Übs. richtig erlangen. Schöningen am Fuß des Elms. 11, 2. die Übs. 'Pallis horstu Pallis'? 11, 5. mogen, Übs. musten. 12, 1. die Hs. Dannenberg; die Dannenberger sind ab. Str. 19, also hier wol Verwechselung mit dem, was die Übs. an die Hand gibt: Eß kamen die Derenburger darzu. Derenburg an der Holzemme, bei Halberstadt. 12, 2. Übs. Auch baldt mit 2c. 12, 3. Übs. O wehe wie saur. 12, 4. Übs. vnsern guten Godeken (Gottfriedchen). 12, 5. Übs. schlegt nit als baldt v.; also besser für den Doppelsinn: verdirbt u. schlägt um sich. 13, 1. Übs. Blankenburg; die End. -burg und -berg tauschen gleichgeltend in demselben Namen, s. zu Nr. 6, 3. 13, 2. die Hs. ohr muren swedt, womit sich Leyser abmühte; Übs. ihren Nunnen schweidt. Jenes wird einfach verlesen sein, was kann 'Mauerschweiß' sein? aber Nonnenschweiß heißt ein Bier irgendwo bei Fischart. 13, 5. Die Hs. was he, verlesen oder verhört; Übs. Sy whar aber in steynen b.

14 De von Warnigerode will ick nicht vorgetten,
se sambleden tho hope ohr Mumlebetten
vnd kemen her treden in einem hupen;
do se de Mumme hosten horeden,
wolden se ohr nicht supen.

15 Do kemen de von groten Scheppenstidde
vnd brochten ohren armen Heincken medde
vnder einem banneren Stocke;
se weren ihn dem harnisch so blanck
als de buwren ihm grawen Rocke.

16 De von Fallersleben repen wolahn,
wie willen de grepen lathen stan,
vnd willen Bronswick delgen;
so kriege wie der Suluern Schawer veel,
dar wille wie Mummen vht swelgen.

14, 2. tho hope, ‘zuhauf’ auch hochd., mhd. ze hûfe, Übs. zwsamen. Übs. ihre mummel biessen, Mummelbissen? 14, 3. Übs. kamen getreten. 14, 5. nicht noch = nichts, daher der Gen. ohr, Übs. ihrer. 15, 1. Übs. grohen Scheppenstidt. 15, 2. Übs. ihren armen Haneken. Der ‘arme Heinrich’ also ein Biername, bairisch ist Hainzel (kleiner Heinrich) Coventbier, s. Schmeller 2, 220. 15, 5. Eben den Scheppenstedtern antworteten die Braunschweiger auf einen Trutz- und Spottspruch (dieselbe Braunschw. Chronik, Mone's Anz. 4, 43):

Ein Baur soll ein Baur sein
Vnd warten seinen pflugk
So geb ihm Gott ein grawen rock
Daran hat er genugk u. s. w.

Hier bringt die Übs. noch eine Str. für Lutter (am Barenberge, zum Untersch. von Königslutter), in mehrfach misglücktem Hochdeutsch:

Die von Lutter bleyben (d. i. blieben) zw Hauß
Sy hatten eynen krancken in der Claus
Sy konten der mummen nicht genesen
Dar trincken sy ihren Duckstein vor
Der kan ihnen ettwas bessers lesten.

16, 1. grepe, Mistgabel, wie die Übs. hat. 16, 3. Übs. tilgen. 16, 4. Silberne Pocale. 16, 5. dar mit ût zusammenzunehmen. Die Übs.: ‘dz wir sy nicht konnen alle zehlen’ und schreibt am Rand hinzu: Ey lieben hern last stehen Sy bitten gnade, was nur aus großer Zeitnähe stammen kann, und damit die ganze

17 Des worden de von Gifforne gewar,
de kemen mit ohrer fischerkar
vnd wolden Bronswig erstiegen;
Se hedden gern Mummen gedrunken,
do konden se de vptogers nicht kriegen.

18 De von Vlsen drogen de kese ihn der tascken,
de wapen henschen ihn der flasken
vnd kemen mit fuller mulen;
do se de Mumme brusen horeden,
do kropen se hinder de karpen kulen.

19 De von Dannenberge kemen daher
vnd brochte malk ein holten Spehr,
damit wolten se bronswick winnen;
dat wolde de bitter Mumme nicht,
de beit se von der Tinnen.

20 De von Luchaw wusten dat nicht beter,
se quemen mit ohren Snakenfreter,
mit rathschop woll gesterket;
se hadden malk ein Panzer an
als de lineweffer werket.

21 De von Witti kemen ock,
do se segen der Mummen roick,

Übs. 17, 1. Übs. Gifhorn, wie jetzt (an der Aller). 17, 2. fischerkar, Fischkar; Fischkasten. 17, 4. gern zu lesen: geren, nach nd. Ausspr. Übs. gesoffen. 17, 5. Übs. Aufzöger, „Bierheber". L. 18, 1. Übs. Vlzen, Ülzen an der Ilmenau. Übs. brachten kese, zum Bierschmause. 18, 2. wapenhensche, Waffenhandschuh (Rein. Vos hantsche), Übs. Wafen vnd handschuch. 18, 3. 'schon kauend'; mule (Maul) fem., wie Rein. Vos 5133. mnl. Reinaert (bei Grimm) 694. 18, 4. Übs. brummen. 18, 5. krupen kriechen, auch krepen, engl. creep. „karpenkulen, Karpfenteiche". L. Der halbtodte Isegrim wird Rein. Vos 1523 in ene unreine kule geworfen, sumpfiges Loch; kule, kaule auch das Grab. Übs. Scharpfen kühlen. 19, 1. Dannenberg an der Jeetze. 19, 2. malk aus manlik, männiglich. Übs. brachten der man. holten, mhd. hülzîn. Sper, n., urspr. Lanzenspitze, so hier; Anspielung auf 'Dannenberg'? 19, 4. Die 'bittre' M. 'beißt'. 20, 1. Übs. Lüchow, an der Jeetze. 20, 2. Übs. schnakenfresser, Mückenfresser, Name eines Bieres oder eines Geschützes? 20, 3. Übs. Radtschafft, Vorrath, doppelsinnig, zum Schmaus und zum Kampf. 20, 4. 5. also gewöhnliche Kittel. 21, 1. 2. Übs. Witing, vgl. Nr. 6, 6. sêgen, sahen;

do sprecken se wie sindt blode lüde;
ahn den grauen wille wie nicht,
de Mumme iss bitter krüde.

22 De von Zelle wolden ock Mummen tappen,
do kregen se kume Schudde kappen,
de Mumme wardt ohn veel tho sure;
dat funden se achter dem Gierssberge woll,
dar kropen se fuste tho schure.

23 Tho huss tho huss leue Jennekens vedder,
vnd drinck dines kasmans wedder,
de Mumme iss dich vele tho dicke;
dar du des mede smecken woldest,
ihn der tungen hefffstu eine Splitter.

24 Se togen hen vnd lethen de tungen tho Pande,
de funden se des morgens ihm Sande,
dartho de haluen koppe vnd kennebacken;
wen se willen so komen se wedder,
des moltes wille wie ohne meher sacken.

25 Maniger hefft der Mummen gesmecket,
dat he licht vnd hefft de knoken gestrecket,

roik, Rauch. 21, 3. blode, blöde; Übs. blosse, ungepanzert. 21, 4. 5. bitter Kraut, eig. von Medicin. Übs. An den graben sol vns bringen niemandt Ob wir schon nicht kriegen die beute. 22, 1. tappen, zapfen. 22, 2. krêgen, kriegten. Übs. 'schüdde kappen'? 22, 3. Übs. war, mit ward wechselsweise oft vertauscht, s. Nr. 19, 46. 22, 4. Übs. erfunden. Der Giersberg bei Braunschweig. 22, 5. fuste, oft, gleich, immer. schur, hochd. schauer, Wetterdach, Schutzdach. 23, 1. Jenneke, Jenneken ('Jänichen') ist = Hänschen; 'Hänschens Vetter' bezeichnet die Kleinstädter als Bauern, s. Nr. 5, 14. Übs. 'jr versoffenen Ritter'. 23, 2. Übs. Koßmans, „Covent, Dünnbier?" L. 'Raseman' heißt ein Bier in Fischarts Garg. (1590. 1613) Cap. 4; in dem Register der Spiele das. Cap. 25 ist eins 'Sanct Kosman ich ruff dich an'. 23, 3. dich, dieser falsche Dat., der selbst schon hochd. Einfluß zeigt (Nr. 17ª, 1), ist ins Hochdeutsch jener Lande übergegangen, s. Nr. 42, 87. 49, 15. 23, 4. dar — mede, womit, der Relativsatz dem Subst. (Junge) vorausgesetzt, ein seltner Fall. des, gen. neutr. Übs. Wie du sy nur ein weinig schm. w., Gieng dir in die z. ein spl. 24, 4. 5. komen, Conj., auffordernd. Übs. Wen sy nun k. wieder daher So wollen wir ihnen mehr des malzes sacken. 25, 2. knoken, Übs. klawen.

beide menschen vnd ock Pagen;
dat wetten hunde vnd rauen woll,
de dat fleisk von den knoken gnagen.

26 Bronswick iss nein Pastke borch,
dat man darin geit vnd dorch,
dat is gemuret vnd begrauen;
wehr dar ein thom anderen ouer will
de moidt drey koppe im bussem dragen.

27 Wils gott wie willen des alle geneten
vnd willen mit einer gulden bussen scheten,
ein jehlich sein koken bestellen,
vndt ropen Jesum Christum an,
de iss mechtiger als de Duuel ihn der helle.

28 De dussen reien hefft gedicht,
he vorsacket jo der Mummen nicht,
dat Einbecker beer iss ohm tho dure;
dat beclagen syne geste,
de mit ohm sitten bje dem fuere.

25, 3. Übs. die Pagen, Pferde, ja nicht franz. zu sprechen; vgl. 'Pagenstecher'. 25, 5. gnagen auch die Übs., die alte rechte Form. 26, 1. 2. die Übs.:

Braunschweig ist keyne Passnburg
Wen men wil dz men wandert dardurch.

26, 3. Übs. auch begraben, mit Graben umgeben, gemuret mit Mauer versehen (Übs. bemauret), beides in bedeutenderem Sinn als sonst; merkwürdig die starke Form begraben (vgl. zu 10, 1), s. Grimms Wb. 1, 1305. 26, 4. Übs. Wer dar zw den andern will. 26, 5. zum Wechsel; Busem für Tasche. Übs. der mueß den kopff in d. ermel tr. 27, 2. 3. busse Büchse. koken, Leyser „Küche"? Kochen? der Sinn des Ganzen ist klar: in Behagen und Frieden leben. 3. 2. bedeutet sonst bestechen (Grimms Wb. 2, 477), die Str. scheint erst 1494 zur Zeit des von Braunschweig erkauften Friedens hinzugekommen, sie fehlt der Übs. 28, 1. reien, Tanzlied s. zu Nr. 6. 28, 2. jo, Bekräftigung, auch ju. vorsaken, abschlagen, verschmähen, nicht = versagen, sond. von sake, Proceßsache, eig. streitig machen, abläugnen; mhd. versachen (Trist. 155, 31), ahd. farsahhan, altſ. vorsahhan. Übs. Die m. er ghar nicht verspricht. 28, 3. „der Belagerung wegen" L. Die Hs. duer, wie 22, 3 fuer. 28, 4. Übs. d. b. alle seyne geste gudt.

5.

Schlacht bei Bleckenstedt.

Das Lied (im Orig. von anderer Hand öfter corrigiert) und eine hochd. Übersetzung aus denselben Quellen, wie bei Nr. 4, handschriftlich in Leysers Nachlaß; zur Sache vgl. S. 18. Der Ton, ein bis Mitte 16. Jh. vielbeliebter, ist der meist „Ach Gott in deinem höchsten Thron" bezeichnete, Nr. 18. 28. Solt. Nr. 56. Uhland Nr. 353 (von Uhl. der in der Quelle benannte Ton nicht angegeben). Unbezeichnet in demselben Ton sind Solt. Nr. 48. 25? Körner Nr. 1. Der Ton wird auch anders benannt, Solt. Nr. 58a „wie die Schlacht von Pavia ges. w.", nämlich die b. Wolff S. 657, wo als Ton genannt „Sie sind geschickt zum Sturm, zum Streit;" bei Körner Nr. 5 „Wiewol ich bin ein alter Greis"; vgl. Rochholz 259. Den Strophenbau hat schon „Peter Unverdorben" Solt. Nr. 11, und davon ist die Mel. gedruckt von Mone im Anz. 1837, Beil. zum 3. Heft (vgl. S. 365). Der Ton scheint eine Fortbildung des Stortebekers (mit Repetition der 4. Zeile); ein Lied b. Solt. Nr. 36 in der Stortebekerweise beginnt: „O Gott in deinem höchsten thron" und Nr. 10 unten, in letzterm Ton, gibt ein Stortebekerlied für die Melodie an.

Ein liedt von der belagerunge Ao. 1493. vnd von der slacht vor Bleckenstidt.

1 Wille wie horen wat is geschein
da man schreiff negentig vnd drey
all ihn dem Sachsen lande
drey Forsten de sindt ouer rick
ohre namen holde ick so lofflig
wo woll ich se becande.

2 Ein reise hebben se vhtgericht
mit velen hern sick vorplicht

1, 1. Übs. Wolt ir h. 1, 3. all ein nd. und nl. beliebtes syntaktisches u. rhythmisches Füllwort, z. B. Uhl. 669 Covelens al op den Rijn; auch hochd. vereinzelt (vgl. allhier, allwo), so ist in dem L. „Wie schön blut uns der Meie" (Uhl. 116) in einem Druck von Hans Guldenmund jeder fünften Zeile alle vorgesetzt, offenbar mit bloß melodischer Bedeutung. Übs. Alhier. 1, 3—5 kürzt die Übs. „Von zweyen fürsten ritterlich Auch wol bekantt jedermanne", also Stortebekerstrophe; die 'drei' sind außer Heinrich d. Ä. von Wolfenbüttel Erich von Calenberg und Heinrich der Mittlere von Celle, Letztern wird die Übs. ausrechnen. 1, 4. lofflig, mhd. lobelîch, ruhmvoll. 1, 5. bekande, kennen lernte. wo (wie) wol Ausruf nach alter Weise, episch. 2, 1. reise im alten Sinn, Heerfahrt, hochd. Uhl. 487; ebenso reisen. 2, 2. hern (auch Übs.) zu sprechen

Braunswig so gar tho vordaruen
van denen se mochten hulpe hahn
ihn noden ohn konden bibestan
vmb ohrent willen steruen.

3 Vp einen Middeweken ist geschein
dat de Bronswikischen wolden theen
von Peine na Blekkenstidde
se togen so frisk all ouer dat Felt
da sach man so mannigen stolten helt
de von Hildessem wehren dermede.

4 De Forsten schickeden by ohn her
viel speywordt horet man dar
se scholden alle steruen
de beyden Stede achten des nicht
se vореden ohre Panneren vffgericht
se gedachten priess tho erwerffen.

5 Ein vornem Ruhter sprack tho handt
gy buren vht twier herren landt

'heren' mit flüchtigem zweitem **e**; das nd. **r** ist ein eigenthümliches, färbt z. B. vorhergeh. **e** zu halbem **a**, daher '**vordarven**' u. ähnl., darum reimt auch **her : dar** 4, 1. 2, und ähnlich oft. 2, 4. bes. Geldhülfe, wie das oft vorgekommen war; Übs. **müchten.** 2, 5. Der schnelle Subjectwechsel, wie hier, ist dem VL. eigen. 3, 1. Es war am 12. Febr. Hs. **iss**, wol ungenau; **ist = is et, isset**, Übs. **ist dz.** 3, 3. **Bleckenstidde**, diese Endung schon altsächs. **-stidi**, Gramm. 1 (3. A.), 235, durch Assimilation; vgl. **Scheppenstidde** Nr. 4, 15. 3, 6. Die Hildesheimer waren auf Br.s Seite. 4, 1. Übs. **zogen bey ihnen h.** Beide Heere rücken einander nahe in die Schlachtordnung und höhnen einander unter dem Ordnen ('**schicken**'?). 4, 2. **speiwort**, höhnende W., auch hochd.; Übs. **V. Spinnewordt gab m. d.**, vgl. 'spinnefeind'. Rein. Vos 6336 **R. gaf eme speie worde.** 4, 4. Die 'Städte' statt ihrer Heere, wie Nr. 6, 8, 4 die 'Herzoge'; Uhl. 620 die '**stette**' auf dem Reichstage statt der Gesandten. 4, 5. Übs. **ihr fenlein. vffgericht** mit hochd. f; das Hochd. spielt allenthalben leicht herein (s. die Überschr., **Sachsen** 1, 3, während ein süddeutsches L. b. Körner 175 **Sassen** hat; **Braunswig** 2, 3. **was** 15, 6. Nr. 6, 8, 4.), wie in die hochd. Übs. das Niederdeutsche. Jenes Hochd. aber schwerlich aus der Zeit der Entstehung, vielmehr der Niederschrift. 5, 1. Übs. **vermessener reuter.** 5, 2. 'Bauren', der gewöhnl. Titel, den der Adel den Städtern gab, noch im 17. Jh. b. Weller 124. 128. 129; vgl. hauptf. Uhl. Nr. 142, 8, wo die Städter trefflich und gründlich antworten ('**der stett glück tůt in zoren**'), auch mit Titeln; s. auch

nu horet na minen worden
Juwe heiken werpet ihn dat felt
so steit manniger vor einen guden helt
de kerls wille wie vormorden.

6 De Bronswigischen hadden darjegen gedacht
de von Hildesſheimb kemen ock mit macht
mit bussen (vnd) ock mit speiten
mit freden wolde se ouerthein
hedden dat de heren laten geschein
des hedden se mogen geneten.

7 Tho Lafferde sprack ein klein wicht
herr Borgermeister nu siedt bericht
latet vns na Hildesſheimb faren
dar kome wie jegen den morgen froe
vnd holen dar ossen vnde khoe
so konne jy de borger sparen.

8 Nein leue man des do ick nicht
ein sieden hudt ist nicht dicht
des moste wie schande dragen

Uhl. Nr. 141. 166, 3. Hier geben die 'Bauern' nach dem Sieg den Titel zurück 14, 1. — Die Hildesheimer waren bischöflich. 5, 3. **horet**, gehorcht. 5, 4. Übs. **Ewern Mantel**, der die bäurisch schlechte Kleidung verdeckt. **heike, hoike, heuke**, m. u. f., mnl. **huke**. 6, 2. Wie dies mit 3, 6 zu einigen? die Geschichte erzählt, in Peine sollten die Braunschweiger sich einigen mit dem Hildesh. Heer, der Weg nach Peine aber wurde jenen vom Herzog verlegt, so wandten sie sich nach Bleckenstedt, wo die Vereinigung ungehindert geschah. Übs. **kamen**, aber Conj. scheint nöthig. 6, 3. **vnd** in der Übs. **speit, spêt**, n. Spieß. 6, 4. Auch bair., östr. 'mit Frieden lassen', 'laß mich mit Fr.!' **wolde se**, nicht bloß vor **wir**, wie auch hochd. seit alter Zeit bis ins 16. Jh., wird das **n** im Plural abgeschliffen (**kome wie** 7, 4), sondern auch vor dem pron. der 2. u. 3. Pers., **konne jy** 7, 6. **se**, die Hildesheimer? **overtein**, vorüberziehn, vor dem Lager der Fürstlichen. 7, 1. Heinrich von Laffert, Bürgermeister von Braunschweig. Übs. **ein kleinmutiger; klein wicht** muß dieselbe Bed. haben. 7, 2. Übs. **Nu seit dz** (= **des**) **berichtet her B.**, laßt euch berichten, rathen. 7, 3. **faren** von reiten, wandern, ziehen ohne Unterschied, von Wagen am wenigsten. 7, 5. Um der belagerten Stadt so zu helfen und doch die Schlacht zu vermeiden. **dar** die Übs., das Orig. **den**; Hs. **vnd**. Das **oe** (auch ȯ) in **khoe, froe** ist nicht Umlaut, sond. langes **o**. 7, 6. **sparen**, schonen. 8, 1. b. Leyser **das**. 8, 2. Seidener (sîdîn) Hut der Fürsten, die in Verachtung der Bürger so gerüstet kamen?

des mosten entgelden vnser kindt
de noch vngeboren sindt
wie willen dat frilick wagen.

9 Se togen tho Blekenstedt ouer dat felt
dar hadden de forsten ohren telt
mit flite vpgeslagen
ohre bussen legen dar harde bie
de borgers wehren des Modes frie
dat mag ick mit warheit sagen.

10 Plettenberg de Edelman
Folkenberg heft wollgethan
ock Roleff de drey guden helde
se geuen den borgeren frischen moidt
sunder ein de hinder den wagen stoidt
vp den ick seher schelde.

11 Cordt Hundt vnd sin Compan
de ginck bie de Banneren staen
de borger alle gemeine
Se deden alse de wilden swin
se druckeden tho den finden ihn
ohre bussen fureden se alleine.

12 Dar hoerde man so manchen buessen klang
dat mannich von frien mode vpspranck
de himmel mochte beuen

m Gegensatz zum 'Eisenhut'. hudt corr. aus huue. 8, 6. frîlick, frei, Übs. freidig, kühn (Nr. 6, 8). 9, 2. zelt, meist n, ist auch f. u. m. 10, 1. 2. Ritter von Pl., Hauptmann der Hildesheimer. Übs. Plettenburg, Falkenborch, s. zu Nr. 4, 13. heft = heft it; es wol tun, tapfer kämpfen. 10, 3. Übs. Roloff. 10, 5. Hs. dem wage, die Übs. wie oben; die Wagenburg. stoit = stôt, stand, vgl. engl. stood. 10, 6. Übs. Auf den thetten sy hartt schelten. 11, 1. Medecompan? 11, 2. Übs. die giengen bey die bawren stahn, wird das Rechte sein, dann ist es Erklärung des eben Gesagten; 'die Bauern', die Kleinstädter auf der Fürsten Seite. 11, 3. alle ist Adv. 11, 4. Hs. swine. Der Vergleich öfter, Nr. 21, 12. 11, 6. Übs. feureten sy alle; dies alle wird das Rechte sein, dann könnte 11, 3 almitalle das Urspr. sein. 12, 2. Übs. für fr. m.

Nein ruther speel is meher geschein
ihn sachsen lande so ick mein
noch findet men des nicht beschreuen.

13 Sun vnd windt was vns entgegen
de leue godt hefft wedder gegeuen
den finden vnder ogen
des kemen se ihn grote nodt
(von blute wardt das veldt so roth)
do worden se ghar vmme togen.

14 De buer dede na syner ardt
he leep meher hen na holte wardt
he wolde wasen howen
den heiken lethe he vor ein Pandt
den brodsack warp he vht der handt
sin höuet begunde he tho klawen.

15 Wanne du leue Jennekens Man
woltestu vor einen Ruther stan
du bist dar tho nicht geboren
hawen schuffelen vnd mollen, dat is din art,

12, 4. 'Kein reuterspiel'; Uhl. 969 recht kennermäßig: dar sach men schone ruterspell; S. 555 ridderspel, 518 ritterspil; noch 1596 bei Körner 274, alles von Schlachten; bes. ein Ausdruck der Landsknechte, die auch in andern Dingen (z. B. 'reiten und rauben') die Hinterlassenschaft des Ritterthums in Anspruch nahmen. Davon ist etwas selbst bis ins Soldatenlied des 18. Jh. verpflanzt worden: Soldaten sind geboren Aus ritterlichem Stamm bei Simrock 465. mehr, weiter, oder auch jemals (= iemêr); „wie dieses" blieb in der Emphase stecken, man denke sichs nur gesungen. 12, 6. in Chroniken. 13, 2. Übs. misverst. hat wieder geg. Gott hat (dann) das Wetter g.; hefft = heft't (dat). 13, 3. schon mhd. under ougen u. älter, im Gesicht, ins Gesicht, formelhaft, s. Wackernagel in Haupts Ztschr. 9, 368; Uhl. 507 wird bei einer Belagerung den Stürmenden heiß Wasser under die augen geschüttet; ein Sprüchwort bei Simrock, Sprüchwörter Nr. 4525: es trägt manche ihr (ganzes) Heiratsgut unter den Augen. 13, 5. aus der Übs. ergänzt. 14, 1 ff. S. zu 5, 2. 11, 2. wardt, wärts (Hs. wordt). wasen, Rasen. 15, 1. Übs. Ach du armer Ackerman; das muß auch die Bed. von Jennekens Man sein, vgl. Nr. 4, 23. wanne! (Rein. Vos 564. 776), staunender Ausruf, ei ei! oho! auch heda! Wolff 127 auch hochd. (eine mitteld. Mundart) wan her! 15, 2. Übs. bestan. 15, 4. Hs. hawe. mollen scheint Torfbereitung zu bezeichnen. Mull ist ditmars. 'zerriebener Torf' (Groth's Quick-

vnd nicht thehen ihn de kriges fart
was hastu hier verloren.

16 Christus hatt vns hulpe gethan
vp dem wollen wier vns stedes vorlahn
he egenet loff vnd Ehre
von allen Steden ihn Sachsen landt
tho Bronswick ist dat Euangelium bekandt
Godt wille vns seine gnade mehren.

17 De dat lehdt gedichtet hatt
he wonet tho Bronswigk ihn der Stadt
ihn einem kleinen huise
he hatt einen korten sin
wen he drincket den kolen win
so leuet he ihm suise.

born), Brem. Wb. 3, 198 **torfmul**; vgl. **mul** Rein. Vos 4, 8, **müllen** Schmeller 2, 569, **moldeklave** Nr. 4, 8. Dann könnte auch 'hauen und schaufeln' den Torf betreffen, vgl. 14, 3 **wasen howen**, Torfrasen stechen? die schmuzige Torfarbeit scheint sprüchwörtliche Zeichnung der niedrigsten Thätigkeit der Bauern; ist doch Torfgewinnung gerade im Wesergebiet uralt. Die Übs. ändert '**hawen vnd dreßken**', meint also Getraidehauen. 15, 5. erst von der corrig. Hand hinzugefügt. 16, 1. Übs. **trost gethan**. 16, 2. **vp dem**, Dat. u. Acc. vermengt, vgl. **dich** tibi Nr. 4, 23, 3. **stedes**, gen. neutr. von 'stäte'. 16, 3. Übs. **Ihme eigent. êgenen**, in Anspruch nehmen, zu bekommen haben. Diese Str. ist gewiß erst in der Reformationszeit hinzugesungen. 17, 4. vom Corrector ergänzt. 17, 5. **ui = û**, wie **oi = ô**, auch **ai = â**, vgl. zu Nr. 4, 1, 3.

6.

Ein Anders von dem suluen.

(Eß wirdt gesungen wie man den Lindenschmidt singet.)

Original und Übersetzung in denselben Quellen, wie Nr. 5, gleich nach diesem in den Hss. (Leysers Nachlaß). Der Ton nur in der Übers. benannt. Auch Nr. 4 in dems. Tone heißt Str. 28, 1 **rey**; ebenso das Soester Lied Uhl. S. 966 am Anf. **gedicht**, am Ende **rei**, und das Lied von der Erstürmung Lüneburgs Uhl. Nr. 159, Str. 16, 1 nach einer andern Lesart Rey: **de uns diesen Rey nie** (neu) **gesang**, beide in demselben Tone.

1 Will gy horen ein Nigen Rey
do man schreiff negentig vnd drey
wunder mochte man merken
wo ein Rutherspeel iss geschein
tho Blekenstidde by der kerken.

2 De von Hildesshemb weren des woll bekant
Bronswig ligt ihm Sachsen landt
se hedden sich tho samen gesworen
hedden de hartigen tho huiss gebleuen
So hedden se nicht verloren.

3 Diedderich von Wirtten gaf snellen Raht
gy Edlen Fursten riedet fort
de banneren will ich vns fohren
de wagen borg wille wie winnen
des mag vns woll geboren.

4 Dat duchte dem Hertzogen alle guit
se steken vp alle banneren guidt

1, 4. **wo**, wie. **Ruterspeel**, s. Nr. 5, 12. 1, 5. **kerken** auch d. Übs. 2, 1. Übs. **Denen v. H. war dieß wol bekant.** was? die drohende Stimmung der Herzoge muß gemeint sein. Ähnliche Sprünge, oder Unbeholfenheiten, wie man will, kommen vor im VL. (vgl. Nr. 5, 12, 4), oder ist eine Str. vorher vergessen worden? Das persönl. **bekant** (**des**, in Bezug darauf, damit) des Orig. ist ebenso richtig, wird aber von '**sich bekennen**' sein, = bair. '**sich auskennen**' auf etwas, orientiert sein. 2, 2. **ligt im S. l.** ist formelhafter Zusatz, entw. parenthetisch zu fassen, oder als Relativbestimmung mit ausgelass. Relativ, was beides verschwimmt; ähnl. im VL. oft; was daran syntaktisch unfertig scheint, glich der Gesang aus. 2, 3. **sich** fehlt Übs.; '**zusammen schweren**' die gebräuchliche Wendung für politisches Bündniß oder sonstige Verpflichtung, die durch Eid eingegangen wird, z. B. Solt. 308. 492 (a. 1632); unten Nr. 11, 3. 28, 7; **eid zus. schw.** Uhl. 502. 505; **do schwůren sie zusammen zwen ayd** Hürn. Seyfr. Str. 84. 2, 4. **hartich**, auch **hartch**, gut nd., daneben '**herzog**'! 4, 1. 8, 4. 12, 1. 3, 1. Übs. **eilendt.** 3, 2. Übs. **eylet forth** (vorwärts). 3, 3. **banneren**, die Reiterscharen; die Übs. '**bawren**', dieser Hohntitel hier an übler Stelle angebracht. 3, 4. Übs. **die w. wollen wir itzt gew.**, im Orig. muß etwas fehlen. 3, 5. **des**, partitiver Gen., überfein, er findet sich aber öfter so, aus besondrer Liebhaberei. **geboren**, zu Theil werden (Übs. **gebueren**); die Hs. hat **gelingen**, durch den Reim mit **winnen** verführt. 4, 1. **dem**, plur. wie 8, 4 (Übs. **den**). **alle** Adv., vgl. Goethe's '**all gut**' (Grimms Wb. 1, 214), engl. all well. 4, 2. **stêken**, Übs. auch **stachen**; der nhd. Un-

den weg wolden sehe anrieden
des hedden de Stede guden moidt
se gedachten mit ohne zue strieden.

5 De knechte wehren wollgemoidt
se speken wie sindt albereit
Striedes wille wie ohn pflegen
help Godt von himmel hoch
so bliue wie nicht vnder wegen.

6 De borgermeister sprack mit haste
mine leuen borger stat faste
prieß vnd eher willen wie vorwerfen
de almechtige Godt sta vns by
so konne wie nicht vordaruen.

7 De houetlude wehren moides frie
Plettenberg was harde daby
mit synem starken staken
Henni von Reden sprack mit haste
dat speel wille wy woll maken.

8 De borger weren des alle fro
se reipen Weisenborgk Hochmudt
de bussen horede man snufen gahn

terschied von stecken und stechen ist viel willkürlich. 4, 3. sehe (sie) soll langes e malen, wie meher, seher, eher, Ehre 6, 3. 4, 4. des, darum, hier wie 'trotzdem'. 5, 1. 2. gemoit : bereit, also oi auch gesprochen. Die Übs., um den Reim zu retten, ändert gemuth: Sie sprachen wir woln schlagen zw. In Leysers Abschrift steht spreken, am Rande „MS. speken." spêken, praet. von speken, rechter Nebenform zu spreken, und nicht bloß nd., s. Schmeller 3, 555. 5, 3. pflegen eines D. war sehr vieldeutig, es irgendwie üben, vgl. Nr. 2, 5, 11; ja geradezu 'geben', wie Sachsensp. 1, 63, 3 einem schildes und swerdes plegen. 5, 4. Übs. Hilft G. von hohen H. vns. 5, 5. eig. auf dem Weg liegen bl. 6, 3. Übs. erlangen (6, 5 So werden wir nicht gefangen). 7, 2. Übs. Plettenburg, wie Nr. 5, 10. 7, 3. Übs. scharffen staeken; gewaltige Lanze? 7, 4. Übs. Henning von Ruden; vgl. Nr. 4, 21 Witti, Übs. Witing. 7, 5. formelhaft; 'Spiel' stehende Bezeichnung des Kampfes, alt nîtspil. 8, 1. fro aus gudt corr. 8, 2. die Loßung? Übs. Sie rieffen trett nur alle herzu. 8, 3. Übs. nur schnauben. gehn so mit Inf. (part. praes.), um das Andauernde zu bezeichnen,

se schoten tho dem herzogen ihn
se wolden dat freudtlich wagen.

9 Diderich von Wirten bleiff dar dodt
vnd leidt dar mannigen helt ihn groter noht
van ruter vnd von heren
de redden vp de wagenborch
se mosten wedder keren.

10 Do de herrn dat vornemen
dat ohre ruter wedder kehmen
dat hadde ohn woll verdroten
de Stede weren des wolbereit
se wolden ohn de spitzen thobreken.

11 Dat duchte den herrn wunder sin
dat se scholden ruter sin
de wagenborch nicht konnen gewinnen
Jesus Christus stundt da midden in
se mosten sick beht besinnen.

12 Ein slange der Herzog hadde bracht
vndt einen Scharpentiner mit macht
ein Steinbussen wolbesettet
krudt lodt vnd Piele bleiff dar
dat hadden se vorgetten.

schon mhd., in Konrads v. W. goldner Schmiede ein **becbelîn daz rûschen gêt.** 8, 5. Übs. genauer **freidig**, d. h. kühn, dreist, aber schon früh mit **freudig** verwechselt, vgl. Nr. 28, 15. 36, 32. 9, 2. Übs. **ließ manchen.** 9, 3. **ruter**, in der Hs. in **rittern** corr., auch die Übs. **Rittern.** 9, 4. mit 2000 Reitern. 10, 1. **vernêmen**, nicht 'hörten', sondern 'sahen'; erst später auf den Gehörsinn beschränkt. Uhl. 634 **kein einigen baum ich da vername** (17. Jh.). 10, 3. **ohn**, ihnen, **verdrießen** mit Dat., wie Nr. 42, 28 und sonst in dieser Zeit, auch noch beim Volk; mhd. mit Acc. 10, 5. Übs. **Sie haben ihnen die spitze zerbrochen.** 11, 2. Übs. **das itzt die stoltzen reuters** (vgl. **borgers** Nr. 5, 9, 5) **frey.** 11, 3. Übs. **konten.** 11, 5. **bet, baz,** besser. 12, 1. Hs. **brachte, hadde** von mir zugesetzt. Hs. **mit siner macht.** 12, 2. **Scharpentiner**, **Scharpfentin**, Feldgeschütz; die **Schlangen** sind größer. 12, 4. Übs. **Krauth, Pfeile, lodt, spieß, schwerdt blieben dar.** 'Kraut und Lot', Pulver und Blei. **bleiff,**

13 Sestein Wagen mit Victualien vnd Man
Nie kleider ein hoidt mit golde beslaen
de worden dar gefangen
de vedderen weren verguldet dran
mit kostlichen edlen Spangen.

14 Der vns dut lidlein nie gesanck
ein gudt geselle iss he genant
hirmit wilt he vns schenken
wen de krieg ein ende hatt
will he vp den anderen denken.

sing., wie oft, alles in eine Masse zusammenfassend, daher 'dat'. 13, 1. Übs. mit Prouiandt beladen. 13, 2. hoidt, Hut. Hs. beslagen. 13, 3. in der Hs. als fünfte Zeile, vom Corr. ergänzt. 13, 4. Übs. Darzw viel eddele ritter vnd man (Z. 3 als 5, 5 als 3), scheint ausmalende Übertreibung der Tradition. dran von mir zugesetzt, die 4. Zeile neigt zum Reim, vgl. zu Nr. 19. 14, 1. nie, neu, Übs. itz. 14, 3. Hs. will; wilt ist 'wills'. 14, 4. Übs. nun ein ende wirdt haben. 14, 5. den anderen Krieg, der Sänger also ein Landsknecht (vgl. 5, 1). Übs. So wil ehr ein anders (Lied) bedencken.

7.

Die Schlacht bei Regensburg
im bairisch-pfälzischen Erbfolgekriege.

12. Sept. 1504.

Nach einem flieg. Bl. in Fol. (Münchn. Bibl.) mitgetheilt von J. B. Docen in Hormayr's Taschenb. f. d. vaterl. Gesch., Jahrg. 1829, S. 159 ff. als das erste von 3 „Altdeutschen Kriegs- und Siegsliedern aus den Zeiten K. Maximilians I." mit einleitenden historischen Notizen. Unter der 'Böhmischen Schlacht' ist gemeint die Schlacht bei Regensburg (genauer bei Schloß Schönberg) aus dem Krieg um das Erbe Herz. Georg des Reichen von Baiern-Landshut († Dec. 1503), um dessen Beilegung sich K. Maximilian thätig bemühte. Gegner waren einerseits Pfalzgraf Ruprecht (14, 2), der böhmisches Kriegsvolk ins Treffen führte ('die Behem' 4, 2. 5, 2. 7, 2), andrerseits Herz. Albrecht von Baiern-München, auf dessen Seite Herz. Erich von Braunschweig, Markgr. Friedrich von Brandenburg waren, ja selbst König Maximilian mit den für den Landfrieden aufgebotenen Reichsstädten, da der Streit über den Landbesitz durch Rechtsspruch auf einem Landtag zu Augsburg schon für Albrecht entschieden war (14, 4. 5). Bei Soltau I, 180 ff. handeln 4 Nummern (31—34) von diesem Erbstreit, darunter ein heraldisch gehaltner, übrigens trefflicher Spruch auf dieselbe 'Behemsch schlacht'. Das Lied muß viel und lange gesungen worden sein, noch um 1525 nahm es Valentin Holl in seine handschr. Sammlung auf (fol. 126[a], nach den Auszügen des Hrn. Prof. Zarncke, denen ich alle gebrauchten Notizen über die Hs. verdanke), vgl. Uhland 973, und man nannte die Stortebekerstrophe nach ihm, z. B. Solt. 206 „in der weiß wie das lied von der Böhemer schlacht" (a. 1512); ja schon die folg. Nr. von 1504 nennt als Melodie die „behamer schlacht weise". Auch der Romzug Nr. 10 (1509) nennt sich 'in der Behemer schlacht', vgl. dort.

Ain lyed von der behemschen schlacht.

1 Es kumpt noch wohl ain gute Zeit,
Das man in frembden Landen leit,
Mit pfeiffen vnd mit trummen;
Nun merkt ir herren allgeleich,
Wie wir in Bayern seind kummen.

2 Wir zugens Bayerland auf vnd ab,
Vil armer leut hab wir gemacht,
Es blyb nit vngerochen;
Got aus seiner gerechtigkeit
Hat ihn ir leben abprochen.

1, 1—2. Das Lied ist gewiß aus dem Winter 1504—5, der Landsknecht freut sich auf den Sommer als seine 'gute Zeit', der Krieg ist ja seine Nahrung; vgl. Uhland 383 wer uns den winter auß nöten hilft, den sommer scheint uns die sonne; 378 der summer sol uns bringen ein frischen freien mut; 516 es get wol gegen der sommerzeit, daß mancher knecht zu felde leit; doch auch 501 Es nahet sich des herbstes zeit, und daß man in dem felde leit, mit pfeifen und mit trummen; vgl. 565 Im winter ist ein kalte zeit, daß man nit viel zu velde leit — lauter Landsknechtlieder. Sie freuen sich auf neuen Türkenkrieg (Uhl. 524 fg.) und einen Herren, 'der uns das groß wochenlon geit'. Denselben bairischen Krieg preist Jörg Widman bei Solt. 180: (Krieg) 'der oft erfreut vnd hat bekleit (bekleidet, bei Solt. 'beklagdt') vil manchen stolzen knaben' und 'das bayrisch gelt yetz in der welt thůt manger knecht verbrassen.' 1, 3. Uhl. 516 ein orden durchzeucht alle land, mit pfeifen und mit trummen, landsknecht sind sie genant. 1, 4. ir herren, eine gegenwärtige Zuhörerschaft zu denken, nicht etwa Leser, doch vgl. Nr. 13, 22. 2, 1. Dies auf und ab formelhaft, Körner S. 21 einer zoch vff der ander ab (Landsknechte, die im Mai durchs Land in Dienst ziehn); Solt. 104 du fleugst den Wald wol auf vnd ab (Magdeburg als Adler). 2, 3—5 wird durch den Gesang des Volks so geändert sein, so

3 Der Römisch küng hatt sich wol bedacht,
Die Reichstett all zusamen bracht,
So gar in kurzen weilen;
Er ist gezogen nacht vnd tag,
Gen Regensperg thet er eilen.

4 Der Wißbeck hat sich auch besunnen,
Die Behem schuf er zu ym kummen,
Von yn ist er geflohen;
Wenn er wär ein redlich man,
Mit yn wär er gezogen.

5 An einem Dornstag es geschach,
Das man die Behem ziehen sach
Mit rauben vnd mit brennen;
Das thet den Fürsten also wee,
Die sach wolten sy wenden.

6 Sy sprochen frölich allgemain,
Im namen gots wiers greifen an,
Ain schlacht wöll wir vollbringen;
Mariam gotsmuter ruff wir an,
Das wir die ketzer bezwingen.

7 Der küng was auf mit seiner Macht,
Mit den Behem thet er ain schlacht,

weit geht die Unparteilichkeit des Landsknechts sicher nicht. 3, 2. z. B. Augsburg, Nürnberg, Straßburg. 3, 5. **Regensperg**, vgl. Nr. 4, 13. 18, 6; bei Uhland 538. 976 heißt Freiberg im Erzgebirge **Friborch**, **Freyburg**; Solt. 494 Eulenburg (a. 1632) **Eulnberg**, 301 Würzburg **Würtzpergk**, 311 Weinsberg **Weynspurg**, Wolff 381 Bamberg **Bamburg**; Körner 271 der östreich. General Ad. von Schwarzenberg (a. 1596) der **Schwarzenburger**; im Antwerpner Liederb. von 1544 Nr. 219 (Horae belg. 11, 339) wechselt in demselben Liede **Heynsborch** und **Heynsberch**; in der sächsischen Theilungsurkunde von 1485 heißt u. a. Rochsburg **Rochsberg**, die Wartburg **Wartberg**. 4, 1. Ritter Georg Wißbeck, pfälzischer Feldhauptmann, bei Solt. Nr. 31 oft genannt (a. 1503 Vilshofen berennend). **sich besinnen**, einen sin, Entschluß fassen. 4, 2. **schaffen**, veranstalten; Uhl. 601 **Herr wirt, schaff uns hergeben .. ein wermutwein**. 4, 3. So nehmen sich die Sänger oft Hauptsachen voraus. 4, 4. **redlich**, nicht sittlich zu verstehen, sondern wie mhd. = tüchtig, richtig, ordentlich. 6, 1. 2. **allgemain : an** (Docen **allgemein** wie 10, 1), östr. ein rechter Reim, **ai** als r e i n e s **a** gesprochen, s. 10, 1. 2. 6, 5. **ketzer** heißen a. 1503 die 'Raiczen, Böham' auch

So vil er mocht erlangen,
Zwai tausent Behem schlug er tod,
Sechshundert nam er gefangen.

8 Der Römsch Küng fürt der eren ein kron,
In der schlacht was er davornen dran,
Braunschweig thu ich auch nennen;
Er furt das schwert in seiner hand,
Die Behem wollt er trennen.

9 Herzog Albrecht was auch dabei,
Der edelen marggrafen drei,
Sie haben sich wol gehalten;
Darzu Grafen, Ritter vnd knecht,
Sy woltens Got lon walten.

10 Die Reichstett main ich allgemain,
In der schlacht hond sy das best gethan,
Kainr wolt dahinden bleiben;
Ainer zu dem Andern sprach,
Die ketzer wöll wir vertreiben.

11 Die Lantzknecht seind aller eren wert,
Sy hond sich wider die Behem kert,
Sy woltens frischlich wagen;
Eylent liefen sy zu ihn,
Ir kainer wolt verzagen.

12 Märk Sittich von Embs ist auch daran,
Ins erst gelid hat er sich than,

Solt. 182, böß christ 198. 8, 3. Der Herzog Erich schlechthin 'Braunschweig' genannt, das ist die alte Sitte das Land im Fürsten zu personificieren, allg. bekannt aus Shakespeare; so heißt schon mhd. Kaiser oder König daz rîche. Uhl. 966 Cleve, Marke hogemoit, Paderborne (Bischof), Lippe, junge blot, die van Soest ꝛc. Vgl. Nr. 55, 9. 11, 27. 30, 19, 4. 8, 5. Die Böhmen hatten ihre Wagenburg mit tartschen versetzt, groß wie ein Stallthor, dawider geschah groß rennen, man kund sy lang nit ertrennen (Solt. 200). 9, 2. Der Markgraf von Brandenburg mit seinen Söhnen Casimir und Georg. 9, 5. lôn, mhd. lân, lassen. 10, 2. Doc. gethon. 10, 3. formelhaft. 10, 4. vgl. Nr. 4, 2. 11, 1. seind, vgl. zu Nr. 69, 1. 12, 1. Marx (Marcus) Sittich von Ems, der

Er hat sich wol gehaben;
Das wissen die frummen Fürsten wol,
Zu ritter hond sy yn geschlagen.

13 Darnach zug wir gen Regenspurg ein,
Da hieß man vns got willkumm sein,
Wir wurden schön empfangen;
Wir lobten got von hymelreich,
Das es uns wol ergangen.

14 Die sach möcht noch wol werden schlecht,
Der pfalzgraf kriegt doch wider recht,
Der sigel wirt gebrochen;
Das land ist baiden Herzogen
Von München zugesprochen.

15 Noch wöln se dsach nit recht verstan,
Landshut muß auch nacher gan,
Heydeck thu ich nennen;
Sy kriegen wider eer vnd recht,
Irn herrn wöllen sy nit kennen.

16 Das Lied hat dises mal ain end,
Bis das ain bessers wirt erkennt,
Der schimpf wirt sich noch machen,

noch vor Pavia mit focht (Solt. 289). 12, 3. **haben** in der ältesten Bed. halten, die Form **gehaben** aus der sehr alten und allgemeinen Vermischung mit **heben**, die in Süddeutschland noch umgeht. 13, 2. 'bis Gott willkommen' der alte Gruß. 14, 1. **schlecht** urspr. gerade, mhd. sleht, hier: ins Gleiche gebracht, 'geschlichtet'. 14, 2. Der endliche Vergleich kam 1505 zu Stande. 14, 3. symbolisch, sein Kriegen ist ein '**sigelbruch**'; **der** (Rechte?) **sigel**, bes. das königliche Siegel an dem zu Augsburg gefällten Schiedsurtheil. 14, 4. Albrecht und Wolfgang. 15, 1. **noch**, 'immer noch' und 'dennoch' spielen darin, wie oft, in einander. 15, 2. **nácher** aus **náchher**, 'nachgehn', in der Reihe mitgehn, folgen. **auch**, 'doch auch noch', öfter mit leise adversativem Sinn, vgl. Walthers **dâ hœret ouch geloube zuo** (66, 12). 15, 3. **thu ich nennen** leere Füllung, es gehört mit manchen ähnlichen Wendungen zu dem fertig liegenden Dichtapparat, an dem wir so leicht Anstoß nehmen. 16, 2. Angehende Dichter vertrösteten so auf Besseres; überhaupt war es gewöhnlich, das etwa misgünstige Urtheil der Hörer im Liede zu berücksichtigen; daher z. B. die häufig ausgesprochne Furcht, das Lied möchte zu lang werden und die Hörer 'verdrießen'. 16, 3. formelhaft; **schimpf**, Scherz, vom

Neuburg, Rain vnd Wasserburg
Die söllen des nit lachen.

17 Der vns das liedlin neu gesang,
Hans Gern von Embß ist er genannt,
Er hats gar oft gesungen;
Das Bayerland zug er auf vnd ab,
Kain gelt kund er bekummen.

schimpfspiel bei Turnieren auf den Krieg übertragen. 17, 2. Enns an der Enns wird gemeint sein. 17, 5. Solche launige Vorkehrung des eignen Ich zum Schluß ist ganz gewöhnlich, sie hat eben humoristischen Zweck.

8.

Die Belagerung der Feste Kufstein.

Sept. Oct. 1504.

Aus einem flieg. Bl. in Fol. (Münchn. Bibl.) abgedruckt in Hormayr's Taschenbuch, Jahrg. 1829, S. 165 ff. (s. die vorige Nr.) als das zweite der dort von Docen mitgetheilten „Altdeutschen Kriegs- und Siegslieder". Die Sache ist bekannt, hauptſ. durch den Charakter der beiden Gegner, die es mit einander zu thun hatten, der tapfere Baier, Ritter Joh. von Benzenau in der Festung und König Maximilian als Belagerer. Den König leitete namentlich das politische Interesse, in dem Erbfolgestreit die Festung für sich zu gewinnen (s. 3, 5), die durch ihre Lage so wichtig ist. Das Lied ist ein Landsknechtlied, der Singer war gewiß mit unter den aus München Ausziehenden (1, 4. vgl. 2, 1); über die Weise s. S. 37.

Ein schönes lied von Kopfstain

in behamer schlacht weise.

1 Wöllt ihr hören ein neues gedicht,
Wie es zu Kopfstain geschehen ist
Mit streiten vnd mit fechten;
Der König zog zu München aus
Mit rittern vnd mit knechten.

2 Wir zogen nach dem wasser auf,
Die von Kopfstain namen einen grossen graw,
Wir sollen vns wol fürsehen;
Gewünn vns der könig vberhand,
Wir kämen vm leib vnd leben.

3 Der könig schrib zu Kopfstain hinein,
Ob sie ihm wolten vndertänig seyn,
Vnd wolten sie ihm ergeben,
Dem römischen könig seyn vnderthan,
Demselben sollten sie schwören.

4 Der burgermeister was ein weiser man,
Er griff die sach nach dem besten an,
Die stat wöll wir aufgeben,
Dem römischen könig wol in sein hand,
So frist er vns vnser leben.

5 Der pfleger was ein stolzer man,
Er nam die sach nach dem bösten an,

2, 1. nach d. w. auf = den Fluß (Inn) entlang aufwärts; wasser so schon im 12. Jh., z. B. in der Kaiserchronik ein wazzer, heizet In. In Mone's Anz. 3, 237 eine alte Statistik der wasser (Flüsse) in Baiern. 2, 2. graw, mhd. grûwe, Grausen; nemen, bekommen, wie oft, vgl. noch 'Schaden nehmen', 'den Tod nehmen' Nr. 12, 5, 7. 2, 4. Der Druck gewüne; mhd. oberhant gewinnen mit Gen., auch uns hier kann Gen. sein, wie Uhl. 521 er legt uns (von uns Landsknechten) ein gewaltigen haufen ins felt; doch ebenso gut auch Accusativ. 3, 1. sie, Kopfstein. 4, 1. Diese Wendung, einen Charakterzug vorauszuschicken, um eine folgende That oder Äußerung zu begründen, ist formelhaft, gehört zum epischen Apparat der Sänger: Solt. 165 Der Burgermeister war ein kluger weiser man u. s. w. Uhl. 441 Der landvogt was ein wiser man u. s. w., und Der schultheiß was ein wiser man. In dem schönen Weihnachtsl. 'Da Jesus Christ geboren ward' (Meinert, Kuhländchen 262; nl. Hor. belg. 10, 59) heißt es, da Maria sich nach den Feigen bückt, (mündlich) 'Joseph war gar ein alter Mann, Wie sehr ihn das verdroß!' die Motivierung zugleich als Entschuldigung. 4, 3. aufgeben, förmlich und völlig übergeben, von Festungen das gewöhnliche Wort, s. Nr. 31, 12. 4, 4. Druck feind. 5, 1. pfleger, der die pflege der Feste hatte, 'Verwalter eines landesfürstlichen Schlosses' Schmeller 1, 328, hier aber zugleich militärischer Posten, und der 'Landrichter' ist davon geschieden (14, 2). So ist in Soden's Sturm auf Velden S. VI. ein pfalz-bair. 'Landrichter und Pfleger' zu Auerbach, der Velden belagert (a. 1504), und der Nürnbergische Commandant von Velden im 30jähr. Kriege heißt auch Pfleger. 5, 1. 2. parallel mit 4, 1. 2. ist

Er wollt sich nit ergeben;
Hätt er dasselbig nit gethan,
So hätt er behalten sein Leben.

6 Der könig hätt sich eins sinns bedacht,
Vil guts geschütz er für Kopfstain bracht,
Wol aus dem Ötsch lande;
Man führt es auf dem wasser herab
Gen Kopfstain für die mauren.

7 Ein frid ward gemacht anderhalben tag,
Der pfleger schoß vom gschloß herab,
Den könig thet es verdrießen;
Er zu seinen büchsenmeistern sprach,
Nun vahent an zu schießen.

8 Der könig mußt vil bauren haben,
Die ihm machten den schanzgraben,
Darauf thet man sich rüsten,
Die körbe schütt man an voll kots,
Darhinter thet man das geschütze.

9 Die erste heißt der Purlapaus,
Die schoß zu allen orten aus,
Die mauer thet sie ertrennen;
Die in dem schlosse sahens an,
Man wollt ihn machen enge.

10 Die ander heißt Weckauf von Österreich,
Für wahr ihr ist keine geleich,
Weder karthonen oder schlangen;

ein werthvolles Beispiel, wie die oben S. 18 bemerkte Form der Parallelisierung im Rahmen der Melodie manigfach und wirksam verwandt wird. Das 'beste und böste' alte Form wortspielenden Gegensatzes, s. Grimms Wb. 1, 1659. 6, 1. **sinn** heißt auch ein einzelner guter Gedanke, kluger Einfall, schon mhd.; Schm. 3, 257. Der Dr. **erdacht**. Körner 99 **sie hetten bald ain sin erdacht**. 6, 3. Docen wollte **Ötscher**. 7, 2. **Gschloß** noch jetzt die bair., östr. Form. 8, 4. **kot** allgemeiner 'erdige Substanz' Schm. 2, 343. 9, 2. **ort** = Ende. 10, 3. **weder — oder**, die nöthige Negation wirkt von '**keine**' herüber; auch **noch — oder**

Sie sahen vber die mauren aus,
(Sie sprachen) Es wird vns nit wol ergangen.

11 Es stund bis an den dritten tag,
Daß man die feind ausfliehen sach,
Zu Kopfstain aus der mauren;
Sie sahen in das tal herab,
Da waren viel stolzer Bauren.

12 (Sie sprachen) Der sachen haben wir nit recht,
Es waren alles lantzknecht,
Es wird vns nit wol ergangen;
Ihr lieben knecht, thut all das best,
Vnd nemet vns gefangen.

13 Die knechte namens bald zu hand,
Vnd fürten sie wol durch das land,
Für das geleger thet man sie füren;
Man fürt sie in ein öden hof,
Man thet ihn all palbieren.

14 Der pfleger was der erste man,
Vnd der richter was auch daran,
Er vnd sein gesellen;
Man fürt sie in das grüne gras,
Do thet man ihn die köpf abfällen.

15 Herzog Albrecht ist ein weiser man,
Er griff die sach zu dem besten an,
Er ist dem krieg vil zu frumme;
Der weisen der sind also viel,
Der thoren vnd der thummen.

Nr. 20, 59, und sonst vielfach wendbar, vgl. Nr. 37, 3. 10, 5. **gangen** ist die alte rechte Form, noch in südd. Mundarten. 12, 1. Darin haben wir uns geirrt, es schienen nur Bauern? der Benzenauer mochte wol die Landsknechte so gescholten haben. 13, 3. **geleger**, **läger** die alte Form, mhd. **leger**, daher **belägern**. 13, 5. Fürchterliches Scherzbild, vom Baderhandwerk entlehnt, wie viele Bilder und Ausdrücke für plagen, mitspielen, 'scheren' u. dgl. Der Dat. 'ihnen' ist richtig, alle diese Verba (**scheren, strelen, ausreiben, bürsten**, lauter Badergeschäfte), die ihr Object nur an einem Theil, an einem Punkt treffen, nehmen den Dativ zu sich, s. Nr. 30, 20. 9, 18, 8. 15, 1. Er bekam den Beinamen des Weisen. 15, 4.

16 Der vns das lied hat neu gedicht,
Der singt vns noch viel ander gschicht,
Er thut sich bald bedenken;
Er ist ein freyer landtzknecht gut,
Das lied thut er vns schenken.

das zweite **der** von Docen ergänzt. Der Bezug der Str. ist mir nicht klar. 16, 1. **neu** von mir zugethan; Docen wollte 'liedlein'. 16, 3. Er ist im Dichten gewandt. 16, 5. **uns** wird, wie vorher, vom Volk gesungen sein, der Landsknecht mochte **euch** gedichtet haben. Die Widmung des Liedes folgt in der Regel zum Schluß; es war seit dem 15. Jh. besonders Sitte, zum Neujahr Lieder und dgl. zu schenken, wie ähnlich noch in der Schweiz.

9.

Ain lyed vom Benzenawer.

1505.

Mit den beiden vorigen Nr. in Hormayr's Taschenbuch mitgetheilt von Docen S. 169 aus einem Folioblatt der Münchner Bibliothek. Das Lied, viel gesungen und gedruckt, liegt vor aus vier verschiednen Quellen, nach einem flieg. Bl. der Kun. Hergotin (auf der Weimarer Bibl., s. Mone's Anz. 8, 372) bei Wolff 660, ohne Quellenangabe und lüderlich; nach einem Zürcher Druck von Aug. Frieß (um 1520), bei Körner 116 (nach demselben machte es Docen zuerst 1807 bekannt in Aretins Beitr. 9, 1287 vgl. 1336, aber nicht treu); nach einem flieg. Bl. 'mit solchen von 1505 und 1506 zusammengebunden' bei Uhland 457. Die letztere Fassung ist die ältere, ja vielleicht die ursprüngliche, sie zeigt die Spuren frischer Entstehung, die drei anderen sind technisch ausgefeilter, man sieht wie das Lied im Mund der geübten Sänger zurechtgesungen worden ist; und eben dies lehrreiche Verhältniß wollte ich im Hauptsächlichen nachweisen. Von den drei späteren muß die folg. Fassung die ältere sein. — Man wußte von dem L. schon vor 1807 durch ein landsknechtisches Rügelied wider die Pluderhosen 'in des Penzenauers Ton' 1555, in Kochs Compend. 2, 87 erwähnt, im Wunderh. 3, 160 (neue Ausg. 153) gedruckt (Uhland Nr. 192 ohne Angabe des Tons). Der Ton ist ein alter, weitverzweigter und hat oft den Namen gewechselt (vgl. J. Grimm, altd. Meistergesang S. 136), Hildebrandston (noch 1619 bei Solt. Nr. 72), Bruder Veit, Graf zu Rom (Solt. Nr. 68), Binzenauer, Rumensatel, Wilhelmus von Nassawe, Wilhelm der Telle, Lobt Gott ihr frommen Christen (Bergreien, h. v. Schade S. 59. 64), vgl. auch Hor. belg. 2, 100 — und ist ursprünglich nichts anders als der Ton des Nibelungenliedes; selbst die vier

Hebungen in der achten Halbzeile brechen noch oft genug durch, um mehr als zufällig zu sein. Der Ton ist immer vorwiegend für epische, heldenmäßige, tragische Stoffe gebraucht worden; es mochte wol eine Ehre sein, die man damit erwies, und wie der tapfere, unglückliche Vinzenauer, so ist z. B. Graf Egmonts Ende darin gesungen worden (Uhl. Nr. 356 'im Tone alse men singet van dem Graven van Rome', von Uhl. nicht angegeben); im 16. Jh. brauchte man den gewichtigen Ton zu Streitliedern, wie bei Uhl. Nr. 349 (Th. Murner). 192, L. Hailmanns „Lobt Gott ihr frommen Christen"; ja schon 1525 in Danzig: Eyn nyge leth van den Dansker vp de pantzenaurische wyse in Zeitschr. des Vereins für Hamburg. Gesch. 2, 472 ff. Ein anderer 'Vinzenawers thon' bei Solt. S. 251.

1 Wolt ihr hören singen
Jetzund ein neus gedicht,
Von neu geschehen Dingen,
Wie es ergangen ist;
Vil büchsen vnd cartonen
Sach man in dem veld stan,
Gen Kopfstain an die mauren
Ließ man sie all abgan.

2 Her dieserhalb des wassers
Schlug man das geleger an,
Den büchsen macht man gassen,
Ließs an die ringkmaur gan,
Ein loch thet man da schießen,
Es erbidmet in der stat,
Die burger wards verdriessen,
Sie gingen bald zu rat.

U. meint die Fassung bei Uhland, K. die bei Körner, W. bei Wolff; ich notiere beide letztere nur, wo sie von obiger Fassung abweichen, da sie nach ihr fallen; auch notiere ich von ihnen wie von der ältesten Fassung im allg. nur was ihr Verhältniß unter einander ganz deutlich macht. 1, 1. U. Wolt ir aber hören, also oben (ebenso bei K. und W.) der Reim hergestellt, der in der Hildebrandsstrophe urspr. nur bei Zeile 2 : 4. 6 : 8 nöthig ist, vermöge ihres Ursprungs aus der Nibelungenstrophe. 1, 2. U. hört zu ain neus gedicht. 1, 4. U. wie es kurzlichen erg. ist, oben der Rhythmus gereinigt. 2, 1. U. Her dishalb d. w., K. W. Hört, ein Hörfehler, man kann daran hören, wie diese Lieder mündlich verpflanzt wurden. her verstärkte das 'diesseit', wie in herheim u. ähnl., wurde aber mit dem folg. d so verhört. 2, 3. U. man m. der büchsen ein g., also urspr. und wirklich nur eine. 2, 5. U. man tet die maur zersch., das (daß es) —. mhd. erbidemen, erbeben. 2, 7. U. es ward die b. v., W. wie oben, K. die B. thet das v.; jenes

3 Do stund der Benzenauer
Vnd bot bey leib vnd leben,
Daß man dem Römischen künig
Die stat nit sollt aufgeben;
Gäb mans dem Römischen künig,
Er wär nit wol daran,
Er schwur bey allen heiligen,
Er wolls ertrenken lan.

4 So muß ichs widersprechen
Von wegen vnser stat,
German thu ich ihn nennen,
Ein Burger in dem rat,
Solln wir den künig vertreiben,
Ist vns nit wol erkant,
Vor ihm kündt wir nit bleiben,
Wir sitzen in dem land.

5 Do sprach der Benzenauer,
Vorm künig woll wir bleiben,
Wir haben ein gute veste,

das ältere; **werden** mit Inf. (urspr. mit part. praes.), eine leider verlorene conjugatio periphrastica, die das Eintreten eines Zustandes, dann auch den Beginn einer Handlung ausdrückte: es fieng an, die B. (allmälich) zu v., vgl. Nr. 11, 19, 3. 3, 1. U. **Dabei da st. d. B.**, oben der Rhythmus gebessert, aber die Anwesenheit des B. im Rath nicht so deutlich. 3, 2. U. **der verpot. bieten** für **gebieten** (K. W. **gebot**) selten, s. Grimms Wb. 2, 7. 3, 5 ff. spricht U. der Benz. selbst **und gäb m. — ich bin nit wol daran, er** (Max.) **schwůr —, ich můß mein leben verloren han**, mit vier Hebungen schließend; auch K. W. **er wölt sy all ertrencken lan** mit vier Hebungen. 4, 2. U. **von w. gemainer stat** im rechten amtlichen Stil. 4, 3. U. **Perman will ich euch n.** 4, 4. **was ein purger im rat**, oben der Accent berichtigt, singbarer gemacht; der Landsknecht, der etwas von Technik wußte, zählte die Silben. 4, 6. Eine Bitterkeit: 'da wissen wir nichts davon' (U. **ist mir wenig bekant**, das **wenig** noch bitterer), K. W. **bekant**. Weit bitterer 4, 7. 8 bei U.: **wir mügen nit sicher bl., und sitzen ain tail im land**, d. i. 'E t l i c h e von uns Anwesenden sind hier einheimisch', nicht wie du fremd. (K. W. **wir s. mitten im l.**) So wurden die frischen Farben verwischt, das Ganze mehr allgemein faßlich gemacht. 5, 1. **Do**, der Auftact, fehlt U., mehr alterthümlich. 5, 2. **w o l l** (n) zu betonen. 5, 3. U. **vil ain g. v.**, seltene, aber bes. bair.-östr. Stellung des **vil** (**sehr, gar, ganz, wol, recht** ebenso). K. W. stellen den Reim

Den künig zu vertreiben.
Er richt all seine schlangen,
Vnd ließ sie all abgan,
Wann eine auf die andern
Schoss gen den künig hindan.

6 Do sproch der künig mit listen,
Nun londt euch wol der weil,
Vnd laßt den Benzenauer schießen,
Daß wir ihn nit vbereiln.
Sie richten siben Schlangen,
Ließens auf das schloß abgan,
Sie saumten sich nicht lange,
Wischten sie mit besen hindan.

7 Da ward der könig lachen,
Darum woll wir nit schelten,
Wir lassen vnser spotten,
Wollen ihn wol widergelten.
Ein frid ließ er da machen
Bis an den dritten tag,

her: **ein starke mauer**, s. 1, 1. 5, 4. U. **den römischen k.** 5, 5. im Druck **schanzen**, U. K. W. wie oben. 5, 6. U. **tarratzbüchsen l. er gan** (Schmeller 1, 452 'Taraßbüchsen, Daraxenen'), von den Sängern verallgemeinert. 5, 7. U. ohne Auftakt; der mangelnde oder ergänzte Auftakt könnte geradezu ein Maßstab für das Alter der versch. Fassungen sein, U. fehlt der Auftakt deutlich neunmal (1, 1. 5, 1. 5, 7. 6, 6. 8, 7. 9, 3. 11, 6. 16, 1. 2), oben viermal (1, 1. 10, 6. 16, 5. 6), K. zweimal (10, 6. 11, 8), W. einmal (10, 6); je öfter gesungen, desto reinerer Rhythmus. 6, 1. U. **Do spr. der römisch k.**, die andern suchen einen Reim herzustellen. 6, 2. U. '**wir laßen uns** (Dativ) **w. d. w.**' **sich lassen wol** (**sein**), mit Wegfall des **sein**, wie mhd. lâz dir leit (sîn), s. Gramm. 4, 133. Uhl. 474 **si solten in** (sich) **laßen wol der weil**; 355 bittet Hammen den Nachrichter um kurze Frist: **Meister, laß mir wol derweil, meister ir solt mich nit übereiln.** 6, 3. U. **laßt her Pinz. sch.**; '**den Benz.**' volksmäßiger, dabei der schöne Spott in Maxens 'Herr' verloren. 6, 4. 'damit wir ihm Zeit lassen', U. besser **es hat umb uns kain eil.** 6, 7. Dieser schnelle, unbezeichnete Subjectwechsel dem Volksstil eigen, U. deutlicher **si namen ainen besm, und kertens damit herdan** (aber 6, 5 **er ließ** u. s. w.). Denselben Hohn trieb in der Hildesheim. Stiftsfehde 1522 der bischöfliche Commandant von Gronau wider die belagernden Braunschw. Herzöge, Spangenbergs Neues vaterl. Archiv 1832 1, 94. 7, 4. **wi-**

Das thet er da mit listen,
Als ich euch warlich sag.

8 Die botschaft was ihm kommen,
Vnd was ihm vor bekannt,
Zwo büchsen sollt man bringen,
Die waren gäst im land,
Theten auf dem In herfließen,
Das wurd Benzenauer merken,
Erst fieng er an fast zu schießen,
Vnd thet sich redlich stärken.

9 Die erst buchs thu ich nennen,
Die heißt der Burlabaus,
Die ließ man auf das schloß gan,
Drang zum andern Ort hinaus;
Die Gewelb vnd auch die Keller
Stieß ihr ein gut teil ein,
Do sprach der Benzenauer,
Erst schlecht der hagel drein.

10 Die ander will ich nennen,
Heißt Weckauf von Österreich,
Dieselbig mügt ihr kennen,
Man find nit ihr geleich;
Die thurn vnd auch die pfeiler
Musten beid darnider,
Da sagt der Benzenauer,
Nun kum nit oft herwider.

vergelten, zurückbezahlen. 7, 8. U. hew (hei)! warumb tet er das? dafür hat sich eine dürre Formel eingeschlichen. 8, 3. sollte, würde, wie mhd. 8, 4. gast, Fremder. 8, 5. Auch Schiffe und Fische 'flossen' sonst, nicht bloß, wie jetzt, was dem Strom willenlos überlassen ist. 8, 7. fast, mhd. vaste, eifrig, tüchtig; noch jetzt beim Volk z. B., 'feste marschieren'. 8, 8. U. do sich der könig tet sterken. 9, 3. U. tet die maur zerstoßen, K. W. die thet das schloß zertrennen. 9, 4. ort, Ende. 9, 7. U. her Pienz., ebenso 10, 7. 14, 1; beidemal hier der Benz. 9, 8. U. es schlüg der donerschlag drein; hagel oft für Kugelregen, Solt. 385 Hagelgeschoß, 216 die hagel ließ man gan; Körner 156 shandgschütz gieng wie ein hagel. — Str. 10. 11 stehen bei U. umgekehrt, und das ist nothwendig nach dem Sachverlauf; obige Ordnung jedoch haben auch K. W. 10, 3. U. etli=cher, d. h. Landsknecht, mag si wol k., oben vom ganzen Publicum. 10, 5. pfei=

11 Wenn sollt die büchs oft kommen,
So möcht ich vbel bstan,
Ich hett ein eid geschworen,
Wo mich die maur hett glan;
Mich hat der teufel betrogen,
Vnd hat die büchsen gladen,
Hat mir die maur zerschossen,
Bringt mir gar großen schaden.

12 Zwen knaben thet er schicken
Zum kunig Maximilian,
Das schloß wollt er aufgeben,
Vnd wollt ziehen darvon,
Zu fristen leib vnd leben,
Mit Gut vnd auch mit hab,
Daß er ihm gäb ein freie straß,
Vnd ließ ihn ziehen ab.

13 Do antwurt ihm der kunig,
Das wöllen wir nit than,
Wir nemen kein gefangen,
Sagts eurem herren haim,
Daß er sich thu bewaren
Das beste, so er kan;
Hat ers lassen zerschießen,
Wöllen ihm die trümmer lan.

ler auch K. W., U. aber **pfister**, d. i. die Bäckerei, ahd. **phistira** (Schm. 1, 324). So schießen die Wiener bei der Belagerung des Kaisers in der Burg 1462 (Mich. Behaim, Buch von den Wienern 78, 12 ff.) gleich zuerst nach der **pfister, pfisterei** und dem Brunnen; vgl. Nr. 11, 21. — Str. 11 (10) bei U. wesentlich frischer und ursprünglicher. 11, 4. **glan**, im Stich gelassen; Ellipse: (geschworen) irgend etwas Ungeheures zu thun (so sicher war ich dieser Mauer). Durch diese Auslassung gewinnt der Vordersatz '**wo mich** —' erst seine ganze Emphase; gerade so machts das Volk noch jetzt. 11, 8. Zu ergänzen (**das**) **bringt m.**; gerade dies neutr. Subject wird gern weggelassen, wie Pronomina überhaupt (z. B. **wir** 13, 8), nach uralter Weise. Str. 12, bei U. frischer (von Uhl. falsch interpungiert), hier aber faßlicher. 12, 1. von Redwitz und Staufen. 12, 7. **daß**, 'wenn'; der Druck **frei**, K. W. **freie**. 13, 1. **Do**, U. älter **des**. 13, 2. Druck: **thun** (: **heim** 13, 4); vgl. zu Nr. 7, 6 und Nr. 2, 6. 13, 4. **sagts haim**, meldets nach Hause, sagt zurück. — In einer hier fehlenden Str. bringt U. die Einnahme des Schlosses, die

14 Do sprach der Benzenauer,
Ich hab so redlich than,
Mich kann auch keiner zeihen,
Ich sey ein glübdlos man,
Meinem herrn han ich geschworen,
Herzog Ruprecht von dem Rein,
Wiewol ichs hab vbersehen,
Das schloß gab er mir ein.

15 Sollt ich ein schloß aufgeben,
Dieweil es hett kein not,
Pfui dich der großen Schande,
Wir hetten noch speis vnd brot.
Dreißig tausend guldin wollt geben
Mit Namen Fuger von Schwatz,
Ob man ihn wollt lan leben,
Vnd lassen aus dem hatz.

16 Kein bet wollt ihn nit helfen,
Sein reden ward vertüst,
Das Leben das ist edel,
Das hett er gern gefrist.
Seid ich dann muß sterben,
Gott der woll sein walten,
Von aller Bayer wegen
Will ich heut dapfer halten.

Abführung der Besatzung und Vorangabe ihres Schicksals. 14, 4. **glübdlos**, pflichtvergessen. 14, 7. U. **hab ichs heuten übers.**, etwa: hab ich heute 'verspielt'; '**es übersehen**', vollst. '**das zil übersehen**' (Zarnckes Ausg. von Seb. Brant S. CXXII^{b}, 110), falsch visieren, bes. zu hoch schießen, Schützenausdruck ('sich versehen'), dann allgemeiner, wie Solt. 300 von den mehrfach besiegten Bauern (1525): **sie hants oft vbersehen**, sind oft gepritscht worden. 15, 3. **pfui dich**! formelhaft. 15, 4. **speis**, d. i. **büchsenspeise**, Munition (Grimms Wb. 2, 478), vgl. Schm. 3, 578. Adrian, Mitth. 126 **speisen mit Kraut und Loth**. 15, 7. **ihn**, den Benzenauer. 15, 8. **hatz**, das massenhafte Hinrichten mit einer Hetzjagd verglichen, vgl. Nr. 21, 23. 15, 5—8 bei U. anders, hier Reim und Rhythmus geordnet. 16, 1. **bete**, selten für Bitte. mhd. **bete**, f. **helfen** gern mit Acc. der Person, wie mhd. 16, 2. **vertüst**, K. **vertüscht**, 15. Jh. **vertußen** (von **diezen**, **tosen**), übertönen, überlärmen und so zum Schweigen bringen. 16, 5. **seit**, da

17 Er was der aller erste,
Den man füret hinein,
Sein wammes war geschnüret,
Man bracht sant Johanneswein:
Hab vrlob liebe welte,
Gesegn dich laub vnd gras,
Hilft mich dann heut kein gelte,
So wird mir nimmer baß.

18 Achtzehn thet man richten,
Den ein teil ließ man stan,
Das recht thet man verlängern,
Herzog von Brunschwig hats gethan;
Zum künig thet er eilen,
Gnädiger künig hochgeborn,
Gebt mir die armen knechte,
Man hat den beßten geschorn.

19 Do antwurt ihm der künig,
Wir schwuren einen eid,
Wer für einen thet bitten,
Dem wurd ein backenstreich.
Zorniglich ward er sehen,

nun einmal, mhd. sît. 17, 1. Druck **ersten.** 17, 3. Das ist altepischer Stil, in wichtigen Augenblicken, wo sich alle Augen auf ihn richten, des Helden Erscheinung zu zeichnen; auch Wolfram versteht das trefflich. 17, 4. Um **St. Johanns Segen** zu trinken, den gewohnten Abschiedstrunk (vgl. Haupts Zeitschr. 3, 29); s. Grimm, Myth. 53 ff. Schm. 2, 593. Auch die folg. Abschiedsworte sind so und ähnlich formelhaft, s. Soltau 84. 17, 5. **urlob**, der gegebne Abschied, mhd. **urloup, urlop.** 17, 6. U. vollst. **got gesegen dich**; die Ellipse von **Gott** dann fest geworden und **gesegnen, segnen** geradezu = verabschieden, vgl. **das Zeitliche segnen.** So ist östr. **bfüaten** (b'hüten) = Abschied nehmen, eig. 'Gott behüt dich' sagen. **laub und gras** aus älterer Zeit Formel für die grüne Welt, die Welt der Freude; Walther in dem Abschied von der Welt 122, 26 bedauert auch **loup unde gras, daz ie mîn fröude was.** 17, 7. 8. vgl. 15, 5. **mir wird baß** (eines D.), mir wird geholfen, wie mhd. Der Druck **hilf.** 18, 3. U. **erlengern** (so mhd.), K. W. **verlengen**, längere Frist setzen. 18, 4. U. hochd. **Praunschweik**, hier getreuer nd. 18, 7. **arm** das eig. Wort vom Verurtheilten (s. Nr. 34, 9), vgl. '**der arme Schächer!**' von der Mysterienbühne. **U. was wölt ir die armen blütlein** (die a. Bürschchen) **zeihen.** 18, 8. **den beßten**, Dat. Plur., s. Nr.

Hub auf sein rechte Hand,
Deß lacht der herzog von Brunschwig,
Den schlug er an sein wang.

20 Niemand hetts vns abgebeten,
Als ihr jez habt gethan,
Den adel wolln wir eren,
Wir schenken euch fünfzehen man,
Nit mer wöll wir ledig lassen,
Ihn helf dann Gott darvon.
Sie dankten Christ von himmel,
Daß ihn so wol wurd ergon.

21 Der vns das lied von neuem sang,
Von neuem gesungen hat,
Er darf sich auch nit nennen
Von wegen seines stat,
Er ist darbey gewesen,
Von adel ist er geborn,
Vnd wär er nit entrunnen,
Man hätt ihm auch geschorn.

8, 13. Noch schlimmer 'einem trucken schern' Uhl. 465. 514. 462 (trucken balwiren). 20, 5. Dr. wöllen. 21, 4. gedr. stats. stât, Stand, von status, seit 15. Jh. beliebt. 21, 8. Druck ihn, K. jm.

10.

Ein hipsches lied von dem Rom züg in der bechemer schlacht.

1509.

In Mone's Anzeiger f. K. d. t. V. 8, 479 mitgeth. von Fr. Pfeiffer aus der Münchner Papierhs. 809. 8°. aus d. Anf. des 16. Jh., Bl. 71^a. — Pfeiffer (auch Soltau) notierte das J. 1508, das wäre nach dem Waffenstillstand, den Maximilian 20. Apr. 1508 mit Venedig schloß, nachdem dieß Friaul und Istrien zurückerobert hatte (14, 3); aber nach 13, 4 ist der Fürstenbund von Cambray (10. Dec. 1508) gegen Venedig geschlossen und der gemeinsame Angriff begonnen (Frühling 1509),

2, 1. 3 läßt sich nur verstehen vom Oct. 1509, da der Kaiser im Unmuth die Belagerung von Padua aufgehoben und aus Geldmangel die Landsknechte meist entlassen hatte, die nun in französischen Diensten ihr Brot zu finden hofften, da Ludwig selbst auf sie rechnete, nachdem eben 1509 sein Bündniß mit der Schweiz abgelaufen war. — Deutscher Haß gegen Venedig spricht sich vielfach aus in Sprüchen und Liedern jener Zeit (ein Spruch von dem fleißigen Hans Schneider auf dieselben Verhältnisse 1509 bei Soltau Nr. 35), überhaupt haben Maximilians auswärtige Beziehungen und Kriege viele politische und Kriegslieder erzeugt, bes. von Landsknechten, deren Abgott er war (Uhl. 516), und die das Größte von ihm hofften (Uhl. 470 wil aller künig ain obman sein). — Die 'Böhmer Schlacht' in der Tonangabe wird unsre Nr. 7 sein, die freilich Stortebekerstr. hat; aber der Ton hier ('O Gott in deinem höchsten Thron') scheint nur Fortbildung der letztern, s. S. 27. Der Sänger nennt sich 21, 1 und bittet 21, 2 um Nachsicht, die zum Theil nöthig ist; doch darf man ihm nicht vorliegende Gestalt auf die Rechnung setzen, die aus einer ungenauen Abschrift stammt (s. 16, 5); der Rhythmus ist im Orig. weit reiner gewesen, er ließe sich leicht genauer herstellen, nach den Formen der bairischen Mundart.

1 Ain krieg hat sich gefangen an,
gott waiß wie er ain end wirt han,
das well wir gott lasen walten
vnd er vns sein hilfe tůt
so wirt die sach noch werden gůt
die untrew wirt sich spalten.

2 Des kriegß mir vns yecz miesen verwegen
dann auff ain zeit so kumpt ein regen
den las wir yber renen

1, 1. an fehlt in der Hs., ergänzt von Pfeiffer. 1, 2. Ganz Italien mit den Nachbarländern war in unabsehbaren Wirren. 1, 3. lasen, lies lân; so 2, 4. 8, 1 ziechn, 3, 4. 6 abr, undr, 10, 2 ainr u. s. w. 1, 4. Der Auftakt fehlend, wie 3, 5. 9, 5. 19, 2; dafür mehrmals doppelter Auftakt. Der Rhythmus ist übr. volksthümlich, nur leicht von Silbenzählung angesteckt, wie auch die sangbarsten Lieder dieser Zeit; die gelehrte, modische Technik der Zählung, wie mans halbrichtig nennt, dringt erst später hier ein. 1, 4. und, d. i. wenn, wie mhd.; so Uhl. Nr. 174, 12, 4 'wenn sie d. K. davon ziehn ließe'. 2, 1. Hs. krieß, mag die Aussprache malen, vgl. nl. crijschman, Kriegsmann (Uhl. 450). mir, echt bair., wie 8, 5, bei Solt. 349 auch nd. sich verwegen m. Gen., wie mhd., sich aus dem Sinn schlagen, aufgeben, s. Schm. 4, 43. 2, 2. 'denn zu Zeiten —'. 2, 3. renen, so erkenen 2, 6, nenen 4, 6, zertrenen : erkenen 16, 3. 6, gewinen 19, 3; alles nicht zu ändern, es malt die bair.-östr. Aussprache, die bes. vor doppelter Liquida den Vocal schwebend spricht zwischen lang und kurz, dabei das m, n, l näselt. Unter einer östr. Lithographie las ich 'Meran, aufgenohmen von ..' 2, 2. 3 citie-

vnd ziechen der weil hin yber Rein
vnd legen de weil kolleckten ein
bis vns got tůt erkenen.

3 Nun wer es vns im herczen schwer
sol wir teitschland verlisen die er
die wir lang haben behalten
es ist aber yecz in aller welt
das vil vntrew schaft das gelt
vnder iungen vnd vnder alten.

4 Der remisch kayser ist tugent voll
er waiß wie er sich halten sol
das kan er wol erkennen
er waiß wer im trew oder vntrew ist
nocht praucht er fröllichen klugen list
das er niemant tůt nenen.

ren einen Lieblingsspruch jener Zeit: duck dich, laß fürüber gan, das wetter wil sein willen han. Lessing notiert ihn (Lachm. 11, 674) aus Lehmanns Florilegium pol. 17. Jh.; Hoffmann, Spenden 1, 29 aus Schneuber (1647) 'das W. will sein Fortgang han'. Fischart, Garg. Cap. 25 nennt ein Spiel 'duck dich Hänslein duck dich', natürlich nur den Anfang; bei Uhl. 758, Hoffmann, Gesellschaftslieder 224 zu einem trefflichen Liedchen verarbeitet. Hoffmann, Gesellschaftslieder 18: Fein wolgemuth laß über, duck dich ein kleine Zeit. Weller, Lieder des 30jähr. Kriegs S. XLII. ducke dich derweil, liebe Seele, es kömpt ein Platzregen. 2, 5. de, d. i. der nach bair. Aussprache des r, wie man sie jetzt mit 'dea' gibt. 'Collecte' eine Unterstützungscasse? 3, 1. Nun, d. i. nur, 'bloß das Eine wäre uns schmerzlich dabei'. Dies nun, zusammengedrängt aus mhd. niwan, ist in Baiern bis heute (Schm. 2, 698); s. Nr. 16, 14. 3, 2. mhd. verliesen, verlieren machen, zu Grund richten. Der Kaiser zog sich zum zweiten Mal vor der Macht der einen Stadt zurück, und dießmal mit einem gewaltigen Heer. Wie fühlen aber die Landsknechte ihr Interesse mit dem von Kaiser und Reich als eins! und wie fühlen sie sich als Träger der deutschen Ehre! vgl. 7, 2. 5. 16, 2, wo sie sich schlechthin 'die Teutschen' nennen. behalten ist bewahren, behaupten. 4, 1. tugent, wie mhd., vortreffliche Eigenschaft überhaupt. 4, 2. entschuldigt Maximilian, wie die ganze Str., gegen die gewiß auch unter den Landsknechten gehörte Anklage der Feigheit, Unkraft u. dgl., mit geheimer, weitsehender politischer Klugheit; s. auch 20, 5. 4, 4—6 mag die Franzosen meinen, deren Edelleute z. B. vor Padua die Bresche zu stürmen abgelehnt hatten, nachdem die Landsknechte abgeschlagen waren. Max hatte vom K. Ludwig Unbill genug erfahren, obwol er augenblicks mit ihm in Bündniß war. frölich ist ein Lieblingswort der Landsknechte. nocht, ebenso dannocht, dennocht. Ein Spruch in Val. Holl's Handschr. 153ª zeichnet trefflich die polit.

5 Der edel kaisser maximillian
stelt nach der kayserlichen kron
die im got hat erkoren
das wolten geren vnderstan
vil böser cristen mit falschem wan-
den er auß neyt tůt zoren.

6 Sy haben veracht des kaissers huld
das er vmb sy nie hat ferschuld
vnd haben in betrogen
ir trew vnder in ist gar verlorn
ain falschen aid haben sy geschworn
dar in haben sy gelogen.

7 Sy tresten sich sant marren gůt
die teitschen haben ain freyen mut
got well das in nit gelinge
vnd hetens hundert tausent man
noch wel wirs greiffen an
vnd wellen sy bezwingen.

8 Wir wellen ziechen in welsche land
die walchen sind vns woll bekant

Situation dieser Zeit: Der Venediger gutt,. Der Frantzosen vbermutt, Des bapsts verhaissen, der Schweitzer ayd, des kaysers list Sind yetz durch ainander vermist, Dz niemantz nit waist wie im (neutr.) ist. 5, 2. Papst Julius II. hatte ihn (1507) eingeladen, nach Rom zu ziehen zur Kaiserkrönung; Venedig verweigerte ihm den Durchzug durch sein weites Gebiet (6, 5 als Eid- und Treubruch wider das Reich aufgefaßt), er legte sich Febr. 1508 zu Trident selbst den Kaisertitel bei (daher der scheinbare Widerspruch 5, 1. 2); die Volksmeinung aber erließ ihm darum das Holen der Krone in Rom nicht, es sah diesen 'Römzug' noch als Hauptaufgabe des Feldzugs 1508 an, vgl. die alte Überschrift und 19, 3. Das 'Kaiser, kaiserlich' Uhl. 455 von 1491 rührt wol von späterer Redaction her (1613). 5, 4. **underſtan**, wie mhd., eig. dazwischentreten, hindern. 5, 6. **zorn tun**, ärgern (**mir iſt zorn**, mich ärgert); **zoren** beliebte Dehnung, wie **geren**. 6, 4. Hs. **inen**. 7, 1. Ihre Zuversicht ist ihr Reichthum, Sanct Marcus Venedigs Schutzheiliger und herald. Symbol. **Marx**, Gen. **Marxen** richtig, wie Kunzen, Hansen, Veiten u. dgl. 7, 2. Hs. **ainen**. 7, 3. **well**, mhd. **welle**, Conj. 7, 4. So Uhl. 467: **und brächt er hundert tausent man**, der König von Frankreich, 1507. 7, 5. **noch**, d. i. dennoch, 'dann noch', wie 11, 6. Nach **wirs** fehlt etwas, **frölich**, oder **wieder**? 8, 1. **wellen**, 3 **wollen**, 6 **wöllen**, alle drei berechtigt, das erste am ältesten. **land** Plur., mhd. 8, 2. mhd. **Walch**, Adj. **welhisch**.

wir wollen sie nit schelten
die vntrew so si vns hant getan
wellenß mir nit vngerochen lan
vnd wöllens in wider gelten.

9 Laß mir das redlin vmb her gan
wer waißt wie es ain end wirt han
es wirt sich anderst machen
der yecz nun treibt den spot dar auß
wirt im kumen fir sein hauß
des schercz wirt er nit lachen.

10 Den krieg geleich ich da behent
ayner krametstauten wer die kent
das hab ich selb gesechen
was die pliet in dem ersten iar
sy pringt fricht in dem driten iar
also möcht eß geschechen.

11 Fenedig ich rat dir sicherleich
veracht nit so gar das remisch reich
dů dich so hoch nit schwingen
das dich der adler nyt widerker
wie wol du silber vnd golt hast mer
noch mag dir misselingen.

12 Fenedig dich hat gedirstet ser
nach kaisers land vnd grosser er
das mies wir got lasen walten
es wirt dir noch woll werden layd
dir ist ain scharffs mainester berayt
das wirt dir gar fersalczen.

8, 3. Es ist einmal ihr Naturell. 8, 5. **wellenß** mit dem **es** wie Nr. 2, 5, 6. 9, 1. Das Rad (höhnisch 'Rädlein') der Fortuna, seit lange beliebtes Bild, Grimms Mythol. 825. 9, 4. **nun**, nur, wie 3, 1. **daraus**, damit. 9, 5. nämlich der Spott. **für s. haus**, gewöhnlicher 'vor die Thür', sich meldend. 10, 2. **krammet**, d. i. **kranwit**, Wacholder (Schm. 2, 387). 10, 4. **was** = mhd. **swaz**, wie viel auch. 11, 3. Hs. **důt**, dies **t** aus **dich**. 11, 4. **widerker**, vgl. Nr. 16, 1. **kêren** auch vom Vieh, treiben (Schm. 2, 323). 12, 5. 6. **mainester**, s. **menester** Schm. 2, 591 als delicates Gericht; ital. **minestra**, künstlich com-

13 Fenedig du hast nyt recht bedacht
kaysser vnd künig hastu feracht
vnd hast dich selb betrogen
kaysser vnd kunig vnd firsten gůt
got hab sy selber in seiner hůt
sye sein inß lant gezogen.

14 Fenedig sich berimet hat
wie sy die kaisserlich maiestat
vertriben hat vom lande
das wyl got nit vngerochen lan
ain halber wirt in gleget an
auff sy kumbt selb die schande.

15 Sy haben gesagt im spot vnd scherċz
truktatn erwaicht den teutschen ir herċz
das haben sy lang gesprochen
dar vmb sin sy aller vntrew vol
das alles sy nit helfen sol
es wirt an in gerochen.

16 Noch wil ich ainß gemeldet han
die teytschen werden nit abelan
biß man sy tůt zertrenen
vnd ließ man sy bleiben in irem wesen
niemant kund vor in genesen
das mag man wol erkenen.

17 In hoffart haben sy lang gelebt
vnd vil nach fremden gůt gestrebt
mit wůcher vnd klůgen listen
biß sy gefült hant iren sack

ponierte Suppe. scharf, stark gepfeffert. Hs. fer selczen, überhaupt überwürzt. 13, 4. Die Fürsten des Bündnisses von Cambray, darunter König Ludwig XII. und Ferdinand der Kath. Hs. fristen. gut, ein beliebter ehrender Beisatz, edel, tüchtig, tapfer. 14, 5. halber muß Halfter sein, was vom polit. Joch gesagt wurde (Schm. 2, 181). Hs. gelegt. 15, 2. Seltsame Form der 'Ducaten', ist irgend ein Spaß drin? 16, 4. wesen räth Pfeiffer, die Hs. werd. 16, 5. in, die Hs. iungen, entstanden aus inn und dem doppelt geschriebenen gen des folg. W. 17, 2. gestrebt Pf., die Hs. gestelt. 17, 3. Hs. klugem list, obiges Pf.

es mocht in komen auf iren nack
vnd ler machen ire kisten.

18 Sy haben gebrucht menig falschen sin
vnd alczeit stolcz nach grossem gewin
dar in nit angesechen
ob es mit gott vnd recht mig sein
so haben wir genomen ein
gott waist wie das ist geschechen.

19 Wir teytschen söllen riefen an
gott in seinem hochsten thron
das wir die kron gewinen
vnd söllen auch dar von nit lan
es ligt nit an dem anefang
am end wirt man das inen.

20 Ich traw dem edlen kaysser woll
er důe recht als er pillich sol
lat sich dar an nit wenden
nun hat er doch einß heldes můt
er schafft vnd peüt was in tunckt gůt
bringt das zu gůttem ende.

21 Der vns das lyed hat neüs gemacht
hanß probst zů schwacz hat das erdacht
er kanß nit besser singen
er ist durchfaren weite land
vil vntrew ist im worden kant
gott woll es zum pesten pringen.

18, 3. **darin**, dabei (nicht darauf gesehen). 18, 4. **mig**, bair. für **müg**, mhd. **müge**. 18, 5. 6. Plötzlich die Venet. selbst redend eingeführt, mit höhnischer Wendung. 20, 2. Pf. ergänzt **daß** zu Anfang, unnöthig; er scheint **recht** als 'rächt' verstanden zu haben, das wäre aber **richt**. Die Hs. hat **die**, die rechte bair. Aussprache (vgl. zu Nr. 2, 4, 3), **důe** ist Conj., mhd. **tüe**, die ganze Zeile ist gut mhd.: 'er handle gerade (so) wie er nach Rechten muß'. 20, 5. Entschuldigung des Kaisers und Abweisung unberufener Tadler, wie 4, 2. **peut**, gebeut. 21, 1. **neüs**, Adverb, mhd. **niuwes**. 21, 2. Hs. **gedicht**. 21, 5. Hs. **ward** (warden?). **kant** für **bekant**; Körner 127 **im ist vil .. vnrecht worden kant**.

11.

Eroberung und Zerstörung des Raubschlosses Hohenkrän.

1512.

Aus einem flieg. Bl. von 1512 gedruckt bei H. Ch. Senckenberg, Selecta juris et historiarum. Frcf. 1738. tom. 4, p. 561 sqq. Auch Wolff gab das Lied S. 645 ff., wahrsch. nicht aus Senckenberg, sondern einem flieg. Bl., in seiner bekannten Weise, unbrauchbar. Noch schlechter ist ein Abdruck des L. aus einem flieg. Bl., von Adrian besorgt, im Serapeum 5 (1844), 338 ff.; die wirklichen Abweichungen betreffen nur Kleinigkeiten, zum Theil brauchbar, aber Fehler wie rauberg 9, 1 und vanberg 27, 6, beides für raubery, 10, 6 Dad für Vnd, 16, 6 wem für irem haben doch wol nicht im Original gestanden; das sollte der alte Senckenberg lesen! — Die Zerstörung des Schlosses Hohenkrähen im Hegäu, dessen Trümmer noch heute von ihrem hohen Kegel weit ins Land schauen, erweckte gewaltige Freude im Land und setzte die Dichter in Bewegung. Von dem Augsburger Hans Schneider ('küniglicher Mayestat poet' nennt er sich bei Val. Holl 92b) ein Spruch 'von der Ersterung Hohen Kreen' bei Wolff 636 ff., auch in Val. Holl's Hs. 93b, nach Bericht eines Augenzeugen. Lieder davon bei Uhland Nr. 177, ein andres bei Val. Holl 165a 'Im Heegäw ligt ain hohes schloß' im Schweizer Ton. Das obige zeichnet sich aus durch seinen politischen Prolog und Epilog; freilich hat es nicht die Frische und Singbarkeit der Landsknechtlieder, ist mehr aus Betrachtung als aus Stimmung hervorgegangen, hat schon leichten Anstrich eines Zeitungsliedes; daher Satzübergänge aus einer Str. in die andere (Str. 3. 4). Der Ton ist Bruder Veit (38, 8 die alten vier Hebungen), der Rhythmus ist weit genauer, als er in der Schrift scheint, wenn man nur die Verschleifungen und Kürzungen des Dialekts recht beachtet, die ich hie und da angedeutet habe; sie einschneidend durchzuführen, dazu konnt ich mich nicht verstehn. Auch die schweiz. Mundart habe ich nur im Reim ein paarmal hergestellt, sie streng durchzuführen war nicht rathsam, weil in dieser Zeit Vermischung der alten und neuen Vocalverhältnisse gilt und der Dichter selbst z. B. 36, 5. 7 christenheite : zeite (für zite) reimt. Mancher mochte wol schon zeit schreiben und noch zit sprechen, mancher auch für die Aussprache schon zeit angenommen haben und das alte zit in der Schrift noch fortführen; dasselbe gilt von dem Übergang des langen a in o u. a.

1 Der winter ist vergangen
Vns kumpt der summer her
Lond euch nit seer verlangen
Er bringt vns nüwe meer

Der Anfang ahmt den Landsknechtstil nach (vgl. S. 37). 1, 3. 'Laßt euch nicht langweilen', im ersten Sinn von verlangen, zu lang dünken. 1, 5. Glenz,

Der Glentz vnd auch der Meye
Bringen vns freüd vnd mut
Vns kumpt ein gut geschreie
Fröwt sich manch kriegßman gut.

2 Merckent ir gut gesellen
Was ich eüch nüwes sag
In der loblichen stat zu Kölen
Ist gewesen ein großer tag
Von fürsten vnd auch herren
Von stetten auch deßgleich
All die da zu gehören
Dem heiligen Römischen reich.

3 Dar by sind auch gewesen
Vil botschafft vberal.
Als ichs han hören lesen
So ist ir ein große zal
Von Künigen, Fürsten, Herren
Geystlich weltlich all gelych
Die hand zamen thun schweren
Zu beschützen das Römisch rych.

4 Ein steten friden ze machen
Wol in dem gantzen rych
Das seind vns frembde sachen
Ein yeder lug für sich
Sol ich von wunder sagen

Lenz, auch bair. 1, 7. geschreie, genau = 'Gerücht', d. i. gerüefte, Rufen der Leute, eig. über ein begangenes Verbrechen, dann überhaupt über interessante Neuigkeiten (niuwe mære, niumære). 2, 1. 'gut gesell' Name der tonangebenden Lebemänner, Zechbrüder, daher auch der Landsknechte; stehend in den Schlemmerliedern; schon bei S. Brant, Narrensch. (Zarncke) 30, 26 von den Begünstigten, die so viel Pfründen hätten, daß ihnen die Wahl Schmerz mache, 'vff welcher er doch sytzen well, do er mög syn ein gůt gesell'. 2, 3. 4. stat zu kölen, so Wolff und Adrian; bei Senck. fehlt das zu; jenes ist die rechte alte Bezeichnung einer Stadt. Reichstag zu Köln 1512. 3, 2. überal, wie mhd., allgemein, überhaupt. 3, 3. Vermuthlich aus dem Reichstagsabschied, die schon länger im Druck ausgiengen, darin zum Schluß alle dagewesenen Stände namentlich aufgeführt. 3, 4. ir nur bei Wolff und Adrian. 3, 6. 'geleich'. 4, 5. sagen, als Dichter berichten.

So ist ir das wol eiß
Das auff dem loblichen tage
Deütschland ist worden eyß.

5 Das doch ist nye gehöret
In gar vil manchem jor
Ir lob was schier zerstöret
Steigt yetzt wider embor
Der Adler hat schier verloren
Sein federn alle gar
Die er in kurtzen joren
Vberkunt solt nemen war.

6 Welschland ist gar erschrocken
Ab diser eynigkeit
Vnd förcht der met sey gsotten
Darvon ist lang geseit
Wie sich der traurig Adler
Der lang ist gsin verschmecht
Von eim meer biß ans ander
Werd widerumb erhöcht.

7 Julius babst der ander
Mit dem kunig von Arragon
Hand mit dem edlen Adler
Ein bundnuß an genon

4, 6. 8. **eiß, eyß**, eins, schweiz. vor -s das n verschlungen; so bei S. Brant, Narrensch. 61, 29 **eys : geiß**; noch jetzt **mîs chind**, mein Kind. **eiß : eyß**, dasselbe Wort in verschiednem Sinn gereimt, ein Stück mhd. Technik, die sich unter den Kunstdichtern fortpflanzte, ein sogenannter rührender Reim; so 10, 6. 8 **rych : rych**, 16, 1. 3 **gute : gute**, 20, 6. 8 **gethon : gethon**, 17, 1. 3 **fyren : füren**. 4, 7. **loblich** der zuständige Titel. 5, 2. **gar vil**, man überhöre nicht den seltnen Nachdruck, den der Dichter auf das 'manches jar' legen wollte! 5, 3. **Ir**, Deutschland, wie damals auch Städte (31, 1), als fem. gedacht. Wolff: **verstöret**. 5, 5. **schier**, beinahe. 5, 7. 8. 'Die er in wenig J., ihr sollt sehen, wiedergewinnen wird'. **überkumen** (**kunt** gut schweiz.), eig. (mhd.) überwinden, ersiegen. **joren** Wolff, **jaren** Senck. 6, 2. **ab**, so auch bei sich fürchten, sich wundern bis ins 17. Jahrh. (Grimms Wb. 1, 7); Wolff, Adrian ob, was Soltau wollte. 6, 3. Meth, wie auch Bier, werden 'gesotten' (Schm. 3, 201); derselbe Hohn wie in 'einem etwas brauen, einkochen', vgl. Nr. 10, 12. 18, 27. 6, 5. **sich**, es sollte urspr. etwa folgen: sich wieder heben werde, oder ähnlich, der Reim wandte es dann 6, 8 anders. 6, 6. Adr. **lang zit**. 7, 4. **genon**, gut schweiz., aus dem mhd.

Spannen ist darin beschlossen
Engellandt desselben glych
Mit sampt den eydgenossen
Das traurt gantz Franckenrich.

8 Ein ordnung wil man machen
In der gantzen christenheit
Wer dasselbig würt verachten
Dem würt es werden leid
Sie sygen geistlich weltlich
Kein wirt man ledig lan
Darumb ein yeder lug für sich
Sie müssen all daran.

9 Kein rauberey wirt man lassen
Vff wasser vnd vff land
Gar vil wirt man der schlossen
Die solichs vffgehalten hand
Zerbrechen vnd zerstören
Ouch schleiffen vff den grund
Als man es dann thůt hören
Das geschehen ist yetzund.

10 Ein schloß das wil ich nennen
Hohenkreen ist es genant
Man thut es wol erkennen
Es leid ins keisers land
Daruß hat man groß mutwil trybe
Vnd kriegt das Römisch rych

genomen, genomn, hauptſ. unter Einfluß der näſelnden Ausſprache des **m** und **n**, ſ. zu Nr. 2, 2, 8; ſo **nen** für **nemn**, **kon** für **komn**, **kunt** 5, 7 für **kument**, **kumnt**, **nend** Körner 158 für **nemnt**. 7, 5. **Spannen** nach mhd. **Spâne** für **Spânje**? 7, 8. **das** kann für **des**, darüber, ſein; dieſer neutr. Gen. war ſeit dem 15. Jh. halb vergeſſen und vermengt mit **das**, das nun geradezu auch deſſen, darum, darob u. dgl. bedeutet; ſteht doch Uhl. 453 ſogar (nd.) **dat erſten** für **des erſten**; ebenſo **was** ſtatt **wes** Nr. 14, 22. 8, 5. **ſygen**, ſchweiz. für **sîn**, **ſien**; auch im Sing. **ſige** für mhd. **sî**. 9, 1. alle **w. m. nit laſſen**. 9, 4. **aufhalten**, d. i. aufrecht halten, unterſtützen. 10, 4. **leid** (d wegen des folg. Vocals), mhd. **lît**, liegt. Die Ritterſchaft des Hegau, wie andere benachbarte, ſahen ſich ſchon damals als reichsunmittelbar an, obwol ſie das erſt ſpäter rechtlich wurden, daher 'des Kaiſers Land'. 10, 6. **kriegen** mit Acc., wie jetzt bekriegen:

Vor in mocht niemandt blyben
Er wer arm oder rych.

11 Zwen kauffman handt sie gefangen
Von kauffbüren auß der stat
Vnd in das ir genommen
Des sie kein recht hand ghabt
Das hat gar seer verdrossen
Die frommen reichstet gut
Vnd hand gemeinlich beschlossen
Zestraffen irn vbermut.

12 Dapfer hand sieß angefangen
So gar mit fryem mut
Vil karthonen vnd auch schlangen
Ouch manchen reiter gut
Hand sie gebracht zu samen
So gar in kurtzer yl
Ouch pulver vnd probanden
Hattens auß der massen vil.

13 Auch hatten sie der fůßknecht
So gar ein grosse summ
Das ein wunder nemen möcht
Wo yn solch gůt her kumm
Ich mag es warlich wol sagen
Es wer eim fürsten ze vil

Uhl. 345 er kriegt si wider recht, Schüttensam die Nürnberger; 426 kriegten ... das römisch reich; Solt. 243 von Herz. Ulrich den (schwäb.) pundt thut er yetz kriegen. 10, 7. 8. bleiben. reich. 11, 4. Wolff hend. Adr. das für des. 11, 6. fromm hat die Geltung eines Titels, tüchtig, tapfer. 11, 7. Adr. gemeinglich, Wolff gemeiniglich. 12, 3. lies kárthon. Das häufige und auch, wo uns und genügend schiene, ist eine ausdrückliche Liebhaberei der Zeit, ererbt aus dem Mittelhochdeutschen; übrigens auch altfranz., z. B. bei Mätzner, Altfranz. Lieder S. 80: **Tout nu a nu, sans nul dosnoiement Fors de besier et d'acoler ausi.** 12, 7. probande, fem. Proviant. 13, 1. Die Zeile hat vier Hebungen, wie der Reim und die auftaktlose vierte Zeile beweist, also in fußknecht zwischen den beiden Hebungen die Senkung fehlend: so lange wirkte in einzelnen Fällen die gesunde Natur der Sprache nach, zum Trotz schon aufgekommener Theorien. 13, 4. Senck. hat güt, das meint gůt, guet, für guot; ebenso 13, 1 füßknecht

Solt er solch kosten haben
Im wurt nit kurtz die weil.

14 Ein tag thet man beschriben
Gon zell an vnder see
Ob mans möcht bringen zum friden
Sunst wer kein feiren me
Das schloß das můst zerbrechen
Vnd wer es noch als fest
Iren vbermut welt man rechen
Der Kree zerstören ir nest.

15 Mit den von Kreen thet man reden
Daß sieß machten behend
Vnd das schloß vff geben
Wol in des Keisers hend
Ouch aller ansprach sich verzigen
Die sie meinten ze han
Des waren sie nit zu friden
Vnd wolten es nit than.

16 Sie wolten gelt noch gute
Ir antwurt gabens bhend
Wir hend ein schloß ist gute
Das wir wol bhalten wend
Vor dem Keyser vnd dem ryche
Darzu vor irem gschütz
Die sach was in gar leichte
Vnd achten sein gantz nütz.

und öfter. 13, 7. koste, fem. 13, 8. Er würde wenig Kurzweil daran haben. 14, 1. Landtag, zur Unterhandlung. 14, 2. gôn, alem. für gân, gên, gegen. In Radolfzell am Untersee (daher auch 'Zeller See') war auch später für den reichsfreien Hegau der Kanzleisitz. an = 'an den', richtig. 14, 4. keine Zeit mehr zu verlieren. 14, 6. noch als, noch einmal so. 14, 8. Adr. den kren. 15, 1. reden bes. vom förmlichen, feierlichen Sprechen, vor Gericht und dgl. 15, 5. sich verzigen mit Gen., gut mhd. von sich verzîhen, sich lossagen, 'verzichten'. 15, 7. Adr. Das. 16, 1. alle 'weder gelt noch gute'. 16, 2. gedr. gaben sie behend. 16, 3. ist gute (zu betonen), absoluter Beisatz statt Relativsatzes, wie oft. 16, 4. 'behalten', behaupten. 16, 8. nütz, d. i. nihtes, in keiner Weise,

17 Der von Landow thet nicht fyren
Man spürt gar wol sein witz
Von lindow ließ er füren
Deß Keysers groß geschütz
Ein büchßen thut man nennen
Weck auff von Österreich
Die muren kan sie trennen
Man findt nit ir geleich.

18 Von der andern wil ich sagen
Die heißt der Burlebauß
Wann ir ist voll der kragen
So kert sie vnsauber auß
Als dann da ist geschehen
Vor hohen Kreen dem schloß
Solich schiessen ist nie gesehen
Es ist gantz auß der moß.

19 Wol vmb sant Martins oben
Fiengs schiessen erst recht an
Das zittern ward der boden
Vmb die Kree was es gethan
Der Burlebauß der thet sich regen
Darzu wach auff von Österych
Der berg der thet sich wegen
Die muren spielten sich.

20 In felsen thet man schießen
Das er in stücken sprang
Es thet die Kree verdrießen
Sie sumbt sich do nit lang
Sie mocht nit lenger blyben
Es was vmb sie gethon

adverbialer Genitiv, so nüt nicht Nr. 2, 7. 17, 1. Hans Jacob von Landau, Feldhauptmann, der noch in den Reformationszeiten in diesen Gegenden eine Rolle spielte. 17, 2. **witze**, fem. Einsicht, Besonnenheit, Klugheit. 18, 1. **den and.** 18, 3. 4. **kragen**, Hals. **unsauber**, unschön. 18, 8. Senck. **maß.** 19, 1. **ôben**, Abend, alemannisch; der 'heil. Martinsabend' ist der Tag vor Martini. 19, 3. **zittern ward**, 'zu zittern anfieng', s. Nr. 9, 2, 7. 19, 6. **wachen** und **wecken** werden noch mundartlich verwechselt. 19, 7. 8. **wegen**, bewegen'.

Der Burlebauß thet sie triben
Aus dem nest mit sim gethon.

21 Die Kuchin thet er in verfellen
Das was ein böse sach
Er sprach ir lieben gesellen
Hie ist nit gut gemach
Der teufel ist auß kummen
Vnd brucht hie sein gewalt
Lond vns nit lang hie sumen
Der berg zum schloß hin falt.

22 Es ist worlich mein rote
Wir machen vns darvon
Wo es vns wurd zu spate
So wers vmb vns gethon
Hie ist kein eer zu erwerben
Den rat wil ich eüch geben
Wann wir den rychsteten werden
So kosts vns all das leben.

23 Also die herren flohen
Von iren vnderthon
Do sie dasselbig sahen
Schrüwens ein friden an
Wir wend das schloß vff geben
Vff gnad in ewre hend
Das man vns laß by leben
Dann wir kein schuld dran hend.

24 Wir sind harin gezwungen
Als arm vnderthon

spielten, gut mhd. praet. von spalten. 20, 8. gethon, Getöne, bes. von Musik. 21, 1. die Küche wird zertrümmert, vgl. S. 50 Anm. 21, 3. er, der Herr der Burg, Stephan Hauser, zu seinen Vertrauten; die 'herren' 23, 1 fliehen denn auch heimlich, genauer bei Wolff 639 berichtet. 22, 1. 3. rôte, rât, vgl. S. 77 Anm.; mhd. spâte, Adv. 22, 7. werden mit Dat., vgl. Uhl. 476 und wird uns bruder Veite, kommt er uns in die Hände; vgl. auch Nr. 12, 9, 5. 23, 4. natürlich vom Berg herab. schrüwen, schruwen, gut schweiz.; schon mhd. schrîen und schriuwen, Grimm, Gesch. d. D. Spr. 852. friden anschreien, Waffenstillstand verlangen (Uhl. 461); friden ausschreien Uhl. 507 den Ablauf des W. verkünden. 24, 2. lies arem (Uhl. 196; Körner 132 der arem gfangen;

Die herren sind entrunnen
Hand vns hie innen glon
Darumb wend ir vns zusagen
Ze fristen leib vnd leben
Als das wir hinnen haben
Wend wir zum schloß vff geben.

25 Die haubtlüt giengen zusamen
Namen ein kurtzen gedanck
Ob man sie wolt vff nemen
Vnd machten es nicht langk
Das ward in nach gelassen
Do mit zugen sie ab
Etlich sind verfallen vnd erschossen
Den Gott ir sünd nem ab.

26 Von stund an thet gebieten
Der Keyser Maximian
Man solt nit lenger beiten
Das schloß zerrissen lan
Kein stein vff dem andern blyben
Das wer sein ernstlich gbot
Damit wolt er erzeigen
Wie ers fürt halten wot.

27 Das theten die stet behende
Vnd sumpten sich nit lang
Zatten puluer an alle ende

Uhl. 718 **aram**), wie **geren, zoren, stiren, sturem** (Solt. 333). 24, 7. **als**, alles. 25, 1. Paul von Liechtenstein und Georg von Frundsberg. 25, 2. **gedank**, Nachdenken, Überlegung, schon mhd. 25, 7. **verfallen**, vollst. **Todes verfallen**, allg. sterben; oder meint es die Todesstrafe des **verfällen** bei Schm. 1, 522? Die Besatzung, die sich nach Uhl. 473 noch tapfer gewehrt hatte, wird nach Wolff 646 nur 'auf Gnade' (23, 6) angenommen; es werden also doch einige Todesurtel gefallen sein. 26, 2. 3. **Maximian**, wie 33, 2; auch der Schweizer Joh. Lenz im Schwabenkrieg, h. v. Dießbach, Zürich 1849 S. 119a nennt ihn **Maximion**. **beiten**, warten. 26, 7. Adr. **anzeigen**. 26, 8. **fürt** (vgl. 'fürder'), **furt**, Nebenform von **fort**. **wott**, d. i. **wolt**, wie **sott** für **solt**, das l durch die näselnde Aussprache verflüchtigt. 27, 1. Die Reichsstädter, s. Nr. 7, 8. Mone und Aufseß, Anz. 3, 229: a. 1372 **do wurden die stett erschlagen von graf Eberharten v. W.** 27, 3. **zatten**, rückumlautendes Prät. von **zetten**, streuen, vgl. die

Davon der fels zersprang
Daran söllen gedencken
All die mit rauberey vmbgon
Man wirtz ir keim mer schencken
Wirt in gen disen lon.

28 Das schafft der loblich friden
Vnder fürsten stetten geleich
Das ir keiner me mag blyben
Das fröw sich arm vnd reich
All die bruchen das lande
Zu fuß vnd auch ze roß
Hüt dich du francken lande
Du hast auch sölche schloß.

29 Das ein das will ich nennen
Der Sodenberg ist es genant
Man thut es wol erkennen
Es leit im Francken landt
Der andern wil ich gschwigen
Man kent sie alle sandt
Söllen sieß lenger tryben
Wirt es haben kein bstandt.

30 Es sey in beyren francken schwoben
Vnd darzu auch am Rhyn
Gantz Deutschland vnden vnd oben
Würt ir keins sicher syn
Das schaffen die frummen Rychstet
Vnd auch der Schwebisch Bundt
Ir gut vnd gelt kein ende het
Ist manchem kriegßman gsundt.

31 Nürenberg die muß ich loben
Vnd Vlm gib ich den pryß

Deminutivbildung 'verzetteln', Schm. 4, 291. 27, 8. gên aus gebn, wie hân aus habn. 28, 4. das für des, s. 7, 8. 35, 1. 28, 5. das land brauchen vom Wegelagern der Stegreifritter, vgl. Grimms Wb. 2, 316. 30, 3. so in einem L. in Haupts Zeitschr. 8, 319 vnden vnd oben jn den landen, in Nieder- und Oberdeutschland. 30, 4. würt ist 'wird', so oft im 16. Jh., auch würst,

Augſpurg ein kron in Schwoben
Die brucht allzeit gut flyß
Kein gelt lond ſie ſich tauren
Deß haben ſie noch gnug
Vnd ſchießen drin on trauren
Eyn yder für ſich lug.

32 Alſo die Kreen iſt gwichen
Vß irem guten hauß
Der Adler hats erſchlichen
Hat ſie getrieben auß
Das ſpil iſt erſt angefangen
Es treff an wen es well
Lond euch nit ſeer verlangen,
Singt vns ein gut geſell.

Ein Beſchluß vnd lobgeſang zu eren dem Durchleuchtigſten Keyſer Maximian ꝛc.

33 Lob vnd danck ſo müß ich ſagen
Dem Keyſer Maximian
Er will nit mer vertragen
Als er biß her hat gethan
Gar lang hat er geſchwigen
Vnd hat gewart der zyt
Mit kummer vnd mit leiden
Wart es größlich vernüt.

34 Sin gleichen kan man nit finden
In der alt vnd nüwen ee
Vnd auch im buch der künigen

Imper. **würd.** 31, 5. **tauren**, zu ‘teuer’ ſein. 31, 8. in die Bundeskaſſe, vgl. ‘zuſchießen, vorſchießen’. 32, 3. hat ſie eingeholt. 32, 7. ‘laßt euch (dabei) die Zeit nicht lang werden’, verliert nur die Geduld nicht, wenn es nicht ſo ſchnell geht, es kommt gewiß. 33, 1. Senck. **müß.** 33, 3. **vertragen**, wie mhd., geduldig hingehn laſſen. 33, 8. **größlich**, mhd. **grœzlîche**, in hohem Grade, großartig. **vernüt** (vgl. ‘für nichts und wieder nichts’), umſonſt, vgl. **nütz** 16, 8 und ‘verlieb, vorlieb’, für lieb; Solt. 259 **vernichte**, für nichts, ſo gut wie nichts. **wart** mit häufiger Verwechſelung für **war**, ſ. Nr. 19, 46. 34, 2. mhd. ê, Geſetz, Teſtament. 34, 3. nach mhd. Weiſe **küngen** zu leſen, das **g** hart, das ü

Das ye kein Keyser me
Verachtung schmoch hab gelitten
Als er dann hat gethon
Mit gedult zu allen zeiten,
So ers möcht gerochen han.

35 Das wirt in got ergetzen
Noch gar in kurtzer zeit
Sin namen wirt er setzen
In manches land gar wyt
Dann man find klarlich geschriben
In der gschrifft sag ich für wor
Hoffart gott nie ließ bleiben
Vnd satzt demut enbor.

36 Darumb biß wol gemute
Edler Keyser Maximian
Gott hat dich in seyner hute
Will dich nit verlan
Zu trost der christenheyte
Vnd auch der Kirch zu Rom
Dann es ist an der zeite
Sie wurd sunst gar zergon.

37 Mit dir wirt Gott noch würcken
Vil gutz in diser zeit
Das du der bösen dürcken
Straffest iren grossen nyd
Vnd auch die christenheite
Bringst auff ein rechten weg
Dye yetzund ist zerströwte
Recht als der kott am weg.

kurz. 34, 4. ye .. mê gehört zusammen = mhd. iemêr, jemals. kein, wie mhd., irgend ein. 34, 6. gethon vertritt nach mhd. Weise vollständig das 'gelitten'. 35, 1. ergetzen einen eines D. (mhd.), vergessen machen, entschädigen. 35, 6. war. 37, 1. mhd. würken, arbeiten, bewirken. 37, 3. 4. mhd. nît Haß, Feindschaft. Der Dichter bei Soltau 201 hofft von Max: er wirt vertreiben Den türcken vnd sich och schreiben Zu Constantinopel kayser. Ja, ein nl. Lied Antwerp. Liederb. Nr. 107 (Hor. belg. 11, 163) gibt ihm dazu noch die Rolle Friedrichs II.: Mi heeft gedocht in droome, Den edelen (nom.) Keyser van

38 Nit me so wil ich singen
Dich well behüten gott
Biß du als mögst verbringen
Das von dir geschriben stott
Ich hoff dir soll nit schaden
Das Eclipsis diser Sunn
In hût so well dich haben
Maria aller gnod ein brunn.

Roome Den grooten Kan, des heydens soudaen (Sultan) Sal hi verslaen (erschlagen), ende vortwaert gaen Al totten droghen boome, bis zu dem dürren Baum im heil. Land, vgl. Uhl. 926, Grimms Myth. 908. 38, 3. verbringen, vorwärts bringen, vollbringen, mhd. vürbringen, s. H. Rückert zum Welschen Gast S. 539 fg. 38, 4. auch Antw. Liederb. a. a. O. beruft sich auf 'Bücher, dies recht gut wissen': somen (wie man) mach sien In boeken diet wel weten, Gheschreven van propheten.' 38, 7. Senck. hût.

12.

Ein ander liedt von der Soltawer Schlachtung.

1519.

Aus einer hdschr. Hildesheim. Chron. in Wolfenbüttel Bl. 140, abschriftlich in Soltaus Nachlaß. Die Schlacht bei Soltau, auf der Soltauer Heide, im ersten Jahr der Hildesheimischen Stiftsfehde, geschah an demselben Tage als die Wahl des neuen Kaisers (28. Juni). Von einem 'ersten' L., das man in der Hs. auch zu vermuthen hat, sagt Soltau nichts. In Spangenbergs Neuem vaterl. Archiv 1827 1, 280 ist ein fast gleichzeitiger genauer Bericht von der Schlacht und dem Nächstfolgenden aus Joh. Oldecopps handschr. Nachrichten, die Hildesh. Gesch. betr., in dem die ganze Derbheit nachklingt, mit der Gegner damals einander behandelten; zuletzt S. 285: „Von dieser Schlacht für Soltaw wardt ein Liedt gesungen, wie gewöhnlich unter den Soldaten ist," davon dann Proben, Bruchstücke aus unserm Liede, durch einander geworfen, auch mit seltsamer Mengung von Hochd. und Niederd., darauf: „Das ward in Hildesheimb in den Biergelagen gesungen, verdroß vielen und mißgönnten auch viele dem Bischof diesen Gewinnst." Fast dieselbe Nachricht, mit denselben Liederbruchstücken, 'aus Joh. Oldekopp's Chronik' in Hormayrs Taschenb. 1836 S. 71; da sind die Bruchstücke in niederd. Fassung. Ein längeres Lied von der Stiftsfehde, leider in bösem Zustand, steht bei Wolff 372 (vgl. Solt. S. XXIII); es ist in unreinem

Niederdeutsch, wie dieses in unreinem Hochdeutsch, beide urspr. niederd. Die folg. Gestalt des L. ist gewiß eine ziemlich späte Niederschrift nach längerer mündlicher Wanderung. Der Ton scheint der um diese Zeit beliebte 'Von erst so wolln wir loben Mariam die reine Maid' (Uhl. Nr. 141. 142. 143. 307. Solt. Nr. 37. 44. 46) oder ein nächstverwandter, es fehlen dazu nur im Anfang zwei Reime oder Zeilen, die durch Repetition der zwei ersten hier zu ergänzen sind. Die Reime haben gelitten.

1 Zu lobe wollen wir singen,
Marien der iungfrawen fein,
die feinde halff sie vns zwingen,
die vns wolten vordringen,
wil gott es mag gelingen
dem edlen hern gudt
geborn von fursten bludt.

2 Bischoff Johan geheißen
Zu Hildesheim vber daß stift
Er hat daß frey gewaget
hievan wirdt lang gesaget
sie meinten er wehre vorzaget,
vnd (hette) daß nich gethan,
vber sie ist daß gegahn.

3 Ein slacht hat sich erhoben,
ihm Luneburger landt,
zwischen hertzogen vnde grauen,
hertzog Erich must gfencknus loben,
hertzog Wilhelm halff nich sein toben,
zu eigen wardt ihr handt,
daß war ein theures pfandt.

4 Ihnen waß daß kein freude,
sie hettens lieber gelaen,

1, 2. Wolff 373 heißt der Bischof (Hertzoge zu Sassen lovesam) 'Marien knecht'; Maria, die Schutzpatronin des Stifts. 1, 4. **vordringen**, dies nd. vor- ist tief ins Hochd. gedrungen, herrscht im 15. Jh. im Thüringischen, ist um 1500 schon in kaiserlichen Erlassen zu finden, lebt bis ins 17. Jh., s. Nr. 18, 9. 32, 18. 2, 6. den Kampf gewagt; **hette** fehlt. **daß** öfter für **es**, kräftiger nach nd. **dat.** Das nd. **nich** (Nr. 19, 39. 20, 10) früh in mitteldeutschen Mundarten, vgl. Nr. 38, 3. 2, 7. **gegahen.** 3. Die nd. Reime waren **erhaven : laven : daven.** 3, 4. 'geloben'. H. Erich von Kalenberg und sein Bruder Wilhelm. 3, 6. **eigen**

fur Soltaw vf der heide,
dar geschach den fursten leide,
sie wurden dar griffen beide,
vnd vber hundert edelman,
daß die warheidt muß bestahn.

5 Vier tausent wurden geslagen,
zu pferde vnd auch zu fues,
vngeluck hatte sie betroffen,
gleich dem wilde fur dem hagen,
welchs dar die hunde iagen,
daß machet des wassers nodt,
hirvan namen sie den doedt.

6 Sie haben ihn abgewunnen,
vierhundert reisige zwar,
nohtslangen vnd carthawen,
daruff stunden die lawen,
deß sich der bischoff frewet,
von freuden er lachet gar,
daß sach man offenbar.

7 Ein gewin der waß nich kleine,
den do der furst gewan,
sieben tausendt wagen gemeine,
midt raubgudt als ich meine,
geladen groß vnd kleine,
daß sach so mennich man,
der daß bezeugen kan.

bei Spangenberg, die Chronik **ligen**, jenes rieth schon Soltau. 4, 5. Soltau w. d. gefangen, Spang. **Da waren** (Hormayr **dar worden**) **se grepen** (ergriffen) **beide**. 4, 7. **bestahen**, diese Dehnungen langer Vocale mit h sind dem Niederd. u. Mitteld. dieser Zeit eigen, s. zu Nr. 6, 4, 3. 5, 2. Urspr. **fôt : nôt : dôt**. 5, 3. nd. **bedrapen : hagen**. Das 'Unglück' meint den fatalistischen Glauben jener Zeit: Uhl. 307 **es mag kain unglück nit wol zergon**, deshalb ist Rumensatel nicht zu retten; für den Pinzenauer Uhl. 463 wird vergebens gebeten, denn **er het darzů kain glück**; vgl. Nr. 19, 57. 5, 5. **dar** nd. = **da**, wie **wor** für **wo**. 5, 6. Die Aller stand ihrer Flucht gerade entgegen, vorn der Fluß, im Rücken drängend die siegenden Hildesheimer. 6, 3. Hs. **carthaunen**. 6, 4. der braunschw. Löwe auf den Geschützen. 6, 6. **von** so mhd. 6, 7. Spang. **Dat sah ich openbar**. 7, 1. **klein**. 7, 4. mit dem Raube von ihrem fast ungehinderten Plünderungszuge

8 Vff einem gesperden wagen,
zwolff tausendt gulden roht,
dar zu der fursten gesmiede,
daß kam zu rechten zeiten,
ihre kleider waren von syden,
die kamen zu der beut,
daß gab vns gott zu guet.

9 Vnzellich ist geblieben
daß dar gewunnen wart,
von harnisch vnd von pferden,
von spießen vnd von swerden,
alles daß vns mochte werden,
daß muste midt vns gahn,
den hals setzte wir daran.

10 Mariam wollen wir loben,
midt fleis zu dieser fart,
den preiß wollen wir ihr geben,
fur vns kan sie wol streben,
bewart vns leib vnd leben,
die edle iungfraw zart,
die gottes mutter wart.

im Mai. 8, 1. verschloßner Wagen? Horm. **Sperdewagen**, Spang. **Rhedewagen.** 8, 2. 'Goldgulden'; auch Spang. '12000 **Floren roth**', die Prosa das. nur 1200. 8, 4. Spang. **kam up tho rechter Tiede**, Horm. **tho rechten Tieden**, kam rechtzeitig herangefahren, um mit in die Beute zu kommen. 8, 5 fehlte bei Solt., zum Glück aber in Spangenbergs Bruchstücken: **Dere Kleder waren von Syde.** 8, 6. 7. Spang. **Kregen wi tho unser Büde Dat gewe** (l. **gaf**) **uns Gott tho Güde**; Horm. ebenso, doch die Reime (**Gulden**) **rueth : Bueth : gueth.** 9, 1. **unzellich** die urspr., rechte Form. 9, 6. **gahen.** 9, 7. die Hs. '**setze**' aus nd. **sette**, d. i. aber **setteden**, das **n** vor **wir** abgefallen, wie mhd. 10, 2 kann, wie die ganze Str., aus einem Wallfahrtsliede sein.

13.

Kaiserwahl Karls V.

1519.

„Flieg. Bl., an dessen Spitze das Bildniß Karls V. in Holzschnitt steht, eingebunden in der Pfälz. Hs. Nr. 793 Bl. 88," mitgeth. von Mone im Anz. 7, 56. Ein rechtes Zeitungslied, das darauf ausgeht, den Vorgang, nach dem alle Welt fragt, möglichst genau zu berichten. Poetische Stimmung ist nicht darin, doch ist es 'geschrieben' (22, 3) mit einem gewissen Reichspatriotismus, der sich an den altwichtigen Wahlformen freut, und mit östreichischem Selbstgefühl. Der Dichter übt die Technik, die aus dem 14. 15. Jh. überkommen die gerade Nachfolgerin der Kunsttechnik des 13. Jh. war, und die in Östreich am längsten und hartnäckigsten nachlebte. Daher strenger Rhythmus, unter dem er hier und da lieber den Sinn und Satz leiden läßt; daher der Gebrauch altbeliebter, hochtönender, als Dichtapparat überlieferter Wörter (z. B. **geringe** 1, 3. **fein : rein** 4, 6. 8. 14, 6. 8. **fron** 5, 8. 8, 8. 10, 4. 11, 6. **klar** 16, 4. 21, 5) und Fügungen, wie 4, 5. 7. 5, 4. 7, 8. 9, 7. 10, 3. 12, 7. 16, 3. 5. 20, 8. 21, 3 u. s. w. — Das alles sind nicht Formeln wie die des Volksgesangs, sondern mitgeschleppte Phrasen der alten Kunstdichtung, die nicht sterben kann, aber alles eben der östr. Geschmack jener Zeit. In demselben Stil sind z. B. zwei östreichische Lieder auf den Tod Kaiser Maximilians I., in Mone's Anz. 8, 70, und in Hormayrs Taschenbuch 1836 S. 77, letzteres (von Christoph Weyler zu Wien) besser.

Ein new Lied von Künig Karel.

In dem thon,

Got grüß dich bruder Veyte, horst du kein new geschrey.

1 Mit freüden will ich singen
yetzund ein new gesang,
her got gib vns geringe
ein guten anefang,
wann ich hab hie verstande,

1, 2. **gesang** neutr. wie mhd. 1, 3. **geringe**, leicht, schnell. 1, 5. **verstehn** = erfahren, wie engl. understand; Uhl. 784 **Ich verkünd euch newe märe, und wölt ir die verstan** (wenn ihr sie zu hören Lust habt). So noch in 'zu verstehn geben'. **verstande** für **verstanden**; das **n** wird, wie im Inf. (16, 3. 18, 3), dem Reim dienstbar gemacht und als unwesentlich gesetzt oder nicht gesetzt

ein Fürst von Österreich,
got behüt jn vor schande,
man findt nit sein geleich,

2 Ein künig gewaltigkliche
von Österreich geborn,
künig Karl löbeliche,
got hat jn außerkorn,
vber alle künig zware
den Fürst so hochgemut,
zu regiren furware
die christenheit so gut.

3 Nun mercket all geleiche,
wenn ich euch singen sol,
das heilig römisch reiche
hat sich besunnen wol,
haben die christenhayte
mit einem Künig gwerdt,
bewardt vor grossem laydte,
das yetz auff diser erdt.

4 Vnter all christlich Fürsten
lebt yetz nit sein geleich,
nach eren thut jn dürsten,
er ist ein Künig reich
gar weit an manchem arte

vermöge bewußter poetischer Willkür; ebenso wird in dieser Poesie das in prosaischer Rede meist stumme e der Endungen behandelt, das dann aber nach Bedürfniß auch angehängt wird, wo es Grammatik und Prosa nicht kennen, wie **fürware** 2, 7, **verwarte** 4, 7, **eine** 5, 5 u. s. w. Für den Reim, und zwar in großer Reinheit, war unsere Sprache nie gefüger gemacht als damals. 1, 6. Der Satz, durch die parenthetischen Zusätze gestört, setzt sich erst in Str. 2 fort, freilich dann nicht mehr in strenger Form. 2, 5. **zwar**, mhd. **ze wâre**, eine formelhafte Betheurung, gewinnt erst um diese Zeit seine jetzige Bedeutung, ähnlich dem 'allerdings', mit dem man nun auch schon eine Concession macht, vor ein paar Menschenaltern noch nicht. 2, 6. **der F.** 3, 1. Gewöhnliche Bitte um aufmerksames Zuhören, denn 'gesungen' wurde das Lied. 3, 2. 'denn ich werde euch s.' 3, 4. 'hat einen guten sin, Beschluß gefaßt.' 3, 6. mhd. **einen gewern eines d.**, 'gewähren', noch lange so construiert (Goethes erster Götz). 4, 5. 'in manch fernem Lande', gehört wol *ἀπὸ κοινοῦ* (gemeinschaftlich) zum vorigen, wie zum folgenden vermöge der

ist er der welt so fein
vor aller schandt verwardte
zu Römischen Künig rein.

5 Ein Künig von Behem freye
mit seiner potschafft gut,
sechs Churfursten darbeye
so gar mit reichem mut,
sie ritten alle eine
vnd wolten da gar schon
zu Franckfurt an dem Meine
erwelen ein Künig fron,

6 Der dem Römischen reiche
stedtig behilflich wer,
vns christen all geleiche
zu nutz vnd auch zu eer,
das vns nit werdt genummen
von Türcken maniche landt,
das wolt das Reich verkummen,
mer thu ich euch bekant:

7 Am gottes Auffartz tage
gschachs im neüntzenden jar,
ist war wie ich euch sage,
gingen die Fürsten klar
gen kirchen also schone,
sie baten alle got,
den heylig geist, sein sone,
das sie on allen spot

häufigen Figur, die man mit jener griech. Phrase bezeichnet; s. 9, 4. Hs. orte; vor r ein a gut östr. 4, 6—8 mögen kritisch nicht richtig sein; etwa gar 'her der welt'? 'vor aller sch. verwart' ein herkömmliches hohes Lob. 5, 1. 'Ein' hat die Kraft eines Titels, in Benennung von Behörden bis heute. 5, 6. schon, schône, Adv. zu schön, hat einen weiten Begriff, hier meint es die Bewahrung der Förmlichkeiten, wie 8, 6, etwa 'ordentlich, gehörig'. 5, 8. fron, altes Klangwort, eig. alles den Herrn (Gott, König) Betreffende, dann als Modewort in weiten Gebrauch gerathen. 6, 7. verkummen, schon früh aus fürkumen, zuvorkommen, verhindern. 7, 2. geschachs. 7, 4. das fehlende da ist kräftiger Stil, beliebt; so fehlt das Nr. 14, 21. 7, 5. Hs. kirch, etwa kirich? das r vocalisch gesprochen? 7, 7. Hs. der h. g. s. thone. heilig geist scheint schon früh unflectiert, wie Ein

8 Der christenheit so frumme
erwelten ein künig wert;
ein churfurst ich vernummen
von Meintz der hochgelert,
der fraget vmb behende
den bischof von Trier gar schon,
in geistlichkeit erkente
vmb die erst wale fron.

9 Der thet sein wal da geben,
das thet jm wol anstan;
furbaß fragt er merckt eben
ein bischoff lobesan
von Cöln gab auch sein wale;
von Behem die potschafft reich
fragt er mit gutem schalle,
das mercket all geleich.

10 Die gab aus freyem mutte
die dritte wale schon;
furbaß mit allem gute
fraget der bischoff fron
ein Churfürst hochgebaren,
Pfaltzgraff am Rein genendt,
der gab die vierdt wal dare;
darnach der bischoff bhendt,

11 Fragt er in hohem preyse
ein Churfurst außerwelt

Wort gebraucht; sonst kann östr. **heiling** = **heilign** gesprochen werden. 8, 2. **werd.** 8, 7. **erkent**, berühmt (man kann östr. **erkende** schr.). 8, 8. Hs. **vnd die e. w.** 9, 2. 'in schöner Form'. 9, 3. **merkt eben**, häufige Bitte, 'gleichmäßig', genau aufzuachten. 9, 4. **ein bisch.** gehört ἀπὸ κοινοῦ zu **fragt** (als Acc.) und **gab** (als Nom.); der Gesang erleichterte diese Doppelgeltung nach vorn und hinten. 9, 6. 'Botschaft' persönlich, wie Nr. 11, 3, 2. 9, 7. **Schall**, urspr. frohes Lärmen, Freudengeschrei, dann als Modewort verflüchtigt, hier etwa Pracht, Pomp, Freude, vgl. 18, 1. **schalle : wale** östr. ein rechter Reim, beide a schwebend gespr. zwischen lang und kurz; so 12, 1. 3. 13, 5. 7. 10, 3. **mit a. gute** (neutr.), 'in allem guten', eig. in bester Gesinnung, hier Phrase. 10, 5. 6. Hs. **hochgeborn. genandt.** 11, 1. 'er' nimmt ganz hübsch nach der Pause das schon

von Sachsen, der mit fleyße,
ein Churfurst hochgezelt,
der gab sein wal mit eren;
darnach der bischoff fron,
weyter solt jr hören,
fragt er ein Churfurst schon,

12 Von Brandenburg mit schalle
ein Marggraff hochgenant,
der gab die sechste wale,
er ist gar weyt erkant,
den künig thet er preyse;
darnach der bischoff wert
so gar mit gantzem fleysse
von Meintz der hochgelert,

13 Der gab auch dar sein stimme
mit wortten wol gethon;
die Fürsten ich vernimme
die waren all so schon
einich mit reichem schalle,
des frewet sich geleich,
Künig Karl het die wale,
das hauß von Osterreich.

14 Gar bald in kurtzen zeytten
wardt die sach offenbar,
man thet nit lenger beytten,
in manchem landt furwar
lobt man got also schiere
mit mancher proceß rein,
daß er stedtig regiere
das Römisch reich so fein.

genannte Subject wieder auf, wie 11, 8. Der Übergang des Satzes in eine neue Str. ist solchen gemachten, nicht ersungenen Liedern geläufig, in letzteren selten. 'in hohem pr.' steht adjectivartig zu 'Churfürst' im voraus. 11, 4. **hochgezelt** ganz = hochgenant. 13, 2. mhd. wol getân, schön. 13, 6. **geleich** für **mengleich**, 'männiglich'. 14, 6. **proceß**, gekürzt aus **procéßie**, Procession.

15 Mer wil ich euch an zeygen
von grosser freüd fur war,
ich mag es nit verswеygen,
man sah auch offenbar
viel freüden feür behende,
als ich vernummen han,
im teütschen land volende
das Römisch reich so schon.

16 Das hauß von Osterreiche
hat auch vil freüd fur war,
die Steyrmarck thet nit weiche,
das landt zu Kernten klar,
das Kronlandt wond jm beye,
die erblandt außerwelt,
das landt an der Enß freye,
künig Karl zu gezelt.

17 Sie giengen lobeleiche
wie an gots leichnamßtag,
all orden wirdigleiche,
fur war das ich euch sag,
all bruderschafft gemeyne
die giengen frölich hin
in das gotzhaus so reyne,
wie ich berichtet bin.

18 Darnach mit grossem schalle
ließ man das gschütz ab gan,
vil büchssen hört man knalle
mit freüden wol gethan,
vil freüd feür ließ man prinnen
von alten vnd auch klein,
man thet tantzen vnd springen
man gab auch freüden wein.

15, 1. **ich** fehlt. 15, 7. 8 **volende** für **vollendt**; es scheinen casus absoluti, wie ein Ausruf: '(da) das R. R. nun wieder völlig (war)!' 16, 1. **D. land zu Ost.**? 16, 2. **freud**, öffentliche näml. 16, 3. **weichen**, nachgeben. 16, 5. betheiligte sich, half mit. 17, 3. **wirdig gleiche**. 18, 6. was sonst 'alt und jung'.

19 Auch mercket grosses wunder,
zu Wien ein thuren schon,
het man freüd feür besunder
oben auff den knopff thon,
sant Steffans thurn ich nenne,
zu lob Künig Karel rein
ließ man das feür prinne,
got frist jm das leben sein.

20 Das er stedtig regiere
das heylig Römisch reich,
mit gutem frid so schiere
vns christen all geleich;
darbey thu ich gedencken
des Keysers miltigkleich,
Maria thu jn sencken
wol in der gnaden teich.

21 Auch soltu nit vergessen
vnser du reyne meyd,
dein pit für vns thu messen,
dir wirt doch nichts verseyd,
gegen deim kindt so klare,
ewig vor helle glut,
wenn wir von hinnen fare,
Maria halt uns in hut.

22 Darbey laß ichs beleyben,
das lied ein ende hat,
ich mocht nit weytters schreyben,
got behüt vns vor not.
jr herren all mit fleisse
das dicht sey euch geschenckt,
das machet Mertein Weisse,
sein im besten gedenckt.

19, 2. 3. **thurn.** Es ist gewöhnlich, einen Begriff so absolut vorauszunennen, und dann mit **da** u. dgl. anzuknüpfen, was hier fehlt, s. 7, 4. 19, 6. 7. '**Karl**'. feür zweisilbig. 20, 3. Bitte für Kaiser Maximilian mit angebracht. **milt**, das ehrendste Beiwort eines Fürsten von Seiten des Unterthanen, urspr. freigebig. 20, 8. **teich** für 'Meer, See' hat der Reim erzeugt. 21, 3. **messen** = zielen, wohin richten. 22, 1. **ich**; doch könnte '**das Lied**' auch *ἀπὸ κοινοῦ* stehn (4, 5). 22, 8. Bescheidne Bitte, aber nicht Phrase.

14.

Feldzug in Lothringen.

1521.

Landsknechtlied, nach einem flieg. Bl. in der Pfälzer Hs. Nr. 793 Bl. 93 von Mone mitgeth. im Anzeiger für K. d. t. V. 7, 60. König Franz begann den Krieg gegen Karl in Lothringen, ein kais. Heer unter tüchtiger Führung (Str. 15. 16) rückte ein, doch war der Feldzug eig. erfolglos, die Deutschen gaben Mezieres auf, nahmen dann zwar Tournay (Nr. 16), der weitere Kampf verpflanzte sich aber nach Italien. Der Sänger war ein Baier, der Ton (auch Uhl. Nr. 181 a. 1519) ist der Stortebeker, s. Soltau S. LXI fg.

Ain new Lyed in des Wyßböcken thon.

1 So will ichs aber heben an
das best so ichs gelernet hon,
ain newes lied zů singen,
von Kayser Karol hoch geborn,
ich hoff im soll gelingen.

2 Do man zalt Fünffzehen hundert jar
vnd xxj daß ist war,
ain Künig in Franckenreyche,
er pstellet mengen stoltzen man,
nun hören all geleyche.

3 Kayser Karol kament die mer,
wie der Frantzoß im velde wer,
Städt, schlösser wölt er ein nemen,
auch hoch Burgund das gůte land
das wolt er im verbrennen.

1, 1. ichs ist nichts als 'ich', s. zu Nr. 2, 5, 6 S. 12. 1, 2. das best adverbial = aufs beste; so das gleich, desgleichen (Solt. 217). 1, 4. geboren. 1, 5. es nicht nöthig, 'mir gelinget' absolut, mir geht es glücklich von Statten. 2, 3. ain titelmäßig. 2, 5. hören, d. i. hörent, höret. 3, 1. Silbenzählung, die um diese Zeit ins Volkslied weiter vordringt, befördert durch das um sich greifende Lesen; auch ein Fortgang des Sinns in die neue Str. findet sich Str. 12 : 13.

4 Den herren ward die sach bekant
so verr wol in dem Oberland,
noch haubtleut thet man senden,
in menger frommen reichstatt gůt
hört man die trummen behende.

5 Die sach die ist mir wol bekant,
man zoch bald auß dem Oberland
mit mengem stoltzen degen,
mit mangem frommen Lantzknecht gůt,
die vor kriegs hetten pflegen.

6 Wir zochen in das welsche land,
ain wasser das ist wol bekannt,
die Maß hayßt es mit namen,
daran leyt manche gůte stat,
die wir ains tayls ein namen.

7 Gewonlich nach dem wasser gnent
Maß ist die erst, die man wol kent,
die gab sich auf mit willen,
die knecht die wurdent wol gemůt,
kainr mye thet sie befüllen.

8 Darnach zoch man hin für Mason,
die Burger vernamen vns gar schon,

4, 2. Niderland und Oberland früh bes. von den nieder- und oberrheinischen Ländern gebraucht, s. Mone im Anz. 5, 431, doch nicht ausschließlich, wie Mone meint, vgl. z. B. Uhl. 404. 4, 3. **haubtleut** als Dat., s. S. 11. 4, 5. die Werbetrommel nach müßigen Landsknechten. 5, 1. als Augenzeugen. 5, 4. **manger** und **menger** (das g ja nicht weich zu sprechen) gleichberechtigt, jenes aus mhd. **manec**, dies aus **manic**; so **haubt** und **heubt** nach **houbet** und **houbit**. 5, 5. **pflegen**, mhd. **gepflegen**. 6, 5. **ains tayls**, mhd. **ein teil** mit absichtl. Bescheidenheit = ziemlich viel, ziemlich sehr. 7, 2. **Maß**, muß wol **Metz** sein (nach franz. Ausspr.); dem Landsknecht war wol das nahe Moselthal mit dem Maasthal in der Erinnerung zusammengeflossen, ihm schien Metz nach der Maas benannt. 7, 5. **mye**, d. i. **müe**, **müeje**, Beschwerlichkeit. **befüllen** für **befillen** (: **willen** Hätzlerin 130b), **befilen**, mhd. **beviln** = 'ze vil' sîn, als zu viel erscheinen, lästig sein, Verdruß machen, s. Grimms Wb. 1, 1756; noch nach 1700 hat Günther so **vervielen** impers. 8, 1. Mouzon an der Maas. 8, 2. wurden uns gar wol

zway leger thet wir schlagen,
wir ruckten bey der nacht hin zů,
die schantzen thet wir graben.

9 Alsbald als nun vergieng die nacht,
da hort man gar ain grossen bracht,
Kartona vnd auch Schlangen,
ain gůt gesell zů dem andern sprach,
wir wöllen vns nit samen.

10 Da nun die burger das vernamen,
gar bald sie in das gleger kamen,
Maßon wöll wir auff geben,
Kayser Karolus in sein hand,
so bleyben wir bey leben.

11 Also ruckt man hin fürbaß schier,
wol für ain stat die haißt Masier,
die thet wir auch beschießen,
das bolwerck gieng in lüfft entbor,
das thet sie sehr verdriessen.

12 Man schoß die heuser das sie kluben,
die stain hoch ab der Ringkmaur stuben,
Schloß, thor thet man zerbrechen,
mengk thuren in den graben fül,
spotlich theten sie sprechen,

13 Das vnsern haufen seer verdroß,
ob wir nit hetten meer geschoß,

gewar, s. S. 35. 9, 2. **bracht**, m. stolzer Lärm, mhd. **braht**, s. Grimms Wb. 2, 283. 9, 3. **Kartona**, dies -a für -en bes. bairisch, Körner 241 **ein Gulda**, Mones Anz. 3, 236 **Creuzlinga**, 237 **Mincha** neben **Minchen**. 9, 4. s. S. 19. 9, 5. **sâmen**, bair. (mit reinem a) = **saumen**, mhd. **sûmen**, 'säumen', wie auch **sîn**, sind, bair. zu **sân** ward. 11, 2. Mezieres an der Maas. 12, 1. 2. mit diesen Reimen formelhaft, z. B. Uhl. 472. **kluben, stuben** (kurz u, 'klubn' zu lesen, es ist ja stumpfer Reim), noch die rechte mhd. Form von **klieben, stieben**. 12, 4. **thurn**, s. S. 68. Ist **fül** für **ful**? so hat Fischart und spricht das Volk hier und da, und eben in urspr. reduplic. Conjug. erscheint **gūng** (Uhl. 507), **hung, fung, luß** (Uhl. 702); man denkt an mhd. **liuf**, das später als **lüff**

sy welten vns ir leichen;
es stůnd biß an den achten tag,
da wurden sy seer scheuhen.

14 Got gab vns krafft vnd groß gelück,
gůt gschoß wol drey vnd fünfftzig stuck
thet man zů yeder rotte,
ain verlorner hauff was da gemacht,
sieben fenlach one spotte.

15 Zwen hauffen het des Kaysers hör,
man gab vns harnasch vnde wör,
die haubtleüt solt ich nennen,
der graff von Nassaw was der ain,
knecht thůnd in ye seyd kennen.

16 Frantz Sickinger der ander vest,
an mangem ort thet er das best,
Fronsperger nenn ich strenge,
wa man den knechten ist mit trew,
kain feind werdt sich in die lenge.

17 Die knecht mainten es wer gleich dran,
der Graff den ich vor genennet han,
thet auß der stat her schleychen,
ain Brieff, ain stab in seiner hand,
glück thet vns bald entschleyffen.

(Körner 16), **luff** (Hätzl. 202b) auftritt. 13, 3. **ir** von mir zugesetzt. **leichen** mit hartem **h**. 13, 5. mhd. **schiuhen**, scheuen. 14, 2 ff. Vorbereitungen zum Sturm. 14, 5. **fenlach**, Fähnlein; so **freulach** Uhl. 847; **tierlach** Mones Anz. 5, 333, Wackernagels Leseb. 1, 966, 9; **plümlach** Hätzl. 16a; **fröwlich** Uhl. 296. 298. 15, 2. neue Rüstung und Waffen zum Sturm? für gewöhnlich mußte diese der Landsknecht mitbringen (z. B. Uhl. 519), besondere Artikel setzten in einzelnen Fällen das Genauere fest, z. B. die kölnischen Landsknechtartikel von 1583 in Mone's Anz. 8, 164 ff. Das alte **unde** ist durch den Rhythmus lang erhalten worden, bei H. Sachs oft. 15, 5. **dknecht**? **ye seyd**, doch seitdem, meint Str. 22, 2 ff. 16, 1. 3. **vest, strenge** beides ein ritterliches Lob, Schm. 3, 687. 16, 4. **ist mit tr.**, für das gewöhnl. **beiwont.** 17, 1. am Sturm. 17, 3. als Parlamentär, daher der (weiße) Stab; mhd. **slîchen**, langsam gehn überhaupt, auch würdevoll, gemessen gehn. 17, 5. mhd. **slîfen** gleiten. Die Stadt verweigert die

18 Zwů meyl dar von da leyt ain schloß,
darein kamen vierhundert roß,
Arenburg ist es genante,
die profyson man vns auff hůb,
der schertz sich da ertrante.

19 Ain bruck vber ain wasser brayt
mit schiffen ward da zu berayt,
Profand thet wir erlangen,
neün bauren fand wir in aim schloß,
die namen wir gefangen.

20 Bombia ist ain stat genant,
die was den Bauren wol bekant,
darein thetens vns weyßen,
da solt wir vierhundert pferd gfunden hon,
das thet vns bald entreyßen.

21 Ain wald der ist drey meylle lank,
darin da het wir grossen zwanck
zů roß vnd auch zů fusse,
die böm die het man nider gelegt,
was vns ain swere büsse.

22 Das pschyssen gleger fieng bald an,
nun hört was sich der Graff beßan,

Übergabe, das Heer zieht ab; ein Sturm war den Landsknechten die lockendste Aussicht die sie kannten, daher die Verstimmung. 18, 1. mhd. zwuo neben zwô, few. Der Landsknecht berichtet nur, was seiner Person nahe lag, so daß so wichtige Dinge wie der Abzug, geschweige der Grund davon gar nicht genannt werden; es machens mehr oder weniger so alle Landsknechtlieder; man frage noch einen Soldaten nach einem Treffen, dem er beigewohnt, ob ers anders macht. 18, 2. die Reiter nach den Rossen gezählt, wie noch. 18, 4. 'Provision', Pension, s. Profison bei Schm. 1, 346. 18, 5. gedr. ertrennet; obiges die alte rechte Form; 'da gieng der Spaß aus einander'. 20, 4. zum Ersatz der verlornen? 20, 5 deutet wol eine Falle der böswilligen 'welschen' Bauern an, wie 21, 4; Ähnliches widerfuhr den Verbündeten 1814, in denselben Gegenden. entreysen (entrîsen), entgleiten, entfallen. 21, 4. vgl. Nr. 48, 16, 2. 21, 5. buße, eig. Strafe. das fehlend, s. Nr. 13, 7. 22, 1. gewiß ein technischer Landsknechtausdruck ('das') für ein mühvolles, verdienstloses Lagerleben, ohne profison, wo die Entlassung bevorsteht; über den Kraftausdruck für ein verfehltes, elendes Ding, mit dem man angeführt ist, s. Grimms Wb. 1, 1561. 22, 2. was für wes, s. Nr. 11, 7, 8.

den ich vor hon gemelte,
da man die knecht bezalen solt,
er sprach er het kain gelte.

23 Frantz Sickinger het mannes mût,
er sprach, der außzug ist nit gût,
die knecht die hond verr hayme;
was weitter da gebrauchet ward,
das wayßt noch wol die gmayne.

24 Da man vns zalt, da zoch wir ab,
sechs tausend ich vernommen hab,
der knecht ist minder worden;
welcher nicht gelt im säckel hat,
der fûrt ain schweren orden.

22, 3. **gemelte**, wie vorher **genente**, s. Nr. 13, 1, 5. 23, 1. Dafür hieß er bei ihnen auch 'das edel blut'. 23, 2. **auszug** gewiß auch der technische Ausdruck. 23, 4. **brauchen**, ganz allg., üben, bes. von List und Tücke, Bevortheilung u. s. w. 23, 5. **die gemeine**, der Landsknechte nämlich; Solt. 416 **gemein hielt er** (Markgr. Albrecht) **mit den knechten.**

15.

Belagerung von Peine.

1521.

Aus mehrern Hdschr. mitgeth. vom Pastor Schramm in einem Aufsatz: „Die Belagerungen von Peine während der Stiftsfehde, in gleichzeitigen Liedern besungen." in E. Spangenberg's Neuem vaterl. Archiv zur Kenntniß des Kön. Hannover und des Herz. Braunschweig. Jahrg. 1829. Heft 4, S. 24 ff. Doch die Schreibung des Herausg. konnt ich nicht brauchen, sie ist offenbar nach dem jetzigen Dialekt gemodelt. Eine hochd. Übers. des Liedes, aus ders. Hildesh. Chronik, wie Nr. 12, in Soltaus Nachlaß. — Peine hatte in der Stiftsfehde drei Belagerungen auszuhalten, außer dieser eine 1519 (ein Lied bei Wolff 372, besser bei Leibnitz, Script. rer. Brunsv. 3, 254) und 1522 (unten Nr. 17); der Flecken Peine ward verbrannt und preisgegeben, aber das Schloß, das Eulennest, wehrte sich mit unglaublicher Tapferkeit und mit Erfolg alle drei Male. So kam die Eule von Peine zu Ehren, die sonst zum Gespötte diente; man erzählte von den Peinischen dieselbe lustige Geschichte, die z. B. das Frankf. Liederb. Nr. 139 von einem ungenannten Dorf bringt, wie die Bauern in Entsetzen sind vor einem Ungethüm, das Menschen frißt (ein Kalb), mit Spießen und Stangen dagegen anrücken, den Angriff nicht wagen, bis endlich der Schultheiß die Auskunft findet das Haus mitsamt dem Ungeheuer zu verbrennen; geradeso sollten die Peinischen einen Thurm mit einer Eule endlich verbrannt haben (Kirchhoffs Wendunmuth). — Ein Landsknechtlied, der Ton der von Nr. 10.

Gedicht van der anderen Belegerunge des Huses Peine umme Mich. an. 21.

1 Nu horet und market to dusser tid,
Wo sik nu heft vorhaven ein strid
Al twischen tween grimmigen deren;
De Lauwe de was der Ulen nich god,
De Ule de hadde einen frischen mod,
De Lauw wolde mit or hofferen.

2 Am dage Michelis dat geschach,
Dat men den Lauwen trecken sach
Vor Peine der Ulen neste;
Wo bolde sik des de Ule vornam,
Se sprak ore kleine wiltfogelin an:
Uns komen gar selßene geste.

3 De Lauwe gaf einen grot,
In der Ulen nest he seher schot
Mit sinem scharpen geschutte;
Schetendes dreef he marter vel,
Dat duchte de Ulen ein narrenspel,
Dem Lauwen doch gar unnutte.

1, 5. Schramm des hadd'. 1, 6. 'hofieren', höfischen Schimpf treiben, tanzen, scherzen. Der Löwe ist Heinrich d. J. von Wolfenbüttel, der Hauptgegner, mit ihm Erich I. von Calenberg. 2, 2. trecken, ziehen, auch die Übs., es kommt so (Nr. 33, 12) und mehr hochd. als trechen (Bergkreien, h. v. Schade Nr. 30, 11) früh ins Hochd., schon Wolfram hat trecken oft. 2, 3. Schr. in der U. 2, 4. des die Übs., Schr. dat; 'sich vernehmen', gewar werden, mußte wol den Gen. haben. 2, 5. Übs. waltvögelin, was Nr. 17, 6 ihr 'Gesinde' (die Besatzung), als dessen Herrin die Eule gedacht. 2, 6. hochd. selzen, mhd. seltsæne, 'seltsam'. 3, 1. was für einen 'Gruß'? etwa einen quaden gr. 3, 4. schêtendes, Gen. Gerund., mhd. schiezennes. 'marterviel', die Übs. wunder viel. 3, 5. nach der Übs., bei

4 Am dage Calixti dat geschach,
Der Ulen nest mèn stormen sach
Van ridderen und ock knechten;
Se quemen des in grote not,
De Ule brocht er vel in den dot,
Se wolde on leren vechten.

5 Brun van Bothmer lovesam,
Mit Lenert van Bacherach, hovetman,
In eren sin de to prisen;
Mit mannigen stolten krigesknecht
Se so tapperlicken hebben gefecht,
Se wetten des kriges wise.

6 Im storme sach men or keinen vorßagt,
Se hebbent all frißlick gewagt,
Kein schot hebben se geschuwet;
Men scholde se alle to ridder slan,
Wente se oren dingen recht hebben gedan,
Alße men on heft to getruwet.

7 Mariae bilde an Peine slot,
Dat moste liden so mannigen schot,
Mit gewalt is dat tobroken;
Or bilde dat moste im graven stan,
God vam himmel heft dat seen an,
He heft dat sulven gewroken.

8 Vor Peine hebben se vif weken gerauwet,
Der Ulen de Brunswikschen hadden gedrauwet,
Or nest wolden se vorstoren;

Schr. Doch der Ulen wünsket Spel. 5, 2. der Hauptmann der Landsknechte. 5, 6. 'wissen'. 6, 1. vorßagt, nach dem hochd. verzagt. 7, 1. Dies Marienbild hatte die erste Belagerung überdauert, das Lied (Wolff 377) rühmt das:

Marien bilde ahm Peiner schlot
Moste liden mennigen schot,
Noch stehet dat bilde like fast —

so lehnt denn der Sänger wie mit einem Sachreim an dieß Lied an, das doch allen bekannt war. 7, 6. wreken, rächen. 8, 1. rauwen, ruhen, Nebenform von rowen, rouwen, wie auch hochd. râwe neben dem gewöhnlichen ruowe; auch die

De Ule hadde des nicht vordent,
De Brunswikschen vormals wol gement,
In noden dede se dat geren.

9 In Alle Gots Hilgen Nacht dat geschach,
Heft sik vorhaven ein grot klach,
Ein Lauwe was dar bedrovet;
Do is dat here van Peine getogen,
Recht wo de Duvels se vorslogen,
Se hebben nicht lange gerovet.

10 God ere de fromen landesknecht,
De up Peine so tapper hebben gefecht,
Marien to love und to eren;
Maria de was or tovorsicht,
Or hulpe heft se gesparet nicht,
Or lof wille wie vormeren.

11 Der uns dut leid nu heft erdacht,
He schenket Lenert van Bacheracht
Und allen fromen landsknechten;
Mit eren trecken se dorch dat land,
Bi forsten und heren sin se bekant,
Se krigen alle mit rechte.

Übs. gerawet. weke, Woche, auch hochd. urspr. wechâ, vgl. engl. week. 8, 4. 5. auch an das erste Lied anlehnend, wo statt Braunschweigs, das Peine jetzt mit belagerte, H. Heinrich gemeint wird: De Ule hadde des nit vordient, den Lauwen alle tidt woll gemeint (geliebt), vgl. auch Nr 17, 18. Hildesheim hatte in früheren Nöthen Braunschweig treulich unterstützt mit Geld, Mannschaft, Lebensmitteln, vgl. Nr. 4. 5. 6; jetzt war freilich das Stift in der Acht. 8, 6. Übs. In nöden do se weren. 9, 3. vielleicht ward H. Heinrich schon hier verwundet, vgl. Schramm S. 23. 9, 5. verslogen, erschlugen; se se? 11, 2. Schr. verdeutlicht schenket't, schenkt es; eine Hs. Schramms S. 27 trug das Datum vom Silvester 1521.

16.

Einnahme von Doornick.

30. Nov. 1521.

Aus einem flieg. Bl. (gedruckt auf der Rückseite eines Wandkalenders von 1525) in der Pfälz. Hs. Nr. 793 Bl. 73 mitgeth. von Mone im Anz. 7, 63. Der Dichter (14, 1) ist kein rechter Landsknecht (15, 3), er übt eine gewisse Zunfttechnik, ist ein Poet von Profession nach Str. 3, 2, und nennt sich durch Akrostichon, nur daß am Ende ein Fehler im Text sein muß (Wolfgang von 'Manb'?); das Kriegerische daran ist aber gut landsknechtisch. Der 'neue' Ton ist auch nichts als eine leichte Fortbildung des alten Stortebekers, indem ohne Veränderung des Rhythmus bloß die vierte Zeile halbiert und die Hälften gereimt sind, dadurch aber auch für die 'Waise' der Reim gewonnen und im Schluß der Strophe eine zweite Dreitheilung hergestellt ist, also das Ganze mehr kunstgerecht gemacht.

Im newen Thon von Thorneck.

1 Wer sůcht der findt hab ich gehört,
all ding wirdt schlecht vnd wider kört
nach gstalt ainr yeden sachen;
zway wort allein, das dein das mein,
die thůn vil hader machen.

2 O Künig von Franckreych was hast than,
zů greyffen Kayser Carel an,
so gar an manchen orten;
dein boch vnd trutz ist gar kain nutz,
wirst hören in mein worten.

1, 1. hab ich gehört, eine der alten Formen, ein Sprichwort einzuleiten, s. W. Grimm, Freidank S. LXXXIX fg., C. Schulze in Haupts Zeitschr. 8, 381 fg. 1, 2. unklar; entweder 'alles wird einmal schlecht, und auch wieder gewendet' (widerkeren Nr. 10, 11), zum wider komen gebracht, oder: 'alles (Schlimme) wird einmal geschlichtet (Nr. 7, 14) und ersetzt, wieder gut gemacht', s. keren Nr. 33, 25; beides freilich nicht treffend. Die Absicht beider Sprichwörter ist klar: 'Ausdauer und Zeit bringen alles zu gutem Ende', auf den guten Schluß des übrigens verfehlten Feldzugs bezogen. 2, 4. boch und trutz gern verbunden, s. Grimms Wb. 2, 199; boch m. ist lärmendes Prahlen, trutz herausfordernde Keckheit. nutz Adj.,

3 Lieber ich das von anfang sagt,
doch wird ich yetz allain gefragt,
was newlich sey beschehen,
vor Toreneck in ainer heck
hat man ain scharpff metz gsehen.

4 Freündtlich geziert mit ainem krantz
vil ander metzen auff den tantz
von andern orten kamen,
so ich mich bsinn, drey singerin,
vier Nachtigal mit namen.

5 Gevodert all zů lieb der braut,
wiewol man jrs nit het vertrawt
söllich metzen zů bringen,
das Gretlein feyn vnd Kätterlein
begerten auch zů springen.

6 Also fieng man die Hochzeyt an,
drey singerin die solten gan
dem Brewttigam hofieren,

nütze, auch **kainnutz** als Adj., s. Schm. 2, 721. 3, 1. **Lieber**! hier höhnisch freundlich, wie oft (Luther), ganz zur Interj. geworden. **wird** das urspr. Richtige für 'werde'. 3, 4. **Torneck. hecke**, die Schanzkörbe. 3, 5. beliebter Name für Geschütze, die man gern weiblich personificierte, wie jetzt die Schiffe; Solt. 405 Jungfraw Sibilla, böse Elsa, Bauer und Bäuerin; Wunderh. 2, 350 (Wolff 704) Singerin; noch 1622 bei Soltau S. LXXXII Scharffmetz. Uhl. 472 'fraw scharpfe Metz'. Bei Schm. 2, 663 'die scharpfe Metzen schoißt 95—100 Pfd. Eisen'. In Braunschweig gab es eine 'faule Metz', eine große Steinbüchse, in Hildesheim zwei dergl., mit Namen **Lütken** und **Metken**. 'Metze' ist nicht schlimmer als etwa 'Liese'. 4, 2. zur Hochzeit; mit demselben Landsknechthohn ist die Belagerung von Hohenkrän Uhl. Nr. 177 zu einer Hochzeit gemacht, dort trefflich ins Einzelnste durchgeführt, der Burgherr ist der Bräutigam (Str. 12, 1), auch dort 'hofieren' mit eine Nachtigall, eine Singerin. Ähnlich ist die Darstellung, daß der Belagernde ein Liebhaber ist der um die Gunst der spröden Schönen oder der Braut wirbt, s. Solt. 509. Körner 327. 338 (a. 1685). Bechstein's Deutsches Museum 1, 201 (Wunderh. 4, 243), vgl. 2, 256. 258. 4, 4. 'Singerinnen' die zum Tanz singen, bei Schm. 3, 543. 4, 5. **mit namen** halb Füllwort ('namentlich'), s. **genannt** S. 12. 5, 2. zugetraut. 5, 3. hier als Brautjungfern. 6, 3. **hofieren**, Ständchen bringen; urspr. ganz allgemein Übung höfischer Sitte, vgl. Nr. 32, 23, dann bes. von Musik und Gesang (Uhl. 787), s. Schm. 2, 159. Zarncke zu Seb. Brant S. 398.

ain langer track, darab erschrack
man, weyb, auch knecht vnd dieren.

7 Nun söllichs gschach als ich euch sag,
am abent vor sant Andres tag,
Patron Burgundisch lender,
der selbig wolt, das man auch solt
straffen seyns Creutzes schender.

8 Noch vil von dem zů sagen wär,
doch bleyb ich bey der alten mär,
die Brawt ward wol empfangen,
wann gmayn vnd Rat auß Preutgams stat
seind jr entgegen gangen.

9 Gleych als die sprach ain ende het,
zů morgens vmb die zeyt des betts,
fürt man die Braut zů schlaffen,
als ich euch sag sant Andres tag
zů feyren thet man schaffen.

10 Vnd wa es nitt beschehen wär,
so hett man warlich seltzain mer
vor Toreneck erfaren,
stayn, puluer, bley, von Arttlarey
all stuck genůg da waren.

6, 4. der Bräutigam näml.; track, Drache, vgl. Uhl. 495 Schloß 'Trackenfels', mhd. tracke und trache. 7, 3. Dieses Nachsetzen im Nom., in absoluter Form, ist gewöhnlich, noch jetzt im besten Deutsch; auch Burgundisch hat kein Casuszeichen, wie unter andern bes. gern bei längern Wörtern, oder bei fremden, oder bei Formeln. 7, 5. wie hat Franz I. das Andreaskreuz geschändet? 8, 2. 'bei der Sache'. 8, 4. 'Hofstaat'. 9, 1. mhd. sprâche, Unterredung, mündliche Verhandlung (Uhl. 506. Körner 293). 9, 4. St. Andreas ist ja der Heiratsstifter. 10, 4. 'Steine', die ältesten Geschützkugeln, z. B. aus Speckstein gebrannt Schm. 3, 473; stein Körner 40 (a. 1499), Solt. 315 (1526), Büchsenstein Mones Anz. 8, 144; die eisern Kugeln vor Leipzig 1547 Solt. 381 heißen das. S. 384 eiserne Stein (Uhl. 318 bleiiner stain); Karl der Kühne beschoß Neuß 1474 mit jßern, kopfirn, zenen vnd blien [von Zinn, Blei] 'steinen', K. Stolle's thüring. Chronik, herausgegeben von Hesse S. 73. Noch 1691 Soltau 518 'weisse Stein' als Geschützkugeln, aus Speckstein? Artlarey auch Solt. 363,

11 Ob Toreneck wer gwesen wildt,
doch nit mit disen worten schildt,
noch hett man das bezwungen,
die Nachtegall allain zemal
hett dise statt ersungen.

12 Noch zwingt mich ains zů sagen mer,
jr etlich maynen grosse eer
vnd preyß davon zu haben,
die doch der Brawt nit haben trawt
zů blaytten auff den graben.

13 Man schwig offt wol darvon man klafft,
der nichts drumb wayst, hatt vil geschafft,
ist yetz nymer an höfen,
vnd vberal becht man jr mal.
das brot nun in den öfen.

14 Also beschleüß ich mein gedicht,
offt ainer nun mit wortten ficht,
seyn schwerdt darff er nit zucken;
kain feynd er kan auch sehen an,
er hett dann gsicht im rucken.

15 Nun setz ich söllichs auff ain ort,
es darff nit mer verborgner wort,

Artolerei Schm. 1, 112. 11, 2? 11, 3. **noch**, dennoch. 12, 2. Feiglinge im kaiserlichen Heer, eben die Klaffer Strophe 13 fg.. 12, 5. **sie** zu ergänzen, 'der Braut' wirkt noch genügend herüber. **blaiten, beleiten**, das Geleit geben. 'Graben' eine Straße, ein Platz in der Stadt? 13, 1. **klaffen**, schwätzen. Abweisung vorlauter Kritiker des Feldzugs; das Einzelne mir nicht klar. In dem relativen **darvon** ist zugleich ein demonstratives **darvon** zu 'schwiege' enthalten, nach mittelhochdeutscher Weise. 13, 2. der nichts davon versteht, hat sich viel damit zu thun gemacht. 13, 3. gilt nichts mehr 'bei Hofe'? hat aushofiert? oder **hefen**, Topf (Schm. 2, 155)? 13, 4. **becht**, bair. bäckt. **mal**, Mahlzeit. 13, 5. **sie** (wir) haben nun doch gute Quartiere? 14, 2. **nun**, nur. 14, 3. **darf**, wagt; ich **darf** (brauche) und **tar** (wage) haben sich schon früher vermengt. Uhl. 84 **darauf darf ich** (traue ich mir) **wol schweren**; 614 (**da man**) **nit singen dar**, nicht zu s. den Muth hat, nicht singen darf; daher unser 'ich dürfte wol behaupten', vgl. zu Nr. 32, 21. 15, 1. **ort**, Ecke; **auf ain ort**, in den Winkel, beiseit. 15, 2. **es**

wir seynd all wol bestanden;
doch hett man recht das man die knecht
berûft auß teutschen landen.

16 Billich ich ettlich hett genendt,
doch in mein wortten wol erkendt,
will man das geren wissen,
es seynd gleych die allweg vnd ye
mit diensten seynd geflyssen.

darf, 'es braucht', es bedarf. 15, 4. die Landsknechte, zu bessern Erfolgen für den nächsten Feldzug. 16, 1. Oft beziehen sich die Lieder auf den Wunsch der Hörer nach bestimmten Namen, der hier schalkisch bedient wird. 16, 2. wol erkent lobender, formelh. Beisatz zu worten. 16, 3—5. 'will mans nun einmal wissen — es sind eben die immer dienstbeflissenen Landsknechte (alle, die besondres Lob verdienen').

17[a].

Ein leidt

von der Belagerung des huises Peine.

Anno 1522 (Aug.).

Dritte Belagerung der Feste während der Stiftsfehde; aus derselben Braunschw. Chronik, wie Nr. 4. 5. 6 (s. S. 18), von Leyser schon mitgeth. in Aufseß und Mones Anz. f. K. d. t. V. 3. Jahrg. 1834. Sp. 17 ff.; hier nach einer genaueren Abschrift in Leysers Nachlaß. Eine hochd. Übersetzung aus derselben Hildesheim. Chron. (Bl. 142ᵇ—144ᵇ) wie bei Nr. 12, abschriftlich in Soltaus Nachlaß, gebe ich dießmal vollständig nach, um an einem Beispiel das ganze Verhältniß des Niederd. und Hochd. in dieser Zeit und Gegend vors Auge zu bringen. Doch war, ohne daß Leyser und Soltau davon wußten, das Lied aus einer andern Hs. schon mitgetheilt in dem zu Nr. 15 erwähnten Aufsatz von Schramm S. 29 ff.; nur die wichtigen Abweichungen geb ich an; Einiges war besser. Die Übersetzung mag nicht viel später sein; sie leitet das Lied ein: 'Annô 1522 [also das 4. Jahr der Stiftsfehde] belagerten die hertzogen van Brunschwich widerumb daß hauß Peine vff bartholomei. Dauon vnd dem gantzen handel meldet folgendes liedt'. Der Ton ist der von Nr. 5.

1 Vormetenheit vndt grote Ouermoidt
wart nimmer ihn keiner sake guidt,
als vns de schrifft vormeldet;
woll sich sulueſt heuet an ein speell
vnd syner dorheit leuen will,
gelinget ohm gar selden.

2 Als hebben sich twey lawen stolt
geschantzet vor dat wiede holt,
vor einer vlen nehste;
de vle hadde ohn kein leidt gedan,
noch wolden se de tho dode slan,
vndt nemen ohr gesehste.

3 De vle seher wredt von schipniß
an kloiken dingen tho priesen iss
tho ohrem eigen fromen;
wen se dar werdt geschoren ahn,
se schulet, se berget sick, war se kan,
beht dat ihr tidt werdt komen.

4 Ein vle von Peine dede ock also,
se floch tho hole vnd sach woll tho,
de lawen leth se pralen;
mit scheten dreuen se groten pracht,
ohr nest schoten se ohr bouen aff,
noch bleiff se ihn orem hole.

5 Do man schreiff 1522 jar
na Goddes gebort all openbar

1, 4. **sich**, hochd., wie **dich** Nr. 4, 23. **woll**, **wol** (kurz o), wer, auch mhd. **wel**, schweiz. **wele**, Kürzungen von **welch**; vgl. Haupts Zeitschr. 3, 77. 1, 6. **gelingen** urspr. von Statten gehen, gut ausgehen. 2, 1. **lawen**, s. S. 89. 2, 2. Schramm **Wydenholt**. 2, 5. **noch**, dennoch. 3, 1. 2. Schr. **De Ule unachtsam van Ledmaten** (Gliedmaßen) **is**, **An Klookheit aver to loven wiss** (gewiß). **wrêdt**, wüthend, zornig. **von schipnis**, von Natur; **schippen**, Nebenform zu **schapen**, schaffen (Claws Bur, herausg. v. A. Höfer, 461), wie mhd. **schepfen** neben **schaffen**. 'Die Eule, von Natur hitzig, ist klug zugleich'. 3, 4. **geschoren**, vom Bader? doch vgl. **schoren** Rein. Vos 5442. Schr. **gefochten**. 3, 5. **schulen**, sich verstecken, ducken. 4, 1. 'eine' Eule, titelmäßig, vgl. zu Nr. 13, 5. 4, 2. mhd. **hol**, neutr. Höhle, Loch. 4, 4. so Schr., Leyser **grote macht**.

vp S. Bartolomeus abendt,
do sach men mannigen stolten man
na krieges wise ahm Storme stan
vor Peine ihn dem grauen.

6 De Storm de wardt dar vthgericht
all von twen lawen von Bronswick
vor einer vlen neste;
de vle sprack ohr gesinde ahn,
nu tredet hier her vp diesen Plan,
vns komen frombde geste.

7 Hans von Ilten ein Edelman,
Andreas von Lubeck ein houetman,
mit mannigem fromen landesknechte,
se tögen all vp der vlen wehre,
ja einer stund von dem anderen nicht verre,
de sacke besunnen se rechte.

8 Se wehren still vnd nicht seher ludt,
beht dat ohn duchte wesen gudt,
dat se idt recht besunnen,
wente dat de lawe gedrungen kam,
all dorch den grauen ahn den wall,
he meinde he hedde gewonnen.

9 Ein vle all darumbe floch,
gesellen de tidt iss komen hoch,

6, 1. Schr. angericht. 6, 2. all, s. Nr. 5, 1. Schr. Dorch beide Lawen. 6, 4. 'die kleinen Waldvöglein' S. 89; gesinde, eig. die krieger. Begleitung eines Fürsten und Herrn; also die Eule als eine Fürstin gedacht. 6, 5. Plan, eig. bes. Turnierplatz, vgl. Luthers 'wol auf dem Plan', zum Kampf fertig. 6, 6. mhd. vrömde neben vremde. 7, 4. vgl. 'Brustwehr', mhd. wer; bes. hervorragende Theile der Befestigung, Basteien, Außenwerke, Solt. 414 wher- und ploch-heuser. 7, 5. mhd. verre, fern. 7, 6. Schr. der Saken deden se rechte. 8, 1. Dieß ist althergebrachte Form, wichtige Begriffe positiv und dann noch negativ zu bestimmen (bes. im praktischen Rechtsleben), Beispiele bei Grimm, Rechtsalt. 27—31, darunter 'stille und niht überlût'. Noch im neueren Volksl., Hoffmann, schles. Volksl. S. 281. 282. 283 'Ihr Herz war kalt und nicht mehr warm'. 8, 2. Schr. so lang bet dat se deß Tid ducht. 8, 3. es sorgfältig einrichteten, den genauen Augenblick abwarteten. 8, 4. wente, went, bis. Schr. (auch die Übs.) den Wal hinan, doch an den w. meint dasselbe. 9, 1. darumb. Schr.

wolde gy jw nu bewiesen;
de lawe de kompt mit groter macht,
darumb hebbet jwes dinges acht,
so sta gy hoch tho prisen.

10 De law kam mit dem ersten ahn,
ein loht muste he thor bute han,
dar mit wort he geschoten;
do ohne de vle also entpfenck,
mit ernsten moide entgegen ginck,
idt hedde ohn wol vordroten.

11 Idt ginck dar an ein schetent vndt slan,
der vlen gesinde beheilt den Plan,
de lawen mosten wicken;
da horede man ja jammer grodt,
des lawen gesinde leidt grote noht,
se quickeden als de swine.

12 Welk Adels ock dar mede was,
de schete spreidden se ahn dat graff,
de grauen hulpen se dicken;
de lawe leht woll 350 man
vor Peine ihn dem grauen stan,
dat dede ohm grote piene.

de Ule (immer so) bald herunner floog. 10, 1. Schr. Ein Lauw. Herz. Heinrich d. Jüng. von Br.-Wolfenbüttel. 10, 2. lôt, Blei; vgl. Walthers ich bin swære alsam 'ein blì', ein Stück Blei; grüene als ein gras, nicht 'Grashalm'; Haupts Zeitschr. 9, 370 ain dürrs prot als groß als ain nuß; vgl. Gramm. 4, 411. bute, Beute, nicht 'Buße' (Leyser), das wäre bôte. 10, 5. das Entgegengehn gehört eben zum 'Empfang'; 'entfangen' spricht das Volk noch (entfâhen, wegnehmen, Parz. 552, 5), urspr. dem Kommenden das Roß dienstbar abnehmen (Nib. 898, 3. Parz. 458, 13. 21. 275, 6). 11, 1. schêtent, beliebte Form des Inf., aus dem Gerundium genommen, vgl. Haupts Zeitschr. 3, 83. 11, 2. beheilt, aus behêlt zerdehnt, um die Länge zu schützen; so leidt aus lêt, mhd. leit, vgl. Nr. 4, 1, 3. 11, 4. horet m. j. grodt jammer gr. Schr. Jamer un grote Nood, Des Lauen Gesinne bleef gar vel doot. 12, 1. welk, welch, substantivisches Neutr., mit Gen., mhd. swaz adels, 'was vom Adel'; vgl. Nr. 20, 2. 12, 2. so Schr., dieß Derbe wird das Ächte sein; Leysers Hs. de seele streckeden se, scheint nur Vermeidung der anstößigen schete, pl. von schit; eben so die Abs. Graben und Wall sind in 'deichen' als eins gedacht. 12, 5. auch mhd.

13 De von Bronswich weren des lawen gesindt,
noch was by ohnen kein hulpe tho findn,
vor kikers se dar stunden;
Ahn dat Storment wolden se nicht,
wie woll se dem lawen wehren vorplicht,
se sindt dar nicht gefunden.

14 Vndt wunnen de lawen der Vlen nest,
so weren se dar alle mit gewest,
den priess den wolden se dragen,
men ahn den storm da wolden se nicht,
se sprecken de vle iss ein bosewicht,
se stickt vns na dem kragen.

15 Nu theit tho huiss gy von Bronswick,
vnd bruwet Mummen alle tho gelick,
kleine ehre hebbe gy vorworffen;
wat wille gy doch thom stride gaen,
wille gy men dar vor kickers staen,
vnd wilt nicht helpen stormen?

16 Sonst ligge gy kerls ihn juwer Stadt
vnd supet juwer Mummen sadt,
so kan ju nemandt storen;
wen man dan ein slachtunge deit,
mit ernsten moidt entgegen geit,
so kan men jw nicht sporen.

17 Gy von Bronswick mit juwer macht,
hedde gy jw des beter bedacht,
vnd wehren nicht gekomen,

lâzen stân, sein lassen, gehn 'l., dalassen. 13, 1. waren im Gefolge, im Heer des L. 13, 2. Hs. **finden**, aber das **n** wird in der Aussprache dicht an das d angeschlossen, fast damit vereinigt. 13, 3. **kikers**, Zuschauer. 13, 5. **se** fehlt. **vorplicht**, s. S. 19. 14, 1. 'wenn nur' u. s. w. Schr. **Ja hedde de Laue der Ulen Nest Gewunnen, so** 2c. 14, 3. **den** von mir; Schr. **dervan dragen.** 14, 4. **men** aber, nur. '**Storm da**' Schr., Leys. '**stridt**'. 14, 6. **kragen**, Hals. 15, 4. so Schr., bei Leys. **tho str. doin.** 15, 5. Leys. w. **gy nur dar**, Schr. **Gi wilt doch men.** 16, 2. Schr. **s. ju der M.** 16, 3. Hs. **sturen.** 16, 5. wiederholt aus 10, 5. 16, 6. **sporen**, spüren. 17, 3. Schr. **weret**

jdt were dem lawen woll geldes werdt
vnd mannigem helde sein leuendt gespart,
tho jwen eigen fromen.

18 Wat ehre ahn juwer betalunge iss,
dat findt de vle alle gewiß,
de gy nu willen doden,
vnd jw so vaken hefft biegestan,
vnd offte hulpe vnd Stuer gedan
jhn juwen groten noͤden.

19 Maria du Edle konnigin,
des hohen himmels ein kaiserin,
de will jw nummer verlaten;
de will ick stedes vor ogen hahn,
mit ernsten moide tho stride gan,
Godt vorlene vns syne gnade.

20 (Dorch Godes hulpe vnd mannes moed
vht Hildensem de borger goed
de wagden lif vnde leven,
Entsetten Peine in hogster not,
dat brochte dem Lauwen schande vnd spot,
Got wille fort vor se streven.)

vor Peine n. k. 17, 5. Schr. sin Lif. 18, 1. ehre Gen. zu wat. ehre betalen, wie mhd. prîs bezaln (Wolfr. Parz. 45, 13. 60, 17. Willeh. 117, 13. schimpf bezaln 100, 15), Ehre 'einlegen' Nr. 19, 34, eig. in die 'Zeche' geben? Schr. an ju to bekomen is. 18, 2. alle gewiß, ganz g. Schr. alle dage. 18, 3. Schr. do wolden. 18, 5. mhd. stiure, Unterstützung. 18, 6. noͤden, oͤ = oe, d. i. lang o, wie in toͤgen, zogen. 19, 3. will, d. i. wille, wolle. ju, die Stiftischen; das wünscht der Landsknecht. Schr. God wert mi nich v. 19, 6 scheint der natürl. Schluß, Str. 20 hat nur Schramm, doch seine modern dialekt. Schreibung konnt ich nicht brauchen. 20, 4. entsetzten. 20, 6. Schr. wil ... striden.

17b.

**Der lew der Eulen trewet den todt
des kam er selbs in große nodt.**

1 Vormessenheidt vnd vbermuht
thut nun in keinen dingen gudt
als daß die schrift vormeldet
wer sich dan hebet ahn ein spil
vnd seiner torheidt gleuben wil
gelinget ihm gar selten.

2 Also haben sich zwo lewen stoltz
geschantzet fur daß weithe holtz
fur einer Eulen neste
die Eule hatte ihne kein leidt gethan
noch wolten sie die zu todte slaen
vnd nemen ihr ihre feste.

3 Ein Eule gar wreedt geschafen ist
ahn klugen dingen zu preisende ist
zu ihrem eigen fromen
wan sie dan wirdt gefochten ahn
sie schickt sie berget sich wo sie kan
bis daß ihr zeitt thut komen.

4 Die Eule von Peine thate auch also
sie floch zu haus sie sach wol zu
die lewen ließ sie pralen
midt schießen trieben sie große macht
ihr nest schossen sie ihr oben ab
noch blieb sie in dem hole.

5 Do man schrieb 1522 iar
nach gots geburt al offenbar
vff S. bartolomei abendt

1, 5. gleuben (nd. löven, wie Schramm hat), verhört aus geleben, gleben, leven. 3, 2. an klugen dingen geradezu = 'an Klugheit' (Schr. an Klookheit), ding, hilft oft so das Abstractum umschreiben. 3, 5. schicken, einrichten. 4, 5. negst.

do sach man manchen stoltzen man
nach krieges wise am storme stahen
vor Peine in dem graben.

6 Der sturm der wardt dar ausgericht
al von zwein lewen van brunschwich
fur einer Eulen neste
die Eule sprach ihr gesinde an
nun trettet her vf diesen plan
vns komen frembde geste.

7 Hans van Ilten ein edelman
Andreaß van Lubbeck ein houetman
midt manchem fromen landtsknechte
sie zogen al vff der Eulen wehr
der einer stundt dem andern nich fehr
die sache besonnen sie rechte.

8 Sie waren stil vnd nich seher laut
bis daß ihne deuchte wesen gudt
daß sie es recht besonnen
bis daß der lew gedrungen kam
al durch den graben den wahl hinan
er meinet, er hette gewonnen.

9 Die Eul al darumb her floch
gesellen die zeitt ist komen hoch
wollet ihr euch nu beweisen
der lew kompt midt großer macht
darumb habt eures dinges acht
so stehet ihr nu zu preisen.

10 Ein lew kam midt den ersten ahn
ein loht must er zur beute han
damidt wart er geschossen
do ihn die Eul also empfing
midt ernstem mudt entiegen gingk
das hette ihn wol verdrossen.

10, 5. jegen, yegen, eine eig. nd. Form, vgl. Haupts Zeitschr. 3, 68.

11 Es ging dar ahn ein schießen vnd slaen
der Eulen gesindt behielt den plan
die lewen musten weichen
da hoerte man groß iamer vnd nodt
des lewen gesindes blieb viel todt
sie quikeden als die schweine.

12 Viel adels auch darunter waß
die seele speiten sie in das graß
die graben halfen sie deichen
der lew lies wol vier hundert man
fur Peine ihn dem graben stahen
daß thate ihm große peine.

13 Die van Brunschwich waren des lewen gesinde
noch war bei ihne kein hulff zu finden
fur kikers sie dar stunden
an daß stormen wolten sie nich
wol sie dem lewen waren vorpflicht
sie sindt dar nich gefunden.

14 Gewunnen die lewen der Eulen nest
so wehren sie alle darmidt gewest
den preiß den wolten sie dragen,
aber an den streit da wolten sie nich
sie sprachen die Eul ist ein bose wicht
sie sticht vns na dem kragen.

15 Nun zihet zu haus ihr von Brunschwich
vnd brawet mummen alle gleich
klein ehr habt ihr erworben
ihr wollet doch nich zu streite gehen
sonder wollet nur fur kikers stehen
vnd willen nich helfen stormen.

12, 6. hier ist das Wortspiel deutlicher. 13, 5. wol (bei Schr. wol dat, vgl. frz. bien que) = wiewol, Körner 47 (schweiz.) sy hand dahinden jr fenly glan, wol ichs nit alle nemmen (nennen) kan; verstärkt gleichwol: Weller, Lieder des 30jähr. Krieges 202 Gleichwol mit unsern Sünden Verdient wir haben die Straaf, Doch schone deiner kinder; auch wie allein ist = wiewol.

16 Sunst ligget ihr kerls in eurer stadt
vnd saufet eurer mummen satt
so kan iw nemandt sturen
wen man den ein slachting deit
midt ernstem mode entiegen geit
so kan man iw nich sporen.

17 Ei van Brunschwick mit eurer macht
hetten ihr euch des recht bedacht
vnd wehren nich gekomen
es were dem lewen wol geldes wert
vnd manchem helde sein leib gespart
zu eurem eigen fromen.

18 Waß ehre an euch zubezalende ist
daß findet die Eule nu gewiß
die ihr nu willen toden
die euch so oft hat beigestan
vnd oftmals hulff vnd steur gethan
in euren großen noten.

19 Maria die edle konigin
des hohen himmels ein keiserin
godt wille wi nummer vorlassen
den wollen wir steis vor augen han
midt ernstem muht zu streide stahen
godt vorleihe vns seine gnade. Amen.

18.

Eyn newes lied

wie es yn der Frenckischen Bauren krieg ergangen ist,

ym Thon, Sie sein geschickt zum sturm zum streit.

(Mai 1525.)

Abschriftlich von einem flieg. Bl. (4 Bll. 8°, auf dem Titel 'M. D. XXvij') in Soltaus Nachlaß, und aus einer handschr. Würzburger Chronik, geschr. durch 'Herrn Joannem, Scholasticum, Sacerdotem vnd Conventualen deß Würdigen Gotshaus vnd

Closters ObernCell' i. J. 1624 fg. (Leipz. Univ. Bibl. fol. Nr. 1322 S. 245 ff.) in Leysers Nachlaß; beide (von mir S. und L. bezeichnet) ergänzen einander wesentlich, das flieg. Bl. mag dem Orig. doch näher liegen, es zeigt sogar noch den fränkischen Dialekt des Dichters, der sich Str. 33 nennt und als Augenzeugen angibt. Die bedeutungslosen Abweichungen der andern Fassung lasse ich unbemerkt, dieselbe verdankt dem Gesang ihren Ursprung, ist übr. auch aus einem alten Einzeldruck entlehnt, da sie dieselbe Überschrift hat. In der betr. Chronik geht von p. 180 an ein Bericht vorauf von dem Krieg, 'gezogen' aus der Histori von Lorenz [Friese] von Wertheim, 'Wirtzburgischen Secretarius', der damals steter Begleiter des Bischofs gewesen, auch dann 'alle der Bauerschafft ergangen Schrifften zu handen bracht' (p. 180, von Leyser, wie es scheint, nicht bemerkt); daher rührt wahrscheinlich auch das Lied; über Friese's hdschr. Chr. s. Bensen, Gesch. des Bauernkr. 1840 S. 586. Eine spätere, schlechtere Gestalt des L. hat Wolff 228 aus J. Gropp's Wirtzburg. Chr. Würzb. 1748. 1, 164, ohne die beiden letzten Strophen; es steht auch in der hdschr. Eisenhardschen Chronik, s. Bensen S. 585. 261. 440. — Den Ton betreffend vgl. S. 27, der Dichter wird vielmehr die Melodieangabe 'Ach Gott in deinem höchsten Thron' beabsichtigt haben.

1 Ach Got ynn deinem höchsten thron,
du wolst vns nit entgelten lon,
das wir so bößlich leben,
In Welschen vnd ynn Deutschen landt,
keiner sich helt nach seinem standt,
thun alle weiter streben.

2 O Got von hymel vnser herr,
dein Götlich gnad nit von vns keer,
ynn disen iamerzeyten,
Vnd nicht nach vnser missethat,
alleyne nach deiner barmhertzickeyt,
thue vns Herr alle richten.

3 Eyn spiel hat sich gefangen an,
kost manchen frommen byderman,

1, 2. Solt. lan. 1, 4. Formel bis ins 17. Jh., gewöhnlich in teutsch und welschem land, Solt. 298. 367. 388. Körner 41. 72. 165. Uhl 480. 530. Das schwache -en des Dat. Sing. bei Adjectiven auch ohne dabeistehenden Artikel galt neben dem starken -em von jeher bis in neuere Zeit, erst seit Mitte vorigen Jahrhunderts etwa ist letzteres von den Sprachmeistern mühsam durchgesetzt worden; noch um 1800 findet sich jenes in Briefen sehr gebildeter Leute (z. B. Herzog Karl Augusts). 1, 6. so L., widerstreben S. W., ein Hörfehler. 2, 4. 5. that : keit fränk. Reim, ai wie reines â gesprochen. 2. 4. ya, Bekräftigung, als rhythmische Fül-

wol ynn dem Franckenlande,
ya der yetzunder sterben muß,
ist seiner sunden nur eyn buß,
vnd stirbt on alle schande.

4 Zu Rottemburg hat es sich angespunnen,
ist mancher Bawr zusamen komen,
mit yren klugen sinnen,
Sam werens Euangelisch knaben,
was sie daran gewunen haben,
sein sie wol worden ynnen.

5 Darnach sein sie gezogen aus,
bey Mergenta für das newe haus,
das thetten sie außleren.
Ir synn stund yhn gen Francken ein,
kein pfaff mönch solt darynnen sein,
die Schlösser all zerstören.

6 Zu Lauda haben sie gefangen an,
der Regelsberg must auch daran,
Newburg theten sie finden.
Vnd Stolburg, leyt an eynem rayn,
nit weit dauon der Zabelstayn,
die thetens all verprennen.

lung gebraucht, das nd. **so** S. 26. 3, 6. ohne persönliche Schande, Folge der allgemeinen Schuld. Der Krieg war also noch im Gange. 4, 1. Rothenburg an der Tauber, der Ausgangspunkt des Aufstands in Franken. 4, 2. W. bessert **Seynd vil Bauern.** 4, 4. L. sampt; sam, mhd. alsam, als wie; vgl. Nr. 21, 7, 6. W. **Engellische Kn.** 5, 2. L. **Mergetheim**, Mergentheim an der Tauber, Hauptsitz des Deutschen Ordens (W. f. d. **Teutsch-Haus**); obiges malt die fränk. Aussprache, in der **m** und **n** am Ende näselnd gesprochen halb verschwinden, wie in **Ma**, Main; auch das **h** der vielen fränk. und pfälz. **-heim** geht meist verloren. Auch nordschwäbisch heißt bei Heyd, die Schlacht bei Laufen (s. zu Nr. 22) S. 47, Brackenheim **Brackenaw**, Nordheim S. 51 **Norta.** 5, 5. es war hauptsächlich auf Würzburg abgesehn. 5, 6. näml. 'wollten sie', aus 'solt' gefühlt, eine Unbeholfenheit oder Freiheit, wie sie ähnlich öfter vorkommt, bei singendem Dichten. 6, 1. Lauda an der Tauber. 6, 2. L. **Reygelsberg**, W. **Reichelsberg.** 6, 4. L., W. **Stolberg**, s. S. 38; L. **leit auf.** Rain (L. **rein**), Uferhang, Thalrand, s. Schmeller 3, 94. Das Komma nach **Stolburg** ist von mir. 6, 5. 6. L. **den**

7 Bey diesen wil ichs bleiben lan,
es wurd viel mühe vnd dichtens han,
solt ich sie alle nennen.
Es was gar manches vestes haus,
noch thet man sich nit weren draus,
sie thetens all verprennen.

8 Vnser Frawen Berg vor Wirtzburg schon,
den woltens auch zerstöret hon,
darfür theten sie schantzen.
Sie schossen all mit freuden dreyn,
yhr viel daruor erschossen sein,
Gott tröst yhr aller seelen.

9 Götz von Berlingen vnd auch sein hör,
lag ynn der Stat als ich vorsthe,
warn eytel Bauers knaben.
Florian Geyr zu Heddesfelt lag,
vber achtzehen tausent Heuptman was,
waren eytel Frenckisch knaben.

10 Graff Jörg von Wertham wz auch darbey,
er must yn bley vnd puluer leyhen,
dazu hatten sie yn zwungen,
dazu zwo büchßen waren gros,
sie triben steyn vnd grosse klos,
sein allebeyde zersprungen.

Z., den th. auch v., vgl. Nr. 48, 6, 5. 7, 5. noch, dennoch (W. doch); der Schrecken auf den Burgen war wie der 1806 nach der Jenaer Schlacht. 8, 1. L. von W. Der Frauenberg oder die Marienburg auf dem linken Ufer des Main, der Stadt gegenüber, noch jetzt als Citadelle ein Theil der Festung; der Kern des fränk. Adels war auf dem Schloß. 8, 2. S. han. 8, 5. S. daruon. 8, 6. W. Darvon musten sie tantzen. 9, 1. L. G. v. Perling. 9, 2. verstên, erfahren, Nr. 13, 1; das niederd. und mitteld. vor= (Nr. 12, 1, 4) also auch fränkisch; Solt. 235. 240 vorschult, vorschriebst schwäbisch; süddeutsch ist auch Solt. 257 vorfechten; vgl. Nr. 32, 18. 9, 3. L. Heidesfelt, W. Heitzfeld, Heidingsfeld, ein Stündchen südl. von der Stadt, am Main; dies war der Rothenburger Haufe, Götz führte den Odenwälder. 10, 1. L. Wertheim, am Einfluß der Tauber in den Main (vgl. Uhl. 496). wz, alte Abkürzung für mhd. waz, die schon früh auch fälschlich mit für was, war gebraucht ward. 10, 4. L. auch zwo b. die w. 10, 5. L. ein großen kloß. büchsenkloß, nd. bussenklot, Geschützku-

11 An eynem Montag das geschach,
den Bauern was nach stürmen gach,
in yrem follen sinne.
Sie solten des abents wachen gan,
do fiengen sie eyn Lerma an,
das Schlos wolten sie gewynnen.

12 Sie schrien all her her her her,
dz Schlos zu stürmen was yhr beger,
ym schlos wart man es ynnen,
sie schossen zu allen fenstern hinaus
sie spyen tapffer fewr aus,
sam wer der teuffel dynnen.

13 Das werd bis auff die dritte stund,
do mancher Bawr ward hart verwunt,
von büchsen vbel geschossen.
Sie musten wider zihen ab,
sie hetten keinen gewin darab,
hat sie gar hart verdrossen.

14 Eyn boten theten sie schicken bald,
gen Rotemburg yn schneller eil,
eym Rath theten sie schreiben,
Vnd das er bald erwider kem,

gel; man nahm wol urspr. auch feste Erdklöße. 11, 1. L. W. **da es**, Hörfehler; man spricht in Franken **dâs**. 11, 2. **gâch**, eilig, 'jäh, jach'. 11, 3. **voll**, trunken. 12, 1. **her her!** der Zuruf bei Alarm und Sturm, Nr. 31, 26. 33, 7; verstärkt **wol her!** Solt. 184. Uhl. 515 **lermen lermen lermen! tet uns die tr. u. pf. sprechen, her her her! ir frommen teutschen landsknecht gut!** 12, 2. **dz** ebenso alte Abkürzung (mhd. **daz**), die im Druck bis gegen 1700 galt, in der Schrift bis heute sich findet; eben durch diese Tradition hat sich so in **wz** und **dz** einmal das alte rechte z durchgestohlen weit über seine lebendige Geltung hinaus, man darf aber dieß **dz** nicht mehr in **daz** auflösen wollen, statt **daß**. 12, 6. L. **dinnen** aus **da innen**, wie **hinne** aus **hie inne**, beides schon mhd.; so 23, 4 **daus**, mhd. **dûze**. 13, 1. L. **biß in**. 13, 2. L. **gar m. b. wardt v.**, überhaupt ist dort der Rhythmus reiner (z. B. 12, 4. **man schoß zu allen fenstern nauß**), vgl. zu Nr. 9. 14, 1. L. stellt den Reim her: **Ein botten schickten sie die weill**, 15, 1. 2 aber nicht. 14, 3. 'einem' R., titelmäßig. 14, 4. S. unvollst. **Das bald erwid' kem**, L. **vndt das er baldt herwider kem**; wir drehn jetzt um 'wieder

zwo scharffe schlangen mit yhm nehm,
ein Rath musts yhn do leyhen.

15 Der Bot thette sich rüsten bald,
gen Rotemburg ynn schneller eyl,
zwo büchsen thet man yn leyhen,
Das waren die aller schönsten Rhor,
sam ich sie nye gesehen hon,
der hauff thet sich yhr frewen.

16 Die theten sie richten in ein schantz,
Erst hub sich an der rechte tantz,
yns Schlos begundt man zu schiessen,
Eyn stuck viel von der mauren ein,
all die darynn gelegen sein,
thet es gar hart verdriessen.

17 In dem kamen yn die newen meer,
wie das der Bunt vorhanden wer,
gen wirtzburg wolt er zihen,
Wolt retten vnser Frawen Berg,
Die Bawrn wolt er treiben weg,
sie wolten yhn nit flihen.

18 An eynem Freytag ynn der nacht,
hatt sich Götz von Berling auff gemacht,

her'. 14, 6 berichtet vorgreifend die Hauptsache wie öfter; S. **Rad.** 15, 1. L. **der thett.** 15, 2. L. **Rottenburg**, wie vorher, Rothenburg an der Tauber; das am Neckar heißt heute noch 'Rottenburg'. 15, 3. L. **ihm.** 15, 5. L. **han**, S. **hab**; W. **Als ich nie hätt g. vor.** 16, 1. 2. L. **Man thet sie r. in der sch., erst wolt sich heben d. r. t.** 16, 3. L. **gundt.** 16, 6. **wart es.** 17, 1. L. **kam ein newe.** 17, 2. W. **Ja wie d. B.** L. **ihnn wie der.** Die Kriegsmacht des schwäb. Bundes, geführt von ihrem Feldhauptmann Georg Truchseß. 17, 6. L. **ie nit** (W. **doch nicht**), vielleicht das Richtige; welches aber immer das Urspr. sei, so liegt doch ein Hörfehler vor, nicht Lesefehler, denn **ie** ward î gesprochen. **ie, je** als 'doch, dennoch' (vgl. 'jedoch, jedennoch'), entschiedener als unser **immer**, das auch öfter adversativen Klang hat: Uhl. 39 **weils ie** (doch einmal) **einander namen.** Körner 71 **natürlich ist sy ye nit krank**, trotzdem ist sie nicht wirklich krank; 129 **das mag ich ye** (doch) **nit thon**; vgl. Nr. 14, 15, 5. 33, 6. 57, 2.

seinen hauffen mit sich genommen,
vnd .xlvi. Buchsenstück,
schlangen falcknet vnd feltgeschütz,
dem Bundt wolt er bekommen.

19 Er zoch wol yn dz Thaubertal,
zu Königshouen sein leger war,
der feinde thet er da warten,
Seine büchsen richtet er yn dz felt,
sein ordnung die was wol bestelt,
von Spissen vnd Helleparten.

20 Am Freitag vor Pfingsten es geschach,
do man den Bund her zihen sach,
mit eynem grossen heere.
Die Bauren zugen ein Berg hinan,
yrn vorteyl wolten sie da ynne han,
der feind wolten sie sich weren.

21 Dem Reysigen zeug was so gach,
der verlorn hauf eylt hinden nach,
ynn die Bawren theten sie brechen.
Ir keiner wolte nit beston,
Eyn ytzlicher gedacht were ich daruon,
vnd huben an zu streichen.

22 Sie wichen bald vnd liffen seer,
wol nach dem wald stund yr beger,

18, 3. L. **sein hauff m. ihm.** 18, 6. W. **Vom B.** S. **den**, was freilich auch als Dat. erscheint. **bekommen**, begegnen, entgegengehn. 19, 1. L. **Vnd zoch.** 19, 3. L. **feindt.** 19, 4. L. **sein b. richt.** 19, 6. L. **spies.** 20, 4. L. **den B.** 20, 5. S. **darynne**, L. **innen**; **inne han**, einnehmen, (im voraus) occupieren, **vorteil** ist technischer Ausdruck für die 'vortheilhafte' Schlachtposition; daher W. viell. besser **Den B. w. sie innen han.** Solt. 200 von den Böhmen (1504), die auf einen Berg gezogen, **den vortail hetten sy ganz gut**; 416 (Albrecht von Brandenb. auf dem Rückzug von Schweinfurt) **wiewol er stets all vortheil in het, thet er doch vor vns fliehen.** 21, 1. L. **dem was.** 21, 2. L. **eilt ihm.** 21, 4. L. **wolt ihn.** S. **bestan**; im ersten Sinne 'stehn bleiben'. 21, 5. L. **ein ieglicher meint.** 21, 6. Körner 272 **die vnsern setzten nach, vnd theten dapfer streichen**; 285 **die Türcken nachhin strichen**; 160 **wir hands all erstrichen**, die Fliehenden eingeholt; schon mhd. strîchen. 22, 1. L. **lieffen b. v. wichen.**

Ir keyner dorft sich weren,
Do bliben bey sechstausent man,
die yr leben da verloren han,
Gott tröst yhr aller seelen.

23 Zcu Wirtzburg rüst mann sich mit macht,
am Pfingstabent vmb mitternacht,
wolten zu hülffe kommen,
yhren brüdern die da lagen daus.
Sie waren zu lang gewesen aus,
vnd waren schier all vmbkommen.

24 Sie zugen schnel vnd eilten seer,
gen Königshouen stund yr beger,
der Bundt zoch yn entgegen.
Sie zugen widerumb zu ruck,
vnd schlussen da yhre wagenburgk,
sam wolten sie sich weren.

25 Der Reysig zeug reyt auff sie dar,
die Baurn wurden yr bald gewar,
vnd fingen an zu weichen.
Da blieben bey drey tausent todt,
Gott wöll yr aller seelen gnod,
ynn seinem hymelreiche.

26 Der Reysig zeug drang auff sie do,
do kamen yhr nit viel daruon,
etlich hatten sich verkrochen.
Ein Schlöslein das leyt na dabey,

22, 6. L. o Gott. W. Allda thät man sie scheren. 23, 1. S. L. m. gantzer macht. L. rust, praet. 23, 2. L. vor m. 23, 4. S. jagen, Druckf. 23, 5. L. feindt. 24, 5. näml. mit Ketten. L. (W.) schlugen da ihn ihr. 25, 1. L. eilt. 25, 3. L. huben baldt an. 25, 5. S. wolt. S. gnaden, L. gnadt, fränk. für gnaden, gnädig sein. W. Wohin sie kommen, das weist Gott, In die Höll oder ins Reiche. 26, 1. S. da. Wiederaufnahme an demselben Punkt zur genauern Weiterführung, echt volksmäßig, vgl. zu Nr. 3, 1. 9. L. W. reitt auf sie an. 26, 4. L. nahent darbei. Ingelstatt, ein von den Bauern vor-

etliche waren gewichen darein,
do fingk man an zu puchen.

27 Sie puchten an yn schnellem trutz,
schlangen falckenet vnd feltgeschütz,
hefftig theten sie an puchen.
Sie schelten die maur wol halbig ein,
karthawnen gingen hefftig drein,
die Bewrin theten grob kochen.

28 Man hat nicht lang geschossen daran,
Die landtsknecht lieffen mit sturm hynnann,
erlich theten sie sich weren.
Man must von stund an abelan,
Das geschütz lies man wider gan,
yhr vnglück thet sich mehren.

29 Erst hub man an mit gantzer gewalt,
vnd da must sterben iunck vnd alt,
Got wol yhn allen gnaden.
Das vnglück hat sie hewr bedroffen,
wer weys wen es bis iar wird effen,
vnd wem es wirt geraten.

30 Am Donnerstag do es geschach,
do man den Bischoff kommen sach,
zu Wirtzburg eine reiten;
Hertzog Ott Heinrich war auch darbey,
Hertzog Ludwig Pfaltzgraff bey dem Rein,
der Bischoff von Trier so freye.

her ausgeplünderter Burgstall. 26, 5. L. **ihr vielle.** 26, 6. L. **die.** 27, 1. L. **Es bochten.** schnell, heftig. 27, 2. L. **groß geschütz.** 27, 4. L. **schossen die Mauern woll halb weg** ('halbwegs') **ein.** 27, 6. 'die groben Damen'; die Geschütze zugleich als der Bauern Hausfrauen, die ihnen das Mahl kochen. L. **Die Bauern thett,** verhört; W. **Der Bauern Grös thät k.** Geschütze als Köche Uhl. 472. 28, 2. L. **knecht luffen m. sturmen an**; auch Grafen und Ritter stürmten mit, von denen mancher fiel. 28, 6. L. **wurdt sich.** 29, 1. L. richtiger **gantzem.** 29, 3. 4. **allen** fehlt S. 'Unglück', vgl. S. 74. 29, 5. **bis jar,** während des nächsten Jahrs, mhd. **ze jâre.** 29, 6. L. **an wen.** 30, 3. L. **einhin**; mhd. **inrîten,** der feierliche Einzug. 30, 4. Pfalzgraf Otto Heinrich.

31 Es geschach wol an dem selbigen tag,
zwey vnd sechtzig lies man die köpff abschlahen,
keyn gelt mocht sie nicht helffen.
Man fieng auch schier eyn gantzen Rath,
wie es yhm darnach ergangen hat,
dabey wil ichs lan bleiben.

32 Nu wol wir bitten den waren Gott,
er wol vns helffen auß aller not,
vnd all die da vmb kamen.
Got geb yhr seelen rhue vnd freud,
vnd vns darnach die selickeyt,
wer dz begert sprech Amen.

33 Der vns dieses liedlein sang,
Wilhelm Nuen von Römilt ist ers genant,
er hats so frey gesungen.
Er hat des schimpffs eyn end gewart
die Bawern haben gelitten hart,
sein viel vmbs leben kommen.

S. **Otthen reich**, verlesen, wol in der Druckerei. 31, 6. 'will ich dahin gestellt sein lassen'. 32, 3. L. **kommen**. 32, 6. formelhaft nach einem solchen Wunsch, um ihm die größte Wirkung zu sichern. Bei L. fehlt Str. 33, bei Wolff 32. 33.

19.

Claus Kniphof.

1525.

Flieg. Bl. in 12° (auf dem Titel ein schlechter Holzschnitt, den Seeräuber darstellend) in der von Scheurl'schen Bibl. zu Nürnberg, abschriftl. in Leysers Nachlaß. Aus derselben Quelle, von Uhland übermittelt, gab Lappenberg das Lied schon in der Zeitschr. des Vereins für Hamburg. Gesch. 2, 577 (vgl. 119 ff.), doch mit einigen kleinen Abweichungen. Ein andres Lied auf Kniphof brachte Lappenberg schon früher ebend. S. 131 ff., gedichtet von Stefan Kempe, dem jener die letzte Beichte abgelegt hatte; ein drittes L. nicht vollständig ebend. S. 121—127. Die Weise des folg. L., nach einem mir nicht bekannten Liede benannt (vgl. Uhl. 516), ist der Stortebeker mit einer andern Weiterbildung: es ist die 4. Zeile mit der 1. 2. gereimt, da sie urspr. Waise ist. Dieß Einreimen der 4. Zeile zeigt sich schon einzeln oben in Nr. 6 (Str. 11. 13), in Uhlands Nr. 171 S. 447; nicht ganz durchgeführt ist es unten Nr. 27. Die einleitenden Reime sind vom Drucker als Titel des flieg. Bl. (auf der Rückseite des Tit. die Angabe der Mel.), der einleit. Vers wol schon früher als Überschrift des Liedes zugefügt. In einer gereimten Nachrede S. 127 fg. nennt sich der Dichter in einem Akrostichon (das aber ziemlich lahm auftritt und gegen das Lied auffallend absticht), Hans von Göttingen, wie in der folg. Nr. in der Vorrede.

Van knyphoff syner legent
Is hyrin kort vnd behênt
Dar men wol in kan vorstân
Wo syne anseghe synt ghegân.

Dyt ghedycht is vp de wyse
Idt geyt tegen de somer tyht
Dat mannich lantz knecht ym felde lyth.

Do men schref al in deme yare
xxv is apenbâre
Heft sick dyt spyl begheuen
Wy yd myt knyphoff is ghegaen
God de late vns lange leuen

* * *

1 Wyl gy horen eyn nye ghedicht
Wy ydt knyphoff heft vth ghericht
Myt rouen vnd kleynen framen
Hee heft voracht de stede to lycht
Ouel ys ôm dat bekamen

2 Clawes knyphoff dachte in syneme mûth
Ich hebbe segel vnd breue de synt gûth
Van konningen vnde landes heren
Dat ick mach nemen schyp vnde guth
Vp alle hense stede

1, 1. Wyl, d. i. wille, wollt, s. Nr. 5, 6, 4. 1, 3. rôven, rauben. frame, Nutzen. 1, 4. vor acht und oft ähnl. getrennt. to lycht, zu leicht, wie 55, 1. 1, 5. ovel, übel. 2, 2. 'Brief und Siegel', Freibriefe, Kaperbriefe gegen die Hansestädte. 2, 3. von Christian II., dem vertriebenen dänischen König, in den

3 Koninck khristern dat is myn here
Ich hebbe ôm ghedenet myt allen eren
Tho water vnde to lande
De stede doen my nicht vorveren
Des hadde ick grote schande

4 He heft gespassert al in der west see
He heft gedan mannigem kopman wee
Wedder god vnd alle rechte
Noch lant stede entsecht heft hee
Vnde vorfôrt de armen knechte

5 In Hollant Selant vnd Brabant
Dar ynne was Knyphoff wol bekant
In hollant was syn beghere
Se deden ôm bůssen vnde profant
Konninck krystern to den eren

6 Wan he de profant hadde in ghenamen
Knyphoff begunde syck van dar to kamen
Al myt des schulten wyllen
To ampsterdam schaffede he synen framen
He meende de stede to styllen

7 De van ampsterdam weren so gedân
See leten ropen vp den plân

Niederlanden hausend; er gebärdet sich als dessen Admiral. 3, 3. Formel, vgl. Nr. 1, 1, 3. 3, 5. **hadde**, hätte. 4, 1. **spasseren**, doch wol kreuzen. **Westsee**, die Nordsee, von Hamburg, Lübeck, Holstein aus benannt. 4, 3. **vnrechte**, der Drucker meinte 'ganz unrecht'; da er einmal **alle** (**al**) adverbial faßte, schien ihm **rechte** widersprechend. 4, 4. **entsecht**, befehdet, von **entseggen**, mhd. **widersagen**, durch einen Absagebrief den Frieden aufkündigen und Fehde ansagen (Brem. Wb. 4, 737 fg.), sonst mit Dat.; **nôch**, genug; 'Landstädte', Gegens. der Hansestädte, in denen man durch Betonung (**Henseest.**) 'Seestädte' hörte. 4, 5. Landsknechte; **vorfôrt**, verleitet oder ins Unglück geführt, oder beides. 5, 3. **in Hollant** (Acc.), nach H.; **in** bei Ländern so auch hochd. 5, 4. **deden**, gaben; auch hochd. **tuon**, **thun** so (z. B. Uhl. 724). Das ů in **bůssen** (Büchsen) soll viell. den Umlaut zeichnen; dies ů wird in den Druckereien (noch im 17. Jh. aushilfsweise) bedeutungslos für **uo** (nicht nd.), û, ü, ja kurz **u** gebraucht; das Schwanken der Schreiber hat diesen Misbrauch schon früh vorbereitet. 6, 2. **sick**, sich, s. zu Nr. 3, 5, 1. 6, 3. des Schultheiß von Amsterdam. 6, 3. verschaffte er sich seine Bedürfnisse. 6, 5. **stillen**, dämpfen, unterdrücken; Nr. 57, 5. 7, 1. von der Art; das

Dat nemant Knyphoff scholde sterken
Dar to so dencke eyn yder man
De rath wyl laten dar vp marken

8 Knyphoff dachte in syneme syn
Hadde ick man dusent lantzknechte in
Der stede wolde ick wol beyden
Jck hebbe gude slangen vnd scharpentyn
Vor de stede is my nicht leyde

9 De knechte quemen vth Brabant
In Freßlant synt se wol bekant
Nemant wolde dat beleuen
Se wolden erst gelt hebben vp de hant
Vnd rechte bestellede breue

10 De lantzknechte begunden to pralen
He kan vns nicht eynen manth betalen
Dar is keyn gelt vor handen
Syne breue wyllen dar nicht vele halen
Wy wyllen blyuen to lande

11 Clawes knyphoff sprack vth fryem mûth
Juwe sake schal wol werden gûth
Wy wyllen hebben gûth wesen
Jck hebbe iiij schepe de synt gûth
De synt al vtherleßen

12 Knyphoff vnde syn medekûmpân
Se begunden faste to rade to gân
See weren nicht wol to freden

Verbot war nur zum Schein? 7, 4. Das Gebot springt in die lebendige Rede über, wie im Epos, auch bei Wolfram oft. 8, 2. man, nur. 'hätte ich ein', s. 6, 1; so Nr. 20, 36, 4. 8, 3. beiden, 'warten', aufwarten. 8, 5. leyde, bange, vgl. Nr. 33, 5 und die Anm. 9, 2. in den Häfen, von öfterem Seedienst. 9, 3. keinem w. das 'belieben', gefallen. 9, 5. richtige Contracte, oder Ausweis seiner Ermächtigung? 10, 2. mhd. mânet, Monat. 10, 4. seine Kaperbriefe, auf die er sie tröstet, 'werden dort n. v. holen'. 11, 3. frohes Leben. 12, 1. sine? (die Str. 28. 29 genannten). 12, 2. faste, eifrig Nr. 9, 8, 7.

De knechte wolden nicht to schepe gaen
Vnde bleuen dar tor stede

13 Were ik in der see vnd hadde dat rūm
Myt deme flegeden geyst vnde dem bardūn
Vnde den groten swôen dar mede
Vnde were vpp mynem gallyon
Vor de stede is my nicht lede

14 Knyphoff heft gekregen nye mer
Wo Seueryn is wedder in der see
Myt schepen vnd myt yachten
Nach Nôrweghen stunt al ôr begheer
Vp malck ander wolden se wachten

15 Nach synt twee schepe al in der flôte
Se synt van copenhaghen gelopen
So hebben se my geschreuen
Se bryngen vns gude profande to hope
Vnde wyllen by vns wesen

16 Van seueryn is my so geschreuen
Wo wysbū sy nicht vp ghegeuen
Dat steyt noch to synen handen
Ick schal bryngen dusent lantzknecht mede
Dar to krūth vnde profande

17 Knyphoff in der emese lach
He hadde groth gud myt syck gebracht

12, 5. **blêven**, blieben, doch wol nicht alle. 13, 1. **dat rûm**, gleichs. 'das Geraume', das Weite; Brem. Wb. 3, 550 **de rume See**, die weite See; **he will to Rume**, er will ins Freie, oder verreisen. 13, 2—3. seine **vêr schepe**, der Gallion (sein Admiralsschiff), der 'weiße Schwan' 23, 1, der 'Barduner' od. 'Bartum', wie er auch genannt wird, und der merkw. 'flêgende Geist van Amstelredame' (Lappenberg a. a. O. S. 129. 134); das Gespenst des fliegenden Holländers (van der Deecken um 1600) also schon 1525 als Name eines Schiffs. 14, 1. **krîge, krêch, gekregen**, 'kriegen'. **mere** gedr. 14, 2. **wo**, wie. Severin (Sören) Norby, Admiral in Christierns Diensten. 14, 5. **malk** (jeder) **ander**, wie engl. **each other**, einander. **wachten**, warten, Acht haben. 15, 1. 'auf der Flut'. 15, 4. 'zuhauf'. 16, 2. Wisby auf der Insel Gothland, für Krieg und Handel damals äußerst wichtig. 16, 5. 'Kraut', Pulver. 17, 1. Ems. 17, 2. ge-

Dat he kortz hadde ghenamen
Vp de stede was nicht ghedacht
Dat se so rysck scholden kamen

18 De van Lubeke hebben gehandelt recht
Se hebben groth gelt dar to ghelecht
Tho Hamborch is dat entfangen
Dar van hefft men lonth boßmans vnde knecht
Tho water vnde to lande

19 De van Lubeke hebben faste ghestân
By den van hamborch is apenbaer
Vnd anderen steden mede
De van hamborch hebbent beste ghedân
Den steden to den eren

20 Im dryddden daghe octobri gheschach
Vj schepe men wol gerůstet sach
Van Hamborch synt se ghefaren
See hebben dar wol to ghetracht
Ore vyende nicht to sparen

21 De van Hamborch kregen de tydinge recht
Van deme nyen werke nicht wyth men secht
Van Knyphoff synen iiij schepen
Den negesten dach men sach syn belech
Se legen syck neuen der greten

22 De van Hamborch weren ôme gram
Den gallion deden se stormen an

kapertes Kaufmannsgut. 17, 3. kortes (adverbialer gen. neutr.), kürzlich, mnl. corts. 17, 5. risk, schnell, auch hochd. risch. kommen würden'. 18, 1. gedr. Lüb., ebenso 19, 1. 18, 4. lônt, in Lohn genommen. boßman, boßleute, Matrosen, auch hochd. (Grimms Wb. 2, 270). 'Landsknechte'. 18, 5. rein formelhaft. 19, 1. 2. faste ghestân by ..., tüchtig beigestanden. 19, 4. heben't beste g., haben das B. g., s. S. 13. 20, 5. sparen, schonen (Nr. 5, 7, 6), so auch hochd., Solt. 224. 342 (die hauptleut theten sich nit sparn). 21, 1. tydinge, 'Zeitung', Nachricht, 'von Kn.s Schiffen'. 21, 2. 'sagt man', von seggen. 21, 4. belech, Niederlage, Hinterhalt (vgl. mhd. lâge), von beleggen; vgl. 'einem den weg verlegen'. 21, 5. 'neben Gretsyl in Ostfriesland'.

Myt cartunen vnde myt slangen
Se hebben ôm vordoruen so mannigen man
De dar dôet bleff vnde to pande

23 Den flegende geyst vnde wytten swôn
Vnde darto den groten bardôn
Hebben se myt macht bedwungen
Se entfenghen dar ôr rechte loen
Perforß weren se gedrunghen

24 Twee bôgers synt ôme gekamen an borth
Se deden ôm groth leyt vnde morth
He was nicht wol to frede
Syne bůssenschutten schoten se doet
Se bleuen dar dôth thor stede

25 See repen dar sla alle doet
Styck houwe de bowen all ouer borth
Vnde laet ôre keynen leuen
Mannich is ghebracht in groth armôth
God mach ôn dat vorgheuen.

26 Knyphoff was tornich thor sůluen stunt
He mostet geuen sprack he guth runth
Wy moghen des meer gheneten
Se hebben vns mannigen to dode ghewunt
Dut wyl my bolde vordreten

Lappenberg. **lêgen**, lagen. 22, 5. 'zu Pfande', aus der Rechtssprache schon längst beliebtes Bild. 23, 5. **perforß**, par force, öfter in nd. Liedern jener Zeit; 'sie wurden mit Gewalt bedrängt'. Der Verlauf des Kampfes ist in dem andern Liede viel ausführlicher erzählt. 24, 1. **boygert**, **boyer**, nl. **boejer**, jetzt eine kleinere Art Schiffe. **ôme**, dem Gallion, auf dem Kn. war, er wehrte sich verzweifelt und anfangs mit Glück, eins der angreifenden Boyers gerieth auf den Sand. Kempe läßt ihn vor dem Kampfe seine Leute anreden: Es sind nur Apfelschützen, wovor wolln wir verzagen? Es kommt vor Herrn und Fürsten, sind wir von ihnen geschlagen. Str. 23 stört zwischen 22 und 24 und scheint später zu gehören. 24, 3. **was** für **was es** (gen.), war damit. 24, 4. gedr. **bůssen schutten**, Büchsenschützen. 25, 1. kann auch sein 'schlag immer t.' 25, 2. **bôven**, Buben. 25, 4. 'mancher Kaufmann durch sie'. 25, 5. 'wir können es nicht'. 26, 2. 'Er mustes geben', das Schiff überg. 'gut rund', kurz entschlossen. 26, 3. 'weiter genießen', er hofft damit sich und die Übrigen zu retten. 26, 5. **dut** (neutrum zu **dusser**), dies.

27 He sach dar mannigen doen en sprunck
All weren se frysck vnde wol gesunt
Nemant wert dar gheschonet
All was dar mannich vnde wol bekunt
Nach vordenst wart ôn dar gelonet

28 Juncker Benedictus van anefelt
He hadde syck to Knyphoff geselt
Des heft he kleynen framen
He heft vortert groth gud vnde gelt
He menede yd scholde wedder kamen

29 Rode Clawes was groth in deme spele
Hee heft ghedaen grot leyt vnde quele
Myt nemen rouen vnd streuen
God vorbarme syck ouer syn armen sele
Penitentz wort ôm dar gheuen.

30 Knyphoff vndert vordecke leep
He toch sick faste an eyn ander kleyth
Vp dat men nicht scholde kennen
He moste her vôr dat was ôm leyt
Myt namen wort he ghenennet

31 Clawes Knyphoff krech dar eynen slach
Van anxste he gar seer erscrach

27, 1. gleichsam tanzend, s. zu Nr. 3, 9, 3, bei Verwund. in den Unterleib z. B. erfolgt oft krampfhaftes Aufspringen. 27, 2. al wêren se, obwol sie w. 27, 4. vele wol? vns wol? bekunt, wie Nr. 20, 18, nach der auch hochd. Verwechselung von kennen und können. 28, 1. Bei Kempe Str. 19, er bekommt einen bussenklôt, Büchsenkloß, Geschützkugel in den Unterleib. 28, 4. vortêrt, verzehrt. 29, 1. grôt, Adv.; 'war stark betheiligt'. 29, 2. quele, Grausamkeit, Plackerei, an den Kaufleuten. 29, 3. streven, sich stemmen, sich anstrengen (Nr. 17[a], 20, 6), Brem. Wb. 4, 1062; hier von der räuberischen Gewinnsucht, viell. gar der beschönigende Ausdruck der Räuber selbst; oder sterven, tödten? 29, 5. Reue, Buße auferlegt, wie vom Beichtiger; dieser bittere Hohn öfter, s. Nr. 20, 57. 30, 1. Nach Kempes Darst. ergab er sich an einen 'Krieger', der ihn schonte und verheimlichte, verkleidete sich 'in ringem Klede' und kam unter fremdem Namen unerkannt auf Dytmer Kol's Schiff nach Hamburg. 30, 3. men gesprochen für men em, en, wie hochd. man Nr. 25, 3; mnl. men = men hem J. Grimm, Reinh. Fuchs S. 284. 30, 4. 'das',

Ach geuet my doch dat leuent
Gy schult hebben al wat ick vormach
Dat wyl ick yw gerne gheuen

32 De van Hamborch hebben de schepe besât
De erst Clawes knyphoff heft gehât
Myt mannigen iungen manne
Hundert lrij hebben se myt gebracht
Se hebben se namen ghefangen

33 Ock moste dar mannich to seghel gân
Eyn quaed kôrs synt se ghegan ghen ân
God mach syck dar ouer erbarmen
Dar an so dencke eyn yder man
Se hadden dar grot al arme

34 De van Hamborch de hadden grot recht
Se hebben al pryß ere ingelecht
Ere vyende hebben se gestraffet
Se quemen to hûs so alsmen secht
Myt schepen vnde myt yachten

35 Vor Hamborch synt se an lant ghetreden
Er venlyn hebben se laten flegen
Myt pypen vnde myt trummen
Der stath is dat ghedân to den eren
Den olden vnd den iungen

36 Vp eynen sondach dat geschach
Dat men knyphoff trecken sach
Ghefangen vnd ghebunden

vielleicht Schreibfehler. 31, 4. all mein 'Vermögen'. 32, 1. besât, besetzt. 32, 4. auch Kempe 'hundert vnd twe vnd sostig'. Der Dichter nimmt sich die stolze Thatsache voraus, wie sie das gern thun. 33, 1. 'mannich', mit besonderm Nachdruck, wie oft, wiederholt dem Hörer die große Zahl. 33, 2. quaed kôrs, schlechte Fahrt, gewiß Seemannsausdruck; dieselbe Wendung Nr. 20, 50. 33, 5. al arme (frz. 'zu den Waffen', vgl. den mhd. Ruf wâfen!), oft noch so getrennt, eig. das Getöse beim Lärmblasen. 34, 1. gôt? 34, 4. álsmen, diese Anlehnung, die uns Aussprache und Betonung malt, bei den Pronom. in den nd. Dialekten gewöhnlich. 35, 2. die Landsknechte? 36, 1. Kempe 'des

Tho Hamborch synt se in gebracht
On is gans mißgelungen

37 Knyphoff Symon Ganß vnde noch eyn
Se gyngen vôr an alse grote capteyn
Se worden dar wol entfanghen
Gy moten vns god wylkame syn
Vns heft na yw vorlanget

38 Men bracht se dar ynt losament
Se weren der sake nicht wol content
Dat se vorslôten scholden wesen
He plach to hebben dat parlament
Dat wyl ôm kosten syn leuen

39 Se synt all nach der venckenisse ghefôrth
De eyne hyr de ander dorth
Alsmen seerouers plecht tho donde
Er wort wart nich veel ghehôrt
Nach vordenst wart men dar lonen

40 Clawes Knyphoff vor gherichte stunt
Myt synen kumpans in eynem bunt
Men dede se fast an klagen
Or schynbar daet wart ôn dar kunt
Dat kostet ôn yo den kragen

41 Clawes Knyphoff hefft dar to ghestân
Van den schepen ys apenbar
Hundert lxxx ghepyllyghet vnd ghenamen

22. Octobris, eyn sondach scon vnd klar'. 36, 4. durch das Millernthor. 37, 1. Kempe 'de hovetman trat voran Twysken twen haveluden, Twe stolte eddelman'. 37, 3. Trommeln und Pfeifen waren ihr Geleite zum Rathhaus, Kempe Str. 26. 38, 1. 'logement', ebenso losieren; das Logis ist in torne, Kempe. 38, 4. pflag, pflegte, 'das große Wort zu führen'? parlement im Rein. Vos Gerichtsversammlung, Rederei vor Gericht. Str. 39 scheint spätere Zuthat; 39, 4 wird eben 42, 2 widerlegt, Kempe 28, 7 entsculdygen he syck konde, dat wort men em wol gan, gönnte. 40, 3. fast, eifrig. 40, 4. so Rein. Vos schynbâr dât (mhd. schînbære), augenfällige, evidente; Rechtssprache, Sachsensp. 2, 64, 3. 41, 1. tôgestân, zugestanden, ebenso bestân. 41, 3. pilligen,

Mannigen vorvoruen al sunder waen
De vmb lyff vnde gud is gekamen

42 Knyphoff begunde to appelleren
Van ir an scher wente to veren
Vele breue leth he lesen
De öm syne heren hadden gegheuen
He meende des dodes to nesen

43 Knyphoff wart dar eyn breff gelesen
Syn herte wart gans bedrouet sere
Dat mach wol god erbarmen
My helpet geyn gelt segel edder breue
So moth ick hyr vmb steruen

44 In dem breue steyt so alsmen secht
Men schal dy dön serouers recht
So hefft frow Margret gheschreuen
In Hollant Selant Brabant myt recht
Hefft dy laten vth kregeren

45 De sententz wart dar aff gheropen
Men schal se trecken nach dem broke

berauben, Brem. Wb. 3, 314. frz. piller, engl. pillage. 41, 5. lîf, Leben. 42, 2. schêre, bald, beinahe; hielt man nach alter Weise nur bî schœnem tage, bei Tageslicht, Gericht, so wäre das am 25. Oct. (Kempe) fast die ganze Gerichtszeit. Auch dieß Lied zeigt deutlich wahre Theilnahme mit Kn.s Schicksal, ja Anerkennung eines gewissen Helden- und Edelmuths in ihm; mit förmlicher Herzenstheilnahme aber dichtete sein Beichtiger, Kempe, von seinen letzten Tagen. 42, 5. mhd. genesen, heil davon kommen, jetzt einseitig auf Krankheit und Entbindung beschränkt. 43, 2. gans, dieß hochd. Wort früh in den nd. Mundarten, selbst holländisch. 43, 3—5. Kn.s eigne Rede, darauf des Richters Antwort, beide uneingeführt im lebendigen Vortrag. 44, 1. alsmen secht kann der Richter freilich nicht mitgesagt haben. 44, 3. Kempe 30: Vth fruwen Margreten breve Ys he eyn serover kanth; Margareta von Östreich, Statthalterin der Niederlande, misbilligte förmlich die Ausrüstung Kniphofs und auch der König und die Königin sagten sich März 1525 brieflich von ihm los, läugnend, daß er von ihnen Brief und Siegel hätte, s. Lappenberg a. a. O. S. 120. Kempe 27, 7 meint: Vnheyl ys forsten truwe, Des wort he dar wol war (gewar), und 29, 5 ff. sogar Myt des keysers wyllen vnd gnaden Hadde he de fyende namen, O Kniphof, truwe dener, dyn blot moste dat betalen! 44, 5. ausrufen, mhd. kreigieren. 43, 1. 'abgerufen', vom Rathhaus. 45, 2. 'Der Grasbrook an der Elbe, Richt-

Nach vordenst schalmen dar lonen
Al de dar synt in Knyphoffs flôte
Myn heren wylt se beschonen

46 Knyphoff syck dar to sate gaff
Vor de ghefangen bath he nacht vnd dach
He hadde se dar to twungen
Se hadden keyn schult dar macht an lach
On wart gans myßghelungen

47 De heren segen an ys apenbar
Der vnschuldyghen fangen schaer
De noch dar na lange seten
Se hadden keyn schult al dat ys wâr
Quyth ledych vnd loes se de leten

48 Knyphoff hefft dar vmbe ghebeden
Dat he wort ghérichtet allene
Dat dede ôm ser vorbarmen
Dat mannich wolde schryen vnd wenen
Ouer Knyphoff in synem steruen

49 Vp eynen mandach dat gheschach
Knyphoff men sulff xvj richten sach

stätte für Seeräuber'. Lappenberg. 45, 3. **schalmen,** d. i. **men en,** wie 30, 3. 45, 4. 5. es sind wol die Schiffsleute, im Unterschied von den Landsknechten Kn.s, die 'geschont' werden. '**myn heren**' nennt der Abrufende den Rath; **wylt** für **wyllent, wyllet,** wollen. 46, 1. **sick to sate geven,** sich zufrieden geben, beruhigen = **sick versatigen** Theophilus (niederd. Schauspiel, h. v. Hoffmann von Fallersleben) Vers 13; auch mhd. **ze sate,** zur Genüge, J. Grimm, Reinh. Fuchs S. 376. 46, 3. **hadde,** hätte. 46, 4. 5. scheint Rede des Dichters. **dar macht an lach,** was in ihrem Vermögen gestanden hätte, 'sie sind (ohnehin) ganz unglücklich'. **wart** für **war,** mit öfterer Verwechselung: Solt. 427 **als** (nachdem) **solches wart geschehen;** 364 **der Landtgraff ward das haupt im spil ... kain buberey wardt im zuvil;** Uhl. 281 **da ward sie schon verschiden;** Körner 324 **ein Thumbherr ward vorhanden** (a. 1632). 47, 1. **sêgen,** sahen; 'ansehen', Rücksicht nehmen auf .. 47, 3. 5. **sêten,** saßen. **lêten,** ließen. **se** fehlt im Dr. nach **loes. quit, ledig und los** Rechtsformel, J. Grimm, Rechtsalt. 17. 48, 2. **alleyne.** 48, 3 **se.** 48, 4. **wolde** hier wie engl. **would.** Kempe Str. 40:

Olt vyf vnd twyntych Yaren,
Eyn yunger sconer Man.

49, 1. 30. Oct. 49, 2. 'selbsechzehnten'. 49, 5. 'ward deren', die Zahl als

Men hort ön dar de bychte
Dar nach went an den xij dach
xlvj wört der gherichtet

50 Lxxij in al synt aff ghedån myt recht
Dat synt gewest Clawes knyphoffs knecht
De anderen synt loeß ghegeuen
Se hadden gheyn schult so alsmen secht
Dat hefft ön ghebatet dat leuen

51 Ick meyne dat se ghestraffet synt
Dar van mach seggen kyndes kynt
Nemant schal se gheleyden
In Norwegen men wol de anderen vynt
Se moten ock an den reygen

52 Eyn håbeck ys gheslagen vth
Myt wyllen schath dat ys ouerluth
He was gar wol ghehoret
Wy he thor sewort nympt meer gůth
Syn nest wort öm vorstöret

53 Eyn yderen wyl ick ghewernet hån
De dar hefft loffte vnd eyde gedån
De holde he faste myt truwen
Dat he nicht werde eyn eerloß man
Vnde öme dat nicht beruwe

54 Lange borgen ys nich al quyth gegheuen
Men möth se straffen vnd alle nemen

Ganzes gefühlt, wie meistentheils auch hochd.; Anlaß dazu gab wol vil, wênic, genuoc, die den Singular des Verbs und Genitiv des Gezählten zu sich nahmen. 50, 1. In einer der drei Zahlen muß ein Irrthum um eine x sein. 50, 5. baten, nützen, auch hochd. 51, 3. 'geleiten', Geleite, Sicherheit geben. 51, 4. etwa Sev. Norby, Brun von Göttingen, Martin Pechlin, Claus Hansen. 52, 1. Sev. Norby? 52, 2. schath, schadet; 'überlaut', im Mund der Leute. 52, 4. tor sêwort, seewärts, 'zur See'. 52, 5. wart. 53, 1. yder; auch hochd. diese Aussprache bis ins 17. Jh.; der Acc. yderen, wie welkeren; welchen, Haupts Zeitschrift 3, 74; ebenda S. 251 hochd. disere, diese; Joh. Lenz, Schwabenkrieg, h. v. Dießbach, Zürich 1849 S. 168 der diesers Buch geschriben hatt. jederm, jedern auch hochd., bes. im 17. Jh. 53, 2. loffte, Gelübde; waren Leute aus den Hansestädten selbst mit dabei? 53, 4. durch den Henker. 54, 1. 'lange geborgt

Vnkruth moth vth deme garden
Men moth ön ſtån nach lyff vnd leuen
Vp ör veyde moth men warden

55 Nemant vorachte de ſtede to lycht
Eyn kleyne rock de byth ſe nicht
See hebben ghewalt vnde machte
Se ſynt keyn kynder ſe ſchympen nicht
Eyn yder dar to trachte

56 Ick wyl yw al ghebeden hån
Van wat ſtandes ſy eyn yder mån
Dut gedycht my nicht vorkeren
Vmbe korte wyle hebbe ick dat ghedan
Den ſteden to den eren

57 So dane geſelſchop bringet mannigen darby
He ſy yunck olt offt wy he ſy
Vngelucke ys nemant entrunnen
Dar van make ſyck eyn yder fry
Dat ſy Jw thor letze gheſungen.

* * *

Help ryker gôt vnſe here
Alle dynck doth ſyck vorkeren
Nach boſheyt vorderff vnde ſchaden
Schenden bedregen morden vnde vorraden
Vnde mannich ſo deme anderen na gheyt
Ock myt aller lyſt vnde falſheyt

iſt nicht ganz geſchenkt'. 54, 5. **veyde**, Fehde, Feindſchaft. **warden**, ſchauen, Acht haben, aufpaſſen, wie ſonſt **wachten**. 55, 2. 'ein wenig Rauch (Bedrängniß) der beißt ſie nicht'. 55, 4. 'ſchimpfen', ſcherzen. 56, 3. **verkêren**, wie mhd., ſchlecht wenden, übel auslegen. 57, 1. Dieſe Nutzanwendung alſo wol nöthig, viell. gar für die jungen Hamburger, die in Geldes Noth kamen. 57, 2. gedr. **ynck. offt wy** (wie), oder wer. 57, 3. fataliſtiſch, wie der Gegenſatz **beſchaffens glück iſt unverſaumt**, vgl. Nr. 12, 5. 75, 5. Widmung an die 'Städte'. **letze** gut hochd., Erquickung und Troſt zum Abſchied; Uhl. 545 **dat ſchenk ick juw tor leſte.** — Gleich nach dem Lied im Druck der Spruch: **Hen is hen, Vorſwegen is beſt.**

Anhang: 3. **nach**, gedr. **noch** (**nôch**, genug).

Noch blyfft de gherechte vnuordrungen
Got wyl straffen de falßken tungen
Och wat der wol vele synt
To nemen gelt vnde gut so swynt
To vorderuen eyn yder man
Is dat nicht yammer vnde ouel daen
Nu ysset leyder kamen al dâr
Godes wort vorachten is apenbâr
Eyn ewyge tydt myn wort schal blyuen
Nummer vorgan nu vnde to allen tyden.

9. 'wie viel (was) derer auch sind'. 13. isset, is ct.

20.

Der Seeräuber Martin Pechlin.

1526.

Flieg. Bl. in 4°, 6 Bll. (Wolfenbüttel), abschriftl. in Leysers Nachlaß; aus demselben Exemplar, dennoch mit einzelnen Abweichungen, mitgetheilt von Lappenberg in der Zeitschr. des Vereins für Hamburg. Gesch. 2, 141 ff. Martin Pechlin und Brun von Göttingen traten in demselben Jahre als Seeräuber auf wie Claus Kniphof und Claus Rode, Lappenberg vermuthet, ebenfalls durch K. Christierns Politik veranlaßt (s. 59, 1). In Hans Reckemanns Lübecker Chron. (das nd. Orig. handschr. auf der Hamb. Stadtbibl.) ist ein Bericht über M. P. von Gerd Korfmaker, einem lübischen Bergenfahrer, der selbst den M. P. erschoß; damit stimmt das Lied, zuweilen wörtlich, überein (Lappenberg a. a. O. S. 142). Der Dichter, auch der Ton des Liedes sind dieselben wie bei der vorigen Nr. Der Druck ist nach Lappenbergs Vermuthung von Arndes zu Lübeck; der Titelholzschnitt stellt das Glücksrad mit vier Königen dar, von einem Teufel in Bewegung gesetzt, darunter der Reim

Al wath rundt yß kumpt balde vmme
Dat suth man an dusses rades krumme.

Van Merten Pechlin syner gheschycht
Wat he thor ßeewarth hefft vth ghericht
Also guth als bynnen twên yaren
He hefft ghemörth alse eyn boßewicht
Dar vmme moste he ouel varen.

(Holzschnitt.)

HEr got wo wunderlick lopt dyt spil
  Alse yd ynder werlt schut so vil
Nu nympt sick an mannich man
  So se doch nycht kunnen bestan
Vnde synt doch vncristlicke dynge
  Och manigem werth so mysghelyngen
Nummer mer moghen se wol varen
  Grot we armoth kummer vnd plage
Ouer de vprorigen dat werth gaen
  Tho lesten werden se tho schanden staen
Twyst vpror eyghen wyl deyt nummer gůth
  Int ghemeyn daraff kumpt grot armòth
Nu yß ghekamen leyder de tyth
  Gude lůde toberouen wyth vnde syth
Eyn yder bedencke wat na mach kamen
  Na vordenste werth ghelonet. Amen.

1 Alse men screff xxiij vnd j.
Der mynder tal, yß dyt ghescheyn
  Wat sodder Pechlin heff bedreuen
Bynnen twen iaren gròt vnde cleyn
  Vynde gy hyr na gheschreuen

2 Pechlin erstmalß yn freslant quam
He begunde dar mede vmb thogan
  Eynen boygert wolde he kopen
Ock wolde he hebben welke ßeuaren man
  Dar he myt thor ßewert konde lopen

Akrostichon: 2. schût, geschieht. 14. wît unde sît, weit und breit, Rechtsformel (Grimms Rechtsalt. 13); s. Brem. Wb. 3, 783; agſ. sîde and vîde.

1, 2. 'der mindern Zahl', wie 25, 2, übliche Verwahrung, da man besonders im 16. Jh. das Tausend und Hundert gern wegließ; 'dieß', was 1524 geschehn, das Str. 2 ff. zunächst Erzählte, Pechlins Auftreten, 1, 3—5 ist wie Parenthese zu fassen und bezieht sich (etwas ungeschickt im Ausdruck) vorzugsweis auf sein letztes Jahr, Str. 25 ff., siehe dort. Der ganze Eingang, bes. das geschreven bezeichnet ein rechtes Zeitungslied. 1, 3. sodder, mhd. sider, seitdem, nachher, hochd. seit Nr. 14, 15. 2, 4. welke, etwelche. sêvaren, zur See 'erfahren'. 2, 5. tor

3 Pechlin waß van falschem synn
Myt schalckheyt krech he den boygert yn
He nam dar an schelke vnde bouen
De dar dorfften nergen vp dukende syn
Thor ßewert wolden se myt ôm rouen

4 Pechlin dar vyttalye yn nam
Wo rysck he syck makede van dan
Synß blyuens was dar nycht langhe
He wuste noch wol twyntich man
De weren alle tho synen handen

5 Brun van gottinghen vnd syn quarter
Se leghen van dar nycht ganß veer
Ene bute wolden se erwarden
Se wolden wol dat pechlin by ôn weer
Dat scholde ône wol gheraden

6 Do brun van gottinghen tho pechline quam
Vor eynen houetman nam he ône an
Dat scholde ene gelden tho ghelike
Dar kame van al wat dar kann
Wy wyllen van enander nycht wyken

7 Sy lepen van dar yn de west ßee
Se seghen off dar nycht eyne bute wer
So was dar nycht vor handen
Myt des quemen dar twe schuten her
De hôrden tho huß yn yutlande

8 Se nemen dar vth al wat dar waß
De schepe howen se dôr all vp dat paß

sêwert, s. S. 126. konde, könnte. 3, 4. dorften, wagten (vgl. 60, 3), s. S. 95. 'auftauchen', aufducken; 'sein' mit part. praes. zur Zeichnung des Zustandes, vgl. S. 47. 4, 1. vittalie, Lebensmittel. 4, 2. 'wie schnell ..!' 5, 1. quartêr (41, 3), wie belech Nr. 19, 21. 5, 2. veer, verre, fern. 5, 5. dat, die Beute. 6, 3. sollte ihnen gleichmäßig zufallen; gelten so auch mhd., zahlbar, fällig sein. 6, 4. kame, komme. al wat, was auch. 7, 3. stand nichts ('nicht') in Aussicht; vorhanden urspr. nicht das schon Gegenwärtige, sondern was nahe vorliegt, nahe bevorsteht. 7, 4. mit des (gen. neutr.), währenddem, 'unterdeß'. 8, 2. howen, hieben, = mhd. hiuwen, huwen, houwen,

Se leten se dar vorsencken
Dat volck all wat dar ynne waß
De mosten dar al vordrencken

9 Merten pechlin sprack sick also
Lath dreghen nach den schaghen tho
Wy willen seen wat dar wyl wancken
Se seghen eyn schyp des weren se vro
Dat lach sick dar vor ancker

10 Se lepen dem schepe all faste an börth
Se hebben dat volck all drup ermorth
Dat schyp leten se thor seewart dryuen
Se hebben dat alle dorch ghebart
Bauen waterß konde dat nych blyuen

11 Wyff schuten nam he vp eynen dach
Dar kam neyn mynßke leuendich aff
Dat yß wol eyn barmlick leuen
Van westeraß dat nycht wyth gheschach
Tho amsterdamme wolden se wesen

12 Nach iv. schuten he hefft vorbranth
Vth Dennemarck vnde vth Pomerlanth
Dat volck warth alle vordruncken
He nam dat beste wat he dar vanth
De wracke alle dar vorsuncken

praet.; dör, d. i. doer, dôr (ô geschr. für oe), durch, mnl. door, auch mhd. dur. Lappenberg: 'bis an den Wasserspiegel'; aber up dat pas (Rein. Vos öfter) ist nichts als 'damals, bei der Gelegenheit', eine zur Formel gewordene Redensart, die bes. gern den Reim bilden hilft; auch niederl. op dat pas, Antwerp. Lb. Hor. belg. 11, 300; kräftiger al op dat pas Uhland 548, Hor. belg. 11, 278. 9, 2. dreghen, jetzt dreggen, engl. dreg; das Nordcap von Jütland, Skagen, wie es jetzt auf dänisch in unsern Büchern genannt wird. 9, 3. Brem. Wb. 5, 178 daar wanket wat, da ist etwas zu machen, daar wanket niks, da fällt nichts vor, da ist nichts zum besten; vgl. Rein. Vos 994. 10, 4. baren, bohren. 10, 5. baven, boven, über, engl. above. 11, 2. neyn, nên, kein. minske, ahd. mennisc, Mensch. lévendich, lebend. 11, 4. kann unmöglich das schwed. Westeräs am Mälarsee sein. 12, 1. Bei Lappenberg merkw. 'ix', ebenso 13, 1. 12, 3. vordrunken, ertränkt, die schwache und starke Form vermengt; geradeso ists dem hochd.

13 Vppe den iv. schuten synt ghewest
Hundert man vnde vyff so men secht
Werp he auer bort yn eynem dage
Dyt hebben bekent Pechlinß syne knecht
yß dat nicht eyn barmlick klaghe

14 He lep noch negher yn de östßee
Nah dem kyler voith stunt syn begher
Tho bulck dar wolde he wesen
He wuste wol wat dar vorhanden waß
So hefft syck dyt spyl begheuen

15 Do Pechlin vp den haue höff quam
He makede daer eyn gröt all arm
Myt breken vnde myt howen
Nemet de vrowen vnde tastet se an
Myt sure he se begunde tho drowen

16 Twe iunckfrowen de schrigeden ghar seer
Se beyden se vmb aller iunckfrowen eer
Nemet all wat dar yß vorhanden
Wy wyllen yw gheuen nach ywem begher
Vp dat wy nycht kamen tho schanden

17 Do Pechlin tho den kleynoden quam
He nam all wat he konde bringhen dar van
Se sumeden sick dar nycht langhe
Eer eyn yder dar tho schepe käm
Waß den deuen we vnde banghe

18 Van daer lep he yn den vemerssunth
Dar waß he ganß wol bekunth

besaufen gegangen (s. Grimms Wb. 1, 1542), eig. besäufen, besäufte. 13, 2 gehört entw. ἀπὸ κοινοῦ zum vorigen und folgenden, oder vor werp hat man dê zu fühlen — oder beides fließt in einander, wie ähnlich oft. werp, warf, das e bloß vom r, vergl. zu Nr. 28, 24, 5 und S. 28. 14, 2. Kieler Föhrde. 15, 1. ein Meierhof bei Bülk? 15, 4. nemet, nemede, nahm. antasten, feindlich zu Leibe gehn, so Rein. Vos 3215. 15, 5. mhd. sûr, n. Bitterkeit, Noth; doch nicht fûre, Feuer? drowen, bedräuen. 16, 2. beiden für bêden, baten, vgl. Nr. 4, 1, 3. dêven, Dieben. 18, 2. Er war von Fehmarn gebürtig.

He wuste dar wol tho lande
Also sprack Pechlin syn mundt
Merten brant den wylick hanghen

19 Pechlin tho vemeren an lanth gynck
Merten brant yn syn eygen huß hynck
De kynder deden sere schryghen
Yß dat nycht eyn barmlick dynck
Dat so dane morth öm scholde bedighen

20 Do Pechlin dyt habde vullen bracht
He lep tho schepe yn der suluen nacht
Na der wernaw leyth he dreghen
Dat durde went an den derden dach
Se dorsten syck tho lande nych geuen.

21 Ghebutet vnde partet hadden se dar
Wente se hadden dar mennigherley war
Eyn deyl sick tho lande gheuen
Se meynden all ör dynck wer klar
Dat wart vorspet vnde er dre se kreghen

22 In Pomeren hefft men dan er recht
Dat weren dre van Pechlinß knecht
Se hebben dar dat bekennet
All wat van Pechline vor ys ghesecht
Dar tho alle syn selschop ghenennet

23 Id hefft ghewart nicht lang dar na
Dat Pechlin nam eyn schone faer
Tho falster bode wolde he wesen
Se worpen dat volck all ouer bort
Twe vrowen de leten se leuen

18, 3. kannte gut die Gelegenheiten zum Landen. 19, 5. **bedîgen**, gut vonstatten gehn, gedeihen. 20, 1. mittelhochd. **volbringen** und **vollenbringen**. 20, 3. die Warnow in Meklenburg. 21, 1. **bûten und parten**, Beute theilen. 21, 2. **wente**, denn. 21, 4. **klar**, in Ordnung, wie 43, 4, Seemannsausdruck, vom Wasser und Wetter entlehnt; ähnlich engl. **clear**. 21, 5. **vorspêt**, erspäht. **er**, ihrer. 22, 1. **dân er recht**, ‘ihr Recht gethan’, sie gerichtet. 22, 2. **knecht** für **knechten**, s. S. 11. 23, 2. ‘Fähre, welche nach Falsterbode gieng, an der

24 In norweghen worden se settet an lanth
Se weren dar nycht gans wol bekanth
Nach westraß was er beghere
Se kreghen dar eynen buren thor hanth
De se brochte wedder tho weghe

25 Do men schreff sôß vnde twyntich yaer
Nach gotz ghebôrt der mynder tael
Hefft sick dyt spyl begheuen
Van Pechlin vnde syne mede kumpaen
Vynde gy hyr na gheschreuen

26 Karsten tode yß wol eren werth
He hefft sick thor ßewart lange ernerth
Myt gade vnde ock myt eren
God hefft em dat glucke bescherth
Dat he sick Pechline dede erweren

27 Dar tho schypper klaweß wenth
He yß mannighem ganß wol bekenth
Van barghen synt se ghelopen
Se makeden eynen bunt behenth
Dat se wolden blyuen tho hope

28 Thor ßeewart synt se ghelopen an
Se hadden guden wynt wolde he man stan
All van den nort nort westen
God wyl vns alle nycht vorlaen
Vnde helpen vns doen dat beste

29 Se segelden yeghen den schaghen tho
De wynt begunde vmb tho gande so

Küste von Schonen, wo die Hanseaten eine Niederlassung besaßen.' Lappenberg. 25. Das klingt wie Beginn eines neuen Liedes, s. Str. 1, und jedenfalls sind auch Str. 25—61 das urspr. Lied, das Vorhergehende aber zugedichtet, um Pechlins Vorgeschichte nachzubringen, vermuthlich auf Begehren der Hörer und Käufer. 26, 1. Karsten Tode, ein Bergenfahrer. 26, 5. Pechline an der Stelle eines Gen., merkw., oder Druckf.? 27, 1. Claus Wend, ein da oben und sonst in wendischer Nachbarschaft häufiger Name. 27, 3. Bergen an der Küste Norwegens, Hauptemporium für nordische Waaren, Hansestadt; die Bergenfahrer waren in Lübeck eine eigne Innung. 27, 5. to hôpe, zusammen. 28, 1. 'in See gegangen'. 28, 2. gut, 'wenn er nur stehn wollte'. 29, 1. Skagen, das Seethor zum

All van dem ost nort osten
Se weren des nycht ganß frô
Dat se tho rugghe scholden lopen

30 Se satten er korß all nach dat lanth
Eyn part de weren dar wol vorkanth
Lanck landes gynghen se strycken
In eyne hauen yß hylten ghenanth
Dar setten se beyde tho lyke

31 Do se tho hylten quemen yn
Se kreghen tydynghe van Pechlin
Vnde van brun van gotinghen mede
Wo se vorder ghefaren syn
Vynde gy hyr na gheschreuen

32 Merten Pechlin wart des ghewar
Dat tode vnde klaweß went weren daer
He dachte wol yn synem synne
De beyden schepe bryngghen gude waer
Eyne gude bute wer wol dar ynne

33 Merten Pechlin sprack sick also
Wy wyllen om senden twe iunghen tho
[An borth] vnde dôn ôn twe honr mede
Vnde dat se beseyn er gheschutte io
Vnde er volck dar se lyghen thor stede

34 Alß de iunghen weren an borth ghewest
Se dachten wol vp de anderen gest

Kattegat und Sund, seit Alters wegen Schiffbruchs gefürchtet. 30, 1. **satte** zu **setten**, wie **satzte** zu **setzen**. 30, 2. **vorkant** für 'erkant', bekannt, so **vorbarmen**, **vormorden** u. s. w. 30, [illegible] längs der norweg. Küste, um gegen den Nordostwind möglichst sicher zu sein; 'streichen gehn', s. Nr. 6, 8, 3. 30, 4. Korfmaker nennt den 'haven': '**Hyltenge, twe watersees by Oesten der Nese**', Lindenäs, ein Cap an der Südküste Norwegens, für die Schiffer wichtig wie etwa eine Straßenecke und Eckstein für Wagen. 30, 5. **setten**, näml. ihren Curs. 33, 3. **an borth** scheint unechter Zusatz. **mede doen**, mitgeben; Hüner, zum Handel. 33, 4. **vnde dat**, damit, das 'und' bloß Verstärkung von 'daß', wie bei allen Relativen. **be-seyn** für **besên**. 34, 2. 3. riethen gar wol auf die a. 'Gäste'. 'ausmachen',

Dat se Pechlin vth hadde ghemaket
Se trachten dar tho vp det alder best
Ghelucke tho de den anderen raket

35 De ghesellen weren frysck vnde frō
Se makeden rysck twe bote tho
Dar se tho lande mede vōren
Se wolden weten de warhēyt io
Wo yd vmb Pechline were

36 Se spreken tho lande de buren an
De tydinghe men gar balde vornam
Van Pecheline synem schepe
He hefft wol ynne tenachttich man
Dat kreghen se dar tho weten

37 Dyt schach des anderen dages dar na
Men sach Pechlin vp eyner klyppen stan
Vnde brun van gottinghen mede
Se seghen de schepe vnde gheschute fast an
Darna vōren se tho schepe wedder

38 Also gy broder syth bericht
Yck hebbe er schepe ganß wol besycht
Wy wyllen en morghen an borth wesen
Dat synt ij. kopfarer de don vnß nycht
Wy wyllen ōrer wol ghenesen

39 Also sprack sick Merten Pechlin
An borth wyl ick ene myt vure syn
Dar wyl wy se myt vorveren
In dem schmōcke wyl wy vallen tho en yn
Se schol sick vnser nycht erweren

ausfindig machen, ausspähen, engl. **make out**. 34, 5. 'Glück zu wer den And. trifft!' wer zuerst kommt, Ausruf wol aus einem Wettspiel. 36, 4. 'zehnachtzig', wie **quatre-vingt dix**; doch nicht = tachentich achtzig? (J. Grimm, Gesch. der D. Spr. 249.) 38, 2. **besichten**, Grimms Wb. 1, 1620. 38, 4. **nycht**, nichts. 39, 2. **ene**, ihnen, 'mit Feuer'. 39, 4. **schmoek**, engl. **smoke**, Qualm.

40 Des derden dageß dat gheschach
Na alle gotz hylghen dat men sach
Pechlin lopen tho rysö vth der hauen
He wolde den beyden schepen myt macht
An borth vnde dat myt en waghen

41 Se schloghen dar oren rath ghetyng
Brun van gottinghen vnd Pechlin
Vnde makeden dar quartere
Dat eyn yder scholde gheschycket syn
Yd wyl hyr kappen ghelden

42 Karsten tode dachte yn synem synn
Hadde ick myn volck man wedder yn
Tho lande synt se ghefaren
Ghelopen quam dar Pechlin
He wolde dar nemant sparen

43 Des worden toden volck enwar
Dat Pechlin quam ghelopen dar
Wo rysck weren se tho schepe
Er dynck waß yn dem schepe all klar
Kumpt he an bort om wert wat tho weten

44 Karsten tode vnde klaweß wenth
Se weren der sake wol contenth
Se korten ör schepe tho samen

40, 1. 4. Nov. 40, 3. 'Rysoer Hafen im Nedenäs-Stift, östl. vom Cap Lindenäs'. Lappenberg. have, f., wie mhd. diu habe. 40, 5. dat, 'es wagen', von allem Kampf in Ernst und Schimpf. 41, 1. 'rathschlagen'; geringe, eilig. 41, 3—5. quartêr, wie 5, 1. schicken, einrichten, rüsten. kappen gelden, wie jetzt 'Kappen setzen' (Scheible, die fliegenden Blätter des 16. 17. Jh. 186 wanns gleich setzt gute Kappen, wenns uns auch recht schlimm geht). Soltau 301 von den besiegten Bauern (a. 1525) zu Ingelstat .. setzt man jn kappen auf; Uhl. 476 und wirt uns brůder Veite (die Landsknechte), er můß ain kappen han; 479 in ward ain kapp geschroten (angeschnitten), beides von einer Schlappe im Kampfe; vgl. kappen austeilen Wolff 121; von den Narrenkappen entlehnt. 42, 4. lopen, vom Schiff, wie oft. 43, 1. enwar, nd. öfter neben gewar. 43, 4. klar, wie 21, 4; es war alles in Kampfbereitschaft. 44, 3. 'korten, einwinden'.

Wy wyllen des spels maken eyn end
  Laet se man fry tho vnß kamen

45 Pechlin tho hyltinghen bynnen quam
Men horde eder sach dar nemanth van
  Alse deue kemen se ghefaren
Se wolden se alle worghen vnd slaen
  Vnd nemanth wolden se sparen

46 Pechlin makede dar eyn al arm
Van scheten slan dat godt erbarm
  Eyn grot geschrey waß dar vorhanden
Dat gynck dar an eyn slachten an
  Se bleuen dar fast tho pande

47 Karsten tode sprack syck also
Leuen broderß bruket de hande io
  Pryß vnde ere wyl wy erweruen
Wy wyllen se wol straffen also
  Se schollen nemant mer vorderuen

48 Int vordecke stunt Pechlin
He rep fast schuth vnd werpt tho en yn
  Dat schal ön bolde vordreten
Iwer eyn sta faste dem anderen by
  Dat wer schande dat wy vnß nemen leten

49 He sloch de tunghen vth synem munth
Van spotte vnd vth falschkem grunth
  Dat dede dem volcke vordretten
Dat warde nicht eyn halue stund
  Pechlin wart dorch den halß gheschaten

50 Pechlin also syn lôn entfynck
Mannich sunder schyph tho segel gynck

Lappenberg. 46, 4. angên, losgehn, vorwärts gehn. 46, 5. 'zu Pfande', wie Nr. 9, 22. 48, 3. 'ihnen' verdrießen, wie Nr. 42, 28. 49, 2. 'Grund' des Herzens gedacht. 49, 4. warde, währte. 50, 1. lôn, d. i. loen, lôn, so Str. 53 bôt, nôt, dôt, stets lang ô. 50, 2. 'Sünderschiff, Raubschiff'. Lap-

Eyn quath körß synt se anghegangen
Men schal se straffen wor men se fynth
Beyde tho water vnd tho lande

51 Do brun van gottingen vorlaren sach
He dachte dyt yß myn iungester dach
Ghefangen wyl ick my nycht geuen
Ick wyl myck weren so lange ick mach
Dat wyl my doch kosten myn leuen

52 Dat durde went an de derde stundt
Men werp se auer borth went nach der grunt
Nemant warth dar gheschonet
Se worden gheslagen vnd ser ghewundt
Nach vordeynst warth ön dar lonet

53 Er achteyn fellen dar yn eyn böth
Bouen vth dat roergat yn groter nöth
Schyp vnd guth se mosten dar laten
Fyff worden ghewund went yn den döth
Se worden gheslagen vnd gheschaten

54 Nu wyl ick yw nomen der döden tall
Wo vele der waß auer all
Wyff vnd vöftich yß erer ghewesen
Dar halp en nycht er gröth gheschall
Dar van mochte nement ghenesen

penberg? 50, 3. wie Nr. 19, 33. 52, 1. **derde**, dritte, nd. neben **dridde** gewöhnlich, wie **bernen**, brennen u. a.; selbst mhd. **dirde** (Benecke Wb. 1, 390ª, 29) und **dirteil** statt **dritteil** (Haupts Ztschr. 7, 145 elsäßisch). 53, 1. **fellen**, fielen, warfen sich: Solt. 193. 314 (Uhl. 508) **sie vielen** (stürzten sich) **vber die mawren**; 208 **mit macht sie zusamen fielen**, liefen in größter Eile; Adrian, Mittheil. 395 **sie fielen dapfer drauff**, auf den Feind. Parz. 200, 17 **hin von den zinnen vielen** die verhungerten Bürger nach der Speise. 53, 2. gedr. **roer gat**; 'oben aus dem Ruderloch', Öffnung für das Steuerruder in der Brüstung. Brem. Wb. 3, 514; das Boot war also am Hintertheil befestigt und ward da hinabgelassen; **roer** ist aus **roder** erweicht wie niederl. (Theoph. 520 **rest**, **raest** = **radest**), **gat** ist Loch. **nôt** bes. für Kampfesnoth althergebracht. 53, 5. gedr. **gheschoten**. 54, 1. **nomen**, nennen. 54, 2. **aver all**, **overal**, allgemein, im Gan-

55 Myt ghewalt wunnen se vnd nemen yn
Dat schyp van Merten Pechlin
Dar funden se ynne achte ghefangen
Hynrick stichhan mocht dar wol mede syn
Hyr hefft em seer na vorlanghet

56 Hyr hebbe gy van Pechlin wol ghehort
Dat he hefft so manghen ermordt
Dar yß neyn tael van gheschreuen
Vnd hefft manghen gheworpen ouer borth
Godt mach om syn sunde vorgheuen

57 Van den achteyn de dar quemen van
Hefft men aff ghekregen achte man
Tho warborch synt se gherichtet
Van der selschop eyn hefft dat ghedaen
He wart bödel vnd hörde on dar de bichte

58 De andern de noch tho lande synth
Men wert se straffen all wor men se vynth
All de sulfften Pechlinß knechte
Wenth dat yß eyn bose hoffghesynt
Se hebben mannigem dan grot vnrechte

59 Pechlin hadde noch segel oder breff
Went he waß eyn schelm vnd eyn deff

zen, wie mhd. über al. 55, 2. 'Pechelin' zu lesen, wie 42, 4. 56, 2. lies mannigen. 57, 2. 'abgekriegt'. 57, 3. 'Warberg in Halland' (Schweden), Lapp. 57, 4. 'Gesellschaft', höhnisch, wie in Haupts Zeitschr. 5, 395. Korfmaker erzählt, der Neunte mußte seine Genossen richten; vgl. Grimm, Rechtsalt. 886. 57, 5. Solt. 226 drohen die Bauern dem räuberischen Adel: Mir wöln euch absolvieren, Vmb ewer röubischen sünd; ihnen selbst aber gehts bei Würzburg so, Wolff 257: viel thät man absolviren, eh daß die Beicht geschach. Mones Anz. 8, 142 die Ablaß mit Streichen austheilen in der Schlacht. Solt. 331 mit kolben thet mans firmen; vgl. Nr. 19, 49. 58, 3. 'die selben'. 58, 4. so weit war die Bedeutung des 'Hofgesindes' herabgekommen, gewiß zum guten Theil durch die Räuberei des Adels; so ist auch in Haupts Zeitschr. 5, 396 ghesynde (das ist eben urspr. nur Hofgesinde) schon ganz gleich 'Gesindel'; vgl. gesindlein Nr. 33, 19. 59, 1. 'weder Siegel noch Brief', wie doch Kniphof gehabt hatte, s. S. 115; noch – edder (oder) so Solt. 283, vgl. Nr. 8, 10, 3; noch — weder im Weimar. Jahrb. 2, 104, Goethes weder — weder ist bekannt, Schiller braucht (das mhd.) noch —

So he yn sweden hadde beganghen
Dat mochte wol wesen manghen leff
Dat se ön dar hedden gehanghen

60 De bargher varer synt wol ere werth
Alle wor se sick henne kerth
Se doren dat wol fryslich waghen
Went se hebben sick wol ghewerth
Vnd weren dar vmme nicht vorsaget

61 Hyr yß dat ende van dussen ghesch ycht
Van Merten Pechlin dem bösewicht
Yß dyt ghemaket tho wol ghevallen
Vnd den bargerfar thor fruntschop gedicht
Godt vorlene vnß guden vrede allen

Spero fortune regressum.

noch Don Carlos 2, 10, ebenso Opitz, und in Uhlands Volksl. 221; auch noch bloß im zweiten Glied: das wöl Got heut noch nimmer Solt. 293. 59, 3. Dieberei nämlich. 60, 2. alle wor, wo nur immer. kêrt für keret, kerent. 60, 3. doren von dor, mhd. ich tar, ich wage, = dorften 3, 4. frys für frisk öfter. 60, 5. vorsaget ahmt das hochd. verzaget möglichst gut nach (Nr. 15, 6); so spricht der heutige Däne, der deutsch lernt, unser z als hartes s. Auch niederl. versaget, versaecht Hor. belg. 11, 112. 190. 61, 4. zugleich Selbstempfehlung an die Innung der Bergenfahrer; zur Form vgl. Uhl. 452 norfars, Nordfahrer. Pechlins Fähnlein brachten die Sieger mit nach Lübeck, es wurde als Trophäe in der Marienkirche aufgehängt über dem Bergenfahrer Gestühlte.

21.

Aufruhr in Solothurn

seiten der Lutherischen.

1533.

Ein Vorgang aus der katholischen Reaction nach der Schlacht bei Cappel, als auch in Glarus, St. Gallen, Rapperschwyl, im Aargau der alte Glaube wiederhergestellt wurde; in Solothurn war den Reformierten 1529 eine Kirche eingeräumt worden, und nur durch ein Wunder wie man meinte die Kirche des heiligen Ursus noch gerettet. Das Lied ist aus dem St. Galler Codex Nr. 645 (p. 58—63), auf dessen Liederreichthum zuerst (1830) Mone, Quellen und Forschungen 1, 178 ff. hinwies; Soltau hatte sich darauf das Lied nebst anderen an Ort und Stelle ausschreiben lassen. Der Ton ist ein besonders in der Schweiz in dieser Zeit beliebter, 'O Gott in deinem höchsten Thron', s. S. 27, benannt nach dem trefflichen, lang gesungnen 'Lied von Bruder Clausen' Körner S. 29 (da als Ton 'Wiewol ich bin ein alter Greis' d. i. Rochholz 259) und Rochholz S. 315, welches unter der Person des 1487 verstorbenen heiligen Niclaus von der Flüe den weisen Rath des wahren Patrioten an die hadernden Schweizer ausspricht; ein 'geistlicher Bruder Claus' Constanz 1613 in K. Heyse's Bücherschatz der D. Nat.-Lit. Nr. 1125.

Ein nüw Lied

den vffrůr ze Solothoren

kürtzlich entstannden, beträffände.

Im thon, wie Bruder Klausen Lied.

1 In namen der dryualtigkeit,
vnd ze lob Maria der reinen meid,
so heb ich an zesingen,
Der Jümpfrow kind wel vns nitt lan,
Sant Vrſß wel vns ouch bygestan,
Das ich es mög verbringenn.

2 Sant vrßen růff ich billich an,
siner-fürbit gnüßet menger man,
in statt vnd ouch vff lannde,
die jn anrůffendt hilfft er vß not,
sine fiendt wärdend al ze spot,
Gott bringet sy zeschannde.

3 Ich sing üch das gar offenbar,
Als man zalt trü vnd trißig jar,

1, 3. **zesingen**, diese Anschreibung von ze und zu an den Inf. ist damals und noch lange beliebt, auch im Druck, sie zeichnet die Aussprache, in der sich das tonlose zu an den Ton des Inf. anlehnt. 1, 4. **wel**, wolle, mhd. **welle**. 1, 6. **verbringen**, vollbringen, s. Nr. 11, 38. Nach jeder Str. steht das Zeichen der Wiederholung. 2, 2. mhd. **geniuzet** mit Gen., hat Genuß, Gewinn von .. 2, 5. **fiendt**, noch zweisilbig, daher schweiz. oft **figend** geschr. 3, 2. **ich zelle, ich**

hets mennger eidtgnoß gsächen,
ze Solenthuren wol jn der Stat,
do die lüterschen knaben mit irer rot,
die alten tätendt schmächen.

4 Es het gewärt ein lannge Zit,
das sy hend trôwett vß zoren vnnd nid,
jres gotzwort wellends behallten,
darnebn veracht die Sackermennt,
Got vnnd sin wärde mûtter geschändt
dar zů die frommen alten.

5 Das gotzwort het sy Judas glert,
dar dürch verrätery wirt gmert,
süst hets kein hellig geschriben,
sy hend geuolgt des Cains rat,
der sinen brůder schlůg ze todt,
darümb ward er vertriben.

6 Jch hoff es wärd hie ouch so gan,
kein list vor got ein bestand mag han,
er hilfft allein dem rächten,
all die da gand mit friden vmb,
die halltendt das euangelium,
es darff süst keines fächten.

7 Wie wol sy rûmend das götlich wort,
hend sy vnnderstanden ein söllich mort,
kein man hets nie gehört sagen,

zalte, wie mhd. drü, das rechte neutr., von jar. 3, 5. 'Rotte', das Schlagwort jener Zeit, bei beiden Parteien. 4, 2. Hs. trômett; gedräut. 4, 3. 'Gottes Wort', das protest. Parteiwort. 4, 5. 'wert', urspr. Beiwort des Adels. schänden, schmähen. 4, 6. die 'frommen alten', die 'biedern Vorfahren'; oder der Rath, s. 19, 4, oder auch die 'alten Christen' 30, 4. 5, 3. 'so (mhd. sus) hats kein Heiliger g.' hellig, diese scheinbar nd. Kürzung im schwäbischen und alemann. Dialekt, Solt. 253 von helgen, vgl. 234 Helprun, Heilbronn; im Rieß noch heute die 'Helgen'; bes. schweiz.: hellige ê Rechtsalt. 384; helge Gschrift Rochholz 315; heliger tag Seb. Brant, h. v. Zarncke S. 151b; helger herr Uhl. 410 fg., der helig geist 871 (15. Jh.); niederd. heißt es hillich, hilge. 6, 3. das rechte, auch ein Schlagwort der Zeit. 6, 6. 'bedarf sonst'. 7, 1. 'sich

dar zů verachtet er vnd eid,
den sy hend geschworen der oberkeit,
das sind euangelisch knabenn.

8 Das spil was vorhin lanngest dicht,
Sie hattendt den Buren gen ein bricht,
die killichen wettens rütten,
darby ein tag gezeiget an,
vff dem sy söltendt die thor in han,
wen man hort zůr mety lütten.

9 Die thor sönd jr innen mitt gwalt,
wär üch das werett jüng old alt,
die tödtendt vnuerdrießen,
so wend wir die büchsen für die killichen thůn
wär nit wil singen vff vnsern thon,
den wellendt wir erschießen.

10 Der morgen gefyel den buren nit,
sy sprachent es ist vnser bitt,
ein anndre stünd ze nemen,
wir helffendt üch mit vnser hand,
doch wär es vns ein groſze schandt,
die stat zenacht innämmen.

11 Die abträtnen sůchtendt ein anderen fundt,
sy sprachendt zůn büren wir thůndt üch kundt,
das jr vffmercken habindt,

berühmen'. 7, 6. vgl. Nr. 18, 4, 4. 8, 1. dicht, gedichtet. 8, 2. eine Anweisung 'gegeben', gên aus gebn. 8, 3. kilche, kilich, Kirche. wetten aus welten, so wott aus wolt (Nr. 11, 26, 8). rüten, reuten, ausrotten. 8, 4. gezeigt. 8, 5. die Bauern sollten von außen die Thore besetzen, inne han wie Nr. 18, 20, 5. 8, 6. zur Mettenglocke, früh um Eins. 9, 1. innên, einnehmen, aus mhd. înnemn, s. S. 63. 9, 2. old, oder, früher alde, ald, olde (Grimms Wb. 1, 203), auch bei H. Sachs. 9, 3. unverdrießen aus ôn v., un- und ohne sind viel in einander geflossen und bis heute schlecht geschieden. 10, 3. nemmen, wie nennen, aus dem urspr. nemnen erleichtert. 10, 5. welch soldatisches Ehrgefühl! 11, 1. die 'vom Glauben abgetreten' waren, s. Grimms Wb. 1, 143. fund, List, Ränke, ein Stichwort der Zeit; dieser neue Fund scheint aber nicht recht ersichtlich, besteht er nur darin, daß die Städter nun doch den Anfang

als bald jr hörendt schlachen eis,
wendt wir den bäpstleren machen heis,
das ir die thor in habindt.

12 Die buren warendt wol ze můt,
das gotswort důcht sy recht vnd gůt,
sy wottendt zenden wären,
sy wůtetendt gradt wie die schwin,
ir keiner wot der hinderst sin,
sy vischetendt vor dem bärenn.

13 Die sach die stůndt ein kleine wil,
biß juncker hanns von Rapperschwil,
den anschlag hat erkundet,
der selb zům erstenn seit die mär,
des gipt man im groß lob vnd er,
yetz vnnd zů allen stunden.

14 Wie bald er zů dem schulthes gieng,
mit jm ze reden anefieng,
es ist ein mort verhanden,
o her drümm lůgendt sälb ins spil,
in trüwen ich üch warnen wil,
wend ir nitt komn ze schanndenn.

15 Ich sag üch das nitt in eim gheim,
der anschlag ist wol vm das ein,
das man üch wot verradten,
als baldt ich han die mär vernon,
han ich die stundt sälb ab her glan,
die sach wär jn sust geradten.

über sich nehmen wollen? 11, 4. eis, eins, s. S. 62. 11, 5. vom Schwitzbad. 12, 1. nit wol? vgl. Solt. 356 die stat ist vns nit wol zu mut; Uhl. 549 was der reichstag im sinne wär. 12, 3. 'wollten, sie wären zum Ziel', z'ende? 12, 6.? 14, 4. Körner 30 so lůgend trüwlich in das spil, 31 wenn wir nit lůgend in das spil, eifrig nachsehen, dem Spiel folgen, vom Kartenspiel? Sprichwort: das auffsehen (aufpassen) ist im spil das best Wolff 126. Das Gegentheil heißt das spil übergaffen, Spruch in Zarnckes Seb. Brant S. CXXII^b, vgl. auch S. 51. 14, 6. geschr. kann. 15, 1. das geheim, vgl. 'insgeheim', Schm. 2, 195; ist nit richtig? 15, 2. 'um Eins'. 15, 5. die Uhr (hora) 'herab' gelassen, ab-

16 Sannt Vrß stůndt by der alten rot,
des het sy alben behůtet got,
wär got vnnd hellgen eret,
der selb wirt hie ze schanden nit,
vor got beschüst wol der heillgen bit,
als man hie wol erleret.

17 Als bald der Schuldthes hort die wort,
sprach er das wår ein schanntlich mort,
wie wol ichs in nüt truwen,
wil ich samlen einen rat,
vnd flißig erfaren dise tat,
domitt es vnns nüt gruwe.

18 Wo got nit sålber behůt die statt,
do ist vergeben aller rat,
wo got hůt darffs kein Sorgen,
Sannt Vrß der het die scharwacht gehan,
als gesächen hat menng biderman,
sust hettens můßen worgen.

19 Vff einen Donstag es beschach,
das man den luterschen anschlag sach,
daruff sy lanng sind ganngen,
als die allten warendt gritten vß,
namendt sy in das büchsen hus,
nach vnrů tat sy belänngen.

laufen lassen, daß sie gar nicht mehr schlägt; dieß Einstellen der Uhr bei Verschwörungen scheint typisch, so in der Luzerner Mordnacht (a. 1333, Rochholz 286). 16, 2. **alben**, jederzeit, Stalder 1, 94. 16, 3. d. i. **und d'helgen.** 16, 5. **bschüst**, 'beschießt', nützt, Grimms Wb. 1, 1568. 16, 6. **leren** und **lernen** verwechselt, wie in allen Mundarten. 17, 3. **truwen**, zutraue; dies **n** an der 1. Pers. Präs. (ahd. **lobên**, **salbôn**), bei schwachen wie bei starken Verben, ist bes. schweizerisch: Uhl. 867 **meinen**, 899 **låben**, 902 **geren**; Körner 2 **büten**, biete, 53 **vollenden**, 164 **befilchen**, befehle, 157 **loben**, 63 **kumen ich**; doch auch in andern südl. Mundarten, z. B. Uhl. 846 **haben**, 723 **hausen** bair.; am häufigsten in niederd. Mundarten, und in mitteldeutschen, z. B. hessisch in dem Alsfelder Passionsspiel bei Haupt 3, 480 ff. **ich liegen**, lüge, **bevellen**, **heben**, **danken**, **bidden.** 17, 4. '**einen**' Titel. 17, 5. **erfaren**, erforschen. 17, 6. 'gereue'. 18, 1. Psalm 127, 1. 19, 1. Donnerstag, 'Dornstag'; verglichen mit 15, 5 kann die Zeitfolge von dem eifrigen Dichter nicht eingehalten sein. 19, 4. die 'Alten', der

20 Sy stůndent mit gewalt zur thür,
die büchsen wottendt zien har für,
der schimpf fieng sich an machen,
sant Vrß můst inen sin Banner lan,
oder wottendt in erschoßen han,
sindt das nüt grüsam sachen.

21 Der Schulthes nam der dingen war,
Vnd mant gar bald die allte schar,
zů harnisch vnd zů wafen,
jr hendt die killch biß har in gehan,
sönd jrs den luterischen ietz erst lan,
got würt üch selber straffen.

22 Der herren was nit vil da heim,
die sach stůndt an der frommen gmein,
die thät sich gar nüt sumen,
sy luffendt vff den alten platz
sy warend vor me gesin am hatz,
das man die killch wot rumen.

23 Sy sprachendt wir sindt Sant Vrßen kindt,
die von den luterischen verraten sind,
sin killch wendt wir behallten,
Sy wärdendt vns erschrecken nit,
das wir do wichind einen trit,
vnnser köpf můßend ee spalten.

Rath, die 'Herren' 22, 1. 20, 3. **schimpf**, Scherz. 21, 2. **manen**, wie sonst **aufmanen**. alte schar, wie 16, 1 **die alte rott**, **die alten** 3, 6. 21, 5. **sönd** aus **sölnd**, s. S. 11. 22, 4. **luffend**, s. S. 85, daher **geloffen**. Sammelplatz der 'alten' Partei? dieß 'alt' war auch anderwärts das kath. Parteiwort, die Gegner hießen 'die Neuen' 35, 3. 22, 5. geschr. **vorme .. schatz**; 'schon öfter (zuvor mehr) beim Hatz gewesen'; **hatz**, vgl. Nr. 9, 15, 8, Jagd, bes. in Schweizerliedern beliebt für Kampf, Rumor, Klemme u. dgl., z. B. Körner 45 **das Soloturn so lag im hatz**, im Schlachtgedränge. 22, 6. Hs. **des ... rümen**; 'als man die Kirche räumen wollte', Besitz nehmen von St. Ursen Kirche, und wie es die reformierte Partei machte, Bilder, Altar und Orgel entfernen. Zuweilen ist **daß** = 'als': Körner 265 **dz die vier Ort solchs hörten**; auch 'wenn' (Nr. 9, 12, 7): Hürnen Seifried Str. 121 **Vnd das auch alle welte Stůnde in vnser handt**; so schon mhd. **daz**, urspr. nur, wenn schon eine Zeitbestimmung voraus-

24 Die gmein die stundt grad wie ein mur,
des gsachen die valschen burger sur,
sy wandend sy hetens gwunnen,
do was das spil noch nit recht gån,
man můst ir gotzwort baß vernån,
jr geist kam erst annd sunnen.

25 Ir geist erhept sich vil ze hoch,
es mag jm nieman kommen noch,
in hoffart vnd in listen,
sy begårendt wol der grächtigkeit,
biß sy der jser ind killchen treyt,
so flüchendt sy zur kisten.

26 Die sach die wot nit richtig sin,
das bracht den luterischen heimlich pin,
noch tatens nit der glichen,
die glog die wot das ein nit schlan,
des můstendt sy die büchsen lan,
in die vorstat thatenns wichen.

27 Da selbs do spurdt man erst ir duck,
sy wurffendt ab die Aren Brugg,
vnd hůbend an ze schantzen,
sy truwtend dem gotzwort numme me,
das schůff in was dasselb nit we,
sy hungert nach möstrantzen.

28 Der geist was noch am sålben ort,
biß man die büchsen im spittal hort,

— gieng. 24, 3. es gewinnen absolut, wie frz. l'emporter. 24, 4. 'gegeben', das Kartenspiel. 24, 5. ihre Absichten (hinter ihrem vermeintlichen 'Gottes Wort') besser verstehn. 25, 4. 'Gerechtigkeit', biblisch. 25, 6. Hs. flüchendendt. 'eilen sie zur Kiste', die die Kleinodien und das Vermögen enthält; diese Absichten gab man den Evangelischen, man nannte sie 'Kelchdiebe'. 26, 4. mhd. glogge, ja nicht 'gloche' zu sprechen, ebenso in Brugg. 27, 2. Aarbrücke. 27, 4. sie ließen ihr 'Gotteswort' fahren, steckten nun ihre eigentlichen Zwecke offen aus. truwen, Vertrauen, Hoffnung setzen. numme, nimmer. 27, 5. das machte, nicht es war ihr Verlangen; Hs. daselb; sonst heißt es allerdings mir ist wê nach: ich verlange schmerzlich. schaffen so: Uhl. 595 schäfft daß ich nichts im seckel han,

do fieng er an zefliegen,
er flog gan Wietlispach in die stat,
da er meng man betrogen hat,
mit glisnen vnd mit liegen.

29 Christus der můst ståtz vornendran,
domit hand sy trogen mengen man,
der inen nach ist zogen,
sy sprachend wir standt der warheit bi,
wår yetz mit vns wil werden fri,
der mag es mit vns wagen.

30 Sy wottends zwingen in ein stal,
darumb beschlußentz Straßen all,
sy theiltendt sich gar arwangen,
wo inen ward ein alter Christ,
do bruchtent sy gwalt vnd list,
vnd namen in gefangen.

31 Den botten namens brieff mit gwalt,
kein eidtgnoß läpt vf erd so alt,
der so̊llichs sagen horte,
ettlich brieff zerissens gar,
den botten ward das lo̊nli bar,
sy wurden vbel geschlagen.

32 Der krieg der wårett mengen tag,
ob man köndt machen ein vertrag,
oder sy mo̊cht gescheiden,
die schidlüt spartendt keinen rat,
was sy vermöchtent frů vnd spat,
kein arbeit thät jn erleidenn.

33 Die frücht sind vß dem gotz wort kon,
darbi wil ichs yetz bliben lan,

fast = weil. 28, 4: gân, für gên, alt gagen und gegen. Wiedlisbach, 3 Stunden unterhalb Solothurn im Aarthal nach Zürich zu, wenig weiter Aarwangen an der Aar. 28, 6. glîsnen, aus gelîchsen, glîchsenen, simulare, vgl. 'Gleißner'. 30, 1. wie das Weidevieh. 30, 2. 'schlossen ab'. 30, 4. ward, begegnete, s. S. 67; Körner 256 die frommen alten Christen, Katholischen. 31, 5. 'baar bezahlt'. 32, 1. nicht bloß Waffenkrieg. 33, 1. Hs. kan.

daruon nit witter singen,
al vfrůr vnd vnhelligkeit,
verachtung gots vnd einer oberkeit,
sicht man dar uß enttspringen.

34 Verachtung darzu groß vntrüw,
zorn nid vnd has sind da nit nüw,
wo diser geist regieret,
sin sinn vnd denck stand jm dahin,
das jm das gotswort bringe gewin,
würd schon al welt verfůret.

35 Also hat diser krieg ein endt,
got wel das sich al irthum wänd,
vnd sich die nüwen bkerind,
das alt gotzwort wirt han ein bstandt,
daß nüw stadt wie ein hus vff sand,
got gäb wie dick sy es merindt.

36 Wir loben got in sinem rich,
der vns hat behůt so gnädiglich
durch sine sundre gůte,
er het sin kilchen nie verlan,
Sant vrß het noch sin baner bhan,
wie vast sy immer wůtten.

37 Sant Vrß vnd alles himelsch her,
het verdienet groß lob vnd er,
als sy hend überwunden,
jr fiend all durch gottes krafft,
sy bhůten ein lobliche eidtgnoschafft,
yetz vnd zu allen stunden.

34, 4. **denk**, Pl. von **dank**, nebst **gedank** die alte rechte Form. 35, 6. '**got geb wie**' ist 'wie (sehr) auch immer', s. Schmeller 2, 83. Zarncke zu Sebastian Brant S. 393. Soltau 457 **Gott geb wem es gefalle**, einerlei wem ..; Körner 256 **Gott geb wie er sich zanken thet**, wieviel auch ... **dick**, oft, hat sich im südd. Canzleistil lange gehalten in 'der (die, das 2c.) dickbesagte ...' **meren**, durch Zusätze in ihrem Sinn? 36, 5. Hs. **behan**, wie 35, 4 **bestandt**. 37, 4. Hs. **gots**.

Wiedereinsetzung Herzog Ulrichs von Würtemberg.

Nr. 22—26.

Die folgenden fünf Lieder, zunächst das erste, nahm Soltau aus einer „Chronica der Württembergischen Graven ꝛc. bis auff die erste Fürsten ꝛc. Wolfenbüttler Hdschr. des 16. Jh. 44. 9. Fol., 2. Abth. Bl. 135 ff., unter den Beilagen, vermuthlich nach einem früheren Druck." Doch waren sie schon damals gedruckt in einer würtemb. Monographie zur 300jährigen Wiederkehr der Schlachttage, die Würtemberg dem östreichischen Besitz entzogen u. seinem Fürstenhause zurückgaben: L. F. Heyd, die Schlacht bei Laufen den 12. und 13. Mai 1534. Stuttgart 1834. Die Beilagen 6—10 bringen diese fünf Lieder, von Ranke (Deutsche Gesch. im Zeitalter der Ref. Bd. 3) gelobt als „frische Landsknechtlieder, die sehr willkommen sind." Heyd nahm sie (S. VI) aus einer Sammelhandschrift, allerlei Würtembergisches enthaltend, und bemerkt, die vier letzten seien auch in ein (wie es scheint handschr.) Gedicht verwoben, das die Vertreibung des Herzogs 1519 und seine Rückkehr schildert; er meint, jedes enthalte „immer auch wenigstens einen Vers, der von dichterischer Seite gefallen kann." Ein Wiederabdruck ist dadurch nicht überflüssig gemacht, denn dort sind die Lieder zum Theil verwahrlost und unbrauchbar, nicht ohne des Herausgebers Schuld.

Vom Ton des ersten Liedes s. zu Nr. 40; in demselben Ton ist das zweite, dieß freilich mit sehr überfülltem Rhythmus.

22.

Ein Schön New Lied

vom Einkommen Hertzog Vlrichs von Württemberg vnd Teck.

Anno 1534. Im Mayen.

Im thon, Ich stund an einem Morgen ꝛc.

1 Hab vrlaub kalter wintter,
mit deinem tieffen Schnee.
der Sommer thutt her glaßten,
vom feyel vnd vom klee.
Da grunen jetz berg vnde Thal,
der May hatt sich beklaydet
mit blüemlin sonder Zahl.

2 Nach hohen fürsten Ehren
füren sie jeren schilt,

1, 1. Zugleich an das lyrische Volkslied anlehnend und gut landsknechtisch, vgl. S. 37. 60 und Str. 24, 6. 1, 3. mhd. glast, glesten, Glanz, glänzen. 1, 5. Hs. vnd. 2, 1. 2. Ihr Wappenschild so bunt gemalt; nach ist gemäß,

als glück sich welle mehren,
ja beyden fursten mildt,
sie sein manchem kriegs Mann khundt,
die jn jeren denst beweisen,
aus jeres hertzen grundt.

3 Landgraff Philips von Hessen
ist sich der ein genandt,
Vlrich Hertzog zu Württemberg,
jm Reich gahr wol bekandt,
Sie ligen jm Feld zu fuß vnd roß,
Württemberg zu erobern,
Land Leuthe vnnd auch die Schloß,

4 Sein sie auß Hessen gezogen,
durch die Churfürstlich Pfaltz,
darmit die Schwaben trogen,
Dort jenen Ottenwaldts,
Sie sein den Nachsten khomen an,
vnd der Regierung Läger
Zu Illingen ligen lahn.

5 Die hond sich Hoch erbrochen,
Wie jr Schwaben gewonhait ist,
Zum schlagen vnd zu stechen,
vermeint so wol gerüst,

aber vielleicht sind Zeile 1 . 2 mit 3 . 4 umzustellen. 2, 4. **ja**, eine Betheurung, die gern im Auftakt steht, wie schon mhd. jâ. 2, 6. dieß **denst** mit nd. ê wird nicht verschrieben sein, es ist nicht das einzige Mal; vergl. zu Nr. 21, 5, 3. 3, 1. **Philipps** nach Philippus, dieß lat. s an fremden Eigennamen herrscht lange vorher und nachher, daher **Marx** Marcus, **Hans** u. a., im 17. Jh. braucht man gar wieder die rein lat. Formen. 4, 3. 'Schwaben' scheint als Hohnwort gebraucht gegen das Heer der Regierung; gegenüber die 'Hessen', keineswegs bloß hessische Landeskinder. 4, 4. mhd. **jenen**, meist **ennen**, von dort her, von der andern Seite her (als Illingen liegt), hier mit Gen. wol in Verwechselung mit **jenent** jenseits, 'dort vom O. her'. 4, 5. **den nachsten (nahesten)**, näml. **weg**; an den mühsamen Weg durch den O. für ein Heer mit Reiterei hatten die Gegner nicht gedacht, sie erwarteten den Angriff von Nordwest auf dem natürlichen Wege, und lagerten bei Illingen am Abhang des Schwarzwalds auf der Straße von Stuttgart nach dem Rhein. 4, 6. 'die Regenten' hießen die östr. Landesverweser. 5, 1. **sich erbrechen**, sich übermüthig erheben, sich stolz herausmachen. Uhl. 644 **(ich) erbrich**

wan der Landgraff nicht khommen wer,
sie welten jn haben gesuchet,
was jeres Hertzen beger.

6 Den paß hand sie verhawen,
Zu Knittlingen auff der Staig,
der Landgraff solts nit essen,
sie weren dann vor Taig,
Sie haben wenig daran gedacht,
das Württemberg sein rüstung
vbern Ottenwald hatt bracht.

7 Sie hond sich sehr berümet,
jrs kriegsvolck grosse macht,
darmit sein sie gezogen,
den Tag vnd auch die Nacht,
biß sie gehn Lauffen khommen sind,
jhr Läger alda geschlagen,
der Landgraff war jn zu gschwindt.

8 Der hatt sie lassen brommen,
als zornig kriegsleüth thund,
dar zwischen jngenommen,
so gahr jn kurtzer stund,
Mockmühl, dar zu die Newen Statt,
Weinsperg mocht sich nicht halten,
das auch an Rayen gaht.

9 Der Schimpff der wolt sich machen,
Es khund nicht anderst sein.

mich vor in allen; eig. hervorschießen, herausplatzen; vgl. 13, 7. 5, 7. 'das war'. Hs. **begern.** 6, 2. Schwarzwaldpaß auf der bezeichneten Straße, zwischen Maulbronn und Bretten. **Steige**, steile Straße über ein Gebirge, s. Schm. 3, 622. 6, 4. Hs. **waren.** 'er hätte sie denn zuvor teig geklopft' (die **Knitl, Knödel**, d. i. Holzbirnen), nur nach hartem Kampfe; Heyd merkte das Wortspiel nicht. 7, 1. Hs. **berümptt.** 7, 3. sobald sie hörten, der Feind sei bei Neckarsulm aus dem Odenwald aufgetaucht, also auf bequemen Wege nach Stuttgart. 7, 5. Dorf **Laufen** links am Neckar, nah bei Heilbronn, am andern Ufer das Städtchen gleiches Namens. Hs. **sein.** 7, 7. Hs. **Inen .. geschw.**; der Dichter wird **zgschwind** gemeint haben. 8, 1. **brommen** Heyd, die Wolf. Hs. **kommen.** 8, 5. Möckmühl an der Jaxt, Neustadt am Kocher. 8, 7. 'mit daran muß'; bei solchem Tanzenmüssen mochte meist das Bild des Todtentanzes vorschweben. 9, 1. 'das Turnier war am Be-

Man hört die Hessen krachen,
neben Heydelberg herein,
die Landtwehr hands eingnommen,
da sein die schwäbische Reütter,
das erst mahl an sie khommen.

10 Hond sie wenig besehen,
zu Ruck sich wider gewendt,
hör ich von denen jehen,
So dabey gewesen send,
Hertzog Philips der pfaltzgraff guht
ist hart worden geschossen,
Gott hab jn in seiner huot,

11 Vnnd woll jn gesund bewahren,
den frommen fursten werd,
vom Läger mußt er fahren,
so gahr mit keiner gferdt,
Des Edlen Helden Degenheit,
wer er zerbrochen worden,
wer den frommen Landtsknechten laid.

12 Mann thutt auch glaublich sagen,
beid fürsten Hochgemelt,
nach erfahrung solches schadens,
gantz Traurig in jerem gezelt,
den frommen fürsten sehr geklagt,
Dann (jeder) jn sonder laide
von Hertzen mit jm tregt.

ginn'. 9, 3. mit Geschütz. 9, 4. Heydelberg, das pfälzische Gebiet so genannt (das die Hessen nicht betreten durften)? oder ein Berg? 9, 5. **Landwehr**, würtemb. Grenzwall und Graben (vgl. Heyd S. 29. Schmeller 4, 130), bes. den 'Landthurm' dazu gehörig. 10, 4. Hs. **feind**; **fend** ist schwäb., fränk. (Solt. 291), bair. (Körner **fen : amén**). 10, 5. der östr. Statthalter und Feldhauptmann, ein tapferer Biedermann. 10, 7. **in** von mir. 11, 3. er wurde nach Stadt Laufen geschafft, dann auf den Asberg. 11, 4. ungefährdet von den Feinden, die ihn achteten; Herzog Ulrich schickte ihm, noch als Feind, seinen Leibarzt zu. 11, 5. Heyd bessert: 'd.e. Degen Heldenheit', wol wegen **zerbrochen**, d. i. tödtlich verletzt (es war eine Stückkugel), vgl. **radebrechen**, mit dem Rad zerschmettern. 12, 2. Hs. **hochgedach**. Philipp u. Ulrich. 12, 5. 7. Reim **kleit : treit**. 12, 6. **jeder** ist von mir;

13 Den abendt vnsers Herren,
als er zu himmel fuhr,
fünfftzehn hundert dreißig viere,
von seiner geburth war,
auff einem Mittwoch es geschach,
das sich das kongisch Läger
zu streitten ahne brach.

14 Hessen thett sich nicht saumen,
zu schimpff gahr wol gerüst,
wolt auff der kürbe kromen,
Die Schwaben auff jerem Mist,
Die hand am nechsten die flucht genommen,
der erst vff Bubacher staige,
der hatt die Hosen gewunnen.

15 Zu Lauffen sein sie gelegen,
die Schwaben ohne Zahl,
Sich deß nit wellen verwegen,
der Angel was jn zu schmahl,
den woltens nit zum vorthel han,
hand sich auff Lauffen vertröstet,
Das hatt jn auch güettlich than.

vermuthungsweise. 13, 1. Zweiter Schlachttag, vor Himmelfahrt; **Abend**, wie gewöhnlich, im Sinn des frz. veille, Vorabend (eines Festes) und dann der ganze Vortag. 13, 6. die 'Königischen', die Partei König Ferdinands. 13, 7. 'vorwärts gieng', das Plötzliche und Stolze zugleich bezeichnend, vgl. das **anbrechen** von Sonne und Mond (Opitz); **an** bez., wie oft (**angehen**) den Beginn, und den stätigen Fortgang einer Bewegung, wie engl. on. 14, 3. 'auf der Kirchweih einkaufen', mhd. **krâmen**, Hebel **chrome**; Landgraf Philipp und Kurf. Johann Friedrich sind 1542 (Wolff 126) dem Herzog von Braunschweig **zu frü auff die Kerbei kommen.** 14, 4. 'die doch für ihren Grund und Boden fochten', wie ein tapferer Hahn auf seinem unbestrittenen Terrain, s. Nr. 25, 6. 14, 6. 7. Nach der Bubacher (Bibacher) Steige gieng die Flucht, Heyd S. 33, als gält es einen Wettlauf, bei dem jeder den besten Preis will, vgl. so **um die Braut laufen** Nr. 41, 6; hier ist der Preis ein Paar Hosen, wie noch in der Schweiz bei dergleichen Wettkämpfen. 15, 1. 'Bei L. lagen sie ja auch'. 15, 3. (haben) sich dazu nicht entschließen können, hatten den Muth nicht dazu (zum Kampf bei L.). 15, 4. **Angel**, Winkel; wol Kunstausdruck beim Wettlauf, Ort zum Wenden; wird zugleich das Terrain des Schlachtfelds im Neckargrund zeichnen. 15, 5. Hs. **der**; **vorthel**, auch doppelsinnig,

16 Wer Lauffen nicht gewesen,
Sag ich zu diser frist,
Ir vil weren nicht genesen,
den jetzund nichts gebrist,
Streichenberg kontens nicht verlohn,
das hands zum vorthel gwonnen,
Ihr gschütz zum theil lan stohn.

17 Die Roß vnnd auch die Wägen
mit sampt dem prouiandt,
Ist den Schwaben entlegen,
Sie kauffens nicht so weit,
Man sagt sie haben sich nicht verstoln,
darzu auch nicht geflohen,
Sonder wellen mehr Reütter holn.

18 Fürbaß sein sie gezogen,
beyd fürsten Hochgedacht,
ist war vnd nit erlogen,
vff Stuttgardt mit gantzer Macht,
Neben Aschberg sein sie khommen hin,
das sie den liessen ligen,
hatt auch seinen Sinn.

19 Sie hand sich still gehalten,
vnnd kheinen Schuß gethan,
biß die Landgräuischen wägen
zu letst hond für wellen gahn,
Der hand sie ettlich abgeloffen,

vom Terrain zur Schlacht (Nr. 18, 20, 5) und zum Lauf. 16, 4. Hs. **Dann.** 16, 5. auch spottendes Wortspiel; am **Strichberg** (Heyd S. 57) hatten sich die Königischen gelagert, der **Streichenberg** aber, den sie nicht verlassen konnten, meint **streichen**, ausstreichen, ausreißen. 16, 6. in der Hs. corrigiert **genommen**, das scheint den Berg zu meinen als Stütze der Schlachtordnung, **gewonnen** aber besser meint mehr das Ausstreichen und den Geschützverlust, 'Vortheil' hieß nämlich auch der Vorsprung beim Spiel. 17, 4. **weit** bei Heyd; die W. Hs. **wnrt**; 'es war ihnen zu weit zu holen, mitzunehmen'? aber der Reim? 18, 5. die Bergfeste, Hohenasperg, in der landesüblichen Aussprache, so schreibt Schubarts Gattin (Schubarts Leben in seinen Briefen, h. v. D. Fr. Strauß) immer 'Aschberg'. 19, 1. die Besatzung der Feste. 19, 4. **für**, vorüber. 19, 5. **der**, Gen.; **ablaufen**, abjagen, durch plötzlichen Anfall, Sturm nehmen (einen Theil des hess. Trains); so ein

mit einer solchen beütte,
deß Burges Thor getroffen.

20 Vond darmit Ehr eingeleget,
als Vlm eins mahl gethon,
ward jnen jr vich vmbheget,
vorn Thor getriben daruon,
Dem eylten sie nach mit sonderm wahn,
jagten den feinden ein Spihlmann ab,
das vich mußten sie lahn.

21 Stuttgartter sich ergaben,
vnd andere flecken vil,
die haben jere stette
so gahr jn kurtzer weil
mit brieffen jn karnier gethon,
den fürsten vberantwortt,
die habens genommen an.

22 Noch halten ettlich Schlosser,
duncken sich wacker sein,
die hand zu fuß vnd rosse
groß Hansen genommen ein,
den ist die Laug gemacht zu Law,
wellens sies nit gerathen,
der Schärer ist auch da.

schloß absteigen, durch Erstürmung n. Wolff 284. 19, 7. glücklich erreicht. 20, 1. Hs. eingelegt. 20, 3. Hs. vmbheckte; 'ihr eingehegtes V.' 20, 4. wol eben von Würtembergischen, die mit der beneideten reichen Reichsstadt viel Haders hatten; Hs. vonn. 21, 3. statt meint die politische Commun. vil: weil, vgl. zu Nr. 42, 7 und S. 60. 21, 5. 'der Karnier, lederne verschließbare Tasche für Acten und Schriften'. Schm. 2, 330; sie hatten ja dem König Ferdinand Erbhuldigung thun müssen. 22, 4. von Adel, vgl. Nr. 32, 16. 22, 6. gerathen, entbehren; 'wollen sies einmal nicht anders'. 22, 7. der Bader, um zu heißerm Bad einzuheizen, vgl. Nr. 30, 25. 28, 5. Den Belagerten auf Hohenkrähn wird (Uhl. 473) das Bad zu heiß. So wird einem 'schwarzen Mönch' (Dominicaner) auf dem Reichstag zu Augsburg, der ins Bad buhlen geht, von einem schabernackischen Hofmann wörtlich das Bad zu heiß gemacht (Frankf. Liederb. Nr. 135): den Riegel stieß er heimlich für, das Fewr das thet er schüren .. das Bad jn werden wolt zu heiß u. s. w., bis beide zu schreien anfangen und erlöst werden, zum Spott

23 O Gott jm höchsten Saale,
vnd Himmelischen kraiß,
Du wellest zu deinem Lobe
anschicken dise Raiß,
Dardurch dein Nam werd Ewiglich,
gelobet vnd gepreyset,
Im gantzen Rhömischen Reich.

24 Dar zu wellest du erleuchten
keyser vnnd königliche Cron,
mit dem Geist befeüchten
Churfürsten vnd fürsten fron,
vnd auch gemeine Ständ jm Reich,
den frommen fursten von Wirttemberg,
vnd Hessen desselben gleich.

25 Den wellest lang lon walten,
mit freüden reichem muht,
Der wirtt noch lang erhalten
manchen frommen Landtsknecht guht,
Die fernd die Ernd am Rhein han gschniten,
vnd den vergangnen Wintter
vff disen krieg gepiten.

26 Der vns das Liedlin hatt gemacht,
von Newem gesungen hatt,
der hatt so lang gewarttet,

des Hofes. 23, 4. **anschicken**, rüsten, zur Heerfahrt, denn das ist Reise urspr. und hier, wie noch oft; Uhl. 487 von H. Ulrichs Auszug 1516 **der fürst zoch in die raise**; gegen den Lindenschmid Uhl. 358 verlangt der Markgraf von Baden Junker Caspers Hilfe: **er solt im ein reislein dienen**; ebenso **reisen**, noch im neueren Volkslied, Nr. 62, 2, 3. 24, 2. Kaiser Karl und König Ferdinand. 24, 3. altes Bild für Weihe durch den h. Geist. 24, 6. Hs. **dem**. 25, 1. L. Philipp, ein guter Arbeitgeber für die Landsknechte. 25, 5. daß sie nicht mehr so unritterliche Arbeit thun müßten! am Oberrhein und im Elsaß, wo bei der Ernte Hilfskräfte nöthig sind. **fernd**, vorm Jahre, mhd. vert. Uhl. 394 klagt ein Reuter: **O reiserei, du harte speis! ... bei einem purger wär mir paß, und hulf** (Conj.) **der dirne mähen gras**. 25, 7. **beiten**, warten. Der Landgraf hatte seinen Anschlag aufs höchste geheim gehalten, er mußte wol; die Landsknechte aber hatten ihn also doch geahnt? 26, 3. Hs. auch hier **erwartet** (durch Warten gewinnen),

biß er erwarttet hatt,
das Württemberg zu diser frist,
seim angebornen Herren
wider geantwortt ist.

27 Er hatts gahr wol gesungen,
auß frischem freyen Muht,
Er ist wol jnnen worden,
wie scheiden vom Vatterlandt thutt,
Die Churfürstlich Pfaltz hatt jn ernehrt,
So lang dem frommen fürsten
sein Landt ist worden entwerdt.

obiges bei Heyd. 25, 6. Hs. sein. 25, 7. entweren, Gegensatz von geweren, gewähren, mhd. entwern, wern.

23.

[Der Reimchronist leitet die folg. drei Lieder, zunächst das erste so ein:]

Wie es weitter deßhalb ergangen
Wirt aus folgenden Liedern verstanden,
Das ein das war hier zwischen gemacht,
Dessen Ich sonders genommen acht.
Dann als ichs zuerst thett hören
Da thett Ich mich zum Singer kheren,
Verehrt Im wol ein halbes pfundt
Darmit er mir dasselb auch sung.
Das hatt gethon mit guttem willn
Ich beschreibs von Im In einer stilln
Vnd will das Jetzund fahen an
Mag wol nit gfallen Jederman.
Wer misfall hatt, der kher sein Ohrn
Zuruck, das es Im nicht thu Zorn.

Die einleit. Worte sind zu lehrreich, um nicht mitgetheilt zu werden; der Dichter thut sich da nach den besten Actenstücken um, ein halb Pfund Pfennige für Ein Lied ist kein geringer Preis. 3. 'war währenddem g. worden', während der Ereignisse. 6. 'wandte mich an ihn'. 10. 'schriebs auf' aus seinem Munde. 12. nit, Hs.

In einer welt erzürnt man sich
Der ander gibt man gahr drumb nicht.

Folgen also hernach die Lieder von Hertzog Vlrichs einkhommen.

1 Wolt jr mir nit verybel han,
jch fahe ein Newes liedlin an,
Der karr will wider für sich gahn,
die Redlein sein fein auff der Bahn:
So hört man jetz vil Newer Mehr,
wer Hertzog Vlrich nicht leiden mag
dem traumet nachtzen [mächtig] schwehr.

2 Die Mähr sein gahr bald khommen,
gehn Stuttgart hin wol auff den Marckt,
Jetzo schlecht man die Trommen,
Pfalzgraff Philipp der rüst sich starck,
da hört man so ein seltzam Tausch,
dem ein theil weint das Hertz jm leib,
der ander lacht [won] jn die faust.

3 Der Reiche wolts gern verschweigen,
das es nit würde offenbahr.
Dem einen theil warens feigen,
dem andern wolffsdräck jm Haar.
Ey wol ists ein vngleiche Speiß,
wer H. Vlrich deß sein will wehren
der ist für war nicht [gahr recht] weiß.

nu. 15. welt, Zeit, Zeitalter, 'seculum', wie frz. siècle, den bestimmten Zeitgeist einer Epoche umfassend, s. Schm. 4, 74. 16. in der a.? 'in der a. macht man sich gar nichts draus', auch das Urtheil ändert sich.

1, 1. Hs. ver ybel, Heyd für ü.; ebenso oft verhanden, vernicht (Nr. 11, 33, 8), verglimpf Solt. 237, verspot Solt. 361 = für ein spot auf derselben Seite. daher 'verübeln'. 1, 6. Wer bei Heyd, fehlt in der Wolf. Hs. 1, 7. nachtzen, Heyd nachtsen, muß eine Weiterbildung von nachts, mhd. nahtes sein, wie es scheint mit der Bedeutung 'alle Nächte'. Schmid, schwäb. Wörterb. hat es nicht; vielleicht aus nahtes an, wie allez an? 2, 4. Hs. Landgraff, s. Nr. 24, 10. 2, 7. won, mhd. wan, nur; Heyd lacht ihm. 'in die Faust', denn offen durften Ulrichs Anhänger noch nicht jubeln. 3, 4. 'Feigen' hießen auch die Excremente von Thieren, z. B. Pferden; nun sind zwar hier wirkliche Feigen gemeint, aber die 'Wolfsdreck' hießen wol auch so? gewiß mochte mancher Wandernde

4 Man rüst sich jn der Cantzeley,
wol sach es einem krieg so gleich,
noch ein wörttlin merckt auch darbey,
dort oben jm Rhömischen Reich,
da nam man an vil freyer knecht,
vnd schickts den nächsten Gaißspitz zu,
Sie wurden gefangen wider Recht.

5 Das geschah von herrn zu Württemberg,
So da nit mehr Regierer seind,
der Landgraff schneit jn dortt zu werck,
darumb sein sie jm also feind,
Hertzog Vlrich desselben gleich,
Reüttlingen will wider Nachpaur werden,
vnd andere Stett jm Rhömischen Reich.

6 Vil Edle fürsten vnd vil herrn,
die haben sich zusamen thon,
Hertzog Vlrich zu einer Ehr,
vnd haben jhn bald wissen lohn,
Jhr Schwäbischer Bund der sey aus,

dergleichen im Haar finden, wenn er von einem Schläfchen im Wald oder Feld aufstand, und daran hieng gewiß ein Aberglaube. 4, 1. der Sitz der 'Regierung'. 4, 4. wie Östreich als Erbland des Kaisers im Sprachgebrauch sich vom 'Römischen Reich' ausnahm (heute noch östr. 'draußen im Reich'), so machten es auch andere geschlossene Herrengebiete und nannten von sich aus Röm. Reich bes. die Gebiete der Reichsstädte, vgl. 5, 7; hier wird die Gegend von Ulm gemeint sein. Die Landsknechtwerbung, mit der 17 Hauptleute beauftragt waren, wäre demnach eine gewaltsame gewesen (annemen heißt auch festnehmen, arretieren), vermuthlich an den Grenzen des Ulmer Gebiets. Die Landsknechte hatten meist eine bestimmte Parteigesinnung, wenn sie ihr auch nicht immer folgten; hier sind wahrsch. protestantisch gesinnte zu denken, der Stuttgarter Hof war katholisch, die Gegner lutherisch. 4, 6. Hs. da n., s. Nr. 24, 4, 5. Jn dem L. von denselben Dingen in Mones Anz. 8, 189 fg. hat der Dichter 'zu Gaißspitz' gehört, wie H. Ulrich viel Anhänger habe, und 'gen Geyspitz' kommt die Schar von der Regierung geworbner Knechte; wo liegt der Ort? ein Spottname? Heyd: „was damit gemeint sei, weiß ich nicht." 5, 1. von, d. i. von'n, von den; Hs. vom. 5, 3. 'schnitt ihnen Arbeit vor', gab ihnen ein Pensum ('zu schaffen'), wol zum Spinnen; vgl. Mone's Anz. 8, 487 von der Burg Magdalun: dâ wabset ouch der frowen werc, langer hanf und linder flahs. 5, 6. Reutlingen, Reichsstadt (die man schlechthin 'Stätte' nannte); gute Nachbarschaft halten mit H. Ulrich; am Rand der Hs.: Reüttlingen Rew. 5, 7. wie Eßlingen, Heilbronn, Dinkelsbühl, Schwäbisch Hall. 6, 5. der Schwäbische

sie wolten jm wider helffen,
Gehn Württemberg wol jn sein Hauß.

7 Der Statthalter ein tewerer fürst,
von Bayern an biß an den Rhein,
Jn hett nach grossem vnglück dürst,
zu lauffen welt er vordrist sein,
wolt vertreiben das Jägerhorn,
wer er jn Bayerland pliben
so hett er kheinen fuß verlorn.

8 Der Speht vnd auch mit jm der Stauffer,
deren anhang mit sampt jr hauff,
gewahnten ein ferlin zlauffer,
das zogen sie bey jnen auff,
Jetzund ists so ein grosses Schwein,
sie tribens gehn Stutgartt hinein,
so mag es doch zum Thor nit ein.

9 Sie woltens gern verkauffen,
dann sie jn zu Nachts last khein Rhuo,
sie tribens dort hin zu lauffen,
die Bauren sahen jnen zu,

Bund, alter Hauptgegner Ulrichs, kurz vorher in sich zerfallen. 7, 1. Pfalzgraf Philipp. 7, 5 das Jägerhorn, das Symbol des jagdlustigen Ulrich, vgl. Nr. 25, 1, 8. Uhl. 481. 485. Solt. 244; doch schon früher dient Horn und Jäger als Bezeichnung der würtemb. Fürsten, Solt. 141. 145, veranlaßt wol durch das Hirschhorn ihres Wappens. 7, 6. **Bayerland**, darüber von ders. Hand **der pfalz**. 7, 7. in die Ferse ward er bei Laufen geschossen. 8, 1. **Dietrich Spät**, dem Land tödtlich verhaßt; er war bevorzugter Günstling des Herzogs in seinem Glück gewesen, jetzt eifrig östr. gesinnt und zweites Haupt der Regierung, anmaßend und feig. Der Staufer, ein alter Gegner des Herzogs, Uhl. 490 (a. 1519) **Jörg Staufer, ain redlicher edelman.** 8, 2. **hauff** bei Heyd, die W. Hs. **hilff**. 8, 3. Hs. **gewahnen** (das **a** aus **o** corr.), gewöhnen, die rechte älteste Form, mhd. **gewan** 'gewohne', doch auch schon **gewon**. **ferlin**, Ferkel. **zum L.** bei Heyd, W. Hs. **zlauffen**; Heyd: 'sie machten aus jungem Volk Kriegsleute. Laufer heißt ein Schwein unter einem Jahr', vgl. Schm. 2, 445; es sind wol Leute gemeint, die man mühsam zu östr. Gesinnung erzogen hatte, die nun zum Kampf sich sträubten, nach Lauffen gleichsam auf den Markt getrieben wurden und zuerst flohen (vgl. Nr. 24, 12); das Spottbild wird genau durchgeführt. 9, 1. die Sau. 9, 4. theilnahmlos, denn die Landbevölkerung harrte lange auf des Herzogs Wiederkehr, der ihren Haß gegen

da pfiff man jn den krotten tantz,
meinten, hetten den Hirsch beym Horn,
so hielten sie die Saw beym Schwantz.

10 Der Landgraff war der pfeiffer,
So jnen wol den Rayen pfiff,
H. Vlrich thet sein Horn ergreiffen,
vnd bließ einher vil scharpffer pfiff,
Ihr Saw fieng alsbald an vnd grin,
sie namens bey beeden ohren,
vnd schleifftens [endtlich] mit jn hin.

11 Es möcht jetz einer gedencken,
das dem fürsten sein Schmach wer laid,
Jetz khommen sie mit den Schwencken,
Sie haben geben Trew vnd aydt,
dem konig mit vffgehabener hand,
sie müßten jm helffen behalten,
das gantz Wirttembergisch landt.

12 Wer hatt sie darzu gezwungen,
das sie den Ayd erstattet hon,
haben sie auch nach Ehr gerungen,
oder gstelt nach grossem lohn,
Solten wahrlich noch doppelt Sold,
Hertzog Vlrich waist wol wer sie seind,
[Er] ist jnen für war nit hold.

13 Wie hatt das Landt vberkhommen,
konigliche Mayestat,

Adel und Prälaten theilte. 9, 5. wieder Musik der Geschütze die zum Tanz aufspielt; **krott**, m. ist Kröte. 9, 7. die fliehende, um sie zurückzuhalten? Heyd: „machten mit ihren Leuten links um“; wol von einer Volksbelustigung entnommen. 10, 3. thet fehlt in der Hs.; **thets**? 10, 4. in der Hs. **piff**, das wäre pfälzisch. 10, 5. Hs. **grim**; **greinen**, mhd. **grînen**, knurren. 10, 7. für die 7. Zeile war es am nöthigsten, die späteren Zusätze ungefähr anzudeuten; ihr kommen bloß drei Hebungen zu. 11, 2. welchen Schmerz der Herzog von seiner Verbannung hat; ‘daran sollte man doch nun denken’. 11, 3. bes. Stuttgart. **schwänke**, wie **bossen**. 11, 7. Hs. ‘**Wirttemb.**’ 12, 5. ‘sind noch in dopp. Schuld’, werdens d. bezahlen müssen; **soln**, schuldig sein; **solten** ist entw. Conj., oder verschrieben für **sollen**, oder verwechselt mit **solden**, bezahlen, wie das vorkommt, in

vnserm frommen fürsten gnommen,
wider Gott vnd all billigkeit,
Man namb jms gutt auch weib vnd kindt,
man such es jn den Chronicken,
wo man auch dergleichen find.

14 Darumb ist Gott gahr khein Bayer,
Sonder ist vnser aller Hirt,
Es sitzt ein gans ob den Ayern,
biß das Näst voll genslin wirt,
Also hatt sich der Speht regiert,
vnd manchen frembden biderman
In vnserm land zu jhm verführt.

15 Biß das er hatt vberkhommen
gegen fürsten ein schlechte gunst,
wer Hertzog Vlrich nicht so fromme,
Er trib mit jm ein ander kunst,
Thett auch solches mit fug vnd glimpff:
O frommer fürst von Württemberg,
zeuch [grossen] druß jn einen Schimpff.

16 Ich besorg vil böser karten,
han wir noch jn vnserm Spihl,

Sold hier vorliegt, das Schuld meint (auch Suld geschr.); s. Schm. 3, 230. 13, 4. kait : Mayestat bair. Reim, oder auch fränk.; der Dichter könnte danach auch dem Rieß oder der schwäb. Alp angehören, vgl. Schmid, schwäb. Wörterb. S. 584. 13, 5. Herzog Christoph, der in östr. Landen erzogen wurde. 13, 7. wo solches Unrecht zu finden sei; die Hs. auch mehr, aus Misverständniß. 14, 1. 'Deswegen aber (trotzdem) ist Gott doch durchaus kein Bajer', dieß seltsame Sprichwort (b. Simrock, D. Sprichw. Nr. 696. 3922) auch Nr. 30, 13, beidemal im Sinn: er läßt sich nichts auf die Länge gefallen (vgl. Nr. 25, 2); von den Schwaben aufgebracht, die damit heimzahlten, was sie unter Sprichwörtern zu leiden hatten? Auch der Schweizer Joh. Lenz hat es in s. Reimchronik vom Schwabenkrieg 1499 (herausg. v. Dießbach, Zürich 1849) S. 22; er klagt von dem Ehbruch im franz. Königshause: **Für war gott ist kein peyer nitt Er kumpt mitt straff zu siner zit** und dann überaus trefflich: **Wol hin** (nun wohlan!) **das empfil ich gott.** 14, 5. **sich regieren**, sich zu bethun wissen, von betriebsamen Leuten, Schm. 3, 66. 15, 1. bis, wie bei der brütenden Gans, die nothwendigen Folgen kamen, die östr. Partei selbst stieß ihn, verarmt und flüchtig, von sich; da der Dichter dieß sang, war er jedoch noch im Lande. 15, 7. zieh deine Kränkung in einen Scherz; Empfehlung der Milde nicht bloß gegen den Späten. 16, 1. böse Karten im Spiel auch b. Uhl. 482.

die hoffen vnd thon wartten,
du werdest doch der jar nit vil
Regierer sein jn Deinem Landt,
Ich wolt der Teüffel hetts ein theil,
oder holet sie allesant.

24.

Noch eins bracht er auff die Bahn,
Vnd gab mirs gleich dem vorigen an.
Das hab ich auch fein beschriben
Darmit mein lust vnd weil vertriben,
Vnd hatt dieselbig nacht khein Rhuo,
Biß das michs lehrt singen darzuo,
Wie Ichs auch offt gesungen han,
Thet nit alweg wol mit bestahn.
Aber man find alwegen Weltkindt
Hencken den Mantel nach dem Wind.
Darfür lasse Ich sie sorgen,
Sings lieber heut dann morgen,
Schweig (ich) so singens Genß Im Bach
Oder man schreitts auß auff dem Tach.

Einleitung des Chronisten: 8. vor Freunden der vertriebenen Regierung. 13. 14. **ich** von mir eingesetzt; oder ist **schweig** Imperativ? auch fehlt zuweilen das Pronomen so, wie mhd., dann wäre **schweig** Conj.: 'wollt ich auch schw. — — so allgemein ist die Begeisterung für den Herzog'. — Das Lied liegt mir in fünf Fassungen vor, aus dem Wolfenb. Chronisten, bei Heyd S. 77, bei Wolff 587 aus W. Steiners Chronik in schweiz. Färbung, bei Mone Anz. 8, 186, und in Leysers Nachlaß abschr. aus einem flieg. Bl. der Zwickauer Bibl.; die beiden ersten mit 9, die andern mit 19 Strophen. Mones Quelle ist die große Schadische Handschriften-Sammlung in Ulm, dabei die Melodie, die leider nicht mitgetheilt ward; das flieg. Bl. hat den Titel: Ein hübsch new Lied vom land Wirtemberg, wie es erobert und eingenomen, ym xxxiiij. Jar, vnd singts jm thon, wies Frewlin von Brithania [Uhl. 455?] odder ym thon von der schlacht Pavia zu singen [Wolff 657] ꝛc. 4 Bll. 8°. Mone gibt als Überschr.: Ein schön Lied von Hertzog Vlrichs ꝛc. Einkhommen in Seiner aignen Melodey. Der Chronist beklagt sich (unten S. 171), daß er vom Liede etlich Gsätzlin verloren habe, und wirklich zeigt sich die kürzere Fassung als aus der längeren zusammengeschnitten, ja die Strophen sind zum Theil durcheinander gesungen, zertheilt, versetzt, halb oder nur zeilenweise; manches ist aber auch kräftiger gefaßt. Hätten wir damit an der Quelle einen deutlichen Fall der Veränderung, wie sie

1 Ich lob Gott in dem höchsten Thron,
er hat khain Diener nie verlon,
der im keck hat vertrawet,
daß ist an Hertzog Vlrich schein,
Gott hat im wider gholfen ein,
mit seinem wort erbawet.

2 Dan es ist jetz funffzehen Jar,
der edel fürst vertriben war
aus seinem aignen Lande,
gschach durch die falsche Diener sein,
sie han in bracht in schwere pein,
ist in ein grosse schande.

3 Er ward auß seinem landt verjagt,
daß Göttlich Recht ward im versagt,
wie oft er Rechts begehret,
Rüefft König vnd auch Kayser an,
auch Fürsten, Graven, Edelman,
ihr keiner ward gewehret.

4 Zu Augspurg man im die antwort gab,
so ehr daß Land verloren hab,

den Liedern im Gedächtniß widerfuhr? denn der Chronist hat es zu lernen gesucht und danach aufgeschrieben, nicht gleich aus des Sängers Munde. Der Raum erlaubt nicht, die kürzere Fassung genau zu beschreiben; ich habe der bei Mone zu folgen, mit Vergleichung der Leyserschen und Wolffschen. Vom Ton s. S. 27.

1, 3. **kecklich** nur der Chronist und Heyd, Mone und Leyser **der im hat v.** mit mangelndem Auftakt (s. zu Nr. 42, 60), Wolff **d. im h. wol v.** 1, 4. Hs. **schain.** 1, 5. Leys. **widder.** so **dd** öfter, Zeichen eines mehr nördlichen Druckortes. 1, 6. L. **Unnd mit.** Ulrich war im Exil für die Reformation gewonnen worden; daß das Pronomen ausgelassen werden kann, wenn es kurz vorher, obwol in anderm Casus stand, ist erlaubt in großer Ausdehnung. 2, 2. **daß** zu denken; L. **ward,** das ist auch in **war** gemeint, s. S. 125. 2, 6. Hs. **im,** L. **yhnen.** 3, 2. Hs. **d. G. Wort,** L. W. **recht**; nicht etwa nur das canonische, auch das weltl. Recht war eine Einsetzung Gottes, der 'zwei Schwerter auf Erden ließ, das geistliche dem Papst, das weltliche dem Kaiser', Sachsensp. 1, 1. 3, 4. L. (W.) **er rufft K. unn K. an.** 3, 6. die Hs. misverst. **ihr k. hat ihn g.,** aber die Fürsten u. s. w. baten mit für Ulrich, unaufhörlich, auf allen Reichs- und Landtagen; W. dieß deutlicher: **durch Fürsten, Gr., E.**; mhd. **gewern einen eines d.** 4, 1. Reichstag von 1530, auf dem eben König Ferdinand mit Würtemberg belehnt wurde.

mit dem schwerdt solt ers gewinnen,
daß thet er jetz nach fürsten art,
an seinen feinden nit gespart,
sie sinds wol worden jnnen.

5 O Dieterich Spät waß hastu thon,
wolst Hertzog Vlrich vertriben hon,
auß seinem Vaterlande,
jetz mustu drauß, zeucht er darein,
ist deinem Hertzen ein schwere pein,
darzue ein große schande.

6 Du hast geführt ein grossen pracht,
mit deim Anhang ein Hauffen gmacht,
gehn Lauffen an ein raine,
da namen sie den Vortheil ein,
sie mainten alle sicher sein,
daß was ihr aller maine.

7 An einem zinstag es geschach,
je einer zue dem andern sprach,
ich hab ein hauffen gsehen,
da huob sich ein Scharmützel an,
der Statthalter war fornen dran,
des muoß ich im verjehen.

8 Geschossen ward ihm auch sein Pferdt,
daß er muest fallen zu der erdt,
er ward auch selbs geschossen,

4, 3. viell. vom Kaiser im Ärger geäußert. 4, 4. L. des thut (der Chronist das thet) er yetzt durch F. a., die Ulmer Hs. daß hat .. nach f. A., Wolff daß hat er than nach F. A. 4, 5. nit, nichts, L. nie; Chr. nichts. 4, 6. Chr. die s. 5, 2. Hs. daß du (fehlt L. W.) wolst; so wird mhd. ich wil gern mit dem Inf. Prät. verbunden. 5, 4. L. so zeucht er drein. 6, 1. Hs. gefiehret, und öfter ie für ü (7, 4. 14, 6. 17, 3. 6. 18, 4), wol von dem oberländ. Schreiber. 6, 2. Hs. dein. 6, 3. L. thon l.; die Ulmer Hs. meint doppelsinnig 'nach Lauffen' und, den Erfolg vorausdeutend, 'laufen gehn'. Rain, Thalrand. 6, 6. Hs. Mainung, Leys. meyne, mhd. meine. 7, 1. Hs. geschah, wie immer, statt geschach; der Schreiber meinte aber gewiß noch kein stummes h. 7, 6. Hs. daß m., L. des wil, 'das muß ich ihm zugestehn'. 8, 1. Hs. wordt, wie Z. 3, wol unterm Eindruck der Verwechselung mit war; was die Hs. wor schreibt (auch worlich, dorumb), lang a meinend. 8, 2. er, L. W. es. 8, 3. L. selbs auch,

er het sonst warlich das best gethon,
aber also mocht er nit beston,
das hat in sehr verdrossen.

9 Am Auffart Abendt es geschach,
am Morgen da der Tag herbrach,
der schimpf der wolt sich machen.
Der fürst kam her mit seinem heer,
der Spät der satzt sich auch zue wehr,
vergangen was ims lachen.

10 Der Fürst wünscht in ein guoten Tag
daß mancher auf der erden lag,
sich huob ein großes trawren,
der Reysig Zeug was fornen dran,
dem Asperg zue den nechsten ahn,
daß Fueßvolkh über dmauren.

11 Es geschach an einem Wingartrein,
ein jeder floch den nechsten heim,
bey einer Statt heist Lauffen,
sie hat den Namen nit umbsunst,
wer lauffen mocht das war ein Kunst,
Gott well sie darumb straffen.

W. sust auch. 8, 4. Hs. W. hat, L. het. 8, 5. konnt er nicht bleiben; er wollte durchaus in einer Sänfte bleiben und fortbefehligen. 9, 1. Tag vor Himmelfahrt. Hs. Auffer, die gemeine Ausspr., L. Auffart. 9, 2. Hs. anbrach, L. W. herbrach; so immer in den serbischen Liedern: 'Morgens aber als der Morgen anbrach' u. ähnl. 9, 4. H. Ulrich gemeint, Landgraf Philipp wird in diesem Lied ganz übergangen. L. W. der kam mit. Hs. Herr, auch 18, 2, Heer gemeint. 9, 5. Hs. sezt, L. satzt; W. ändert sezt sich kum zur W. 10, 1. mit Geschützen, vgl. Nr. 29, 37. 36, 30. Hs. im, dem verhaßten Spät bes., L. W. ihnen. 10, 3. Hs. erhuob, L. W. hub. 10, 4. die Reiterei; Hs. Reüßig Zug, L. Reysig zeug; 'Zug' hat nur den Umlaut nicht, W. schweiz. züg. 10, 5. so Heyd, der Chr. (nur da für den), L., die Ulmer Hs. dem n., W. der Asperg vff der n. Ban; es heißt: (immer) vorwärts (an, s. zu Nr. 22, 13, 7) den nächsten (Weg, s. Nr. 22, 4, 5); an kann auch 'aufwärts' sein. 10, 6. die Mauern, wol der Weinberge, hinter denen sie sich sicher meinten. 11, 1. Berglehne mit 'Weingärten', am Neckar. 11, 2. Hs. am n., L., W., Heyd den n., Chr. da n. 11, 3. nur der Chr. 'die' hieß. 11, 4. umbsonst. 11, 5. Chr. möcht, Heyd gar möcht .. wär, kräftiger gemacht. 11, 6. die Stadt. 12, 1. 'hatten kr.

12 Sie wolten kriegen wider recht,
schneider, weber vnd Pfaffen knecht,
vil vngeschickhter Leute,
sie fluhen hin mit gantzem heer,
vnd fielen in ihr aigen wehr,
daß war ihr rechte beute.

13 Wann ihn der Fürst hett übel gewölt,
der Raisig Zeug hets all ertödt,
daß keiner darvon wer khommen,
er schonet seiner Landtschaft dran,
er hat noch manchen küenen man,
der edel fürst so fromme.

14 Sie flohen hin mit gantzem gewalt,
daß Manchem huet vnd schueh empfalt,
der spieß vnd auch der Degen,
zu fliehen was in also gach,
ihr Besenbinder zoch in nach,
er führts auf seinen wegen.

15 Sie hand den handel nit betracht,
daß sie den fürsten hand veracht,
er sey ein sergenweber,

wollen', das Prät. dient uralt zugleich als Plusquamp., wie der griech. Aorist. 12, 2. Spott von Städtern und Unterthanen geistlicher Herren; aus 'Pfaffenknecht' klingt auch protest. Gesinnung. 12, 4. Hs. fliehen, L. W. fielen. 13, 1. ihn L. W., fehlt der Hs. 13, 2. Hs. Zug; hets alles, L. hett all. 13, 4. dran, damit, darin. 13, 5. Hs. kienen, W. kuonen, L. kauen. 14, 2. Hs. schueh vnd Huet. 14, 4. Hs. gauch, lang a mit au bezeichnet, im südöstlichen Schwaben zu Hause. 14, 5. L. W. Bürstenbinder; Herzog Ulrich ist gemeint, den der Spät und sein Anhang so nannten, sie sagten, er binde in Hessen Besen, vgl. Nr. 25, 17. 20. Lauze's hess. Chron. bei Heyd S. 58: 'welche so frevel und mutig waren, daß sie die Hessen Bürstenmacher und Besenbinder nannten'; es kamen wol aus dem rauhen südl. Hessen gewöhnlich Bürsten- und Besenhändler nach Schwaben. 14, 6. die Besen, auf den Wägen (des Trains); Chron. 5, 6 auff seinem Wagen. 15, 1. 'die Sache nicht überlegt'. 15, 2. Hs. haben also. 15, 3. Serge, ein wollenes Zeug; das gab aber nur den Spott zurück, den der Herzog einst im Glück mit seinen Feinden getrieben hatte, da nannte er z. B. den Herzog Wilhelm von Baiern einen Schneiderknecht, weil er es mit den Reichsstädten des schwäb. Bundes hielt (Solt. 232. 244); für den Adel seines Landes hatte er ähnliche Schmach-

macht besem mit eim langen still,
der selben bringt er also vil,
er wirds in jetz auch geben.

16 Wie es sonst gieng das laß ich ston,
vnd sag Gott lob im höchsten Thron,
daß es darzu ist kommen,
daß vnser fürst regiert im Landt,
den Pfawen thuot er ab der wandt,
sein gwalt ist im genommen.

17 O Edler fürst so hochgeborn,
wie hand sie deine scheflein bschorn,
so gar vff dürrer haide,
du hast daß schwerdt in deiner handt,
das dir Gott von Himmel hatt gesandt,
führ sie vff guote waide.

18 Nach Christy Wort vnd Seiner Lehr
so sammlest dir ein großes heer,
den Wolff treib auß dem Lande,
der deine scheflein hatt verfürt,
verjagt, verbissen vnd ermördt,
raich in dein gnedig Hande.

19 Der vns das liedlein hat gemacht,
der gwint sein Brot nur bey der nacht,

titel, von ihren Freunden den Städten entlehnt, vgl. Solt. 233 fg. 15, 4. Hs. **boßen.** 16, 5. Hs. **den Pauren**, W. **Pfauen**, L. **Pfawen.** Der Adel trug gern 'Pfauenhüte' von oder mit Pfauenfedern (mhd. **pfæwîn huot**). So droht der würt. Adel dem H. Ulrich 1519 (Solt. 240), wenn er nicht Ruhe halte: **wir setzten auff den Pfahenhůt, Die federn ließ wir für sich ragen.** Hier wird aber zugleich Östreich gemeint sein (s. Nr. 26, 8. 19. bes. 22), dessen Adler von seinen Gegnern travestiert wurde, als Strauß, Krähe, Pfau, wozu die verzogene Gestalt auf dem Wappen besseren Anlaß gab, für den Pfau der breite zerzerrte Schwanz. So wird der hessische Löwe in Herz. Heinrichs von Braunschweig Klagelied (1542) von B. Waldis (herausg. v. Mittler, Cassel 1855) 3, 5 travestiert als 'bunter Hund' (vgl. Nr. 28, 3, 5), 17, 7 als 'Katze'. 17, 2. L. W. **schaff beschorn.** 18, 1. W. ungelehrt **Christus.** 18, 2. so nimmt bloß, nach einem Absatz, die Satzfügung wieder auf als logischer Vertreter des schon Gesagten. 18, 5. Hs. **ermirdt**, W. **ermürdt**, L. **ermordt.** 18, 6. W. deutlicher **uns** für **in.** 19, 2. L. W.

der hats gar frisch gesungen,
geschriben mit seiner aignen Handt,
er schenkts dem fürsten in das Landt,
dem Alten vnd dem Jungen.

Das ist nun jetz das nötigst dran,
Als Jr eben vernommen han,
Verwundert mich ab disem Lied,
Zu schreiben ward Jch auch nit müed,
Wie wol ich das hab verloren,
Nicht finden khonnen, hetts verschwohren,
Darumb es ettlich gsätzlin fehlt.
Welt gern noch geben drumb das gelt,
Das Jch es gantz khonte machen
Oder wüste sonst darnach zu trachten,
An meim vleiß solt nichts erwinden
Das Jch es noch möchte finden.
Weil es aber nicht kan gesein,
Will Jch ein anders führen ein,
Deß vorgemeltem auch gedicht,
Vnnd mich desselben gleich bericht.
Das bschreib Jch auch mit allem vleiß,
Zeiget mir an solchem die weis.
Das will Jch Jetzund auch erzehlen,
Vnd eben nichts daran verhälen.
Dann es ist ein gar lustig gsang,
Mach Jm darmit auch einen anfang.
Ob schon widertheil nit hört gern
So kan Jchs dannoch nicht empern.
Wider Jn habens auch gesungen,
Khont aber dessen keins bekhummen.

Chr. fast für **nur**. 19, 4—6. der Chronist: **Vnd hatt den feind auch griffen an, vor Jm khondt er gahr wol besthan, Nach gerechtigkeit Jst Jm gelungen.** 19, 6. Ulrich und Christoph.

Nachwort des Wolfenb. Chronisten, der für Nr. 25. 26 nebst Heyds Hs. wieder die einzige Quelle ist: 1. 'das ist bloß (**nun**, s. Nr. 10, 3) das Nothdürftigste davon', s. S. 165. 3. 'mir war das Lied doch wunderbar', interessant. 5. 'und doch ..' **etwas hab**? verloren, aus dem Gedächtniß. 7. **fehlt**, nicht trifft, vermißt, ermangelt. 15. **wol**: **daß vorgemelter**; oder ward es 'ihm' gedichtet, ließ sichs der 'Singer' (von Gewerbe) dichten? 18. (er) lehrte mich die Mel. 23. die Gegenpartei. 24. 'entbehren', Formel: ich kanns nicht unterlassen. 25. also auch

25.

1 Es nahet sich gegem Sommer,
Mich frewet des vogels gsang,
Mein hertz hatt glitten kummer,
Gantzer fünffzehen jar lang,
Seid ich vil freud vnd Muht verlorn,
Mich freüt khein pfeiff, khein Saittenspihl,
Weren harpfer geyger noch so vil,
So freüt mich Gott vnds Jägerhorn.

2 Ich lebte lang gutter hoffnung,
Gott schicket sich recht wider zwerck,
Hertzog Vlrich, Hertzog Christoff
Zween fursten von Württemberg,
die ritten einig jn eim Stand,
Der Lieb Gott will ein bniegen hon,
Will sie wider regieren lohn,
In jerem Erb vnd aignem Land.

3 Daraus waren sie vertriben,
Geschollen so gahr weitt hindan,

Lieder wider den Herzog aus jenem Jahre, die haben aber gewiß nicht aufkommen können, er war zu bald wieder Herr im Lande; wie beißend aber mögen die gewesen sein!

1, 1. Heyd **gegen dem**. 1, 6. 'Pfeife', Gesammtname für röhrenförmige Instrumente. 1, 7. Hs. harpfen, Heyd **Harpfer**. 1, 8. so, Gegensatz: 'meine Freude ist . .' Der Dichter jedenfalls auch Protestant; vgl. Nr. 23, 7. 2, 2. G. würde doch w. thätig werden, sich an die Arbeit machen (vgl. Nr. 23, 14); **sich schicken**, s. rüsten, einrichten. 2, 4. Hs. **die von**. 2, 5. 'waren gleichmäßig und getrennt von einander in der Verbannung': **Stand**, Zustand, Lage; **einig**, einzeln; **reiten** aber schlechthin von Rittern, die auswärts waren auf ritterlicher Reise, bes. von Raubrittern, Hegereitern (Wolff 130), die den Ausdruck beschönigend für ihr Gewerbe brauchten (auch '**auf freier straßen reiten**'); Uhl. 379 klagt ein **reuter**, er könne nicht gemächliches Liebesglück genießen, er müsse **reiten und rauben**, und Henneke Knecht (Uhl. 450) will **gaen ruiten, roven**; vgl. Schm. 3, 160; hier: außer seinem Land als Ritter umherirren. 2, 6. **benügen**, genügen; der Dichter verdeckt Ulrichs Schuld nicht: Gott ist nun befriedigt mit seiner Strafe; und wirklich war er durch Schuld und Unglück weiser und reiner geworden, wie ähnlich sein Zeitgenosse Heinrich der Jüngere von Braunschweig. 3, 2. **hindan**, von hier fort, was **hin**

Der Junge furst thet nie vbel,
So hatt er auch khein Schuld daran,
Das solt man billich gniessen lohn,
Vnd solt jn setzen wider ein,
Vor Gott so ist es billich sein,
Ein Biderman kans selbs verstohn.

4 Kayser du bist wol ein vetter
Vnd du könig desselben gleich,
Ihr fromme herrn jn den Stätten,
In Ewerm Bund Rhömischen Reich,
Du Edler Pfaltzgraff an dem Rhein,
Reiche fürsten jm Bayerlandt,
Beed fürsten sein euch nach verwandt,
lasset sie eüch empfholen sein.

5 Ihr seidt schuldig jn zu helffen,
Zu recht zu haab auch zu guht,
Lassendt sie nit also gelffen,
Weil man euch freundtlich helffen thutt,
Man schreibt vmb Recht, vmb Hilff vnd Rhatt,
will man das Recht lassen verston,
so dörffts wol manchem vbel gohn,
Der H. Vlrich vertriben hatt.

6 Man wirdt disen Handel gründen,
Rhatt vnd Hilff suchen nah vnd weitt,

und dan urspr. schon einzeln sagen, vgl. dahier. 2, 5. man, d. i. man'n, man ihn, öfter so. 3, 8. braucht weiter keinen Beweis, s. 6, 1. 4, 1. Hs. vatter, Heyd Vetter (vgl. Nr. 26, 6, 6); am Rande: Vil freundt (Verwandte) vil feindt, lutzel Vorhelffer. 4, 4. 'und ihr im schwäb. Bund', der freilich politisch aufgelöst war; Röm. Reich ohne Genitivzeichen, außer das -en des Adj.; so wird nach dem Gen. des Adj. gern der des Subst. gespart: von wegen schnödes Gelte Adrians Mitth. 382; des külen wein Solt. 288; vil des guten wein Uhl. 501; wegen des großen Zwang Nr. 45, 8; verschont auch ewres Bluet Solt. 455; ähnlich Solt. 362 gfar leibs vnd leben; 462 des Meyneids vnd Vbermuth; Uhl. 286 ein zeichen deins herren tod, sämmtliche Male zugleich im Reim. 5, 3. Hs. gülffen, Heyd gilfen (beide Formen waren im Gebrauch), schreien. 5, 5. Heyd schreit; gemeint ist gewiß Herzog Christophs Ausschreiben 8, 1. 6, 1. gründen, ein Lieblingswort der Zeit, 'auf den Grund kommen', bis in die Wurzel erfor-

Man spricht das auß jungen kinden
werden auch Redlich dapffer leüht,
Nun steht es an demselben orth,
Seit der Jung fürst an Tag khomen ist,
Ein Haan ist freüdig vff seim Mist,
Das ist so gahr ein alt sprich wortt.

7 Das thutt den Jungen sehr erbarmen,
Weil er dhandlung jetz selbs versteht,
Das er glitten wie die armen,
wer gleich darzu geholffen hett.
Von Vatter vnd von Mutter trennt
Zogen jn als ein Findelkind,
mit gwalt woltens jn machen blindt,
Das wirt jm jetz altag erkennt.

8 Man hört aus seinem auffschreiben,
wer die geschrifft will recht verston,
Der Junge Fürst welt gern pleiben
Das sein Vatter hett verlorn,
Das ist das Württembergerthumb
. . . .
Zu Stuttgart jn der werden Statt,
Da solt er auch recht sein daheimb.

9 Es lebt kein Mann hir auf Erden,
Der diß landt billicher bsitzt,
ZAugspurg mocht jm kein bscheid werden,

schen. 6, 3. Hs. auch auß J. kindern. 6, 4. 'redlich, tapfer', beide nicht ganz wie jetzt, jenes etwa gehörig, richtig, dieß ansehnlich, wichtig (vgl. 10, 2), auch wacker. 6, 5. 'nun ists auf eben diesem Punkte', ort Ende, hervortretender Punkt. 6, 7. freidig, muthig, voll Kampflust; vgl. Nr. 22, 14, 4. 7, 3. wie die Bettler, Leute im Elend. 7, 4. 'einerlei, wer .. (der Kaiser nämlich), ich sag es doch'. gleich in den Satz übergesprungen, den es eig. regiert, urspr. gleich wer .., so 'obgleich' aus: (es ist) gleich, ob .., s. Nr. 29, 20. 7, 5. trennt Heyd, die Hs. Trew. 7, 6. fünf Jahr alt, als sein Vater verjagt wurde, nahm ihn der Kaiser scheinbar aus Mitleid an den Hof, ihn nach seinen Zwecken zu erziehen. 7, 8. Hs. Jetzundt a. New, Heyd jetzt a. neu. 8, 1. das erste war vom 17. Nov. 1532. 8, 4. zu bleiben in kühnerer Auslassung zu ergänzen bei dem. 8, 8. Hs. soll; die Lücke auch bei Heyd. 9, 2. zu betonen billícher. 9, 3. auf einem Bundestag 1533, der die Sache beilegen sollte; man bot ihm eine Grafschaft in entfernten kais. Landen

das daucht mich ja ein schlechte witz,
Ei gabens jm auß Vbermuoht,
Thatten als hettens Gott jm Sack,
Er müß machen wies jn geschmackt,
Aber hoffart thät nie khein guht.

10 Dem Jungen habens nicht gehalten,
Das sie jm dapffer zugesaitt,
Sie stunden jm vor mit gwalte
vnd han dbrieff selber dahin gelaitt,
Jr aigen Sigel daran gedruckt,
Tüwing das sein aigen sey,
Neüffen weltens jm geben ein,
Dieselb brieff habens auch verdruckt.

11 Jch hab auch gemerckt darneben,
daran jch des fürsten Weyshait spühr,
Der kayser hab jm wellen geben,
Ettwan sonst ein Ländlin dafür,
well setzen jn in Ehr Guht vnd haab,
Da solt er halten Fürsten Standt,
Doch sich verzeih seins Vatterlandt,
So schlug ers doch dem kayser ab.

12 Zwaar der kayser wer wol zu gewehren,
Sein macht jst fürwahr nit klein,
Weil aber der Jung fürst nichts bgeret
Dann nuhr das, was recht hies das sein,

an, Cilli oder Görz. 9, 4. **witze**, f. Einsicht, bes. gesunder Menschenverstand, bon sens. 9, 5. **Ei**, aus **Ein** corr., staunender, spöttischer Ausruf, ei!, gern im Auftakt, und darauf Verb und Pronomen umgestellt wie in der Frage (wie bei jâ!), so wie wir noch gern thun: ei! beschenkten sie ihn doch noch! 9, 6. wie sonst den Teufel, der dann als Factotum alles Gewünschte thun muß. 9, 7. **müß**, müsse es. 10, 3. traten vor ihn, hindernd; **stehn** = sich stellen sehr oft (Nr. 26, 22), vgl. 'aufstehn, abstehn'. 10, 4. Hs. **brieff**; 'hingelegt', beseitigt, die Versprechungsurkunden, mit dem eignen S. daran gedruckt! 10, 6. Hs. **wellens**. Das war darin zugesagt; **verdrucken**, unterdrücken, häufig. 11, 1. in H. Christophs Ausschreiben; am Rand: NBene [d. i. 'merk eben'], **Erbars Zuomudthen des keysers.** 11, 5. Hs. **Jn**, Heyd **ihn in.** 11, 6. **Stand** und **Staat**, status, einerlei. 11, 7. **sich verzeihen**, Verzicht geben. Hs. **Vatterlandts**, s. 4, 4. 12, 1. dem müßte man wol zu Willen sein. 12, 3. **weil**, während, indem.

Spricht man Recht thun, sey gutte Buß,
aber durch gwalt man vbels sucht,
Wer hatt zum Rechten khein zuflucht,
Dannoch des seinen manglen muß.

13 Das klagt H. Vlrich offenbahre,
Dann er ist so ein güettig Mann,
Wem hätt er jn fünfftzehen Jaren
Vnter seinn feinden Laidts gethon?
Verbotten doch bey Trew vnd Ayd,
wer jm Land ein wortt von jm redt,
So war das Strow jm Thurn sein bett,
vnd was jm die waag zu beraitt.

14 Vil gutter gsellen sein gestorben,
Nun von wegen deß Namens sein,
Noch mehr sein jr verdorben,
dieselbig Zahl die ist nit klein,
wann einer sein jn guttem dacht,
Nennt Hertzog Vlrich mit seim Mund,
verrieth man jn zurselben Stund,
vnd war jm da der hencker bracht.

15 Das Stündlin ist wider khommen,
das lang jm landt verbotten war,
Das man Hertzog Vlrich frommen
wider köcklichen nennen dar,
Sprechen er will sein Erbland hon,
Wans einer jm Jar daruor hett gsait,
vnd hetts ein Cantzleyscher gehort,
so müest er warlich haar hon glon.

16 Ein Liedlin das ist verloschen,
Ihr Hochmuoht auch so gahr verstürt,

12, 5. tröstet ihn die Gegenpartei mit dem faltenreichen Spruch, 'Recht sei für alles gut', helfe für alle Noth, er müsse sich drein finden, vgl. Nr. 26, 13, 7; **buß** ist Besserung, drückender Lage und begangnen Unrechts. **man** hier zweimal schon mit der ganzen Bitterkeit, mit der man eine feindliche Person ohne Namen nennt. 13, 3. er fehlt der Hs. 13, 4. Hs. **feind ein.** 13, 8. **wage,** Folterstück zum Ausspannen. 14, 2. **nun,** bloß, am Rande: **Tyranney der Amptleut.** 14, 8. **war,** d. i. ward. 15, 4. Hs. **darff,** s. S. 95. 15, 5. am Rand: **gutte Zeittung.** 16, 1. 'dies Lied wäre also aus!' 16, 2. Hs. **verstreütt,** Heyd **verstürt;** mhd.

Batzen Gulden vnd die Groschen
deren han sie so vil geführt,
Zu Stuttgart saßen jn grossem gwin
Die Schreiber vnd das Regiment,
ZLauffen haben sie waidlich grentt,
alda flohens al dahin.

17 Da sie zu Stuttgartt außritten,
da waren sie gahr khüen vnd frisch,
Man sahe vil guldine kettin,
darzu vil hoher federbüsch,
wann dhoffarth dleitt geschlagen heitt,
So müest der Landgraff gestorben sein,
Der Besemmacher an dem Rhein,
daruon sie so vil hon gesait.

18 Sie führten einen hohen pracht,
vnd hatten ein hupschen Zeüg,
Beed fürsten haben sie veracht,
Sie wissen wol, das ich nit leüg,
Jeder wolt selbs erstechen Drey,
Wánn nuhr der Besemmacher käm,
Landgräfflin von Hessen mit Nam,
mit seiner viler Reütterey.

19 Der Landgraff kam bald geritten,
mitt seiner [gutten] Ritterschafft,
Geren hetten sie sein gemitten,
so verloren sie all jr krafft,

stüren, stören. 16, 4. am Rande: Fürstliche Rhätt vntrew. 16, 6. die Schreiber, ein verhaßter Orden, mit vielen Spotttiteln. 17, 7. ehe H. Ulrich nach Cassel gieng, blieb er meist in seiner elsässischen Besitzung Mömpelgart. 18, 7. Landgraf Philipp war klein von Gestalt. 18, 8. Heyd viel. 19, 2. gutten fehlt bei Heyd; ich kann nicht entscheiden, ob die Überfüllung des Rhythmus, der in den ersten vier Zeilen der Str. auf drei Hebungen angelegt ist, vom eifrigen Schreiber herrührt, oder von zusingenden Sängern, oder vom ersten 'Singer'; bes. in der ersten Hälfte der Str. sind Verschleifungen und Nachdruckswörtchen genug, um die urspr. drei Hebungen hindurch zu erkennen, aber es sind auch Zeilen genug da, die den freieren, schwebenden daktylischen Rhythmus zeigen, den die mehr geschulten Dichter streng vermieden, der aber in ersungenen oder vielgesungenen, z. B. Landsknechtliedern unverkennbar herrscht. 19, 3. Hs. Deren. 19, 4. taktisch gemeint, 'heres

Rheinfähnlin hatts allein verscheücht,
Dietterich Späht was zu fliehen gach,
die andern eylten all hernach,
als wann sie [da] der Teüffel jaicht.

20 Besemmacher kam oben einher,
da wurden sie sein gewahr,
Jetz khert er jm Landt als vmbher,
mitt seiner gutten Besem Schaar,
Spinnenweppen khert er sauber auß,
die jhm den Namen geben hon,
Ihr kheiner dorfft jm nicht gestohn,
blib auch kheiner jn seinem hauß.

21 Ein theil kamen wider zuher,
naigeten vnd schmaichleten sich,
wuste aber Hertzog Vlerich,
wer sie weren, so wol als ich,
Was Schmachwort sie jm haben thon,
Da er vertriben zu Cassel war,
Bitt Gott, das ers ohn mich erfahr,
Er würd freylich jhr müessig gohn.

kraft'. 19, 5. die Landsknechte vom Rhein? Reiterei, immer nur als 'Hessen' bezeichnet nach dem Kriegsherrn, führte den Hauptstreich. 19, 8. **da** fehlt bei Heyd, die letzte Zeile hat gewiß urspr. auch nur drei Hebungen. **jaichen**, seltnes Wort, schon ein Vocabular des 15. Jh. (Schm. 2, 267) hat **jächen** fugare, ebenso der Thür. Stieler im Sprachschatz (1691) 876; thür., meißnisch jetzt **gechen**, stärker als **jagen**; zahlreiche ältere Belege bei Zarncke zu Seb. Brant S. 322[a]. 20, 1. wol über die Berge herein (= **einher**), in den von drei Seiten geschlossenen Thalkessel, in dem Stuttgart liegt. Die Sieger kamen von Gröningen her, nicht im Neckarthal, in der Hauptstadt wird das Lied gedichtet sein. 20, 5. am Rande: **Flucht des Adels**. 20, 7. 8. Heyd **darf** (wagt) — **bleibt**. **gestahn**, stehn bleiben, Stand halten. 21, 1. **zuher**, herzu. 21, 3. Hs. **H. Vlrich**. 21, 7. 'durch mich soll ers um Gottes Willen ('ich bitte G.') nicht erfahren'. 21, 8. 'aber er würde sie gewiß (**freilich**) beiseit liegen lassen', **müßig gehn**, auch **stehn** (Körner 266) mit Gen., sich um etwas nicht kümmern, von etwas lassen.

26.

Das hab ich für das best betracht.
Ein anders Lied Jch auch vffbracht,
So Jch nie gehort oder gesehen,
Vnd alles auff der flucht geschehen,
Vnd wie Jch solches vernommen,
In die Truckerey Jst es khommen.
Daran kan ich die weise nit,
Dann es laufft ein donner darmitt,
Weiß auch solches nicht zu Singen,
Gedacht es doch hieher zu bringen,
Weil deren gesellschafft der Spieß zerbrochen,
Darmit sie so meisterlich gestochen,
Wider den fursten Hochgeborn,
Kurtz darvor hettens sies verschworn.
Jch hoff man soll es recht verstohn,
Das Lied will Jch euch wissen lohn,
Obs schon der gsellschafft gefalle nicht,
So ist es doch nit mein gedicht,
Sonder also Jm Truck außgangen,
Als Jr mich oben hapt verstanden.
Wer es aber nicht Leiden mag,
Der ziehe wol Jn das Lyrlibad,
Vnd laß Jm kratzen dschebig hautt.
Wol ist dem der Gott recht vertrawtt,
So hatt Hertzog Vlrich auch gethon,
Darumb hatt er Jn nicht verlohn.

1 Württemberg ist ein alter Nam,
von hohem Stammen entsprungen,
Vom Schwabenland jhr Vhrsprung kam,

Überleitende Worte des Chronisten: 1. das vorige Lied. 3. mir sonst nicht vorgekommen. 4. in Eile? 8? 11. **gesellschaft**, Nr. 23, 8, 1. 2; **deren = der.** 17. dem Adel. 22. der wird sich wol getroffen fühlen, nach dem Sprichwort, das hier local ausgeführt wird. Die Weise, die der Chronist nicht kannte, scheint die von Luthers Lied: 'Ach Gott vom Himmel sieh darein', die viel gebraucht wurde (Nr. 34. Solt. 463. Körner 259); freilich ist in Luthers Strophe die Schlußzeile eine Waise (nicht gereimt), aber ein Lied in dem genannten Ton bei Scheible, Flieg. Bl. S. 64 reimt durchgehend auch die Schlußzeile mit der 2. und 4., vgl. zu Nr. 29.

1, 1. **name**, seit alter Zeit auch personificierend, hier das Fürstengeschlecht.

hand nach Helden muoth gerungen,
Ir thatten gyebt jn Sturm vnd Streitt,
biß sie hand zwungen Land vnd Leuht,
von gott ist jn mit Recht gelungen.

2 Von disem gschlecht entsprungen ist
Der Edel Furst Hochgeboren,
Hertzog Vlrich mit seim Namen wißt,
den wir hon lang Zeitt verlohren,
Nun Loben wir den Höchsten Gott,
Seim widertheil zu schand vnd Spott,
Den Stammen han wir ausserkoren.

3 Der Hirsch ist gesprungen aus dem Haag,
Darein er war vertrungen,
Gott gab jm glück nacht vnd auch tag,
dem alten Herrn vnd dem jungen,
Dar zu dem theilten Lewen guht,
Gott hab jr helffer auch jn Hutt,
Handts Recht bgert, schier zerrunnen.

4 Die Späthen hand jm Laidts gethan,
die Welling vnd auch die Fauthen,
Die Küehorn vnd zween Hessen genant,
die haben darzu gerathen,
vnd auch der, der sich von Stauffen nendt,
weger wers, das man sie nicht khendt,
Gott straff sie vmb jere falsche thatten.

1, 4. nach, gemäß. 1, 5. mhd. üeben. 2, 1. Hs. ist entspr. 2, 2. Hs. so hochgeborn, auch hier ist das Fachwerk des Verses mit Flickwörtchen überladen; Zeile 2. 4. 7 haben nur drei Hebungen gehabt. 2, 3. Hs. seinem; wißt von mir zugesetzt. 2, 4. 5. 7. Hs. wür (h. lange z. verlohrn). 2, 6. Hs. Sein. 3, 2. Hs. vorgetrungen. 3, 5. der 'getheilte Löwe' das Wappenthier Hessens. 3, 7. ihr Recht verlangt, beinah z.; Hs. ist sch. entsprungen, Heyd zerrunnen. 4, 1. die Einzelnen als Vertreter der Adelsfamilien, deren viele der Herzog einst beleidigt hatte. 4, 3. Der kleine oder kurze Heß, so hieß in Schwaben Conrad oder Curt von Boyneburg, aus dem bekannten hessischen Geschlecht, der schon am Hofe Eberhards II. von Würtemberg als Edelknabe gewesen; der lange Heß war sein Landsmann und Freund Heinrich Treusch von Buttlar; beide, früher in Herzog Ulrichs Gunst, waren 1519 dem schwäb. Bund beigetreten; Conrad war dann ein vielthätiger Landsknechthauptmann in kaiserlichen Diensten. 4, 6. wäge, (eig. gewogen),

5 Seind mehr die ich nicht han genent,
die hatt der Todt hingenommen,
Das Gott die falsche klaffer schendt,
zum theil sein sie wol enttrunnen,
Sie hand erregt den Schwäbischen Bund,
Mit jerem erdichten falschen grund,
Jern Herrn mit Lugen vertrungen.

6 Die Wolffsfeg ist herfur gestanden,
den Hirsch alda zu vertringen,
Der Späht soll werden zu schanden,
vil schmach von jhnen zu singen,
Sie haben thon wie Ehrendieb,
Haben ihm entführt sein höchstes Lieb,
Groß vnglück soll sie zwingen.

7 Drauß ist khommen Jammer vnd Noht,
vil Menschen die sein verdorben,
Sie han geschlagen vil zu todt,
durch Gerechtigkait gestorben,
Von wegen jhres falschen Rhatt,
Gott geb dem Fürsten sein Genad,
Dem Lewen auch so hatt geworben.

8 So haben jn die gahr verdampt,
denn er hatt jr Recht lon sprechen,
Sie sein worden so gahr verschambt
wolten sich an jhme rechen,
Dann sie wolten jn nit leiden mehr,

angemessen, gut. 5, 1. Hs., Heyd **nicht kan nennen**. 5, 3. Verläumder. 5, 5. meint den früheren Aufstand gegen Ulrich 1519; **erregen** ist etwa 'aufwühlen', in Aufruhr bringen. 5, 6. **grund**, ein Stichwort der Zeit, hier wie oft Beweisführung, gründliche Darlegung. 6, 1. 'das Spätische Wappen' Heyd. 6, 4. **ist** ausgelassen, wie oft; **ihnen**, den Späten, s. 4, 1. 6, 6. fehlt in der Wolfenb. Hs., zum Glück in Heyds Quelle; Sabina, des Herzogs Gemahlin, Nichte des Kaisers Maximilian, schon vor seiner Vertreibung von ihm flüchtig; sie war jetzt freiwillig mit Spät geflohen. 7, 4. durch die Gerichte. 7, 5. Hs. **Rhatts**, vgl. Nr. 25, 4. 7, 7. **werben**, thätig sein für einen bestimmten Zweck, 'mitgeholfen'. 8, 2. Hs. **In .. thon**; am Rande: **Königische Regierung**. 8, 3. **verschamt**, der sich nicht mehr schämt, später verstärkt 'unverschämt'. 8, 5. **mehr** fehlt der Hs.,

haben jm zugelegt vil Vnehr,
Der pfawen pracht soll drumb brechen.

9 Vihl haben sie vnschuldiglich
wider Gott vnd alles Rechte,
Getodt geplagt so jämerlich
daß Natterzücht vnd geschlechte,
Vom fürsten woltens nicht hören sagen,
wir wellens Gott jm Himmel klagen,
Den vnderdrucklichen gwalt vnd prachte.

10 Ettlich jn seinem aignen Landt,
die haben jn gantz verschwohren,
Das ist jn Ewigkait ein schand,
von Zwelff Statten ausserkoren,
die vnwarhait vnd lugen groß
habens besiglet mit jerem genoß
Jhr Ehr darmit gantz verloren.

11 Wie wol sie mitt einander all,
Han Trew vnd Aydt gahr vergessen,
Württemberger Landt zu erobern bald
Das han sie gahr jnn vnd besessen,
aus jeren gschlecht han vögt gemacht,
Gnadiger Fürst hand eben acht,
Das sie nit weitter thon messen.

12 Dann welcher hatt gehapt ein Lieb
zu jhren Fürstlichen Gnaden,
Der war gehalten wie ein Dieb,
mußte haben schand vnd schaden,
vnnd mocht kommen zu kheinem Stand,
Ewer Fürstlich Gnad mach sie zu schand,
thu jeren pracht von vns entladen.

13 Wie E. Gnad hatt gfangen an,
mit dem Landgrauen so milte,

steht bei Heyd. 8, 7. vgl. Nr. 24, 16. 9, 6. Hs. wür. 10, 4. am Rande: Maynaydige 12. Stätt; Heyd „landschaftlicher Ausschuß". 10, 6. Spät wol gemeint. 11, 1. haben doch Alle Schuld! am R.: Herren des Landes. 11, 3. erobern, Heyd erben. 11, 7. messen, zielen, wie Nr. 13, 21, 3.

hatt euch jn nöthen nicht verlahn,
führt den Lewen jn seim Schilte,
dar zu sonst mancher Herr vnd Fürst,
die nach Gott vnd der gerechtigkait dürst,
dern E. Gnad nicht entgülte.

14 Darumb lob jch die Herren all,
vnd auch kriegsleüht aus dem Reiche,
Die zogen sein mitt reichem Schall
Einhelliglich mit jhr gleichen,
Am Zinstag nach S. Pancratius tag,
jm vier vnd dreissigsten ich euch sag,
lag Württemberg jn dem Teiche.

15 Darwider doch sich der konig
Rhömischen Heiligen Reichs so guhte,
Württemberg er wolt haben jnn,
vnd gedaucht jn auch Recht vnd guhte,
Ermahnt an seiner Statt zur wehr,
Philipps Landgraüen mit seinem Heer,
mit gwalt wolts Land han jn hutte.

16 Der bracht mit jm der Landtsknecht vil,
bey zwelff tausendt gahr balde,
die zogen biß auff Zweck vnd Zihl

13, 6. 7. entgelten eines D., die Kosten haben (Nachtheil) von etwas; 'nach der Gerechtigkeit, davon ihr nicht (unter dem hochtrabenden Namen) den Schaden tragen müßt, wie von dem was die Gegner Gerechtigkeit nannten, vgl. Nr. 25, 12, 5. 14, 3. Schall, Freudengetöse, seit lange formelhaft als wesentlicher Zug ritterlichen Thuns aller Art. 14, 5. Vorandeutung des Ausgangs; nach aus Heyd ergänzt. 14, 7. doch: in bejammernswerthem Zustand, mit traurigem Ende? vgl. Nr. 29, 27. hier zugleich halb wörtlich, s. 16, 5, Heyd bei Laufen im Teiche. 15, 1. 2. etwa setzt sich der Köning (: inn)? so reimt bei Uhl. 521 ding : köning. Heyd D. sich vermeinter Köng. 15, 2 wol auch nicht in Ordnung, Heyd R. H. R. vermuthe. 15, 4. wie König Ferdinand sonst wolweislich ganz aus dem Spiel gelassen ist, wird hier ausdrücklich vorgesehen, daß Er auf seinem Standpunkt nicht zu tadeln gewesen, die Schuld ist immer auf den würt. Adel geworfen; vgl. die Art, wie Nr. 25, 12 des Kaisers Autorität behandelt wird. Das war nicht Furcht, das war Achtung, Ausfluß des noch vorhandenen hohen, alle Gedanken beherrschenden Begriffs vom Heiligen Römischen Reich; dieß am meisten beim gemeinen Mann. 15, 7. 'in Verwahrung halten'. solts? 16, 2. Hs. vnd gar. 16, 3. Zweck, Ziel, beides gleich,

bey Lauffen da im Walde,
Daselbsten ist ein grosser See,
Da thatt den königischen fliehen weh,
vil stach man ztod, doch nicht alle.

17 Der pfaltzgraff Philipps thett das best,
Wie einem Statthalter zame,
Dietterich Späht vmb den Handel west,
Lang vnd kurtz Hess mit namen,
Darzu der Stauffer, Eysingrein,
Marx von Eberstein wolt auch da sein,
der von Thamis auch herkame.

18 Deß frewet sich der Hochgeborn,
Hertzog Vlrich gahr geschwinde,
Mitt im der Landgraff vsserkorn,
zusampt jerem gantzen gesinde.
Wann königische nicht geflohen wern,
Das hetten sie gesehen gern,
Den Späthen alda zu finden.

19 Als es an ein Scharmützlen gieng,
der pfaltzgraff da ward geschossen,
Dem Späthen sein Strengkait entgieng,
fliehens hatt er wol genossen,
Der pfawenschwantz ward nider glaith
In der flucht wurd jr hauff zerstrait,
Das hatt den Fauthen verdrossen.

20 Der lang vnd der kurtze Hess,
die fiengen auch an zu fliehen,

der Zielpunkt in der Scheibe ('Zwecke'); wo es zum 'treffen' kam. 16, 6. weh Heyd, die W. Hs. wohl. 17, 1. Hs. Der pf. Ludwig, Verwechselung mit dem Kurfürsten? 17, 2. zame (Hs. zemet), Prät. von zemen (zam, gezomen), ziemen. 17, 3. wußte wol wie es stand', er verschwand vom Schlachtfeld nach dem ersten Schlachttag (13. Mai). 17, 4. Hs. L. v. kurtzem Hessen nennet, Heyd Langen vnd kurzen Hessen nehmet. mit namen, wie genant, häufig Namen beigefügt, Nr. 16, 4, 5. 17, 7. Heyd Thönis, 'ist unbekannt'; Ranke, Deutsche Gesch. im Z. der Ref., 3. Ausg. 3, 369 'Thamis, genannt Hemstede'. 19, 3. der 'gestrenge Herr' in ihm war verschwunden. 19, 4. vom Fliehen (wie von einer Kunst) hatte er Nutzen. 19, 5. nider legen, von jedem Überwundenen. 19, 7. Heyd den falschen F. 20, 3. die Eß, das As; muß von einem Kar-

Der Stauffer flohe auch auß der Eff,
da mußten die Landtsknecht ziehen,
fielen zum Theil jn Necker ein,
Württembergische stachen drein,
konigischen ward khein lob verlihen.

21 Vff das zog man nach in Württemberg
mit Heeres krafft vnd geschwinde,
Die königische flohen vff den Aschberg,
der Hirsch thett sie da finden,
Landgraff von Hessen thett wie ein Held
mit seinem geschütz die Mauren schellt,
Zwayen Tagen gabens auff die feinde.

22 Groff pracht han sie vnderstandn,
vermeinten herrn zu werden,
Der theilte Lew macht sie zu schandn,
der pfaw fiel da zu der Erden,
Sein flug hett jm Württemberger Landt.
Deß must der Späht geben ein pfandt,
verführt des pfawen Lob mit gfärden.

23 Durchleüchtiger fürst Hochgeborn,
Ewer Gnad verarg mirs nitte,
Das mein gedicht nicht sey verlorn,
Darumb jch einfaltig bitte,
Ewer Gnad laß pleiben kein Amptman,
so wider E. fürst. Gnad hatt than,
sie lassen nit jr art vnd dicke.

tenspiel entlehnt sein. 20, 5. **fielen**, warfen sich, s. S. 139. 20, 7. mit deutlichen Gedanken an ein Schimpfturnier; manches ist daher genommen, wol auch das gewöhnliche sich begrüßen der Gegner beim Beginn des Kampfes (Nr. 24, 10). 21, 1. Hs. **zog nahin** (das wäre 'nachhin'), Heyd wie oben; **Württemberg** ist Acc., nicht Dativ; die Schlacht geschah an der Grenze. 21, 4. **da** von mir. 21, 6. Hs. **schöllt**. 21, 7. Hs. **gab auff der feindt**, Heyd (**In zw. Tagen**) wie oben. 22, 1. **understan**, unter etwas treten (vgl. zu Nr. 25, 10), über sich nehmen, bes. dreist, daher 'sich unterstehn'. 22, 4. das Relativ ausgelassen; am Rande: **Oesterreich ausgetrieben**, also der Pfau deutlich als östr. Adler, s. Nr. 25, 16. 22, 6. er allein mußte ernstlich büßen, er starb in Verbannung und Elend; sonst verfuhr der Herzog mild. 22, 7. d. i. **verführte**, noch im allg. Sinn: übel, falsch führen; **gefärde** von **våren** nachstellen, auflauern: Tücke, böse Absicht, verfängliches Thun. 23, 2. **verargen**, d. i. 'für arg' nehmen. 23, 5. am Rande: **Amptleüht haben**.

24 Keim alten feind ist zu vertrawn,
als vns recht die weisen lehren,
Die Schmaichler lan khein gschenck sich daurn,
manch fromen Mann zu verkheren.
So glaubet kheinem falschen Mann,
Sie machen Land vnd Leüht zargan,
Gott well sein gnad jn vns mehren.

25 Nun loben Gott jn seinem Reich,
Das es darzu ist khommen,
Das Württemberg ist jetz geleich,
Dem pfawen gschray entrunnen,
hatt nuhr gewehrt fünftzehen Jar,
Gott vns gestraffet hat fur wahr,
Der gibt Gnad jm sey Lob gesungen.

26 Des will jch euch ermahnen all,
jr Christen all deßgleichen,
Jacobus schreibt jn der Epistel,
vom glauben solt jr nicht weichen,
Moyses führt aus Egipten landt
Die Juden aus Pharaonis Hand,
Die nit glaubten mussten ertrincken.

27 Also jr Christen allgemein,
jhr seidt aus Egipten khommen,

sich wol gewärmt. 24, 2. Sirach 12, 9. 24, 3. nicht, die einem schmeicheln, sond. die 'sich schmeicheln' Nr. 25, 21, d. h. sich insinuieren, sich anschmeicheln können, wie etwa ein Hund. Hs. dauhren (: vertrawen). 24, 4. verkeren, in falsches Licht stellen. 24, 7. gnad vns? 25, 1. d. i. loben wir, Conj., auffordernd; gerade beim Conjunctiv hat das Pronomen am längsten fehlen können. 25, 2. Hs. wider kh. 25, 3. Hs. gleich. 25, 4. geschrei ist auch das Rufen des Loßungswortes, des Parteirufes. 25, 6. das ist eine von den Zeilen, wo man mit Augen sehen kann, daß diese Volkssänger vermeiden, den Wortton mit dem Verston in Widerstreit zu bringen, was die Kunstdichter gerade suchen; Hans Sachs hätte gewiß vorgezogen: Gott vns hat gestraffet f. w., nicht 'silbenzählend', sondern eben um jenes rhythmischen Widerstreits willen; die meisten Dichter überdieß kannten das vom Latein her, und das Silbenzählen, von dem die Dichter selbst allerdings reden, ist nur eine äußerliche mechanische Bezeichnung. 26, 1. des, darum; Hs. das, Heyd deß. 26, 3 ff. Verwechselung mit der Ep. an die Hebräer Cap. 11, bes. V. 29. 26, 7. ersäufen?

Mitt Gott durch Ewern Mosen,
vber das Rott Meer enttrunnen,
Darumb stehend von Sünden ab,
gedenckt das eüch gott gestraffet hab,
würckt buß dwarhait kompt an dsunnen.

27.

Ein new lied

von der Stadt Munster belegerung

Inn der weyß,

Es gehet ein frischer Sommer daher,
Da werdet yhr horen newe mehr.

M. D. xxxiiij.

Flieg. Bl. o. O. 4 Bll. klein 8°. Das Lied ist gedichtet nach dem vergeblichen Sturm vom 30. Aug. 1534 (Str. 9), von einem Landsknecht (17, 5), der wiedertäuferisch gesinnt war oder wenigstens protestantisch (11, 2), und nicht unmöglich selbst dem bischöflichen Belagerungsheer angehörte; er haßt den Bischof und hat eine hohe Meinung von den Belagerten, die Vorwürfe wegen der Wiedertaufe behandelt er als Nebensache und hält sie für unbegründet (Str. 12). Sein Standpunkt ist, als ob er selbst aus Münster oder dem Münsterlande wäre, er sieht hauptſ. nur das alte Misverhältniß zwischen der Stadt und dem Bischof, der die Gelegenheit benutzen will das reichsfreie Münster seiner Selbstständigkeit zu berauben; die Aufrührer waren ja auch großentheils Ausländer. Das Lied scheint nicht Übersetzung aus dem Niederd., mehr wie das Hochdeutsch eines Niederdeutschen, der jenes gelernt hat; vgl. das **pf** 1, 2, das **h** in **ehr** 2, 2. 5, 2. 8, 2 u. sonst, **seher** 15, 5, das **dd** 12, 3. 16, 1, und bes. Str. 13, davon freilich viel auf Rechnung der Druckerei kommen kann. Der Ton ist der Stortebeker in einer Fortbildung, die sich an die zu Nr. 19 bemerkte anschließt und unter mehreren Namen auftritt, vgl. Nr. 31; das **ja** Str. 1, 5 verlangt die Wiederholung (durch den kräftig einfallenden Chor) 'ja schaffen', die bei diesem Ton gebräuchlich ist, s. Soltau Nr. 52 S. 307, Nr. 60 S. 377. — Ein niederl. Landsknechtlied auf den Sturm vom 30. August im Antwerp. Liederb. von 1544 (Hor. belg. 11, 253), daher Uhland Nr. 200; von einem niederd. Liede auf die Münsterschen Vorgänge weiß man zur Zeit nur aus Melodieangaben: Soltau 345; Hoffmann, Gesch. d. D. Kirchenliedes, 2. Ausg. 1854 S. 415.

1 HOrdt lieben herrn ein new gedicht,
Was der Bischopff von Münster hat angericht,
Mit seinen Thumpfaffen,
die stadt Münster machen zu nicht,
Aber sie kundten nichts schaffen. rc.

2 Der Bischoff der hat ein bösen rath,
Das ehr Münster die gute Stadt,
gedachte zu verderbenn,
Zů der ehr wenig schulde hat,
keine genade kundten sie erwerben.

3 Die von Münster habenn sich recht bedacht,
viel pawren yn yhre Stadt gebracht,
mit all yhrer hab vnd guthe.
Der die Stadt keinen schaden hat,
bey yn ynn der not zu bleiben.

4 Da liegen kleine Stedlin bey,
die armen leuthe wisten sich nicht frey
bey yhrem guthe zu bleybenn,
Zogen gen Münster ynn die Stat,
bey namen thet man sie schreiben.

5 Des ward Jorg Schenckel gar bald gewar,
Ehr kam zu Münster vor das thor,
Man solt im bald auffgeben,
Münster die gantze veste Stat,
Mit behaltung gut vnnd leben.

6 Darůber hielten sie einen rath,
das sie eine solche gute Stadt,

1, 2. **Bischopf** aus Bischop falsch verhochdeutscht, wie es in mitteldeutschen Mundarten schon im 14. Jh. vorkommt (schâphe Schafe, schephe Schöffe), vgl. Nr. 33, 9. Der Bischof Franz von Waldeck war der Reformation selbst gewogen. 1, 4. **nicht**, nichts. 2, 3. gdr. **gedacht**. 2, 4. 'der er doch wenig vorzuwerfen hat', **schult** ist Beschuldigung; W. Wackernagels Leseb. 1, 994 '**was hast du zu mir schult, das du ..**' 3, 3. **vnd weiben?** 3, 4. **der**, derer. 4, 5. So wurden bei der Abstimmung über Johanns von Leyden Königswürde die Namen alles Volks eingeschrieben; als 1525 die Bauern vor dem Würzburger Schlosse einen zweiten Sturm wagen wollten, wurde in der Stadt ausgerufen, wer mit stürmen wolle, solle sich im grünen Baum 'einschreiben' lassen. 5, 5. **gut u. leben**, Accus. von

solten ym vbergeben,
Ihr hauptman sprach ich hoff zu Gott,
wirdt vns erhalten beym leben.

7 Gott der Herr wirdt vns nicht verlahn,
Welchem wir vnns ergeben han,
der kan vns wol erretten,
So wir einer bey dem andern stan,
wenn wir noch so viel feind hetten.

8 Der Bischoff hielt einen diffen rath,
Wie ehr doch mochte dye veste Stadt,
mit einem storm gewinnen,
Die Stadt viel ehr an fünff enden an,
Es wolt ym nicht gelingen.

9 Drey tage vnd nacht schos man ynn die Stadt,
Das türm vnd mauren erschellet hat,
Mit Carthawen vnnd auch mit schlangen,
das sie gar nichts gehulffen hat,
Seind abgezogen von dannen.

10 Münster du bist dem Reiche verwanth,
Der vier pawren bist du einer genant,
vom Reiche dich zu dringen,
das were den Reichstetenn ymer schand,
dich vonn dem Reich lassen bringen.

11 Hett nuhn der Bischoff recht gethan,
Das Euangeli genomen an,
vnd hets mit vns gehalten,
Gott het vnns wol ynn eintracht schon,
zu seinem lob lassen walten.

behaltung abhängig. 6, 4. hauptman, recht landsknechtisch, er meint doch wol Johann v. L. 6, 5. näml. er (wird); das Pronomen ausgelassen, wie oft. 8, 1. dif, tief. 9, 2. das wird 'daß es' sein. 10, 2. Am Schluß des Lieds ist im Druck hinzugefügt: Vier Stedt ym Reiche Außburgk Metz, Ache, Lübeck. Vier Dorffer ym Reich Bamberg, Sletstadt, Hagenaw, Vlm. Vier gepawren im reich Regenßburg, Costnitz, Saltzburg, Münster. 11, 2. wie Münster selbst, die Bürgerschaft, i. J. 1532, ehe die wiedertäuferische Ausartung

12 Münster ist ynn ein böse gerücht,
gekomen gar ynn kurtzer frist,
der widdertauffe halben,
Das sich verfolget gar mit nicht,
So sie zur antwort komen.

13 Ob wir geirret konnet wir wol leiden,
bey der hilgen schrifft willen wir bleiben,
Mit willen vns lassen weisen,
Wer ist der ghene der nye fiel,
Der mag Gott den Herrn wol preisen,

14 Woraus ist die schwere fehd entsprossen,
die der doch haben wenig genossen,
Haben Münster verkoren,
den ist verschlossen die veste Stadt,
Ihr ehere vnd gut verloren.

15 Die landsknecht sagen Münster Ehr,
das sie yn gethan habenn yegen were,

aufkam; die Bürger sind hier redend eingeführt. 12, 4. was nicht bewiesen werden wird, nicht die Majorität, 'die merer folge' (auch das merer [teil]) gewinnen wird; folge ist, wenn der Richter die Beisitzer nach bestimmter Reihenfolge um das Urtheil fragt, die Zustimmung, die die Einzelnen zu dem vom Ersten oder vom Recht gegebnen Urtheil aussprechen, das heißt folgen, verfolgen, mhd. die volge jehen, volgen; vgl. Schmeller, 1, 528. gedr. nichte; 'mit nichte' ist das Gewöhnliche. 12, 5. antwort, 'Verantwortung' vor Gericht. 13, 1. konnet, rein nd., ebenso hilgen, willen; bei dieser Str. ist der Dichter, oder der Übersetzer, oder der Setzer warm geworden und in seinen natürlichen Dialekt verfallen, in dem das Herz spricht; ebenso gehts dem Haß, der Leidenschaft überhaupt, ein deutliches Beispiel oben Nr. 17b, 15. 16. 17. 13, 3. mit willen, bereitwillig. vns von mir zugefügt. 13, 4. ghene, auch nd. 14, 2. 'verursacht haben sie die, die davon doch ..' 14, 3. die ganze bischöfliche Partei, nebst den meisten Wolhabenden, die die Stadt verlassen hatten; verkoren von mhd. verkiesen, preisgeben, aufgeben. 15, 2. yegen, nd. und mitteld.; da spricht wieder ein Landsknecht, wie Nr. 14, 23, im Namen der 'Gemeine', und mit welch ritterlichem Hochsinn! der Sänger kann recht gut selbst mit in den Schanzen vor der Stadt gelegen haben, wie Str. 16 sogar zu beweisen scheint; man darf nur über die Landsknechte nicht aus den Augen gleichzeitiger Sittenrichter unbedingt richtig urtheilen wollen, woher hatten diese die Fähigkeit ein so originelles Völkchen zu verstehn! und wenn sie auch zuweilen mit den adellichen Stegreifhelden den Grundsatz theilten 'rauben ist nit gestolen' (Hätzl. S. 285),

Zů Ritter solt man sie schlahen,
des Bischoffs here haben sie ym storm empfangen,
were seher wol zu lachen.

16 Eddele vnnd vneddele seind tod geblieben,
viel tausent der nam sind geschrieben,
Inn des Felthauptmans Register,
denn darff man keinen solt nicht gebenn,
Ehr misset die aussen bleiben.

17 O Gott vergib dem solche that,
der schult an dieser fehde hat,
Mannich mensch ist zu tode gekomenn,
Das ia den seelen werde rath,
hatt vns Spies der landsknecht gesungen.

so konnten auch sie antworten: **wir tun nit wie ander tockmeuser, die heimlich schinden und schaben** (Uhl. 540). 15, 3. so erzählt der Erfurter K. Stolle in seiner Chronik S. 66 von denen von Neuß, die sich 1474 so tapfer gegen Karl den Kühnen wehrten: **die von Nuß haben sich also lange geweret, das man** (in den Landen) **sprach, sy weren alle wol wehrt in der stad, das man sie alle zu rittere sluge.** 15, 5. d. h. so empfangen, daß ... 16, 4. **darf,** braucht; Landsknechthumor, eine Art Trost, wahrsch. sprichwörtlich unter ihnen; ein ähnlicher schrecklich humoristischer Trost in einem späteren Liede Wunderh. 4, 364: **Und ist sie halb todt und gleich gar todt, so heißt es gestorben und — recht spars Brot.** 16, 5. beim Appell nach der Schlacht. 17, 1. gedr. **den.**

27b.

Newe Zeittung vnd Spiegel aller Gaistlicheit,

wie sie yetzt ist vnd sein soll wo nit im wesen, doch im gegentheil.

Gestellt zů singen auf die Melodey

Von vppiklichen Dingen rc.

Flieg. Bl., 4 Bll. 4°, abschr. in Leysers Nachlaß; ein Titelholzschnitt stellt einen aus einem Herzen wachsenden Baum mit Früchten dar, darüber Math. xij., darunter: Alle pflantzen die mein hymlischer Vatter nit pflanzt, die werden ausgereüt.

Math. xv.; rechts: Ein gut Mensch bringt guets herfür auſs seinem gutten schatz des hertzen, Vnd ein böser mensch bringt böses herfür 2c. links: Setzt entweder ein gutten baum, so wirdt die frucht gut, oder setzet ein faulen Baum, so wirdt die frucht faul 2c. Das Lied, dessen Ton angegeben ist, steht bei Uhland Nr. 249 S. 653 vgl. 1026, stammt aus dem 15. Jh. und blieb beliebt bis um 1600; auch der Ton erscheint oft (unten Nr. 55, in einem L. von der Belagerung des Würzburger Schlosses 1525 bei Wolff 236, vgl. Jacobs u. Ukert, Beiträge zur ält. Lit. 2, 202), selbst geistlich, z. B. Mones Anz. 7, 386. 8, 348; hier mit Glück satirisch gebraucht. Die Überschrift ist sicher nicht so vom Dichter, der im Liede den beißend schelmischen Ernst bis zur letzten Zeile bewahrt: Leug ich so ists mir leid; das Lied gehört in die beliebte Gattung der Lügenlieder und der vom Schlauraffenland, eine feinere Blüte dieses Liederzweiges. Ein sehr ähnliches politisch satirisches Lügenlied, das unter der Decke hohen Lobes die Sitten aller Stände straft, ain grosse lug von Muscatblüt um 1415, steht im Liederbuch der Hätzlerin S. 109. — Dieses Lied gab aus einem flieg. Bl. schon Ph. Wackernagel, Deutsches Kirchenlied S. 687; wie es dahin paßte, seh ich freilich nicht ein.

1 Groß freüdt zwingt mich zusingen
diß Christlich schön gedicht
Von wünderlichen dingen
ytzt kommen an dz liecht
Auß Rhom vnd allen Landen
wo Geystlicheit mag sein
Khein Geitz ist mehr verhanden
Sie hüten sich vor schanden
vnd allem bösen schein.

2 Der Pabst hat vbergeben
Rhom vnd all seine Reich
Nach Gots wort thůt er leben
Sanct Peter volgt er gleich
Nicht mehr lest er sich tragen
wil dfůß nit küssen lan
Von kheim geldt hört mehr sagen
thůt dsündt beweynen vnd clagen
So ligt jm Gots wort an.

3 Sein Cardinel vnd Herren
sind auch desselben gsindt
die wöllen sich zerzerren
für jr begangne sündt
die Bischoff thůnt fast lauffen

wo man die armen findt,
Vnd all jr guet verkauffen
den dürfftigen so geschwindt.

4 Die Apt sambt allen Orden
die sehen diß werck an
Seind Euangelisch worden
das wundert jederman
Die Thumbherrn sich bekennen
verkhert hand jren Standt
Khein Magt noch Fraw mehrschenden
Sie liessen sich ehe brennen
bey jn wers grosse schandt.

5 All annder stendt der Pfaffen
dergleichen vben sich
Das thůnd Pabst Bischoff schaffen
mit ernst jnbrünstigklich
mit vleis itzt hart studiren
allein in Gottes wort
Bed Hurn vnd Bůben leren
zur Gots forcht sies bekheren
darjnn so farn sie fort.

6 Khein hoffart thůn sie vben
Vnkeüscheyt Haß noch Neyd
Der kheins ist nit zů brůfen
der laster seind sie queit
Für arm kranckleüt sorgen
darmit sie haben Rhat
Frů stendt sie auf am morgen
Sie leyhen, geben, borgen
Aus lieb thůnd sie solch that.

4, 2. 'ziehen dieß in Betracht', richten sich danach. 4, 5. kommen zur Erkenntniß. 5, 2. bemühen sich ebenso zu handeln, **sich üben** (so lies) wie **sich brauchen**, beides oft verbunden, s. Grimms Wb. 2, 319. 5, 3. **schaffen**, bewirken. 5, 5. näml. die 'andern Ständ der Pfaffen'. 6, 3. **brůfen**, wie mhd., erfahren, erkennen. 6, 5. **arem**? oder **arm vnd**? das Metrum ist, die süddeutschen Silbenverschleifungen beobachtet, sonst rein und streng. 6, 6. **Rhat**, 'Vorrath', Aus-

7 Der Pabst thůt sich bereyten
mit vil der geystlicheyt
Türckey wil er recht leyten
dem Teuffel gar zů leydt
Guet Christen wil ers machen
das friede werd auf Erd
So greyfft er an sein sachen
zů trost vnnd heyl den schwachen
damit ein Schaffstal werd.

8 Die Bischoff jnn Teutsch landen
jrn beruef den sehens an
Sie hand groß reyss verhanden
zů fůß gand sie daruon,
Jr vil in Tartareyen
ein thail ind Heydenschafft
außziehens nach den reyen
dz wort Gots trewlich schreyen
mit grosser frucht vnd krafft.

9 Ja solt man zů eim sagen
gnediger Fürst vnd Herr
Des wůrd er sich beclagen
vnd sprechen das sey ferr
Den Betlern sich thůn gleichen
die geringsten wöllens sein
Eim Hündlin thörn sie weychen
vnd werckhen das sie keychen
ist jnen gar khein pein.

10 All geystlich Stifft vnd pfründen
die thůnd sie von jn weg
Mit Got sie sich versůnen
dünckt sie der rechte steg
Das sies so lang hand bsessen

hilfe, Auskunft. 8, 2. das Christenthum auszubreiten. 8, 4. wie einst die Apostel; der geistliche 'Herr' ritt damals so gut standesmäßig, wie der adeliche; vergl. unten Nr. 46, 18, 4. 8, 7. rey hier schon wie unser Reihe, vom Tanz entlehnt; 'reihenweise'. 9, 7. thörn, mhd. **turren, türren** (von **tar**), sie wagen, dann allg. sie nehmens über sich, sie gehn so weit. 9, 8. **werken**, arbeiten.

ist ytzt jr clag vnd not
Den schweyß der Armen gfressen
vnnd Gott so gar vergessen
krenckt sie bis in den Todt.

11 All Menschen die sie hören
die werden baldt bekert
Do mag man Gots geyst spüren
von dem sie sindt gelert
Jr wort ist geyst vnd leben
wie Christus selb antzeygt
Der Buchstab mags nit geben
er tödt sagt Paulus eben
das sich dann hie wol eygt.

12 Das dise vberwinden
vnd geyst bey in abgeht
Actorum werdt jrs finden
Johelis auch so steht
Sie soln jnn letsten tagen
vom geyst Gots werden glert
Wer kan hie anderst sagen
secht an jr sorg sie tragen
alls böß sich ytzt verkhert.

13 Wer solt sich nit bekheren
dieweils vnstrefflich sein
Dartzů so trewlich leren
on allen argen schein
Kein böß wort sie auch sprechen
ob man sie schlecht vnd schillt,
Ehe sie sich thetten rechen
sie liessen sich zerbrechen
so gůtig sinds vnd milt.

11, 5. Da hört man die protestantische Wirkung. 11, 9. an ihnen kommt das recht an den Tag, was Geist und Leben sei; **äugen**, mhd. öugen, vors Auge bringen, augenfällig machen, Grimms Wb. 1, 801. 12, 1. das, das Tödtende des Buchstabens. 12, 2? Apostelgesch. 1, 5—8. Joel 3, 1. 2. 12, 8. (die) sie tragen, das Relativ ausgelassen, wie englisch. 13, 2. gemeint 'weil sie ..'

14 Es sein die rechten gsandten
sie suchen nit jr ehr
Gantz Christlich Predicanten
zeygts wergk mitsambt der leer.
Sie thůndt sich gschmugen streckhen,
vil gelts wöllens nit zlon
Kein bsondere Bißlin schleckhen
schlecht fůter hands vnd decken
als Paulus leret schon.

15 Solt man ein Pfaffen finden
der het ein Kellerin
Mit acht, neün, zehen Khinden
sein Bischoff khemb von sinn
Er solt woll gar vertzagen
an solcher böser that,
Vmb kein gelt würds vertragen
zum Landt lies ern außjagen
jm würd khein andre gnad.

16 Würd man eins Bischoffs dencken
der stoltz oder vnkeüsch wer
Sie liessen selbs erdrenckhen
eim andern zů einer Leer
Khein list noch args sie sinnen
das bede jung vnd alt
Man khündts nit frümmer gewinnen
erdenckhen, wünschen, finden
von wandel werck vnd gestallt.

17 Ich wils hiebey lan bleyben
es seindt noch newe gschicht
Man möcht ain spott drauß treyben
als wer es alles nicht
Ich wolt sonst noch vil singen

14, 1. Gesandte Gottes, die vor dem Weltende versprochenen. 14, 5. **schmugen**, 'schmiegen' oder vielmehr die intensive Form davon **schmucken** in bair. Aussprache (**schmugng**); häufig von bescheidnen, geduldigen Leuten. 15, 2. Wirthschafterin. 15, 7. **vertragen**, eig. ausgleichen, gütlich beilegen. 16, 3. **ließen**, d. i. **ließen'n**, ließen ihn. 16, 4. lies **z'einer**.

von jrer Heyligkeit
Vnd andern guetten dingen
den sie alltzeyt nach ringen
Leug ich so ists mir leydt.

28.

Kriegszug Landgraf Philipps und Kurfürst Johann Friedrichs wider Heinrich d. J. von Braunschweig.

1542.

Original und eine hochd. Übers. aus derselben handschr. Braunschw. Chronik, wie Nr. 4. 5. 6. 17a, in Leysers Nachlaß; die Übers. hat als Überschrift: 'Ein liedt von Eroberung des landes Braunsweig vndt Wolffenbüttel, vnd von der bekerung der Stadt Hildesſheim.' darauf die Tonangabe unten, die 'Bekehrung von Hildesheim' meint eine Zudichtung von 20 Strophen, die nur die Übers. hat. Im Archiv des hist. Vereins für Niedersachsen, Jahrg. 1848 S. 336 ff. gab K. Gödeke das nd. Lied aus einem flieg. Bl. (8 Bll. 8°), aber mit einer Lücke anfangend, da das erste Blatt des Drucks fehlte; 'die Lettern stimmen mit denen überein, die Hans Walther in Magdeburg zu flieg. Bll. um 1540 brauchte.' Die Fassung dort enthält auch den Zusatz von den Hildesheimer Reformationshändeln, weicht im Ganzen wenig ab, außer in dialektischen Dingen, die mir hier reiner braunschweigisch scheinen; Leysers Lied steht vermuthlich dem Ursprung näher, wenn auch nicht immer in der Schreibung. Es wird in der Stadt Braunschweig entstanden sein, daher der tiefe Haß gegen Herzog Heinrich, die genaue Bekanntschaft mit seinen Angelegenheiten, die förmliche Nennung des Braunschw. Rathes 13, 1. 18, 2, die Wichtigmachung der Braunschweigischen Beschwerden 4, 2 u. a. Die Übers. weicht mehr ab, als ich angebe, sie ist vermuthlich nicht mit der Feder gemacht; sie hat, im richtigen oberdeutschen Geschmack, bes. den Rhythmus vereinfacht, von überflüssigen Silben gereinigt, gerade wie die früheren Braunschw. Übersetzungen; die nd. Lieder dagegen lieben vollen Rhythmus, der uns oft überfüllt erscheint.

Ein leidt van der Eroueringe des Landes tho Bronswick.

(Jhm Thon: Ach Godt ihn deinem hogesten Thron.)

1 O Godt in diener Mayestadt
de alle dinck geschapen hatt
de geue vns sinen Segen
dorch sinen Sohn Hern Jesum Christ

1, 1. Übs. bessert Gott hoch ihn 'seiner' Mayſtadt. 1, 4. Hern nur

der vnser Mittler worden ist
help vns thom ewigen leben.

2 De von Bronswick vnd Goslar vp einen dag
de entseden hertzog Hinrich aff
einen feide breiff deden se ohm schriuen
se teikeden ahn all ohr beswer
se wolden gebruken gegenwehr
vor ohnen scholde he nicht bliuen.

3 Do hertzog Hinrich den breiff vorstundt
dat idt gelden scholde den Christlicken bundt
do hefft he woll vornomen
dat de Churfurstliche Ruthen Crantz
dar tho de bunte lawe gantz
tho felde wolden komen.

4 Hertzog Hinrich hoff tho klagen ann
hedde ick de von Bronswigk tho freden lahn
dat mag ick mit warheit sagen
als mi min vader hefft gelert
offt mi darumb wadt wedderfehrt
des dorff ick nemandt klagen.

die Übs.. 1, 5. iss geschr., aber der Dichter hat deutlich den Reim Christ : ist gewollt, denn einzelne hochd. oder halbhochd. Formen im Reim neben den rein niederd. finden sich schon früh in nd. Liedern, gerade ist (vgl. 33, 4); schon Wernher vom Niederrhein 52, 4 ist : Crist, und 8, 13 brôdis : nôd is. Dieses L. ist auch sonst weit mehr hochd. gefärbt, als die früheren Braunschweigischen. 2, 2. d. h. nachdem ihnen bekannt war, daß Sachsen und Hessen zu ihrer Hilfe anrücken wollten; beide Städte hatten viel gelitten vom kathol. gesinnten Herzog, Goslar war so gut wie belagert. entsêden aff (von entseggen Nr. 19, 4, 4), Übs. sagten ab. 2, 3. 'Fehdebrief', Übs. feindes brieff. 2, 4. beswêr, gravamina. 2, 5. die eig. Kriegserklärung. 3, 1. 'verstên', erfahren. 3, 2. der Schmalkaldische Bund so genannt. Übs. dacht ehr es gilt ... 3, 4. 'Rautenkranz', Johann Friedrich von Sachsen. 3, 5. herald. Bezeichnung von Hessen, Nr. 26, 3 'der getheilte Löwe', Landgraf Philipp. ganz, ohne Scharte, ohne Makel; Übs. genant. 3, 6. Übs. wurden. 4, 2. Hs. den ... lahen, corr. aus laten. Die Übs. vereinfacht so: Der Herzog fing zu klagen an, hettē ich Braunsweig zu frieden lahn. 4, 5. fehlt in der Übs.; offt, wenn, Göd. efft; das ist natürlich alles höhnende, triumphierende Dichtung der Städter; des 'Vaters Lehre' ist bes. glücklich, das ist altepisch, vgl. Schmeller zum Ruodlieb (Lat. Gedichte des 10. 11. Jh. h. v.

5 Hertoch Hinrich hefft dat recht vernomen
vnd heidt syne Rede tho sich komen
wat rade gy leuen getruwen
ick hebbe gefolget juwen raht
de duuel segenet vns dat badt
de schimp is mi geruwen.

6 De Cantzler sprack o herr nicht also
ick will sprecken kayser vnd konig tho
dar tho den Bayerschen heren
de schullen sick ihn de sacke slan
so mothen se vns mit frede lahn
vnd mothen wedder kehren.

7 Achim Riue sprack gnediger herre min
dat kan vnd mag nicht anders sin
wie mothen vns tho samen sweren
beide Edellude vnd ock de buer
de sehen vht ohren kappen so suer
wie willen vns tapper wehren.

8 Baltzer Stechaw sprack ick bin de man
de alle Schalckheit woll driuen kan

J. Grimm u. Schm.) S. 206 ff. 5, 1. Göd. **Hinrick** hier und sonst. Übs. **Demnach ehr nuhn die sache vernommen**, verstanden, erkannt. 5, 2. Übs. **hiess ehr**, G. **het ... vor sick**. 5, 3. '**lieben getrewen**', amtlicher Stil. 5, 5. so Göd.; die Hs. **Segene**, Übs. **gesegnet**. Man segnete einander das Bad ('Gott segne ..') wie die Mahlzeit, den Abschied, und das war bei der alten Art zu baden wol am Platze; vgl. Grimms Wb. 1, 1070. Noch Mephistopheles segnet seinen Satanen, die am Ende des Faust das Feld räumen, das Höllenbad: (ich) **gesegn' euch das verdiente heiße Bad**. 5, 6. der 'Scherz', sein Verfahren gegen die Städte. **is geruwen** (Hs. **gereuwen**), reut mich nun; **sein** mit Inf. (eig. part. praes.) bezeichnet den Zustand; die Übs. **wirdt m. g.**, fängt an mich z. r., vgl. S. 47. 6, 2. Karl u. Ferdinand. 6, 3. Wilhelm u. Ludwig, die dem Herzog und seinen Tendenzen urspr. günstig waren, ihn aber jetzt im Stich ließen. Hs. **de** (Übs. **dem**) **B. herrn**. 7, 1. die Hs. **Nein Riue**; Übs., Göd. wie oben. 7, 4. **beide** faßt nach alter Weise das folg. Gedoppelte im voraus zusammen, macht im voraus aufmerksam daß zweierlei kommt; s. Grimms Wb. 1, 1364 fg. 7, 5. die 'Kappen' gelten nur vom Bauer; 'blicken finster' aus Haß und Kampflust gegen die Städter. 8, 1. Balthasar Stechau, 'Großvoigt' des Herzogs auf Wolfenbüttel, auf ihn vorzugsweise warf sich Haß und Hohn der Städter; ihm schrieb man die in letzter Zeit öfter vorgekommenen Brandstiftungen gegen die Städte zu. 8, 2. nicht wie

nach mines herrn gefallen
ick hebbe regeret ihn synem landt
mit lude beswerende vnd mit brandt
dede ick dat beste vnder ohn allen.

9 Hertzog Hinrich sprack leuen Rede min
gy mogen woll gude gesellen sin
wy don vnsem dinge nicht rechte
wie hebben neinen man verschont
ick fruchte vp dat leste werth vns gelohnt
wie der hencker synem knechte.

10 Nu hebbe wy de sacke bestalt
wie hebben ein huss dat is vor gewalt
mit synen depen grauen
wie heffen Prouiant vnd genoch geschutte
vp vnserem huse tho Wolffenbuttell
na ohn wille wy nicht fragen.

11 Hertzog Hinrich dachte ihn synem moidt
verne da von ist vor dem schoete gudt
jck will hier nicht lenger beiden
als ich woll hebbe eher gedahn
do se mi wolden den kop thoslan
vp der Soltawer heide.

jetzt, sondern 'Schusterei'. 8, 3. Übs. hertzen. 8, 4. Hs. hebbe ick, Göd. heb ick gereg., Übs. jch habe. Hs. lande. 8, 5. gilt *ἀπὸ κοινοῦ* zum vorigen und folg. Hs. m. luden beswereden (corr. aus besweren) v. m. branden; Übs. m. leut besweren vnd städt brandt; Göd. vnd Mordtbrande. 8, 6. Übs. thets b. 9, 1. Göd. Hertoge hier und sonst. 9, 3. Hs. (Göd.) vnse d. (dinck) mit r., nur die Übs. richtig wier thun vnserm d. nicht r., behandeln unsere Angelegenheiten n. r. 9, 4. Hs. einen m. Hörfehler, Übs. keins mans. Hs. verschonet : gelohnet. 9, 5. das nd. fruchte (fürchte) auch in der Übs. 9, 6. Übs. wie des diebhenckers knechte. In einem Spruch auf dieselben Dinge Wolff 122 heißt es vom Herzog und den Seinen: Der Teuffel ist jr Bundgenos, Der hat jn auch gelonet recht, Gleich wie der Henker thut seim Knecht. 10, 1. Hs. bestelt. 10, 2. Göd. fehlt dat. 'is vor', Übs. 'ist fur', schützt gegen, vgl. 'da sei Gott vor'. 10, 4. Übs. wier haben viel prouiant, geschutt, Geschütz; Göd. v. guts genoch geschůt. 10, 5. Göd. vnsem huss tho Woffenbutt. 11, 1. 2. Übs. vereinfacht wieder: Herzog Heinrich in seinem muht Dacht weidt da von ist furm schuss gudt; Göd. verne van; der H. gieng nach Süden, um Hilfe zu holen. 11, 4. Übs. als ich vinbengest (corr. aus vorbengest) wol h. g. 11, 5. 'zerschla-

12 Herr Berent von Mila ein Ridder zart
der befelich von Chor vnd Fursten hadt
de saken erst an tho fangen
he tog dem Forsten ihn sin landt
vnd hefft Wolffenbuttell erst angerandt
darna stundt sin verlangen.

13 De von Bronswick ein Erbar Raht
de togen woll mede vth der Stadt
mit ohrer wagenborch vnd geschutte
se ruckeden midde ihn dat felt
vnd slogen alle vp ohren telt
vor dem huse Wolffenbuttell.

14 Johan Friederich der lobliche Churfurst
dem alle tidt na ehren dorst
de sumede sich nicht lange
he hefft sin heer tho samen gebracht
he ruckede vort woll dag vnd nacht
woll na dem Bronswickischen lande.

15 Philippus der lantgraue hochgemelt
ein freudiger Furst woll ihn dem felt
gerustet tho allen stunden
he rustede sich mit aller macht
he toch daher mit heeres krafft
mit Pipen vnd mit bungen.

gen', Übs. abslaen; a. 1519, s. oben Nr. 12. 12, 1. Übs. Berenhardt von Wiling R. z., Göd. H. Berndt von Milinck; zart, seit lange ein lobendes Beiwort für alles Edle und Reine, aus dem Hochd. entlehnt. 12, 2. Übs. (ohne der) befelh von 'Chur vnd Fursten' h., amtlicher Stil für 'Churfürsten und Fürsten'; die Dehnung befelich (Göd. gar bevelick) suchte das alte organ. h (mhd. bevelh) zu halten, das e ist kurz zu spr., das i nur andeutend; s. Grimms Wb. 1, 1251. 1256. 12, 5. Göd. thom Ersten berandt, deutlicher, erst sagt dasselbe. 13, 1. Übs. die von Braunsweig ein Erbar raht, ganz titelm., Stadt und Rath. 13, 2. G. mede wol. 13, 4. G. wol mit. 13, 5. G. vp alle er getelt. 13, 6. G. huse tho W. 14, 1. G. Johans Frederich der löfflike Chörförst. 14, 2. dem auch Übs. 15, 2. freudig, muthig, s. S. 35. 15, 4. G. m. gantzer m. 15, 5. Übs. zog frisck daher ihn h. kr. 15, 6. Übs. m. Pfeiffenn v. m. Trummen; bunge, Pauke, Grimms Wb. 2, 524.

16 Vp einen Fridag dat geschach
dat men de Forsten riden sach
wadt deit men von ohnen seggen
se randten vor Wolffenbuttell vor dat huss
dar schot man mit groten kartawen heruht
se dorfften dat tapper wagen.

17 De beiden Forsten hochgemelt
se sloigen twey leger ihn dat felt
se hadden in dem sinne
se lethen dar dat leger slan
ohrer keiner wolde thehen daruan
dat huiss wolden se gewinnen.

18 Dat dridde leger so geslagen wardt
dat deden de von Bronswigk Ein Erbar Raht
dat do ick jw vormelden
se hadden twey dusendt gerustete man
de sich dar wolden vinden lahn
by dem Forsten ihm velde.

19 Do dat huiss wardt beleit
do hadde sich Hintze mit der Bolschafft vhtgedreit
de tho Ganderheimb was entslapen
dar hefft he se begrauen lahn

G. vnde, wie meist. 16, 2. Hs. den F., Übs. die. 16, 3. Übs. matt kan ich woll von ihn sagen; auch Göd. mit Entfernung der beliebten Frage: dat deit me von en s. 16, 4. rennen, schnell reiten, dieß die urspr. Bed.; so rennt öfter der Feldherr vor der Schlacht ermahnend durch das Heer, K. Maximilian vor Terouanne Solt. 209: der kayser in dem hör vmb rant; 218 'ritterlich' thet er (Trübenbach) rennen; eig. das Roß rinnen machen, Kaiserchr. (Diemer) 4, 26 ir ros si ze wette ranten. 16, 5. 6. Übs. schoß man gleich ... doch durfften (wagten) sie ... 17, 4—6. Die Übs. macht dieß 'im Sinn haben' deutlicher: wie sie liessen das l. slaen, so wolden sie nicht z. dauon, sie hetten das hauss den inne; obiges ist dasselbe. 18, 2. Göd. Brunswich hier und sonst. 19, 1. Hs., u. Göd. belecht; beleggen, belagern, auch hochd.; ebenso beliegen, Uhl. 441 Dorneck ist uns belegen. 19, 2. G. vthgedreigt. sich ûtdreien, ausdrehen (Grimms Wb. 1, 845), s. heimlich davon machen. Übs. floch Heintz mit seiner buell von dar, ein Hoffräulein, Eva von Trott, die H. Heinrich auf Burg Staufenberg unterhielt, nachdem er sie in Gestalt einer Puppe zu Gandersheim als todt hatte besingen und bestatten lassen (Sleidani Comment. 1557 fol. 261[b]). 19, 3. Übs. Ganderssem, Göd. Gandersam. 19, 4. Hs. lathen, wie 23, 4.

de iss von dem dode wedder vpgestan
is dat nicht ein grodt mirakell.

20 De Forsten escheden dat huiss vp
do spreken de fiende mit groten spott
scholde wie dat huiss vorschenken
wie reden dat woll openbar
komet wedder ouer drey jar
so willen wie vns bedenken.

21 De Forsten heleden einen korten raht
vnd schantzeten vort woll vp de Bordt
se richteden ohre geschutte
se schoten so mannigen harten schott
wo seher dem Adel dat vordrot
vp dem huise tho Wolffenbuttel.

22 Se schoten wente ihn den anderen tag
se schoten den hochsten torne aff
de vell ihn einen grauen
se schoten ock twey menner todt
do kemen se ihn grote noth
vndt begunden seher tho klagen.

23 Se wehren also seher vorfert
wie heffen vns lange genoch gewert
will wy halden vnse gudt ihm lande
so mothen wy de buren lopen lahn

19, 6. Die Braunschweiger waren protestantisch. Übs. **mit ihm da von gelauffen.** 20, 1. **êschen**, mhd. **eischen**, fordern; Übs. **hieschen .. auff**, verlangten sie sollten es '**aufgeben**'; vgl. Uhl. 506 **ir burger, ich beger dise statt auf.** 20, 2. Übs. **die feindt gaben ihn andtwordt darauff.** 20, 5. Übs. **k. w. ein mahl vber dr. j.**; die Antwort ist geschichtlich. 21, 2. Gar zu gern theilte man so eine theilbare Zeile durch Binnenreim, auch wo es der Strophenbau nicht verlangte; z. B. Solt. 355 **feint wolgemůt jr Lantzknecht gůt**; 357 **gschicht das nit bald, mit grossem gwalt** wo das Komma als strophisches Zeichen zum Überfluß zeigt, daß dem Dichter oder Setzer oder beiden es nicht etwa unbewußt war. **bort**, Rand (des Grabens); **den?** Übs. **auff der fart**, damals, ebenso Göd. **vp der vart.** 21, 6. Übs. **Wolffenbutt**, wie 16, 4. 22, 2. Übs. (Göd.) **d. langen thurm herab**, von dem sie beim Anzug waren gehöhnt worden, s. zu Nr. 31, 37. 22, 5. bittrer Spott auf die Feigheit der Belagerten, vgl. Str. 29. 22, 6. Übs. (Göd.) **beg. zuuerzagen.** 23, 3. Übs. **wollen wier was behalten i. l.** 23, 4. die

vnd spreken se heffen dat mit gewalt gedan
so mothen se dragen de schande.

24 Baltzer von Stechaw sprack wen dat geschuht
so holt man vns vor redelicke lud
so konnen se nicht gedenken
dat wie heffen dat vht forcht gedan
so wardt man vns tho Ridder slaen
vnd grote guder schenken.

25 De drey jahr hadden balt ein endt
se heffen den Forsten einen boden gesendt
wie heffen vns redlich geholden
vp Wolffenbuttel als man sach
dat weret bet in den dridden dag
dat moste de leue Godt walden.

26 Do de Landtgraue dat vornam
do feng he erst tho scheiten an
den auendt wente an den morgen
den Feinden wart von herten bang
de tag wehret ohn eins jares langk
Se stunden ihn groten Sorgen.

27 De lofflicken Forsten hochgemuidt
de wolden nicht vorgeten Menschen blut
se hebben dat huiss angenomen
vnd alle de se gefunden han

Bauerbesatzung des Schlosses, vgl. 7, 4. 24, 1. Hs. geschucht, corr. aus geschicht; geschût, (ge)schût rechte nd. Form. 24, 2. lude, G. Lüd, mhd. liut, n. 24, 5. wardt, bloß Aussprache für wert (G.), wird, wie umgekehrt Rein. Vos 2662 vorwerf für vorwarf; a und e fließen eben vor r fast in einen Laut zusammen; vgl. S. 28. Wie trefflich wird wieder Stechau verhöhnt. 25, 1. näml. nach drei Tagen, den 9. Aug. begann die Belag., am 12. geschah dieß. 25, 2. Hs. dem. 25, 4. Göd. wieder Wulffenbût, es findet sich auch sonst. 25, 6 schiebt, wie oft, die Verantwortung der Sinnesänderung auf Gott; Göd. des m. 26, 2. scheiten aus schêten (schießen) gedehnt. 26, 4. Hs. bange, G. bang. 26, 6. Hs. (Göd.) ihn den S., Übs. ihn grossen s. Das alte sorge ist nicht Kummer, sondern Angst. 27, 3. Übs. auffgenommen im Einklang mit aufheischen, auf-

se sindt leuendig komen darvon
de bosen vnd de fromen.

28 Do dat huiss vpgegeuen wardt
do was idt gespieset zwey gantze jar
wen ick dat seggen dorste
se geuen dat huiss vp sunder noht
was dat nicht ein jammer grot
vmb de beyden jungen Forsten.

29 Ein wahrteiken will ick jw geuen
se wehren noch alle by ohren leuen
do se dat huiss vp geuen
se weren noch althomalen gesundt
vnd ohrer neiner wahr verwundt
dat is klar ahm dage.

30 De Forsten de mothen dragen gedult
idt is nicht all der buren schult
fraget man jw gesinde
ohr ein Part de dingeden eher der Tiedt
darouer werden se des landes quiedt
dat werde gy wol befinden.

31 O Heintze du hefst verfolget Goddes wort
vnd doctor Dellinghuisen vormordt
tho Scheningen ihm walle begrauen

geben; es war am 13. Aug. 27, 5. G. mit dem liue. 28, 2. gantze aus G., fehlte der Hs. Übs. fandt mans bespeist (G. bespiset) voll auff z. j.; das zwei im nd. Text zeigt mit anderm, zum Theil kaum Merklichen das allmäliche Eindringen des Hochd. in Ohr und Mund. 28, 3. dorste, die echte Form (conj. praet.) von dar oder nd. dor, wage, was oben dorfte von darf; Übs. wan ichs nur sagen durfte. 28. 5. Übs. mit andrer Gesinnung jst ihnen alle ein grosser Spott. 28, 6. Übs. mich rewen (schmerzen) die zweene junge F., H. Heinrichs Söhne. 29, 2. der Adel. 29, 5. Hs. nein, keiner, Göd. nener. 30, 1. die jungen Fürsten. 30, 2. vgl. 23, 5. 30, 3. Übs. fr. ettliche hoffgesinde; dasselbe ist gesinde, die verräth. Edelleute, vgl. S. 140; man, nur. 30, 4. dingeden, verhandelten, capitulierten. eher (auch Übs.), vor, als Präp., wie mhd. ê. 30, 5. werden sie verbannt werden; Hs., G. worden. 31, 3. Hs. Schemingen, Übs.

den hefft de Chorforste lathen grauen vp
man fandt einen swarten theen ihn synem kop
wat kan he dar tho sagen.

32 Leuen hern gedenket daran
wo sich Godt de here hefft merken lahn
ahn dussem Bronswikischen heren
he hefft gestraffet alk sein gewalt
vnd ohn mit bosheit woll betalt
Godt sy loff Priess vndt Ehre.

33 Do de krieg nu hadde ein Endt
heffen sich de Forsten nach Bronswigk gewendt
mit ohren Bundesverwanten.
So louet den herren Jesum Christ
de vnse houetman worden ist
dem schulle wie alle tidt danken.

zu Schening im walde begr., G. vnde tho Schening yn den Wal. 31, 4. 5. Übs. der Churfurst ihn auffgraben lahn, fandt ihn sein Mundt ein swartzen zahn, als Zeichen der Vergiftung angesehn? 31, 6. Hs. seggen, vgl. 4, 3. Übs. consequenter was kanstu dar zu sagen. 32, 2. Göd. G. de Vader. 32, 3. Hs. herrn. 32, 4. G. all; alk, auch elk, adject. Weiterbildung von al, eig. allik; so mhd. allich, ellich, jeglich; vgl. hochd. elligklich Solt. 375 (a. 1547). 32, 5. 'mit Bösem'; Übs. (G.) v. ihm sein b., der Zweideutigkeit zu entgehn. 32, 6 klingt wie der Schluß, Str. 33 ist Zusatz; die Übersetzung aber bringt, auch Göd., eine im Ton auffallend andere, etwas trockene Fortsetzung von 20 Strophen, die von Hildesheim handelt, wie die Braunschweiger ihre alten Verbündeten einladen dem Evangelium und dem Schmalk. Bund auch beizutreten; Bürger und Rath von Hildesheim sind froh bereit, der Bürgermeister reitet selbst nach Braunschweig, doch der Beitrag den der 'Bund' verlangt dünkt ihn und die Gemeinde unerschwinglich, nur um ein 'ziemlich Geld' mögen sie beitreten; der Bund schickt darauf eigne Abgesandte von Adel hin, auch Dr. juris Levin von Emden; dieser eben überredet Rath und Gemeinde zur Annahme; es kommen Prädicanten, Doctor Pommer darunter, um die Einrichtung zu treffen; die Bürger sind glücklich über die 'lautere' Predigt, die sie nie gehört, doch die Pfaffen werden 'schellig' und predigen dagegen. Zuletzt drei Str. mit Klagen über die Thorheit und Sittenlosigkeit der Welt, das Leiden der Armen, die wieder aus einem andern Liede sein müssen.

29.

Ein schön new gemacht Lied,

zů lob vnnd Eer von Gott auffgesetzter Obrigkait: Von jetzschwebenden auffrürischen geschwinden practiken vnnd kriegsleuffen.

Im thon, Auß tieffer not.

Ain jetzlicher der sich erhöcht, würdt ernidert, vnd der sich ernidert, würdt erhöcht. Math. xxiij. Luc. xiiij.
Der knecht nit vber sein herrn ist. Johann. xiij.
Der vngerecht kan im krieg nit glück haben. Eccles. viij.
Wer verhart biß ans end, der würt selig. Math. xxiiij.

M. D. XXXXVII.

Flieg. Bl., 8 Bll. 4° (bibl. societ. teuton. auf der Stadtbibl. zu Leipzig); ein Titelholzschnitt stellt den kais. Doppeladler dar zwischen zwei Säulen (wol die Herculessäulen aus dem Wappen Spaniens), darüber das Motto 'Plus vltre' (so); abschr. von Leysers Hand in Soltaus Nachlaß; 1547 ist das Jahr des Drucks, doch auch der Entstehung nach Str. 22, 1. Nach einem andern Druck schon bei Hortleder, R. K. Maj. Handlungen u. Ausschreiben. v. Rechtmässigkeit des Teutschen Kriegs u. s. w. Bd. II. Frkf. 1618. S. 377 ff., vgl. Soltau S. 360; aus Hortleder nahm es auch J. M. Weichselfelder, Leben Churf. Johann Friedrichs. Frkf. 1754. S. 454 ff. — Das Lied behandelt die Kriegsereignisse an der Donau und die Reichsverhältnisse überhaupt vom kaiserl. Standpunkt, nicht eben vom katholischen; der Verf. mag nach dem Ton, den er gewählt (Luthers Bearbeitung des 130. Psalms) und unter andern nach Str. 19 vielmehr protestantisch gesinnt sein, nach dem Dialekt (44, 1) ein Baier oder Östreicher. Str. 1—30 geben das Akrostichon: Carolus der Funft Romischer Kaiser; solche Akrosticha sind werthvoll als sichere Anzeichen von Dialekt und Schreibung des Dichters; so hat dieser schwerlich 'Romisch' gesprochen, er läßt den gesprochenen Umlaut doch in der Schrift unbedenklich bei Seite. Die Interpunction ist melodischer Natur, sie bezeichnet dem Sänger die Dreitheilung der beiden Stollen und des Abgesangs; an der Consequenz derselben (nur ein paar Mal hab ich Versehen entfernt) ist zu sehn, welchen Werth man darauf legte, vgl. Nr. 34. Die 7. Zeile der Str. ist bei Luther eine Waise, hier nur theilweis, der Dichter hat richtig so begonnen, fiel aber von der 5. Str. an meist ins Einreimen auch der Schlußzeile, vgl. Nr. 42.

1 CLar hell vnd lauter ist am Tag,
Thůt vns die schrifft beweisen:
Das vbermůt nit bleyben mag,
Die hoffart můß zerreyssen:

1, 1. Das nachdrückliche Dreifachsagen ist nach Art der Rechtsformeln, s. J. Grimm, Rechtsalt. 17 (darunter 'öffentlich, hell und lauter lesen'). 1, 3. vgl.

Gleich wie der staub im sonnen glantz,
  Bleibt vngehorsam also gantz,
Es můß gepůsset werden.

2 Aller gewalt von Gott her wechst,
  Paulus dasselb thůt leeren:
Wer sich derselben widersetzt,
  Von Gott thůt er abkören:
Allain des glauben berůmen thůt,
  Vnd lebt doch sunst in thummen můth,
Sůcht jm ein freyes leben.

3 Recht vnd gericht ist gar veracht,
  Man thůt den Kayser schenden:
Dz macht der gseli͛chafft grosser pracht
  Der sie also thůt plenden:
Durch teüfels lüst vnd schickligkayt,
  Kan̄ er jn machen süsse freüdt,
Vermischt mit gifft vnd gallen.

4 O Gott bedenck der grossen not,
  Jr gwissen sind gefangen:
Sie treyben täglich grossen spot,
  Vnd haben groß verlangen:
Wie sie vil auffrůr richten an,
  Vnd bringen in den gmainen man,
Das wort gots wöll man zwingen.

5 Lassen sich duncken vnd vermayn,
  Das wort gots haben funden:

Nr. 17, 1. 1, 5. Ungehorsam an Festigkeit den Sonnenstäubchen gleich; ähnlich schon mhd. der Vergleich beliebt mit dem **daz in der sunnen vert** (Parz. 198, 20). 2, 2. Röm. 13, 1. 2. 2' 5. treibt mit dem Gl. nur Ostentation (so mhd. **ruom**), wie ...; der Gen. steht sonst bei **sich berümen**. 3, 1. Die Schmalkaldischen ('Schmachkaldische' parodiert) hatten sich von der Gültigkeit des kais. Kammergerichts für sie losgesagt. 3, 2. in Pamphleten, Sprüchen, Liedern (z. B. Wunderh. 1, 105. Körner 180); selbst die Häupter nannten ihn den 'vermeinten Kaiser', Karl von Gent; daher Karls bekanntes Wort zu dem gefangnen Kurfürsten: 'Bin ich n u n euer gnädigster K a i s e r?' 3, 3. gedr. **gselschaffter**; 'Gesellschaft' (s. S. 179) ziemlich wie 'Gesinde, Gesindlein' Nr. 33, 19. pracht, hochfahrendes Wesen. 4, 1. wie sonst **gedenken**. 4, 6. 'bringen bei'.

Vnd doch sy selb zerspalten sein,
Mißprauch zů allen stunden:
Bey jnen groß vnd klein erscheint,
Vnnd seind allain des kriegs veraint,
Widern Kayser hart verpunden.

6 Vergleichen sich ainer grossen macht,
Den glauben zů beschutzen:
Darneben doch vil mer gedacht,
Die Obrigkayt zů drutzen:
So jn von Gott geordnet ist,
Trachten darnach mit hinderlist,
Vnd wöllens vndertrucken.

7 So in ein solchs gelücken thet,
Hettn sich gar wol besunnen:
Vnd ir anschlag ein fürgang hett,
Das spil wer bald gewunnen:
Die kauffleut wurden herren sein,
Der adel leyden schwere pein,
Mit diensten in verpunden.

8 Das jetz der adl wenig tracht,
So sich zů jn thůt geben:
Von wem sy haben solchen pracht,
Mit kostligkayt zů leben:
Jr wůchern noch vil mer vermag,
Mit Elen maß vnd auch der wag,
Můst mercken jr gar eben.

9 Es ist kain jar so fruchtbar nie,
Sy künnen reumen machen:

5, 3. Das Zergehn des Bundes schien nahe, als der Krieg dazwischen kam. 5, 6. übern Kr. einig; so mhd. 6, 1. 'thun dergleichen', als wären sie. 6, 3. fehlt 'haben', wie dieß und 'sein' oft; vgl. zu Nr. 40, 9. 6, 4. **einen trutzen** (so urspr.), herausfordernd, angreifend, nicht schmollend, abwehrend, wie jetzt. 6, 5. gedr. **georndt**, obwol sonst richtig (wie **orndtlich** Solt. 64), hier vom Rhythmus als Druckerfehler ausgewiesen. 7, 5. die Reichsstädte im Bund, darunter die reichsten, z. B. Nürnberg, Augsburg, Ulm. 7, 7? Jn jenen Städten stand manche adeliche und fürstliche Schuld, sie waren die Geldquellen. 8, 1. 'betrachtet', in Betracht zieht. 8, 5. 'ist fähig zu ..', vgl. Schm. 2, 557. 8, 7. **merken** ist 'ins Auge fassen'. 9, 2. 'Reime', wie **gedicht**, Erfindung, so nd. **rîm** Rein.

Es sey verdorben in der plye,
Der arm man kans nit lachen:
Das Meer wirt auch offt vngestüm,
Verderbet jn ain grosse summ,
Sagen von grossen sachen.

10 Rath soll das Ewangelisch sein,
Kan ich bey mir nit kennen:
Sy geben für ein grossen schein,
Vnd thůn sich Christen nennen:
Verachten doch zů dieser frist,
Was nit auff jrer mainung ist,
Verdammen sy vnd schenden.

11 Falsch vnd betrueg ist gar im schwang,
Kain besserung will werden:
Wiewol der herr zů sicht gar lang,
Den sündern hie auff erden:
Kan er doch nit gedulden mer,
Die Welt zůsteen in solcher gfär,
Sein hand will er außstrecken,

12 Vber die seinen zů beschutz,
Den sündern zů der růten:
Gott leydet nit das man jn trutz,
Die seinen thůt behůten:
Also den Kayser hat erweckt,
Den man nit also leychtlich schreckt,
Als andern war zů můtte.

Vos 2734; obige Schreibung nicht selten, noch im 17. Jh.; **reime, ein reim,** der eig. Name der Spruchpoesie in Form und Ton der alten Reimpaare, Erbschaft des 13. Jh.; so weit war dieser Begriff herabgekommen! die Tagesdichter, vielfach als Lügner gescholten, schrieben in jener Form. 9, 3. **es**, das Jahr, d. h. das Getraide; **blüe**, Blüthe, s. Grimms Wb. 9, 4. **man** fehlt im Druck. **kans**, es als gen. neutr. hat sich in dieser Anlehnung lang erhalten; Uhl. 506 **hettens fürwar kein êr**; Adrian, Mittheilungen 128 sogar **die Ulmer haben es rhum.** Noch bairisch **ich habs Muth** Schmeller 2, 654; vergl. unten Strophe 18, 3; Goethe schreibt 1772 (Goethe und Werther S. 114) **da war ichs erst gewiss**, meiner Sache gewiß. 9, 7. beliebte Wendung von Flausenmachern. 10, 1. **rath**, die Form ein Räthsel einzuführen. 10, 6. deutlich *ἀπὸ κοινοῦ* zu 5 und 7. 11, 1 **der falsch**, urspr. bes. Münzfälschung. 11, 5. 6. gdr. **mere : gfäre.**

13 Nun welcher sich bedencken will,
Gar leychtlich kan er brueffen:
Er hab gehandelt nit zůuil,
Den seinen offt gerůffen:
Auff das man jm gehorsam layst,
Sein thůn vnd lassen als beweyst,
Die Teutschen nit zůlassen.

14 Freuntlich vnd milt erschinen zwar,
Sein vatterland verlassen:
Allain zů gůt der Teutschen schar,
Noch wöllen sie in hassen:
Mit diemůt ist er kumen her,
Zů reuten auß die groß beschwer,
Man hat in sitzen lassen.

15 Thůt yeder was im selb gefelt,
Kain recht mögen sy leyden:
Ir datum ist dahin gestelt,
Zů rechten auß der schayden:
Was Christi leben wider ist,
Das prauchen sy zů aller frist,
Nach lust vnd auch mit freüden.

16 Rumoren leert sy Christus nit,
Dem Kayser wider streben:
Er gibt vns allen maß vnd sit,
Sein recht eim yeden zů geben:

13, 1. 2. wer nachdenkt, kann leicht 'erkennen' (mhd. **brüeven**), Nr. 27[b], 6, 3. 13, 3. in seinem politischen Handeln weises Maß, Zurückhaltung bewahrt, den protestantischen Auflehnungen gegenüber; das '**zu vil**', das Unerträgliche, ist ein wichtiger Begriff seit der mittelhochd. Zeit, vergl. **beviln** Nr. 14, 7. 13, 6. **als**, '**alles**', durchaus, immer. 14, 1. das Pronomen, wo es irgend aus der Sache sich selbst ergänzt, ersparte man sich gern im Liede; desgl. die Hilfsverba. 14, 3. gegen Vorwürfe wegen Karls langer Abwesenheit von Deutschland; es sei nur Milde gewesen, daß er in den Kämpfen der Parteien die kais. Autorität so in den Hintergrund stellte; gedr. **teutschen.** 14, 5. 6. **here : beschwere.** 15, 3. ihre Verhandl. gehn darauf hinaus. 15, 4. **Rechten**; ähnl. jemand 'aus der Scheide' bezahlen (Uhland 380. 362), mit Schwertschlägen. 15, 6. **brauchen**, üben. 16, 1. **Rumor**, bes. von Auflauf und Empörung, Nr. 33, 1. Uhl. 657; oft in

Was Gott gehört er selber ayscht,
Der Obrigkeit gehorsam layst,
Bey allen deinem leben,

17 Ob schon die selb dir wider ist,
Die rŭten zŭ gebrauchen:
So du nun Euangelisch bist,
Soltu nit wider strauchen:
Vnd alles leyden mit gedult,
Gedencken habst es wol verschuldt,
Die gegenwere nit prauchen.

18 Mainstu es sey nit vrsach genŭg,
Die vnderthan zŭ straffen:
Der Kayser hab es gar nit fŭg,
So du jn thŭst verklaffen:
Vnd sprichst das er nit Christlich sey,
Er helff allain der bŭberey,
So vben seine pfaffen.

19 Ich hoff er sey nit des gesindt,
Zŭ helffen den mißpreuchen:
So er allain gehorsam findt,
Gar schon wirt ers vergleichen:
Damit nit als in mißprauch kum,
Berŭffen ain Concilium,
Dasselbig außzŭstreychen.

M. Beheims Buch von den Wienern (**ramor**). 16, 5. eben in den angezognen Worten 'gebet Gott ..'; **aischen**, fordern, heischen. 16, 6. 'laischt' zu spr., so ist geschrieben **weischt** Adrian, Mitth. 122 (schwäb.); **eschte**, Äste, Bergreien, h. v. Schade S. 129 (Nürnb.); vgl. **perschon** Körner 248 (Augsb.); **daschten**, tasten bei Zarncke, Seb. Brant S. CXXXIV; **wünscheschtB** Brants Narrensch. 43, 27. Da bricht die Aussprache einzeln schon durch; wenn aber 'wäscht' geschrieben wird **west** Solt. 124, Seb. Brant S. 147b, 'erfrischt' **erfrist** Brant S. 173a (: **ist**), wenn gereimt wird **tisch : bist** Brant S. 151b, **täsch : gebrest** Narrensch. 83, 120 (vgl. Zarncke S. 284), so ist das eben auch Beweis, daß die Aussprache **scht** schon herrschend wurde oder war. 18, 3. 'kein Recht dazu', **es** gen. neutr., vgl. 9, 4, wol als Acc. gefühlt, wie in **das** für **des**. 18, 4. **verklaffen**, (politisch) verklatschen, durch **klaffen**, (böswillig schwätzen) Schlechtes auf einen bringen. 19, 6. Da das Trienter Concil seit Dec. 1545 schon saß, war also der Dichter mit der protest. Verwerfung desselben einverstanden und meint auch das Nationalconcil, das die

20 Sterck vnd gedult jm Gott verleycht,
Die seinen zůerhalten:
Gar gmach vnd sitlich nachhin schleycht,
Er můß gleich lassen walten:
Schickt poten auß in alle Landt,
Vnd sy nachmals zů ghorsam mandt,
Den friden zůerhalten.

21 Christliches Namens ruemten sich,
Des Kaysers nur zů spotten:
Bey meiner trew ich das vergiech,
Thetten sich zůsammen rotten:
In kurtz ain hauff ward auffgemant,
Gantz vnerhört jn Teutschem Landt,
Irn hochmůt zů erretten.

22 Hetten vil anschleg gemacht vor jar,
Ob jnen möcht gelingen:
Haymlich bestelt ain grosse schar,
Den Kayser zůuerdringen:
Schertlin des spils wolt anfang sein,
Ein hauffen samlet nit gar klain,
Auff Thonawwerd zůpringen.

23 Er nam den paß der thunaw ein,
Des Landgrauen zů warten:
Damit man kendt die diener sein,

Schmalkaldischen forderten. 20, 3. Treffliche Bezeichnung des schonenden, tastenden Verfahrens Karls; **schleichen, slîchen** ist langsam, bes. mit Würde gehen, einherschreiten, wie der Pfau Walth. v. d. V. 19, 32; Königinnen 'schleichen' Walth. 19, 12. Trist. 274, 16. Wolfdiet. 365 (Haupt 4, 443). '**sitlich** gehn' ist bedächtig, eig. nach höfischer Sitte, vgl. Zarncke zu Brant S. 329ª. Also: der Kaiser geht bedächtig, zuwartend, zulassend hinten nach. 20, 4. **můß**, das ß enthält wie oft, ein im Sprechen darin aufgehendes **es**. **gleich** ist fast 'obgleich': 'muß ers gleich ..' Weller, L. des 30jähr. Kr. 82: **Gott sicht alle ding, Sie sind gleich** (einerlei, ob sie; seien sie gleich) **groß, hoch und gring**; vgl. Nr. 30, 19. **lassen** (l. **Got lan?**) **walten**, nämlich 'Gott', vgl. Nr. 28, 25. 21, 3. mhd. **verjehen** 32, 7, aussagen, behaupten, 1. Pers. Präs. **vergihe**, später **vergich**. 21, 5. **aufmanen** von Truppen gewöhnlich, noch Goethe im Götz. 22, 5. Schertlin von Burtenbach, oft **Schertel** genannt. 22, 7. Donauwerth, wo sich die verschiednen Kräfte der Schmalkaldischen vereinigten (Anfang Aug.), Hessen und Sach-

Macht jedem knecht ain scharten:
Der Landgraff sich nit lang besan,
Sachsen wolt auch ain beystand than,
Mit spieß vnd hellenparten.

24 Reychstett die schickten gelt vnd gůt,
Vil schlangen vnd karthaunen:
Es stoltzet jn jr vbermůth,
Die kisten thetens raumen:
Sy wolten gehling herren sein,
Fürsten vnd adel sperren ein,
Machen zů vnderthanen.

25 Kloster vnd Clausen namens ein,
Was in kam vnderwegen:
Das můst alsam jr aigen sein,
Die kirchen thettens fegen:
Zů schmach dem hohen Sacrament,
Von jnen ward auffs höchst geschendt,
Darzů mit füssen tretten.

26 Auff Bayrn stund auch jr begier,
Mit lüsten zůbekummen:
Nit weit von Rain zugen sie für,
Schönfeld ward eingenummen:
Dergleichen auch mit Rain der-stat,
Sich alle sach ergangen hat,
Das er darein ist kummen.

27 In kurtzer zeit kam er daher,
Wolt Ingolstat erschleychen:
Als ob niemandt darinnen wer,
Vnd thet doch bald abweichen:

sen, Würtemberg und die Städte. 23, 4. Wie Schärtlin seine Landsknechte mit einer scharte, Einschnitt zeichnete, Solt. 368: seinr knecht eym yeden halben bart beschoren hett auf narrenart; 372 heißt er darum Schartenbart. 24, 4. das Lied Soltau 366 meint: die kisten wurden in zůvol. 24, 5. herrn. 25, 3. alsam, d. i. allsamen. 25, 6. das Sacr. nämlich, eine Art ἀπὸ κοινοῦ. 26, 2. lüsten, d. i. Listen. 26, 3. für, vorbei. Rain an der Acha, nahe beim Lech und der Donau. 27, 1. er, Schärtlin. 27, 2. Solt. 368 (Ingolstat)

Ich glaub er förcht die grossen schuß,
Vnd beyßt vil lieber haselnuß,
Wol in der altmül teyche.

28 Sein fenlin ließ er fliegen hoch,
Darinnen stund geschriben:
Auß lauter trutz vnd großem poch,
Wo ist der Kayser bliben.
Dem Kayser solchs verschmahen thet,
Sein volk er auch gesamlet het,
Auf Ingolstat zůziehen.

29 Er macht sich auff saumbt sich kain tag
Wolt seinem feind zůrucken:
Bey Newenstat zů felde lag,
Schlůg gar ain schöne prucken:
In zwayen tagen vberzog,
Zů nechst darpey das leger schlůg,
Biß man erspecht all lucken.

30 Resch vnd behend er schicket nach,
Sein feind den wolt er sůchen:
Zů fliehen ward dem Landgrauen gach,
Thet berg vnd thal verflůchen:
Hat vns der teüffel bracht herein,
Wir můssen all gefangen sein,
In disen perges klufften.

31 Zug also streng ain gantzen tag,
Auff Neuburg thet er rucken:
Durch manches holtz vnd wild gehag,
Auch vil der rauchen hecken:

auf wasser vnd landt beritten wardt. 27, 7. daheim? vergl. Nr. 26, 14. 28, 4. Solchen Hohn auf den Fahnen in Spruch und Bild trieb man noch im 30jähr. Krieg, oft recht undelicat. Die Kaiserlichen gabens zurück Solt. 359 nach dem Abzug von Ingolstadt, sie sangen: **Kain Landtsknecht waißt zů diser frist, Wo der Landtgraff hin kumen ist**, als wäre er etwa König Etzel oder Kaiser Friedrich. 28, 5. mhd. **versmâhen, smæhe**, verächtlich sein, ärgern. 29, 3. gedr. **Neustat**, zwischen Regensburg und Ingolstadt, an der Donau. 29, 7. **erspecht**. 30, 1. **resch vnd behend** öfter verbunden, ein Spottlied bei Wolff 83, auch Frankf. Lb.

Bey Nassenfels ers leger schlůg,
Ein tag zwen drey dasselb verzug,
Den Kayser zůerschrecken.

32 Am sechs vnd zwaintzigisten tag,
August des monats geschehen:
Des Kaysers leger auch auffprach,
Als man hat ziehen sehen:
Auff Ingolstat mit hauffen groß,
Darunder wenig kriegsleüt ploß,
Mit warhait můß veriehen.

33 Ob Ingolstat in weitem feld,
Thet er das leger schlagen:
Man sach auff richten manig zelt,
Als ich bey meinen tagen:
Erfaren hab vnd auch gehört,
Der Landgraff war all tag bethört,
Die spanier thetens wagen.

34 Ein klain gehültz das Pircka genant,
Den feinden wolt nit schmecken:
Den spaniern wurd es bald bekandt,
Thetten sich drein verstecken:
Jagten die wacht jns leger nein,
Vnd stachens nider wie die schwein,
Gar offt thettens auffwecken.

Nr. 144 beginnt so. 31, 6. Uhl. 586 **ein gleslein wein drei oder vier**; Scheible, flieg. Bl. 11 **ein Jahr drei vier**; vgl. Nr. 54, 5, ist nichts als 'ungefähr zwei oder drei, drei oder vier', das **ein** wird unbetont vorausgeschickt und zählt nicht mit; so bei Zahlen eine Wahl zu geben, ist noch Sitte des heutigen Volksl., Hoffmann, schles. VL. S. 237 **des Nachts um zwei drei**; jenes lautet jetzt 'ein Tager zwei oder drei, ein Jahrer drei oder vier'. Vgl. darüber Lütcke in v. d. Hagen's Germania 3, 61 ff. 32, 2. (ist es) **gesch.** 32, 4. vielleicht war der Verf. in Ingolstadt, dann geschah alles dieß unter seinen Augen. 32, 6. **bloß**, ungeharnischt; dieß 'wenig' ist eine alte Form der Emphase. 33, 4. 'wie ich nur je ..' 33, 7. die Spanier plänkelten mit den Hessischen zwischen den beiden zuwartenden Lagern, ihre Keckheit wird gerühmt. 34, 6. öfter so, Solt. 304 **stachen sie** (die Bauern 1525) **wie die schweyn**; 369 **sy nider schoß recht wie die schwein**, eben die Hessen vor Ingolstadt. 34, 7. **sie aufwecken**, die Vorpostenwacht überra-

35 Der feind gedacht in seinem můt,
Wir müssens anderst wagen:
Das täglich wachen wirt nit gůt,
Macht vnser volk verzagen:
Er rucket baß dem Kayser zů,
Zů machen jm gar wenig rw,
Ausm vortayl jn zů jagen.

36 An ainem Erchtag es geschach,
Das gschütz hůb an zů krachen:
Vil hauffen groß im feld man sach,
Der schimpff der wolt sich machen:
Karthaunen schlangen vnd falconn,
Sach man auffs Kaysers leger gan,
Gar wenig hort man lachen.

37 Zu gegenwer man sich bald rüst,
Dem lermanplatz zů drangen:
Mit kugeln ainer den andern grüst,
Das spil ward angefangen:
Ein grausam schiessen da erhal,
Vber die perg vnd tiefe tal,
Die kugeln einher sangen.

38 Schlachtordnung wurden bald gemacht,
Die Hauptleüt gunden sprechen:
Wir sein gerüst zů ainer schlacht,
An feinden vns zů rechen:
Der Landgraff hefftig zů in schoß,
Vnd in doch vberseer verdroß,
Das sie nit wolten weichen.

schen, alarmieren. 35, 6. **rw**, öfter so im **w** ein **u** enthalten, mhd. **ruowe**. 35, 7. Solt. 371 **wie er möcht auß dem vorthail heben, den Kaiser vnd sein gantzes hör.** 36, 1. **Erchtag, Ertag**, bair. Dienstag, s. Schm. 1, 96. Myth. 113. 36, 4. **schimpf**, wie ein Turnier, 'Ritterspiel'. 36, 7. **hôrt**, Prät., das mhd. **hôrte**. 37, 2. Sammelplatz beim Alarmschlagen. 37, 7. Solt. 356 **man hört die kugel** (pl.) **singen**; 422 **die Püchsen hört man singen, die Kugel vnd Kötten** (Kettenkugeln) **klingen**; vgl. die '**Singerinnen**' und '**Nachtigallen**', das gewöhnl. Belagerungsgeschütz, nach den Scharfmetzen die größten. Wolff 298 werden die Geschütze zu Blasinstrumenten gemacht: **wie da die großen Pfeiffen sungen.** 38, 3.? zu einer Schlacht eben suchte Philipp durch

39 Drey tag das schiessen ymer werd,
Den Kayser außzůtreyben:
Gleich wie die katzen vmb den herd,
Theten sich vmbher reyben:
Er het geschworen ainen ayd,
Den Kayser gschlagen an der wayd,
Oder wolt nit Landgraff bleyben.

40 Er sůcht vil vortayl hin vnd her,
Haimlich zů allen stunden:
Fragt nach dem kayser nymmer mer,
Er het in schon gefunden:
Scharmützel hettens tag vnd nacht,
Der Landgraue sich nit lang bedacht,
Das hasenbaner zsůchen.

41 Er het verschossen land vnd leut,
Puluer ward jm zerrinnen:
Besorget seiner aygnen heut,
Am sambstag sach man brinnen:
Sein leger angezündet schon,
Vnd trachtet wie er köm daruon,
Da west er nichts zůgewinnen.

42 Der Kayser sein volck rasten ließ,
Des von Pyeren thet er warten:
Landgraue der zog beyweil jns rieß,
Vermischt ward jm die karten:

seine Kanonade den Kaiser hervorzulocken, vergeblich. 39, 6. **an der waid**, was sonst 'auf grüner haid'. 40, 1. **vortayl**, günstige Positionen, bes. für Geschütz, vgl. Solt. 371 **all trost stund auf sein groß geschütz**. 40, 4. vgl. 28, 4; ebenso Solt. 369 **der Kayser het sich gfunden**, und 357 **ich main er hab in funden**; da sieht man einmal deutlich, wie zu diesen Liedern der Stoff von den Betheiligten in der Aufregung des Augenblicks gleichsam vorgearbeitet wurde, wie die Dichter das Erlebte nur verarbeiteten — die drei Lieder haben vieles so gemein, gewiß keins vom andern entlehnend; die Witzworte, die originellen Auffassungen, die Bilder in diesen Liedern werden meist mitten in der Sache entstanden sein, nicht beim Dichten mühsam erdacht. 41, 1. Solt. 356 **Da sprach der Landgraff zům Schertl zhand, Wir verschiessen leut, Eer vnd Land.** 41, 2. mhd. **mir zerinnet eines d.**, es fängt an zu fehlen, geht aus. 42, 2. Graf Max von Büren, der aus d. Niederlanden mit Verstärkung heranzog; **beiweil**, währenddem. 42, 4. die

Er hat ein spil gefangen an,
  Der würffel er nit kennen kan,
Vil mer der welschen karten.

43 Als bald von Pyern kam der Held,
  Mit dreyssig tausent mannen:
Bey Ingolstat legt sich zů feld,
  Der kayser ruckt von dannen:
Neuburg die stat nam er bald ein,
  Die pfaltz můst auch gehorsam sein,
Dem Landgrauen zů schande.

44 Er ruckt hinauff den thonastram,
  Die Päß thet er einnemen:
Als bald gen Thonawwerd er kam,
  Die stet jm rieß zů zemen:
Etlich schickten die schlüssel dar
  Erretten weib vnd kind fürwar,
Er kund sy gar bald themmen.

45 Landgraff der legt sich auch nit weyt,
  Mit seinen stoltzen knaben:
Bey Gundelfing het er den bschayd,
  Da wolt er sich vergraben:
Gedacht ich will nit weichen noch,
  Schaff ich nit vil so yrr ich doch,
Kain ander hilff kan haben.

46 In dem jm newe mer zůkam,
  Wie Sachsen war gewunen:
Hertzog Hans wolt sein daruon,
  Wer schier von sinnen kummen:

Karte schlecht gemischt'. 42, 6. **nit** noch als Subst. (nichts) gefühlt, daher der Gen. 42, 7. die 'franz. Karte' meint das Verhältniß der Schmalkaldischen zu König Franz, an den man sich um Geld wandte. 44, 1. **thonastram**, gut östr., jetzt gar '**Dana**'. 44, 7. mhd. **tam**, **temmen**, eindämmen; ihren Hochmuth dämpfen. 45, 3. **bescheid**, Bestimmung, Abrede? oder = **vorteil**? 45, 6. **irren**, stören, genieren. Der Kaiser hatte es auf Ulm abgesehn, das wollten die Protestanten hindern. 46, 2. Herzog Moritz, nach dem geheimen Vertrag mit König Ferdinand, der ihm zugleich die Kurwürde zusprach, hatte inzwischen Johann Friedrichs Lande angegriffen, der hier wol boshaft schon 'Herzog' Hans genannt wird.

Die forcht kam jn das leger groß,
Vnd dorfften sich nit geben bloß,
Seind bey der nacht enttrunnen.

47 Als bald man jnnen ward der flucht,
Thet man fast nach in eylen:
Es war vergebens wa man sůcht,
Sein volck thet sich zertaylen:
Der stoltz war in gelegen schon,
Ein jeder dacht wer ich daruon,
Die haut trag ich sunst fayle.

48 Hie sicht man Gottes sterck vnd macht
Wen er will lassen sigen:
Hetten gar billich vor bedacht,
Der Kayser künd noch kriegen:
Was er anfacht das glückt im wol,
Gott wayß wol wem er helffen soll,
Sein gnad nit lest verligen.

49 Er kan vns helffen hie vnd dort,
Vor veinden wol bewaren:
Vermag vil mer mit ainem wort,
Dann sy mit grossem scharren:
Derhalb er vns wöll gnedig sein,
Vnd seinen samen seen drein,
Sein gnad an vns nit sparen.

50 Send vns sein frid auff diser erd,
Reut auß des teufels samen:
Wer das von grund seins hertzen gerd,
Von jnigkeyt sprech amen:
Vnd hilff vns herr auß diser nott,
Behůt vor schanden vnd vor spott,
Durch deinen höchsten namen.

Non uidi Justum derelictum.

46, 6. sich 'bloß' geben, Fechterausdruck, eine 'Blöße', ungedeckte Stelle dem Gegner geben; es war Ende November. 47, 5. **gelegen** 'niedergelegt' Nr. 26, 19, 5, zu Boden geworfen; **schon** ist völlig, förmlich. 48, 7. **verligen**, durch Liegen verderben, wie Waare oder Speise. 49, 4. **scharren**, übermüthig lärmen. 49, 6. statt des Teufels Samen. 50, 3. vgl. S. 114.

30.

Ain New gut Kayserisch Lied

In dem thon

O du armer Judas was hastu gethon ꝛc.

Abschriftlich in Leysers Nachlaß, ohne Angabe der Quelle, vermuthlich aus einem Druck; einen Druck in 4° (mit 24 Str.) nennt Hoffmann v. F., Gesch. des Deutschen Kirchenliedes bis auf Luthers Zeit, 2. Ausg. S. 232. Es ist eine politische Parodie des alten religiösen Liedes (Hoffm. a. a. O.), dessen Anfang die Mel. nennt; die Parodie geht eben darauf aus, die Stimmung des triumphierenden, höhnenden Mitleids mit dem armen Sünder, die das Lied enthielt und erweckte, wider den Gegner zu brauchen. Hoffmann vermuthet treffend, das Judaslied sei aus einem alten Osterspiel, dann hatte es gewiß seine Stelle da, wo Judas sich erhängte; es ist bes. zu Schadenfreude und Spott viel parodiert worden. Hoffmann a. a. O. bringt mehrere Beispiele des 16. Jh.; 'ein **O Armer Judas von den newen Christen**' aus Erfurt bei Haupt, Zeitschr. f. D. A. 8, 339; ein Lied **O Ihr arme Böhaimb, was habt jhr gethon** von 1620 in Heyses Bücherschatz Nr. 1338, eins **O du armer König Fritz, was hast du gethan** von 1621 ebend. Nr. 1341, Weller, Lieder des 30jähr. Kr. S. XXIII. Den von Würzburg 1525 abziehenden Bauern blies man vom Schloß den armen Judas nach, Wolff 258: **Der Thürner bließ den Judas, Ach was hast du gethan**; vgl. den neuen Anz. f. K. d. D. V. 1854 Sp. 271. Zu Köln singen noch in der Karwoche die Kinder ein Judaslied (L. Erk, Neue Samml. D. Volksl. Bd. 2, Heft 6 S. 44), das aber vom Judas nichts mehr enthält. Das folg. Lied ist auch als Spottlied nicht viel werth, die Motive sind dürr, zum Theil unpoetisch derb; der Dichter wird trotz 13, 6 ein Baier sein, er handhabt den Rhythmus schlecht, hier und da hat wol ein Abschreiber oder Drucker durch Drücker, die er im kathol. Eifer aufsetzte, den Rhythmus geradezu vernichtet. Die Refrainzeile heißt im Orig. nur **Kyrie eleison**.

1 Weh Ech jr armen reichstet
wie groß vermessenhait
Das jr euch widern fromen Kayser
Die höchste oberkayt
on vrsach dorfften setzen
aus besonderm neid vnd haß
furwar jr solten wöllen
jr hettens betrachtet baß.
Kyrie die Spanier seind jm land.

2 Weh Euch jr armen reichstett
Sprich ich zum andernmal

wie thöret habt jr gehandlet
So jch ja reden soll
Jr hettens wol basz betrachtet
wann jr eur gelt vnd gůtt
So groß nit hetten geachtet
Das euch den Schaden thut.
Kyrie die Spanier seind jm Land.

3 Was soll jch nun singen
ain war alt sprichwort jst
Wann sich die gayß befindet
So scharrt sie jn den mist
Also jst euch geschehen
jst warlich offenbar
wie wol man solts nit jehen
vnd jst doch dennoch war.
Kyrie die Spanier seind jm Land.

4 Der Kayser hat euch alle
vnd euren stoltzen bracht
In kurtzer zeyt gar balde
gantz klein laut gemacht
Wie wol jr nit vermainten
Das es darzu solt khummen
Darum jr jietzund mǒgt wainen
Das spil wirt erst recht angefangen.
Kyrie die Spanier seind jm land.

5 Wann jr aber thut fragen
Was euch dahin hab bracht
furwar ich wills euch sagen
jr habt euch zu hoch geacht
vnd ewere predicanten

2, 3. **thöret** aus **tôreht, tœreht** (vgl. **nit** aus **niht**); **-et = -echt, -icht** besonders bairisch. 2, 5. **basz**, dieß sz für ß erscheint in manchen Drucken des 16. Jahrhunderts, gewöhnlich nur als Aushilfe des Setzers für mangelndes ß. 2, 6. Ulm und andere Städte des Schmalkaldischen Bundes mochten im Spätherbst 1546 nicht weitere Vorschüsse zu den Kriegskosten machen, am Geldmangel aber scheiterte eigentlich der Feldzug — kann das der Dichter meinen? 3, 3. **sich befindet**, wie jetzt 'sich fühlt'. 4, 2. **bracht**, m. Stolz, Großthun. 5, 3. Hs. **willt.**

New falsche erdachte ler
wann jr sie alle hänckten
sie thetens nimmer meer.
Kyrie die Spanier seind jm Land.

6 Das Ewangeli hat euch betrogen
Das sie gepredigt honn
Dann sie die gschrifft gebogen
nach eurem thon vnd lon
Darum sie euch gefallen
vnd reichlich machten sein
der Kayser wiert euch allen
schencken dapffer ein.
Kyrie die Spanier seind jm land.

7 Den baurenkrieg thetens auch machen
als ich vernomen hon
So habt jr euch mit jn gschlagen jnn gleichen sachen
vnd wolt die gschrifft verston
Drum soll man euch doppel strafen
vnd lernen recht Latein
Dann jr theten gentzlich hoffen
die vom adel müesten eur knecht worden sein.
Kyrie die Hispanj seind jm land.

8 Aber vbermůt vnd hofart
hat nie kein gůt gethon
Darbey jr wol erachtet
Es könn jnn die leng nit bston
furwar es jst nit wunder
wanns euch schon vbel gat

6, 4. 'thun und lassen'. 6, 6? reich sein konnten? (mochten?) 6, 8. Uhl. 384 er schenkt den landsknechten dapfer ein; Hor. belg. 11, 314. 180 Al inden crijch daer wil ick sijn, men schenct daer die vrome lantsknechten den wijn; Körner 338 Auß Stuck vnd Chartaunen-Knall Gibt er euch zu drincken, Daß ihr Türcken Hunde all Werd zu Boden sincken; vergleiche Nr. 60, 11. 12. 7, 3. 'zu ihnen geschl.'? an Textherstellung wage ich mich nicht. 7, 6. 'Latein lehren', ähnlich wie 'mores lehren', aus der alten strengen Schulzucht entnommen, der Stock als Commentar des Donat galt selbst auf Universitäten, s. Zarncke zu S. Brant S. 352; merkwürdig Solt. 305 er hat sie leren singen Danheuser

Ir můſt gwiß vor hinunder
Dann mag euch geſcheen gnad.
Kyrie die Spanier ſeind jm land.

9 Der bund jſt bald zertrennet
wer wolts gemeinet hon
Das er alſo behende
mit ſchand vnd ſchaden wierd zergon
Ir hetten euch verſehen
ain Haß erlieff ein hund
So jſts doch nit geſcheen
das ſehend jr jietzund.
Kyrie die Spanier ſeind jm land.

10 Furwar jr ſolt nit zurnen
Dann es kain wünder jſt
Wann gott der her thut bſchirmen
So hilft kain gwalt noch liſt
Das jr der ordnung gottes
zuwider dörfet ſton
Ich ſag euch zu on ſpote
gott wierts ongeſtrafft nit lonn.
Kyrie die Spanier ſeind jm land.

11 Gehorſam ſoll man laiſten
der höchſten oberkayt
wie jr dann habt verhaiſzen
mit eurem gſchwornen ayd
welchen jr gantz gering geachtet
aus ſunderem großen vbermut
Ir ſolts vor haben betrachtet
es wiert thon nimmer gůt.
Kyrie die Spanier ſeind jm land.

12 Vil bueberey vnd mutwillens
habt jr geůbt jn großer vpikayt
Ir hättens wol laſſen bleiben

zů latein. 8, 7. hinunder, was ſonſt 'zu Boden, zu Grund', von untergehenden Schiffen entnommen, hier allg.: euch demüthigen. 9, 4. wierd, bair., iſt würd'. 9, 5. hattet gehofft, ein Haſe könnte einen Hund jagen. 10, 8. eig.

bey jr gerechtikayt
Die priester munch vnd Nunnen
welch jr ausgjaget hon
Es wiert euch vbel khummen
vnd groszen schaden thon.
Kyrie die Spanier seind jm land.

13 Ich Sag euch hie bey glauben
jr solts vor hin haben bedacht
Das Kirchen vnd Closter rauben
als vngluck hat gebracht
ob es sich schon lang hat verzogen
Gott jst kain Bayr nit
er hat noch niemand betrogen
vnd kumbt zu rechter frist
Kyrie die Spanier seind jm land.

14 Ich wolt aber geren sagen
Jr glaubten an kainen gott
Dieweil jr kirchen zerschlagen
Dartzu mit groszem spot
Der hailigen bildtnus herauß geworfen
vnd auch verbrennet habt
In Stetten flecken vnd Dörffern
alt ordnung gestellet ab
Kyrie die Hispanj seind zu land.

15 Die Hailigen mess habt jr auch gescholten
genent ain gauckel Spil
Gott last warlich nichs onuergolten
er waist sein zeyt vnd zil
Er wiert euch nichs vergessen
Das glauben mir furwar
wa jr nit wölt lassen messen
wiert mans euch streichen ab
Kyrie die spanier seind jm land.

'ohne gestraft' (zu sein), vgl. 19, 1. 13, 6. 'Gott kein Baier', wie Nr. 23, 14. 14, 7. wol dorffen. 15, 3. das heutige nix, wie schon Soltau 259 geschr.; nichs schon 1419 (Schm. 2, 674), vgl. Nr. 41, 4. 15, 7. das Strafmaß geduldig m. l. 15, 8. Wortspiel mit den beiden verschiedenen abstreichen (Grimms

16 Die gschrifft habt jr gefelschet
Die Kirchenzier veracht
Monstrantz vnd kelch geschmeltzet
vnd muntz daraus gemacht
wie wol es nichs hat erschossen
Dann es jst wider gott
Habens auch noch wenig genossen
Des miest jr hie werden zu spott
Kyrie die Spanier seind im land.

17 Die auffsatzung der alten
von der hailigen vasten zeyt
die man durchs jar solt halten
In der gantzen Christenhayt
habt jr auch gestellet aus großem vermessen
ongehorsam vnd vppikayt
Bapstlich hailigkayt darדurch geschendet
es wiert euch gwißlich laid.
Kyrie die Spanier seind jm land.

18 Wie wol euch nichs jst geratten
wie jr vermainet hond
Das jr all tag zu bratten
vnd flaisch bekumen hond
am freitag flaisch gefressen
am Suntag habermůß
der kayser wierts euch nit vergessen
auffsetzen die rechte bůß
Kyrie die Spanier seind jm land.

19 Solchs alles on angesehen
dörfft jr euch nit vnderston
Den frommen Carolum zeschmehen
die Kayserliche kron

Wb. 1, 133), das Maß abstr., und: mit Ruthen abstr. 16, 5. **es erschießt**, erspriеßt, nützt; ein sehr altes Wort. 16, 8. **des**, wie mhd., darum, gen. neutr., noch lange im Gebrauch in mehrfach nüancierter Bedeutung; s. Nr. 44, 1. 17, 5. **stellen**, zum Stillstand bringen, 'einstellen'. 18, 6. lieber am Sonntag gedarbt um nur am Freitag Fleisch essen zu k. 19, 1. 'auch abgesehen von alle dem'. 19, 4. die **krone** geradezu persönlich als der Kaiser gedacht, vgl. S. 39; Körner 145

der doch zu allen zeitten
gantz gnedigst sich erzaigt
des jr nit können laugnen
gleich was der burger leugt
Kyrie die Hispanj seind jm land.

20 Jr habt euren herrn schon vertriben
ausz teutscher nation
Jm land jst er doch beliben
als jch vernommen hon
jr habt als auffrůrisch schäntlich miessen weichen
wie gfelt euch aber das
mit euren vermainten hailigen reiche
er wiert euch strelen baß.
Kyrie die Spanier seind jm land.

21 Wa jst der loblich held ausz hessen
der kayser werden wolt
Jr hat aigentlich sein nit vergessen
Jr habt jn reylich versolt
Jst jm schon nit gelungen
Die Kayserliche kron
So hat er doch vil thunnen

werden die Reichstädte zum Türkenkrieg ermahnt: lat ewre rößlein traben, mit Kaiserlicher Kron; Solt. 355 Da sprach die Kaiserliche kron, Meins vnglücks můß ich lachen. 19, 8. gleich was, 'einerlei was —', was auch immer, ein Ersatz für das abgestorbne mhd. swaz, wie man deren mehrere suchte. Solt. 271 gleich obß frum menschen machte, daher 'obgleich', 'ob es gleich ..' 20, 1. schon, hübsch, ordentlich, geradezu; viell. auch schon = 'habt ihr schon ..' 20, 7. das an Stelle des antichristischen aufgerichtet werden sollte. 20, 8. strelen, kämmen, wie ausreiben 25, 8 auch ein Geschäft des Baders in den Badstuben, der am Sonnabend am meisten zu thun hatte, vgl. Nr. 8, 13; euch ist Dat.: Solt. 212, Körner 103 so wird dir der kayser strelen, dem franz. König; Körner 39 Mit hallenbarten wil ich dir strälen Vnd zwahen mit dinem blůt; Wolff 120 das har zerzaust vnd wolgestrelt. 21, 2. Erhitzte Anhänger mochten das wol von Philipp sagen, wie mans vom Sickinger gesagt hatte, Uhl. 955 'nun lůgend welcher biß jar kaiser sei!' und vom H. Ulrich von Wirtemberg Solt. 243 du woltest könig werden, 242 wir wölln bald kayser werden. König Franz von Fr. dachte ernstlich an Absetzung des Kaisers Karl, freilich sich zu Gunsten. 21, 3. aigentlich, Kraft- und Lieblingswort der Zeit, etwa authentisch, thatsächlich, wirklich, durchaus. 21, 4. mhd. rîliche aus rîchlîche; versolt, besoldet, gleichsam als

mit gold geziert daruon.
Kyrie die Spanier seind jm land.

22 Aber was bedarffs vil weszens
es gschicht euch eben recht
habt jr doch wol geleszen
ontrew sein aigen herrn schlecht
den schaden mießt jr haben
Schand spot auch darmit
jr derffens kainem pfaffen klagen
es hat kain end noch nit
Kyrie die Spanier seind jm land.

23 Wer jn sein aigen nest hoziert
bedarff nit viler wort
gantz wol er sich beschmiert
jietz hie vnd darnach dort
Also darfs vil weßens
wan man aufflegen will
vil staub gmill vnd eschen
gehort zu solchem spil.
Kyrie die Hispani seind jm land.

24 Die stüel wolten auff, die benck hopfen
Das was bey den alten nit
Darum müß mans herummer klopfen
Das wiert wider sit,
Fritz gerber ward gnad juncker

Söldner. 22, 4. ontrew, substantivisch gesetztes Adj.; das neutr. sein blieb nachher merkw. auch bei 'Untreue', noch J. B. Michaelis 4, 81 (Wien 1791) läßt im 'Einspruch' den gelehrten Schulmeister sagen: Untreue schlägt seinen eigenen Herrn. 22, 7. Ihr könnts nicht einmal beichten, niemand absolviert euch; in Halbsuters Lied vom Sempachstreit (Wackern., Leseb. 930, 26) wemm wend si das nun klagen? 23, 1. Beliebtes Bild für eine lüderliche Hauswirtschaft, die ein schlechtes Ende nimmt. Solt. 97 befleckt habn sie jr eigen Nest; Sprichw. es ist ein böser Vogel, der in sein aigen Nest hofiert. vgl. Altd. Blätter 1, 11. 23, 2. fehlt das, das ist kurz abgemacht. 23, 4. 'im irdischen und ewigen Leben'! 23, 5. also, im alten Sinn: ebenso. 23, 6. (sich) auflegen, sich auflehnen, empören? 23, 8. was ist das Spiel, dazu viel Staub, Mehl und Asche gehört (gemill. Collectiv zu mel)? wol ein Spiel der Fastnachtszeit: 'wer das spielen will, muß viel mit in Kauf nehmen, sich viel gefallen lassen'. 24, 1. verkehrte Welt. 24, 3. herunter? 24, 4. sit, Ordnung, Hs. sie. 24, 5. Uhl. 366. 369 'Kaufleut seind edel worden!'

. . . gar vberaus
der kayser wierts machen recht munder
Jn nemmen die schwalben aus
Kyrie die Spanier seind jm land.

25 Darum wöllen wir gedulden
vnd bitten vm gnad
Jr habts langest wol verschuldet
es mag nit anderst gesein alda
Das bad habt jr selbs gemachet
Der bäder jst jm hauß
Das mag jch hertzlich lachen
rain wiert er euch reiben ausz:
Kyrie die Hispanier seind jm land.

26 Das lied hat euch gesungen
zu dienst nach krebses far
Jorg Lang von Simelbrunnen
jst ers genant furwar
ob es euch schon thut verdrieszen
Darnach fragt er nit fil
Er waist der pfeffer seck nichs zugniessen
Darum redt er was er will.
Kyrie die Spanier seind jm Land.

24, 5. 6 b. Leys. eine Zeile, ohne Lücke. 24, 7. Vgl. 'die Metten verschlafen', viel in Spott gebraucht von solchen, die zu spät kommen, sich überrumpeln lassen u. dgl.; Uhl. 429 eben von den übermüthigen Städten, die gezüchtigt werden sollen: si hand verschlafen die metten; Solt. 492 Habt vberhört das Leuten; Zarnckes Seb. Brant S. 3a Hant sie die metten schon verschloffen, Sie kummen noch zůr selmeß wol; Scheible, flieg. Bl. 154 Wacht auf, wacht auf, denn es ist Zeit, Man hat schon oft Metten geläut, Weckruf an die säumigen Protestanten. 24, 8. doch das Geld gemeint; so that der Kaiser auch redlich. 25, 2. höhnisches Mitleid. 25, 5. das Treiben einer Badstube ist vielfach politisch und satirisch gebraucht worden. 26, 2. höhnende Widmung an die Städte; 'dienstbereit nach Krebses Art', far Farbe oder Fahrt? 26, 7. 'Pfeffersäcke', gewöhnlicher Schimpfname der Städter, die den orient. Gewürzhandel in Händen hatten (Pfeffer ward am meisten verbraucht, leidenschaftlich); ähnlich heißen die Ulmer 'Wollsäcke', die niederl. Städte Stockfisch u. Käse. Solt. 368 Fürsten und Pfeffersеck, der Schmalk. Bund; vgl. Schm. 1, 306. Den Dichter nennt Hoffmann v. F. a. a. O. anders. Zum Schluß:

Wer jch Schmaltzglckisch (?), so het jch kain gelt
Jch bin gutt Kayserisch, darum so hast mich die welt.
Jörg Lang von Simelbrunnen
Jst allzeyt Eerlich wider khummen.

Belagerung von Leipzig (1547).

31.

Ein New lied

von der belegerung der Fürstlichen Stad Leipzig, von dem Churfürsten zu Sachssen ꝛc. wie er es berennen vnd schiessen hat lassen, vnd die Stadt zuerobern fürgenomen, auff den v. tag des Jenners, im M. D. XLVII. jar, Ist aber nicht geschehen ꝛc.

Im thon, Es geht ein frischer Sommer daher ꝛc.

Flieg. Bl., 6 Bll. 4°; dieß und das folgende aus Leysers Nachlaß, nach den Typen Drucke von Val. Bapst in Leipzig; vgl. Solt. 377, der ein drittes Lied auf dieß Ereigniß mittheilt. Auch dieses schon bei Hortleder II, 394; ein Druck in 9 Bll. bei Heyse, Bücherschatz Nr. 1283. Der Ton, bei allen drei L. derselbe, ist eine Weiterbildung des Stortebeker (s. S. 187), Solt. 307 u. oben Nr. 27 auch unter dem Namen: 'Es geht ein frischer Sommer daher'; Nr. 32. 36 'Wer da stürmen und streiten wil'; Solt. 261 'Franz Sickinger das edel Blut, der hat gar vil der Landsknecht gut'; Uhl. Nr. 182 'Clauß von Amberg das edel Blut'; Körner 180 (Wunderh. 1, 105) 'Dennemarker oder Schweizer Ton'; schon Mitte des 15. Jh. bei Solt. 96, wenn nicht Spangenberg oder seine Zeitgenossen den Refrain im 16. Jh. hinzugefügt haben. — Der Kurfürst Johann Friedrich wollte auf dem Rückweg aus dem süddeutschen Kriege seines Vetters Moritz Feindseligkeiten vergelten; Leipzig war des Letztern Hauptstadt und von ihm für eine Belagerung sorgfältig vorbereitet worden.

1 NV hört zu ein newes gedicht,
Was der Churfürst hat ausgericht,
Daruon ich euch itzt wil singen,
Wie es alles ergangen ist,
Da Er Leipzig wolt gewinnen,
ja gewinnen.

2 Am fünfften des Jenners fürwar,
Im sieben vnd vierzigsten jar,
Wol bey einer halbe meilen,
Da man den Churfürst ziehen sah,
Theten wir zu jm naus eilen,
ja eilen.

In der Überschrift berennen vnd schiessen ist ein deutlicher Beleg, daß be, wie Präpositionen, auch auf ein weiteres Verbum wirken kann, = ber. und beschiessen.

3 An der heilgen drey könig tag,
Da war ein grosse not vnd klag,
Als die Vorsted theten brennen,
Darzu auch vil der Dörffer gut,
Welche man alle thut kennen,
ja kennen.

4 Solchs hat der Churfürst gerichtet an
Das da ward gmacht manch armer man,
Wie man dasselb noch thut sehen,
Verderbet auch manch dorff vnd hoff
Das sonst itzt nicht wer geschehen,
ja geschehen.

5 Dem Churfürst ward doch also joch,
Das Er tag vnd nacht gwaltig zog,
Lies die Stad Leipzig berennen,
So bald er solches innen ward,
Wie die Vorsted theten brennen,
ja brennen.

6 Er hat sich geschantzt in das felt,
Als würd es jm tragen viel gelt,
Dazu mit all seim geschütze,
Draus er denn viel geschossen hat,
Solchs kam jm wenig zu nütze
ja zu nütze.

7 Am dreitzehn Jenner er anfieng,
Viel schüsse aus den schantzen ging,
Hub frü am morgen zuschiessen

5, 1. jôch = gâch, eilig; vgl. 'jähe, gähling'. Die 5. Str. geht mit der Periode in die 6. über. 6, 1. der Dichter zählt die Silben (je acht), doch könnte hier gschantzet das Echte sein. 6, 2. vgl. Str. 38. 7, 1. Hortl. dreyzehndn; s. 36, 1. Soltau 326 Am fünff vnd zweinzing morgen; 327 Am acht vnd zweinzig tage; 389 Im tausent siben viertzig Jahr; Körner 292 Auff acht vnd zweinzig im Augstmon; Wolff 243 Am Freitag im Aprillen Den acht vnd zwenzig Tag; Wunderh. 4, 113 Eilfhundert und vierundvierzig Jahr Begab sich dies Geschichte. Das ist aus dem Lesen in Zahlen geschriebner Data entstanden. 7, 2. schüsse ist Genitiv zu vil, nach mittelhochdeutscher Weise.

An, gegen Leipzig vor die Stad,
Solchs thet er wenig geniessen,
ja geniessen.

8 Da schoss er in den Henckersthorm,
Vnd meint er solt fallen zum storm,
Dennoch so wolt er nicht fallen,
Er stund vnd lies sich schawen an,
Für den Büchsenmeistern allen,
ja allen.

9 Wir schossen zu jm wider naus,
Das es in den schantzen erbraust,
Die schantzkörb theten zerbrechen,
Wie bald ein buchssenmeister sprach
Das wöllen wir wider rechen,
ja rechen.

10 Er schos auch gwaltig in das schloss,
Darein thet er manch hundert schoss
Daruor must vns nicht grawen,
Was er den tag zuschossen hat,
Theten wir des nachts wider bawen,
ja bawen.

11 Der Churfürst sehr geschossen hat,
Vnd niemand verschont in der stad,

7, 4. So im Orig., die Zeilen sind dort abgesetzt; man könnte **an** leicht in die 3. Zeile aufnehmen; doch vgl. Solt. 165 **Jhr lieben Herren wie gefalt | euch daß, sollen wir vns balt ..**; 311 **Vom stubenthor biß an | Sant Lorenzen getroffen**; Körner 83 **nun möcht mich einer fragen wie | es disem knecht ergienge.** 8, 2. 'zwischen dem Petersthor und dem Paulinerkloster'; man gieng, wie gewöhnlich, darauf aus, den Thurm nach vorn zum Sturz zu bringen, daß er den Graben fülle; die Leipziger aber wandten dawider das gewöhnliche Mittel an, den Thurm mit Seilen und Ketten zu 'umschränken', damit er nach innen fiele; vgl. Solt. 382 eben von Leipzig 1547: **Sie meynten zu gewinnen die Statt, Wann sie gleich hieng an Ketten.** 8, 4. trotzig, spottend. 8, 5. Büchsenmeister, technisch gebildete Leute, die über die Geschütze gesetzt waren, sie besorgten und bedienten. 10, 1. die Pleißenburg. 10, 2. **schoß** 34, 4 außer dem Reim, wol nach dem nd. **schot**; auch Nr. 42, 28; **verdroß**, Verdruß Uhl. 494, **aufschob** Wolff 301. Noch Stieler im Sprachschatz 1771 gibt neben **Schuß** auch **Schoß**. 10, 4. **zuschossen**, nach dem Niederdeutschen, s. Nr. 55, 1. 10, 5. wol **znachts** (Solt. 382), d. i. ds'nachts zu lesen; das ist thüringisch, die Sprache des L. zeigt überhaupt thüring.

Wider an Weib noch an Kindern,
Darzu auch wider jung noch alt,
Wolt als in der stad thun plündern
ja plündern.

12 Ein brieff schreib er dem öberst nu,
Herr Bastian von Walwitz zu,
Er solt jm die Stad auffgeben,
Sonst wolt er zuschiessen die Stadt,
Vnd darin kein lassen leben,
ja leben.

13 Herr Bastian von Walwitz sprach,
Auff solchs hab ich mich bald bedacht
Ich wil die Stad nicht auffgeben,
Meim gnedigen herrn erhalten thun,
Dieweil ich habe das leben,
ja leben.

14 Denn ich hab viel der Heuptleut gut,
Darzu auch Fendrich wolgemut,
Auch viel ehrlicher lantzknechte,
Vnd wil die stad der Churfürst han
Er mus vor mit vns drumb fechte,
ja fechte.

15 Darauff warff er fewr in die Stad,
Darmit er angezündet hat,
Das Pauler Closter thet brennen,
Da gab vns Gott seine genad,
Das er es nicht kund vollenden,
ja vollenden.

Farbe, wie fechte 14, 5. 11, 3. weder und wider damals gern wechselsweise vertauscht, man sprach ja das e und i noch kurz, weder- und wider gern noch (wie mhd.) zu einer Silbe verschliffen. 13, 2. Darauf kann ich bald antworten. 14, 3. ehrlich nicht wie jetzt, sond. ehrenhaft, preiswürdig, zudem mit herlich gemengt; Körner 93 (die Gefallenen) eerlich bgon, mit allen Ehren bestatten; Kurfürst Moritzens eingeweid wird (Wolff 396) zu erd bestat gantz ehrlich; Körner 164 eerlich hand sy sich gehalten, in der Schlacht; Solt. 304 erlich Edelman; 355 der Kaiser (Karl V.) ist ain eerlich man; vgl. Zarncke zu S. Brant S. 393. 15, 3. das Pauler Closter ἀπὸ κοινοῦ zu angez. hat und thet brennen.

16 Viel fewrpfeil er geschossen hat,
Die funden wir noch in der Stad,
Vnd doch all waren verglummen,
Weren sie jm angegangen,
So wern wir alle verbrunnen,
ja verbrunnen.

17 Er hat gbraucht viel der tyranney,
Ich halt das es der Türcke sey,
Mit fewr wolt er vns verbrennen,
Solchs hört man nicht von Christen gut,
Als er sich selbest thut nennen,
ja nennen.

18 Der Churfürst rhümet sich gar frey,
Wie er gut Euangelisch sey,
Das kan ich da nicht erkennen,
Denn er meint vnser hab vnd gut,
Wolt vns all mit fewr verbrennen,
ja verbrennen.

19 Drauff warn die Lantzknecht vnuerzagt,
Rüsten sich darzu alle tag,
Vnd wer der feind gleich selbst komen,
Wir wolten sie empfangen han,
Das solten sie haben vernomen,
ja vernomen.

20 Die lantzknecht sprachen frisch vnd frei,
Jhesus Christus won vns auch bei,
Viel büchsen hören wir prausen,
Ein lantzknecht zu dem andern sprach
Daruor sol vns doch nicht grausen,
ja grausen.

21 Viel scharmützel die fieng man an,
Die vnsern han das best gethan,

16, 2. **noch**, im Druck **doch**. 16, 4. hätten sie fortgebrannt und gezündet. 17, 1. **brauchen**, üben. 18, 2. Leipzig war gut protestantisch (seit 1539), doch Herzog Moritz schien zum Kathol. zu neigen, vergleiche 26, 1. 19, 5. gedruckt **soln**; **vernehmen** hier begreifen, empfinden. 20, 4. s. oben Seite 19.

Theten die Churfürstischen leren,
Sie schossen vnd stochen die zu tod,
Man nam jn harnisch vnd wehren,
ja wehren.

22 Da ich stund wol auff der mauren,
Sah ich füren viel der Bawren,
Holtz geladen auff jrem wagen,
Wol bey hundert fuder oder mehr,
Man solts als werffen in graben,
ja graben.

23 Sie wurffen viel holtz in den graben,
Drauff wolten sie gestürmet haben,
Walwitz der öberst ward es innen,
Lies werffen fewr, bechkrentz darein,
Das das reisholtz thet verbrennen,
ja verbrennen.

24 Viel schantzgreben er gmachet hat,
Drin man solt lauffen zu der stad,
Wenn man zu dem sturm thete lauffen,
Draus solten sie sich weren thun,
Mit dem gewaltigen hauffen,
ja hauffen.

25 Er hat auch sehr viel der Bawren,
Die vntergruben die Mauren,

21, 3. etwa 'mores lehren', Schulausdruck; vgl. Solt. 57 von Bern: **Sein Lehrmeister nimpt er zur hand, Buckt jhn auffs Bäncklein bhendt, Zu des Schulmeisters Schand**, ihm aufzuzählen; 66 **So lernt** (lehrt) **der Ber das ABC, den Grafen thet die Ruten weh**; Scheible, flieg. Bl. 135 **die Berner, so schulflüchtig wordn**, in der Schlacht geflohen. 21, 4. **stôchen**, thüring. für **stâchen**; doch könnte das o auch, von schossen nachgezogen, aus dem Part. **gestochen** sein, vgl. Nr. 32, 7. 22, 1. Die Stortebekerstrophe, wie andere ältere Liederstrophen, erlaubt so klingenden Reim (auch 25, 1. 2) für stumpfen, doch nach mhd. Regel so, daß die Zeile dann statt der gewöhnl. vier nur drei Hebungen hat (doch vgl. auch zu 6, 1); **graben : haben** Str. 23 sind noch stumpfe Reime. 22, 2. näml. die Bauern 'führten' Holz, so eig. allein richtig. 23, 1. das geschah beim Schloß. 24, 5. der **gewaltige haufen, gewalthaufe**, auch **der gröst haufen** Uhl. 905, das Gros, im Gegensatz des **verlornen haufen**, der 'enfants perdus', welche die gefährliche Vorarbeit hatten. Der Gewalthaufen soll aus den Laufgräben zuerst die Stürmenden stützen, dann den Hauptstoß thun. 25, 2. Breschen machte man

Vnd theten ein theil zersprengen,
Den nutz den er daruon auch hat,
Darff er sich dasselb nicht rhůmen,
ja rhůmen.

26 Sie hiessen vns die pfaffenknecht,
Als weren sie bey Gott gerecht,
Vnd schrien her, her, zu hande,
Da er die stad nicht gwinnen kond,
Das hat er auch schad vnd schande,
ja schande.

27 Zwen blinde lerm sie gmachet han,
Sie meinten wir sollns nicht verstan,
Denn wir sein stets theten warten,
Mit morgenstern vnd knebelspies,
Darzu auch mit Hellenparten,
ja parten.

28 Die Morgenstern han wir erdacht,
Auff sie zugericht vnd gemacht,
Sie han der vor kein gesehen,
Begeren sie den diese noch,
Wir lassen sie jn zustehen,
ja zustehen.

29 Wern sie komen zu vns herein,
Wir hatten gmacht schöne krentzelein
Mit bech waren sie geflochten,
Die wolten wir jn han auffgesetzt,
So sie hetten drumb gefochten,
ja gefochten.

durch Minen unter der Mauer; schon im 15. Jh. wurden ganze Berge unterminiert, wie die Wachsenburg 1451 von den Erfurtern. 25, 4. 'was auch für Nutzen ..' 25, 5. dasselb, Acc. für Gen., wie in das 26, 5 und oft. 26, 3. her, her! Sturmruf, S. 109. 27, 1. Alarm zum Schein. 27, 2. verstân, merken. 29, 4. So haben wirklich die Münsterschen Frauen 1534 den Stürmenden brennende Pechkränze mit Zangen aufgesetzt; ebenso die auf dem Würzburger Schlosse Belagerten 1525 den stürmenden Bauern, Mones Anz. 8, 140. gedr. wolln. 29, 5. Wie um den Kranz getanzt (Uhl. 640) und gesungen wurde, so wurde auch auf den Fechtschulen in den Städten 'um den Kranz' als Siegespreis gefochten, vgl. Adrians

30 Sie wolten mit dem ernst nicht dran,
Gekost hett es sie manchen man,
Doch gern ghabt ein gute beute,
Dieselbig zuholn in der Stad,
Aber sie fürchten jrer heute,
ja heute.

31 Aus viel schantzen schos er in die stad,
Wol bis in die funffzehen tag,
Darmit wolt er vns all zwingen,
Das wolt Got von himel nicht han,
Drumb thet es jm nicht gelingen,
ja gelingen.

32 Ein grausam schiessen hat er gethan,
Das nie hat erhort kein kriegsman,
Darzu auch im gantzen lande,
Noch must er daruon ziehen ab,
Das ist jm ein grosse schande,
ja schande.

33 Das macht jm gebrach kraut vnd lot,
Darmit er vns wolt schiessen tod,
Do must er zihen aus den schantzen,
Vnd auch nicht holen das newe jar,
Denn jm nicht angieng sein finantzen
ja finantzen.

34 Darmit ich euch anzeigen wil,
Er thet der eisern kugeln viel,

Mitth. 280; auch gerungen, vgl. Naumanns Serapeum 5, 36. 30, 5. **fürchten** mit Dativ. 32, 4. **noch**, dennoch. 33, 3. **do**, gedr. **doch**. 33, 4. das Neujahrsgeschenk, das man also wol während des ganzen Januars ansprechen konnte; man denke an die vielen Gedichte und Bücher jener Zeit und noch lange, die 'zum neuen Jahr' datiert sind, noch Schillers Tell erschien ja zuerst 'zum Neujahrsgeschenk auf 1805'. 33, 5. **angehn**, Fortgang haben, glücken. **finanzen**, Finanz, Ränke treiben. 34, 2. das L. d. Solt. 384 ausdrücklich: **die Stein die er auff Leipzig schoß, die waren eisern vnd sehr groß** (62 Pfund); vgl. S. 94. Nürnberg, das (nebst Augsburg) im Geschützwesen die nicht ruhende Erfinderin war, hatte schon 1501 eiserne Kugeln; bei den Geschützen größten Kalibers (über 100 Pfund), bes. aber bei den Mörsern, behielt man die Steinkugeln noch länger bei.

Gen Leipzig in die Stad schiessen,
Bei zwölfftausent schoss, oder mehr
Das thet er wenig geniessen,
ja geniessen.

35 Dem Churfürst kamen solche mehr,
Wie hertzog Moritz vorhanden wer,
Vnd wolt da jn gar vmbringen,
Da hub er behend an, vnd sprach,
Last vns all ziehen von hinnen,
ja von hinnen.

36 Den sieben vnd zwentzigst gschach,
Das man die fenlein flihen sach,
Vnd begunten sich zutrennen,
Ein jeder lantzknecht alda behend,
Bald sein leger thet verbrennen,
ja verbrennen.

37 Man schos nach jn mit freuden nu,
Vnd pfieff jn ein liedlein darzu,
Hat dich nu der schimpff gerawen,
So zeuch du es wider enheim,
Vnd klag das denn deiner frawen,
ja frawen.

35, 2. **vorhanden**, in der Nähe, drohend. 35, 3. 'umringen'. 37, 2. **pfiff**, mit Blasinstrumenten. Solt. 386 ebenso: '**Wann dich der Schimpff gerauwen hat, Zeuch heim zu deinen Kindern**', vgl. 412; dasselbe berührt kürzer das folg. Lied 23, 3. Als 1525 vorm Würzburger Schlosse die belagernden Bauern abziehen mußten, blies ihnen der Thürmer 'das gemein Liedlein' nach: **Hat dich der schimpf gereuen, so zeug du wieder heim**, Wolff 258, Anz. für Kunde der D. V., neue Folge 1854 Sp. 271. Als die Fürsten von Hessen und Sachsen 1542 auf Wolfenbüttel rückten, empfieng sie 'der Hausmann vom Thurm' mit der Mel. **Hat dich der Schimpf gerauwet, so zeuch nu wiederum heim**, Ranke, Deutsche Gesch. im Z. d. Ref., 3. Ausg. 4, 223; bestätigt in dem Liede davon b. Mittler im Hessischen Jahrb. 1854 S. 123. So correspondierten die gegnerischen Trompeter vor dem Grimmenstein 1563 und vor Velden 1627 mit den Weisen bekannter Lieder, Soden, Sturm auf Velden S. 21. 37, 4. Hortl. **anheim**. 37, 5. Die Schweizer bei Sempach Uhl. 409 zum besiegten 'Löwen': **nun ker du wiederumb heim, zu diner schönen frawen**; Solt. 412 **Ziehe du nur wiederumb heim Und clag es deiner**

38 Sie haben auch verspielet viel,
Das man zu Leipzig bezaln wil,
Wenn sie die Stad thun gewinnen,
Sammet, seiden vnd guldenstück,
Sie seind aber noch nicht darinnen,
ja darinnen.

39 Hertzog Moritz der frome Fürst,
Der nach fried vnnd grechtigkeit dürst,
Gott erhalt jm sein junges leben,
Vor seiner feinde schad vnd mord,
Das er jn mag widerstreben,
ja streben.

40 Auff alls hab ich gehabet acht,
Vnd drumb solches zusamen bracht
Meim gnedigen herrn zu ehren,
Hertzog Moritz ist ers genant,
Gott woll jm viel glück bescheren,
ja bescheren.

41 Vnd der vns da sang dieses lied,
Darbey ist er gewesen mit,
Der püffe thet er auch warten,
Da er auff der mauren stund,
Hinder der Mönche garten,
ja garten.

42 Darmit hat dieses Lied ein end,
Gott vns seine genade send,
Der helffe vns allesamen,
Wol vor des Churfürsten mut,
Durch Jhesum Christum, Amen,
ja Amen.

mutter ꝛc. 38. Die Str. auch in dem L. bei Solt. 387, vgl. die Klage im Vorwort S. 377: **Dieweil aber viel kommen sein, Jhr Lied genommen aus dem mein**; die Str. steht aber dort schlecht am Platz, hier gut. Man meinte, der Kurfürst wollte sich an dem Reichthum Leipzigs bezahlt machen für seine großen Kriegsunkosten; zudem war eben Neujahrsmesse. 39, 4. **schade**, urspr. Leibesbeschädigung; **mord**, ein Lieblingswort jener Zeit, Gewaltthat überhaupt (Nr. 35, 7), wie man **mordio**! rief nicht mehr bloß wenn ein Mord geschehen. 40, 4. **ers**, dieß es wie 37, 4, s. S. 12. 41, 3. **warten**, brauchen, pflegen, üben. 42, 4 **übermut**?

32.

Ein New lied

von der belegerung der Stad Leipzig, im M. D. XLVII. Jhar.

Im thon, Wer da stürmen vnd streitten wil ꝛc.

4 Bll. 4°, s. S. 230; nicht bei Hortleder. Im Akrostichon wird dem Commandanten der Stadt, Sebastian von Walwitz, ein Denkmal gesetzt: **Herr von Balwitz Oberster Heuptleut** (Gen.) **und Kriegsvolk in der Besetzung** (Besatzung) **der werden Stadt Leibzig**; die betreffenden Silben im Orig. ähnlich gedruckt wie unten.

1 HErr Gott hoch in des himmels thron,
Du wolst mir itzt hie beistand thon,
Damit mirs mag gelingen,
Das ich mir vorgenomen hab,
Ein newes lied zusingen,
ja singen.

2 Von Leipzig der berümpten Stad,
Wie es sich zugetragen hat,
Mit krieg ward sie bezogen,
Vom Chürfürsten in Sachssenland,
Ist warlich nicht erlogen,
ja erlogen.

3 Bald er solchs angefangen hat,
Zu winterzeit mit schnellem rhat,
Thet er den Keyser fliehen,
In seinem sinn hett er bedacht,
Meissen zu vberziehen,
ja ziehen.

4 Witz hulff nicht viel vor solche tück,
Wer hett bedacht diss vngelück,
Zu vngelegnen zeiten,

3, 1. Bald, sobald, häufig; Körner 293 **gleich bald der liechte Tag anbrach, fieng er gleich wider an**; so noch in bairischer und östreichischer Mundart. 3, 3. der Abzug aus Schwaben ward als Flucht angesehn. 4, 1. witz, Einsicht, hier Vorsicht. 4, 3. da die Umstände gar nicht so lagen, 'gelegen' wären.

Da er mit Keiser Karl sunst,
In fernem land thet streitten,
ja streitten.

5 Ob ers vielleicht drümb hat gethan,
Das er sein volck wolt ziehen lan
Vnd musst den krieg beschliessen
Doch wider hertzog Moritz wolt
Zuuor sein zorn ausgiessen,
ja giessen.

6 Erst grieff er an das Dörngerland,
Da fand er keinen widerstand,
Die sach kam vnvorsehen,
Das man sich da nicht rüsten kund
Mit krafft zu widerstehen,
ja stehen.

7 Er zog vff Hall mit eilen fast,
Den war er gar ein lieber gast,
Den heiland sie annummen,
Vff den sie lange zeit gewart,
Sol jn nicht wol bekummen,
ja kummen.

4, 4. **Karel** zu lesen, dieß leicht nachklingende e bleibt oft so unausgedrückt vor Liquiden. 5, 2. **volk** im urspr. Sinn als Kriegsvolk, wie Uhl. 560 und öfter; noch östreich. wird einer 'unters Volk' (die Soldaten) gesteckt. Der Sold war schon ein paar Monate rückständig. 6, 1. **Dörngen, Döringen** (kurz ö), die alte rechte landesübliche Form, noch im Namen **Döring**, erst spät von der verhochdeutschten **Thüringen** verdrängt; Fischart schreibt halb hochd. **töringisch.** 6, 3. unser 'unversehen' ist eig. 'unvor[ge]sehen'. 7, 3. Die Hallischen huldigten ihm eilig und gern; zwischen Halle und Leipzig bestanden alte Reibungen, bes. wegen der Neujahrsmesse; Neckereien beider Städte reichen bis ins 18. Jh. **annummen**, aus dem Part. **genommen**, auch falsch **genummen** (doch auch schon alt **genumen**), angleichend gebildet; so suchte man schon lange in mehrern starken Conjug. die Vocalverschiedenheit im Prät. u. Part. annähernd auszugleichen, daher z. B. **bevul** f. **beval[h]** schon bei Nic. v. Jeroschin (14. Jh.), **verlur** Wunderh. 4, 14, **verdorb** Scheible fl. Bl. 280, **zug** Nr. 29, 31, **hulf** oben Str. 4, 1, **wurf** Goethe im Götz (42, 25. 111. Ausgabe letzter Hand); von **nemen** gerade hat auch Hans Sachs **num** nahm (bei Götz, Auswahl 1, 10), Adrian Mitth. 133 **vernommen** vernahmen; alle diese falschen Vocale theils aus dem Part., theils aus dem Plur., theils aus dem Conj. des Prät.

8 Heupt haut vnd har vnd gantz jr lebn,
In all gefahr bey jm zugebn,
Theten sie jm zusagen,
Entsteht jn draus ein vngeluck,
Niemand sollen sies klagen,
ja klagen.

9 Leut kraut vnd lot vnd grosse macht,
Zu Hall er hat zu wegen bracht,
Verhofft jm solts gelingen,
Das er in eil durch schrecken gros,
Leipzig die Stad möcht zwingen,
ja zwingen.

10 Vnd da er fortgerucket hatt
Schickt er ein boten in die stadt,
Sie solten sich ergeben,
Drümb wolt er jn genedig sein,
Vnd fristen jn jr leben,
ja leben.

11 Kriegs knecht bürger vnd fendrich gut
Dazu die heuptleut wolgemut,
Die Stad theten wol meinen,
Der Oberst da ein antwort gab,
Vnd zeigt an von den seinen,
ja seinen.

12 Volck rüstung vnd auch prouiant,
Haben wir gnug vor vnser hand
Drümm las wir vns nicht schrecken
Das zeig du deinem herren an,
Die haut woll wir dran strecken
ja strecken.

8, 1. **heupt**, damals beliebte Form, aus dem alten **houbit**, wie **haupt** aus **houbet**. 8, 2. **bei**, für, s. Grimms Wb. 1, 1352. 11, 3. **meinen**; wie mhd., lieben, vgl. 'Freiheit, die ich meine'; aus diesem **wol meinen** ist unser 'wohlmeinend'. 12, 2. ist 'vor handen', zum Zureichen nahe. 12, 3. **ümm** aus **umbi** f. **umbe**; den Umlaut hält das sächs., thür. Landvolk noch fest. 12, 3. **lâs wir**, mhd. **lâze wir**; so Nr. 7, 6, 3. 4. 13, 1. Nr. 8, 4, 3. Nr. 9, 5, 2. 7, 2. 20, 5. Nr. 10, 1, 3 u. s. w. vgl. S. 29. 12' 5. Uhl. 560 **daran streckt er sein**

13 In dem der feind bracht manchen man,
Vor Leipzig richt sein leger an,
Gedacht die Stad zu stürmen,
Gar hübsch er da entpfangen ward,
Von Mauren vnd von thürmen
ja thürmen.

14 Der dreizehnt tag des Jenners war
Sah man den feind mit grosser schar,
Die stad er thet beschiessen,
Das sie sich nicht ergeben wolt,
Thet jn gar sehr verdriessen,
ja verdriessen.

15 Be schiessen thet er alle wehr,
Den henckersthurm zuuor aus sehr,
Den kund er nicht vmbfellen,
Viel puluers dran verschossen ward,
Viel kugeln sah man gellen,
ja gellen.

16 Setz dich darwider wie du wilt,
Der thurm (sprach wir) ist vnser schilt,
Den wirstu nicht vmbstossen,
Lauff gleich mit aller macht daran,
Mit klein Hans vnd dem grossen
ja grossen.

17 Vng ern das sah mancher helt,
Der feind am schloss die mauren schelt,

fleisch und blut, vgl. unser 'vorstrecken'. 13, 4. hübsch, eig. hövesch, hösisch, 'höflich'; mit allen Ehren. So ist grüßen (Nr. 29, 37), den Willkommen geben, es wol erbieten (Körner 36) und dgl. gewöhnliche Parodie solchen Empfangs, vgl. Nr. 36, 30 und S. 185. 14, 2. fehlt da, emphatischer, wie oft. 15, 1. wehr, Festungswerke, bes. Vorwerke, Hauptwerke. 15, 5. Gesicht und Gehör haben ja da beide ein Object, vgl. 17, 2. 16, 4. 'den Sturm anlaufen' ist der Ausdruck. 16, 5. in Spott und Ernst gebrauchte Wendung für 'Groß und Klein', Hoch und Niedrig; Mones Anz. 7, 65 er sei gleich klain Hans oder groß; Anz. 8, 166. 173 selbst in urkundlichem Stil, in den Kölnischen Landsknechtartikeln von 1583, die geworbenen Knechte sollen unbedingten Gehorsam versprechen, 'es sey edl oder unedl, klain oder groß hanß'; 'er sey wer er wolle, klein oder groß Hanß'. 17, 2. schellen, sonst erschellen, vgl. 'zerschellen', vom Schall entnommen, wie

Die Kirch thet nachher fallen,
Noch thet wir vns nicht grausen lan,
Dann Gott stund bey vns allen,
ja allen.

18 Der feind wurff fewer kugeln viel,
Das Pauler Closter war sein zil
Das wolt er gar vmbkeren,
Zu dem das ers zuschossen hett,
Mit fewer auch verzeren,
ja vorzeren.

19 Werd wil ich halten alle zeit,
Die kriegsleut die zum sturm bereit,
Allweg sich liesen finden,
Mit wach erbeit vnd rüstung gut
Gar nichts liesen erwinden,
ja erwinden.

20 Den vierzehnden hernach es gschach
Der feind mit gantzer macht auffbrach,
Sein leger sah man brinnen,
Zwen tag er sich da sehen lies,
Ehe er thet gar enttrinnen,
ja enttrinnen.

21 Stadmauren sie zuschossen gar,
Der grab mit reiss gefüllet war,
Noch dorfften sies nicht wagen,
Ich halt sie haben sorg gehabt,
Der kopff würd jn zuschlagen,
ja zuschlagen.

22 Leib vnd leben ist vns lieb,
Der bauch ist weich vnter der rieb,

sengen vom singen, vgl. **gellen** 15, 5. 18, 5. **ver- und vorzeren**, beides sucht eben dem Klang der Aussprache nachzukommen. Dieß **vor-**, eig. niederd. (s. Nr. 18, 9), herrschte bes. in Mitteldeutschland; noch Opitz hat es, in chursächs. Canzleistücken aus der Zeit des 30jähr. Krieges liest man noch **Vorwalter, Schutzvorwante**. 19, 4. **erbeit**, umgelautet aus **arbeit**, Luther. 19, 5. **erwinden**, urspr. sich wenden, aufhören, damals bes. fehlen, mangeln. 22, 1. 2. die Kur-

Darumb lies man vns sitzen,
Den braten hat man wol geschmackt,
Vnd sich besorgt der spitzen,
ja spitzen.

23 Zig hin, zig hin mit deiner beut,
Ich halt dich hat der schimpff gereut,
Lies man dem feind hoffieren,
Was du an vns gewunnen hast,
Damit die schu thue schmieren,
ja schmieren.

fürstischen redend, Z. 3 die Städter; die Weiche des Bauchs mehrfach sprichwörtlich für die schwächste Stelle, s. Grimms Wb. 1, 1164. 22, 3. **sitzen lassen** damals gern, wie jetzt, auch 'in Ruhe lassen'. 22, 4. **geschmackt**, Form und Bedeutung die alte, 'gerochen'. 23, 3. **hofieren**, s. S. 93, hier 'blasen'. 23, 5. 'die Schuh schmieren', Rüstung zur Reise; da Reineke auf die Wallfahrt will, **des anderen dages des morgens vro Reinke smerede sine scho** (R. Vos 2702). Der Rath hier enthält doppelten Hohn, zugleich als trefflichster Abgang. Ebenso in dem dritten L. bei Hortleder (2, 407ª der ersten Ausg.) Str. 25: **Er hat belägert Leipzig die Statt, Was er daran gewonnen hat, Mag er sein Schuh mit schmieren**; das Witzwort gieng gewiß nicht vom Dichter aus, es mochte in der Stadt umgehn.

33.

Eyn Neuwes Liedt

vam Stifte Osnabrugk, vnd dem Grauen von Teckelnburgk. etc.

Im toin. Es kumt ein frischer Sommer daher. etc.

1549.

Flieg. Bl. (4 Bll. 8°), abschr. in Leysers Nachlaß; die Verse im Orig. abgesetzt, das Komma nach der 3. Zeile ist Singezeichen, es markiert den Beginn des Abgesangs. Zwischen dem Stift Osnabrück und der benachbarten Herrschaft Rheda waren alte Gränzstreitigkeiten im Gange wegen der Gerichtshoheit, damals der Grundlage der Landeshoheit; der Streit wurde namentlich das 16. Jh. hindurch mit Gewaltthaten und Erbitterung geführt, da jeder Theil das Gebiet des Gegners in Anspruch nahm. Dazu kamen noch die religiösen Zerwürfnisse. Auch in Osnabrück nämlich hatte die Durchsetzung des Interim die katholische Partei wieder ans Ruder gebracht; der Bischof, Franz von Waldeck, der die evangelische Reform begünstigt hatte, war selbst mit Mühe der Absetzung entgangen und war von den Geschäften wie verdrängt durch das triumphierende Domcapitel ('das Stift' 1, 2) im Bunde mit der Ritterschaft. Wie gierig dieses seinen Sieg ausbeutete, zeigt der hier behandelte Vorgang; gegen des Kaisers und der Kammer Gebote führen sie Landfriedensbruch aus wider die Grafschaft Teklenburg, wo schon 1525, zuerst von westphälischen Standesherrn, Graf Conrad Luthers Reform eingeführt hatte, allerdings in wenig schonender Weise; das Stift wollte ihn nun dafür züchtigen. Dazu kam, daß der junge Graf der Schwiegersohn des nun niedergeworfnen Landgrafen Philipp von Hessen war; eine directe Strafe vom Kaiser hatte man übrigens diesem bereits mit einer hohen Geldsumme (40000 Thaler) abgekauft. — Der Dichter ist wol (34, 3) ein Landsknecht in des Grafen Diensten, protestantisch gesinnt.

1 NVn wolt Ir horen ein Neuwes liedt
Was Stift von Osnabrugge deth
Im Neun vnd viertzigsten Jare,
Sie fiengen ein Krieg vnd Rumoren an
Voer Rede in Westphalen.

2 Der Thumdechant war ein kuner Man
Caspar Lufs wolt auch midt daran
Die baiden Deuren Manne,
Wir griffen den Grauen von Tekelnborch an
Er sitzet vns nahe am lande.

3 Sie schlossen balde eynen raett
Die Landtschaft wyr versamblen thuent
Von Reüter, Burger, vnd Bauren,
Wer sich nicht manlich stellen thut
Den achten wir vor ein Lauren.

1, 1. nd. lêdt, s. 22, 1. 1, 4. rumoren, s. S. 211. 1, 5. Rheda an der Ems, noch jetzt den Fürsten von Bentheim-Teklenburg-Rheda gehörig, Hauptort der gleichnamigen Standesherrschaft. 2, 1. Thum, die herrschende Form für 'Dom', das erst auf gelehrtem Wege restituiert worden ist. grîfen, greifen, das î ist unverhochdeutscht geblieben. 3, 2. Aufgebot der drei Stände, Ritter, Bürger, Bauern, die die 'Landschaft' bilden. 3, 5. Lauer, Duckmäuser, Nr. 35, 2, 7.

4 Zü Dissen war der Muster Plaen
Die Schutzen wolten midt daran
Vornim von Osnabrügke,
Ir Haübtman Jorg Goltsmid zü In sprach
Vort, vort, vnd nicht zu rugke.

5 Vf eynen Freitag das geschach
Das men diss volgk her zehen sach
Wol nach der Herschaft Rede,
Der Thumdechant, Luss, vnd Goltsmid sprach
Vorm Grauen ist vns nicht lede.

6 Zü Güterßlo war das leger gstelt
Wol in der Herschaft Rede geselt
Der Schimpf der wolt sich machen,
Von Weidenbrugk kam ein Raetslach aüs
Des mach men ye nicht lachen.

7 Der Storm der wart dar an gericht
Die Züschleg vnd Zeune würden schlicht
Die Teiche durchgestochen,

4, 1. Dieß häufige ü kann unmöglich Umlaut sein, wol nur Ungeschick des niederdeutschen Setzers, der mit dem ihm fremden Umlaut nicht umzugehen wußte, vergl. zu 17, 4. Musterplan, Musterplatz, militär. Sammelplatz; auch die Orte, wo Werbebureaux für Landsknechte waren, hießen so, in Städten der Platz für die Übungen der Waffenmannschaft. Solt. 415 von Markgraf Albrecht: Ein Musterplatz er benennet bald Sein Ilmenaw in Düringer wald (für seine Anhänger), Aldo wolt er sich versammen. vgl. mustern Nr. 42, 6. 4, 2. die bürgerliche Schützengilde? 4, 3. vornim, merke wol, parenthetisch. 5, 2. zehen, halb nd. aus têhen, tên. 5, 5. lêde, bange, wie Nr. 19, 8; von Johann von Leyden aus den letzten Zeiten der Wiedertaufe in Münster erzählt H. Gresbeck (Geschichtsquellen des Bisth. Münster 2, 178): so is dem koningk und sinen reden altiet leide gewest vur einen uploep in der stat Monster, u. ähnl. öfter. 6, 1. war das = ward das; stellen, bestellen, einrichten, ausstatten, bes. von Geschütz, Schanzen, Wehren und andern mil. Dingen; Weller 234 die Schlacht hat er bestelt; Nr. 18, 19 ordnung wol bestelt; Uhl. 795 schip, roer (Ruder) ende provanden, alle dinc is wel ghestelt. 6, 2. geselt, Reimwort. 6, 4. 'Wiedenbrück' an der Ems, damals eine Osnabrückische Feste. 6, 5. ye (immer), doch wie 19, 5, vgl. zu Nr. 18, 17, 6. 7, 1. dar, nd. = da. 7, 2. schlicht, 'schlecht' gemacht, dem Erdboden gleich, siehe 17, 1. 2; alles angebaute Land in der Emsniederung der Zerstörung preisgegeben, noch dazu durch Einlassung des abgedeichten Wassers.

Hehr. hehr. Ir Schuppen vnd Spaten herfür
Das laidt mues sein gerochen.

8 Dem Grauen war der anschlach fromd
Er versach sich nichtz, dan alles gudt
Züm Stifft von Osnabrugke,
Er meinte der Kaiser hett fride geboten
Gewalt solt sein zu rugke.

9 Am heiligen Pfingstag das geschach
Das men ein klein Schermützel sach
Zü Guterßlo vor dem Dorpfe,
Das gefiel den Ortlender Bauren nicht wol
Es sein vns bose worpffe.

10 Die Schutzen gedachten eynen raett
Der Anschlach ist nicht wol gemacht
Osnabrugk ist vns niet ferne,
Bei Sünnen aus vnd wider daheym
Feürysern hetten wyr gerne.

11 Vff eynen Dinstag das geschach
Das men die Schutzen laüffen sach
Wol hin nach Osnabrugke,
Wyr pleiben bei vnsern Weiberen güdt
Nach Rede keren wir den rugke.

12 Dem Thümdechant kam ein schwerer droem
Wie das es solt sein ein groser Roem

7, 4. her! her! s. S. 109. schuppe, schüppe, nd. und mitteld. (selbst fränk., Schm. 3, 377), Schaufel; rein hochd. schupfe in verwandtem Sinn, Prellbret, mit dem Diebe 'geschupft' wurden. 8, 1. anschlach (das ch nd.), eig. Anschlag des Gewehrs, der Armbrust; beabsichtigter Angriff. 8, 4. die erneuerten strengen Landfriedensgebote vom letzten Reichstag zu Augsburg 1547. 8, 5. gew. zu rucke stên, 'hinter sich' treten, abtreten. 9, 2. men, nd. 9, 3. dorpf, falsch verhochdeutscht aus dorp, vgl. Nr. 27, 1; ebenso worpf. 9, 4. das Ortland, die benachbarte Landschaft; die Bauern scheinen den Osnabrückern unerwartet schweren Stand zu machen. 9, 5. 'Würfe', wol der Geschütze, verglichen etwa mit Schaufelwürfen, bei Deicharbeiten? 10, 2. 'schlechter Anschlag', im Mund der Schützen gewiß noch im technischen urspr. Sinn verstanden. 10, 4. gewiß sprichwörtlich von dergleichen Heldenthaten, bei denen die häusliche Bequemlichkeit des Morgens und Abends

Den Krieg widerumb zü erwecken,
Mandat thüent vns niet fechten an
Nach Rede so wollen wir trecken.

13 Der Thumdechant wart ein haubtman
Er nam keklich der Landtzknecht an
Den Anschlach zu volfüren,
Er schickte sie hin nach Weidenbrügk ein
Da waren Veste Maüren.

14 Der Thumdechant aus d' Vesper kam
Ein Landtzknecht gar balde das vornam
Her Dechant Wirdiger Here,
Gebt mir ein güten doppelten Solt
Nach Weidenbrügk ich kere.

15 Der Lufs kam aus dem Peltze wol
Her Dechant ich Euch sagen sol
Die Schlachtordt mussen wir machen,
Von Kannen vnd Glesen vol bier vnd weyn
Treülich das ist keyn lachen.

16 Der Monat Julius kam daher
Die Schutzen kamen aber nicht wehr
Die Andern mosten folgen,
Baide Reuter vnd knechte, auch al gemeyn
Vam Stiffte Osnabrugge.

nicht einmal unterbrochen wird; 'Feuereisen' scheinen ein Gericht zu sein, etwa Waffeln? 12, 4. Mandate des kais. Kammergerichts zu Speier; dieß schärfte meist zunächst den Landfrieden ein und verlangte die Parteien vor sich zum rechtlichen Austrag der Sache; der Graf wird sich ans Kammerg. gewendet haben. 12, 5. trecken, ziehen, Nr. 15, 2. 13, 1. 'Hauptmann', Feldherr, Kriegsführer überhaupt, spöttisch gemeint, der geistliche Herr bleibt daheim; der Landsknecht höhnt ihn, wie noch boshafter den Luß. 14, 2. vernam, gewahr ward. 14, 3. Déchant, so betonen auch südd. Dialekte. 14, 4. 5. wollte ein Theil der Knechte nicht für eine so schlechte Sache weiter dienen? dieser scheint, von Weidenbruck (13, 4) davongegangen, dem Dechant höhnisch aufzukündigen. 16, 2. wehr, wieder, wie niederl. weder (das d ganz weich) zu weer wird; dieß zwischen Vocalen untergehende d ist noch heute im Dialekt des Münsterlandes. 16, 3. wären freiwillig auch nicht wieder ausgezogen. 16, 4. al gemeyn bez. die Wehrpflichtigen von der Gemeinde.

17 Meer Züschlege worden nidergelecht
Dar zü der Baüren heuser schlecht
Wol in der Herschaft Rede,
Ein Müle moste auch hernider sein
Iustitia aüch mede.

18 Man hat von Krigesgebrauche gehort
Das Muelen worden nicht zorstort
Bei straffe leib vnd leben,
Das hat der Luss nicht wol gelert
Sein Anhangk auch daneben.

19 Nun mircket Ritterleiche that
Vnd da das Korn geschlayfet wardt
Vor Rede in dem Velde,
Das hat dasselbe Gesindlein gethan
Das mach man ye nicht melden.

20 Die Kirche zu Güterßlo war nicht frey
Sie moste spolieret sein
An brieuen, gelt, vnd güthe,
Das haysset eyn Sacrilegium
Dar zu eyn grosse Wüete.

17, 2. **schlecht** scheint Part. von einem Verb **schlechten**, s. 7, 2; das Adj. heißt nd. **slicht**. 17, 4. **Müle**, die Neigung des Nd. meidet den Umlaut, **Muele** 18, 2 ist dasselbe, nicht 'Müle', das **ue** ist wol lang **u**. 18, 2. z. B. in den Landsknechtartikeln für das Schmalkaldische Heer 1546 b. Hortleder 2, 227 Art. 37: „Es sol auch keiner, wer der auch were, die Mühlen oder Mühlwerck bey Leibstraff zu verderben oder zu verwüsten sich vnterstehen.“ 18, 3. gerichtl. Formel; das eng gebundne '**leib und leben**' ist, wie bei solchen zusammengesetzten, bes. längern Phrasen immer die Neigung da ist, als indeclinabile behandelt, das -s schien wol nicht gut anzubringen; doch findet sich **leibes und lebens**, aber nicht ohne Schaden für seinen Klang als Formel, wie noch unser Gehör urtheilen kann. 18, 4. gelernt. 19, 1. **mirken**, diesen Gegenden schon früher eigen, s. Gramm. 1 (3. Ausg.), 149. 255. 19, 2. **und da** ist ganz = **da**, nicht mehr; **und** verstärkt so alle Relativa. 19, 4. **Gesindlein**, unser 'Gesindel' (Körner 332 **das Gottlose Gsindl**, die Türken), eig. **gesinde**, die Begleitung oder Umgebung eines Fürsten und Herrn, s. S. 140, im Lauf des 15. Jh. zu dieser Bedeutung herabgesunken; das Wegwerfende ist bes. in dem **-lein**, doch auch **gesinde** so, s. Nr. 48, 10. 19, 5. 'und doch darf mans nicht verrathen', anzeigen, denn sie behalten Recht vor Gericht. 20, 3. **brieve**, Documente, rechtlichen Werthes. 20, 5. **kont**, nd., aus **konnent**, **konnet**, können.

21 Also erworuen sie eyn beuth
Darburch vorderbt die Arme leuth
An irem gudt vnd hausen,
Es kumt ein Kalter Winter daher
Sie kont nicht widder bauwen.

22 Sie zugen vf eynen Montach aus
Ein Landtzknecht ward geschossen zu fues
Sie meinten die Schlacht gewunnen,
Der wart darnach genuchsam betzalt
Das haben sie wol vornomen.

23 Der krieg teth sich her tringen fur
Sie namen dem Grauen sein gebuer
Zü Hertzebroich in dem Cloister,
Das weggeldt, darzu zwey diener sein
Nach Weidenbrugh in den Carcer.

24 Johan von Brinke war vnuoruerth
Er fechtet mit dem irsten schwerdt
Die kuntschaft hilft er machen,
Zü Rede vnd Teckelnburgk wol bekant
In keller auch in Kuchen.

25 Vam Keyser kam ein ernstlich gebot
Vorwahr von irer Maiestat
Dem Grauen den schaden zu keren,
Darzu ir wütendt ab zethun
Vnd sich zü Rechte weren.

22, 1. **aus : fus** (= **ût : fôt**), das Hochdeutsche liegt dem Dichter mehr in den Augen als den Ohren, in letztern hat er noch das Niederd.; das ist der allg. Charakter des Hochd. damals in nd. Landen, vgl. z. B. noch die Reime in Nr. 42 Str. 7, 4 **zeit : fried**, 13, 4 **groß : aus** (d. i. **grôt : ût**), 7, 1. 2 **zogn : augn**, 19, 4. 24, 4 **eil : viel**; nicht anders war die Stellung der nhd. Vocalverhältnisse zur Mundart in oberdeutschen Landen, s. S. 60. 23, 1. zog sich weiter vorwärts. 23, 3. vermöge streitiger Vogtei hatte der Graf die Klostergüter von Marienfeld, Hersebrok und Clarholz an sich gezogen. 23, 5. richtig **der Carcer**, wie 'Kerker'. 24, 1. wol ein Osnabrückischer 'Reuter', der hier verspottet wird als Spion (**kundschaft**) und Schmarotzer; **unvorvêrt**, unerschrocken; was aber ist das 'erste Schwert'? ein Turnierausdruck von dem, der zuerst zum Kampfe kam? 25, 3. meist **widerkeren**, ersetzen, zurückerstatten, Schm. 2, 323. 25, 5. sich auf dem

26 Des achten der Stoltzen leute nicht ein
Sie wollen selbst Richter sein
Inuidia moste Regiren,
Ir Anschlach moste vorfolget sein
Vnangesehen Mandiren.

27 Vf eynen Sambstag das geschach
Das man ein hubsch Schermutzel sach
Nicht weit von Weidenbrugke,
Ein kuener Heldt, daher gerent
Er lag bald auf dem rugke.

28 Noch weiter gingk der schertz heran
Da plieben mehr dan eyner stan
Zur erden deten sie sincken,
Nun lasset vns hin nach Weidenbrugk gaen
Auff das wyr nicht en hincken.

29 Ach Weidenbrugk du leist vil zenaech
Nach Rede steet dir ye der kraech
Noch most es lassen pleiben,
Du hast wol ehr der byren geschmaecht
Noch wildt dich an im reiben.

30 Sie wolten noch nicht abelan
Vnd furten ein Pfaffen mit gewalt
Zu Guterßlo zum Altare,
Her Domine lieber Here mein
Die Missa mussen ir waren.

Rechtswege vertheidigen; **zu** brauchte sonst vor einem zweitfolgenden Inf. nicht wiederholt zu werden, wie noch engl. to. 26, 5. ohne Rücksicht auf die Befehle des Kammergerichts. 27, 4. **gerent**, zu Roß, s. S. 202. 28, 2. 'stehn bl.', zurück bleiben, vgl. 32, 4. 28, 5. dieß **en**, die alte einfachste Negation, hat sich nd. am längsten gehalten; hochd. damals fast erstorben, Uhl. 761 **das enhab ich nit**, vgl. Schm. 1, 466. 29, 1. **zenaech** (**ae** = lang **a**), zu nahe, bei Rede. 29, 2. **ye**, immer; **kraech**, Krage, Kragen, Hals, begierig. 29, 3. in Ruhe lassen. 29, 4. (Birnen), wie bitter sie sind, vergleiche Nr. 22, 6, 3; hochdeutsch **geschmackt** mit Rückumlaut von **schmecken**. 29, 5. **im**, Rede. 30, 3. um den katholischen Ritus mit Gewalt wieder einzusetzen; Gütersloh war mit dem ganzen Teklenburger Lande protestantisch geworden. 30, 4. spöttische Häufung.

31 Sie namen dem Grauen das stedegeldt ab
Mirgkauf das war ein grosser raub
Zwey Mark deth es aufbringen,
Her Domine lieber Here mein
Nu musset ir hoge singen.

32 Nun mirket was vor ein dingk diss ist
Furwahr gewaldt vnd grosse list
Dem Grauen sein recht zu krencken,
Den Landtfrid liessen sie zu Augsburgk staen
Das sein die Osnabrugische Rencke.

33 Ach milder Christ von himmelreich
Gib vns dein gnade al geleich
Billichait zü erwelen,
Vnd thun als wyr vam andern begern
Als vns die schrifft thut melden.

34 Der vns diss neuwes Liedlein sangk
Ein gudt Gesell ist wol bekant
In Sachssen vnd Westphalen,
Er ridt durch manniges Heren landt
Godt mit vns allen. Amen.

FINIS.

gedr. Mart; Mark Silbers. 31, 5. 'nun könnt ihr laut s.', vor Freude; als können, dürfen, hat sich gerade nd. länger gehalten; las mans doch m Sachsenspiegel. 32, 4. stân lassen, wie mhd., bei Seite lassen. 'gut Gesell', fröhlicher Bruder, s. S. 61.

34.

Klaglied:

Deren von Magdebůrgk, zu Gott vnd allen frommen Christen.

Im thon des Zwelfften Psalms:

Ach Gott vom Hymel sihe darein, Vnd las dich das erbarmen.

Flieg. Bl. (4 Bll. 4°), abschr. in Leysers Nachlaß; das Vorwort als Akrostichon gibt den Namen **Magdeburgk**, die Strophen des Liedes selbst den Spruch **Gottes Wort bleibt ewiglich**. — Die Interpunction ist, wie bei Nr. 29 und 33, melodischer Natur; die Punkte trennen Stollen und Abgesang, trennt doch selbst ein Punkt je nach der 6. Zeile die Waise (die reimlose 7. Zeile) als selbstständig ab.

Man thut bőß Lieder tichten,
als hetten wirs gethan.
Got weyß wirs nit anrichten,
doch meynt es jederman.
ey Got las dich erbarmen,
bedenck das Elendt groß.
vnd schützs O Herr vns armen,
richt vns nicht also bloß.
Got las dein Lieb erwarmen,
kom baldt vnd mach vns loß.

* * *

1 Gantz elendt schreien Herr zu dir,
viel hochbetrůbter hertzen.
on dich keyn Hoffnung haben wir,
inn dieser noth vnd schmertzen.
wir sindt belegert Jar vnnd tag,
das ist ach Got ein schwere klag.
creutzweiß sind wir vmbgeben.

2 O Herr Got wir bekennen dir,
auß gantzem Hertzen grůnde.
schwerlich gesündigt haben wir,

1, 5. förmlich seit Anfang Nov. 1550. 1, 7. fünf Lager waren vor den

das rewet vnns all Stůnde.
Herr Got wir biten vmb genad,
vergib vnns alle Missethat.
in grossem leyd wir schweben.

3 Teglich wird Got lob alle zeit,
vns durch dein Götlich gnaden.
dein Wort geleret sonder neith,
on jedermannes schaden.
dardurch erkennen wir die Schuldt,
vnnd biten hab mit vns gedůldt.
raff vns nicht weg im zoren.

4 Treulich von Hertzen schreien wir,
nechst Got zu frommen Christen,
ein jeder wöll bedencken schier,
das er vnns auch helff fristen.
mit grosser bit alleyn vor Got,
das er vns helff auß dieser noth.
jedoch geschehe sein wille.

5 Es weyß Got lob jetzt jederman,
das wir an dieser Welte,
vns gar mit nichts vergrieffen han,
wedder mit Gut noch Geldte.
sonder wir geben hertziglich,
Ehr vnnd Tribůt gantz willigklich.
all dens von recht gebůret.

6 So wir dann nyemant leyd gethan,
was thut man vns bekrigen.

Mauern, dazu die Neustadt in den Händen der Belagerer. 2, 7. **leyd**, subjectiv, Schmerz der Reue. 3, 3. **neit**, Haß (wie mhd. nît), 'nicht aus Parteihaß'. 3, 4. 'niemand zum (weltlichen) Nachtheil', sie waren ja von Reichswegen belagert, die Reichsacht sollte an ihnen vollzogen werden, als hätten sie die weltliche Ordnung gestört. 3, 5. daraus (daß wir also unseren Pflichten nachgekommen sind) erkennen wir, daß eine (geheime) Schuld auf uns liegen muß. 4, 3. **schiere**, bald; die 'frommen (fast = echten) Christen' meinen natürlich die Lutherischen, die freilich zum größten Theil gerade in Entmuthigung lagen, mehr oder weniger unters Interim gezwungen. 5, 2. 'in politischen Dingen' müßten wir sagen, vergl. 14, 6.

ein jeder sehe das Schreiben an,
zum Dritten mal on ligen.
das wir von Magdebürgk on neith,
vor vnd in der engstlichen zeit.
clerlich frey Außgeschrieben.

7 Wer sich darinnen wol ergründt,
dem wird für war sein Hertze.
gegen vns alln mit Lieb entzündt,
das gleuben wir on schertze.
drůmb biten wir in Demut gleich,
auß Hertzen gründt beyd Arm vnd reich.
vnnd sunderlich groß Herren.

8 O lieben Christen alle sampt,
bedennckt in Hohen stenden.
ewer von Got befolhen Ampt,
thut euch zur Warheyt wenden.
bedencket vnser schreiben wol,
dann es ist aller Demut vol.
so wird euch Got erleuchten.

9 Richtt nit so streng nach dem jhr hört,
wie vns böß leut verkleynen.
ein Richter wird offt sehr bethört,
das muß der Arm beweynen.
einns Mannes Wort, ein halbe Red,
man soll die theyl verhören beed.
so kan mans Recht wol treffen.

6, 4. **on ligen** (das î für ie ist gut mitteldeutsch), alte Reimformel, eine allgemeine Betheuerung, wie **one spott** Nr. 42, 21, **das ist war** Nr. 42, 36 und sonst, **on verdruß** Nr. 53, 11, **on scherze** Nr. 7, 4. 6, 5. 'wir von M.' bedeutet Rath und Behörden (vgl. Nr. 28, 13, 1. 18, 2), mit wolgefühltem Anklang an Fürsten- und Herrentitel. 6, 7. sie erschienen gedr. in 4°, das erste 1549: Der Von Magdeburgk Entschüldigung, Bit, vnd gemeine Christliche erinnerunge; das zweite: Der Von Magdeburgk Ausschreiben an alle Christen. Anno M. D. L. den XXIIII. Marcij; das dritte 1551: Der Prediger zu M. ware, gegründte Antwort, auff das rhümen ihrer Feinde, das sie auch GOTtes-Wort reine, inhalts der Augspurgischen Confession, so wol als die zu M. haben rc., alle drei gedr. von Mich. Lotther. 9, 4. nicht dem 'Reichen' gegenüber, sondern der peinlich Verklagte hieß in diesem seinen Stand 'der Arme', Nr. 9, 18, 7. 9, 6. im Druck **beyd**; **bêde** neben **beide** von

10 Trachtt auch vorhin nach rechtem gründt,
erfahret euch der Mehere.
bedenkt darbey auch alle Stündt,
von Hertzen vnser gfehre.
haben wir jemant leyd gethan,
so wöllen wir zu Recht drümb stan.
Christlich wöllt solchs bedencken.

11 Bedenckts jhr lieben Herren wol,
habt acht auff ewre Seelen.
ein jeder Antwort geben sol,
der vnns jetzünt hilfft queelen.
dann wir befelhens Got alleyn,
der hilfft der Christenheyt gemeyn.
heut vnd zu allen zeitten.

12 Lasst euch erbarmen Jüngk vnd Alt,
im Elendt hie versperret.
vnnd rufft zu Got in der gestaldt,
das nür bleib vnuerwerret.
sein Heiligs wort mit Menschen thandt,
er wöll verhüten Sündt vnd Schandt.
nicht mehr thun wir begeren.

13 Er wird euch sampt vns alle zeit,
gantz gnedigklich erhören.
vnd wol des argen Teuffels neith,
durch seinen Rath zerstören.
wir habens jhm gantz heym gestellt,
seind wir zum Leiden außerwelt.
ach wer wölt doch hie trawren.

14 Inn dieser allerhöchsten noth,
von hertzen gründt wir Lachen.

jeher gut hochdeutsch. 10, 1. **grund**, gründliche Erkenntniß, s. Nr. 26, 5. 10, 2. **mehere**, Mähre, die Dehnung echt mitteld. (und nd.); z. B. thüring. b. Haupt, Zeitschr. 8, 319 (15. Jh.) **nuwe mehir** (reimt auf: **her**), **gehene** für **gên**, gehn 307, **ahen** für **ane**, ohne 335, **behern** für **bern** 328. 10, 4. **gevære** und **geværde**, ursprünglich Nachstellung, Tücke, hier der Zustand des davon Bedrängten. 11, 4. **Antwort** auf die Klage vor Gericht, so urspr. 12, 2. die Bewohner der vorher abgebrochnen Sudenburg waren noch mit in die Altstadt aufgenommen. 12, 4. **unverwerret** (streng hochdeutsch **unverworren**), unbelästigt, ungestört.

das wir nit leiden Angst vnd Tod,
von wegen böser Sachen.
wiewol wir haben Sündt gethan,
das geht die Welt mit nichten an.
vnd hat nichts dran zustraffen.

15 Bey Got die Sach nůr steht alleyn,
dem klagen wir von Hertzen.
das viel auß Christlicher Gemeyn,
vns fügen solche Schmertzen.
vnd wölln doch Euangelisch sein,
Herr Got sihe du mit gnaden drein.
schaff das sie sich erkennen.

16 Tröst vns Herr Got mit deinem Wortt,
vnnd sprich zůr schnöden Weldte.
an allen enden hie vnd dortt,
wie fürchstu Gut vnd Geldte.
du bist selb Zehent worden Reyn,
vnd Danckt der Frembdling nůr alleyn.
ach wo bleiben die Neune.

17 Ehr preiß vnd danck O Herre Got,
sey dir gesagt alleyne.
das du vns noch in solcher noth,
dein Wort erhelttest reyne.
wir biten dich auß Hertzen grůndt,
du wöllest forth zu aller Stůndt.
preiß durch dein Wort erhaltten.

18 Wiewol vns ist von Hertzen leyd,
der Elenden verderben.
die Hie vnd Draussen sonder freud,
thyrannisch můssen sterben.

15, 5. gemeint bes. der mit der Achtvollstreckung vom Kaiser beauftragte Kurfürst Moritz, der bei seinem Thun freilich große politische Zwecke hatte. 16, 4. läßt dich aus Besorgniß für 'Gut und Geld' vom Rechten dringen, gibst deine Einsicht politischen Rücksichten preis. 16, 5. wie die zehn Aussätzigen Ev. Luc. 17, 11 ff., die von Christo geheilt wurden und nicht dankten, nur einer kam zurück es zu thun, und der war ein Samariter. 16, 6. Magdeburg selbst. 18, 3. von den Bela-

die sonst on zweiffel noch viel tag,
gelebt hetten on alle klag.
o Gott laß dichs erbarmen.

19 In Jar vnd Tag man sprechen kan,
mit gantz betrübtem mûte,
das mehr dann Zweyntzigk tausent Man,
vergossen han jhr Blůdte.
wöllt Gott jhr weren nicht so viel,
es ist doch leyder vbers Ziel.
tröst Got jhr arme Seelen.

20 Gleubs werda wil, es fehlet nicht,
das vnter so viel Tausent.
ein jeder hat die es ansicht,
den auch das Hertz drob grauset.
auffs wenigst mehr dann Vier Person,
als Witwen Weysen Dochter Son.
einn Vatter oder Mutter.

21 Lasts Rechen wer do rechnen wil,
so wird man leyder finden.
betrübter Hertzen also viel,
bey Elthern Weib vnd Kinden.
viel mehr dann Achtzigk tausent Seel,
die leiden Hertzlich angst vnd queel.
Christus der wöll sie trösten.

22 Ja wer vns nůhn wol gleuben wil,
dem sagen wirs mit schmertzen.
das vns sölches betrübet viel,
ja krenckt vns Leib vnnd Hertzen.
Gott weyß wir han keyn schůldt daran,
ein Nothweer haben wir gethan.
keyn Freud wir daran haben.

23 Christus der Anfangk vnd das Endt,
der wöll vns stehn zůr Seitten.

gerten und Belagerern. 20, 1. fehlen, nicht 'treffen', in der Rechnung nämlich. 21, 1. rechen, eig. rechenn, mit Unterdrückung des völlig tonlosen e der Endung. 22, 6. **notwer**, ein maßgebender fester Rechtsbegriff, daher der Artikel **eine**.

dem stellen wirs in seine Hendt,
jetzt vnnd zu allen zeitten.
dem Herren setzen wir keyn Ziel,
er weyß wol wenn er helffen wil.
er kan die Zeit fein treffen.

24 Hertzlich mit threnen biten wir,
all Christen groß vnd kleyne.
bitt Got, das er vns bald vnd schier,
erlösen wöll alleyne.
dann Er alleyn ist vnser Trost,
den Schatz friesst vns keyn Matt noch rost.
Reyn bleibt er Ewig, Amen.

* *

(Christus spricht.)

Will jemant recht mein Jünger sein,
mich soll er fürchten vnnd keyn pein,
gott heys ich vnnd will sehen drein.
ernehren kan ich durch mein Gnad,
so ich verzeihe die Missethat,
kan ich baldt schaffen Hilff vnd rath.
im jammerthal auff gantzer Erdt,
nymant mag zücken spis noch schwerd,
wehren kan ichs so mans begerdt.

Am 8. Augusti, Anno 1551. etc.

23, 5. ziel früher für 'Termin', vgl. das folg. 'treffen'. Nachwort 3. 'ins Spiel'? vgl. S. 145; Uhl. 531, oben Str. 15, 6 und die Tonangabe S. 254; der Ton dieses Lutherliedes ist übrigens ein oft gebrauchter, z. B. Solt. 463 (1622), Körner 259 östreich. (1583) gegen Luther, Weller 153 (1621), wo die Tonangabe in der 6. Str. mit dem Anfang des Lutherliedes nachgebracht wird.

35.

Überfall von Toul durch die Franzosen.

April 1552.

Aus der Klosterneuburger Hs. 1228 (hier A) mitgeth. von Mone im Anzeiger f. K. d. t. V. 8, 74, mehrfach mangelhaft; zum Glück fand sich das Lied noch in einer Münchner Hs. Nr. 809 8°. Bl. 58 (hier B), mit nur 9 Strophen, aber in mehrfach besserer Gestalt; nach Pfeiffers Mittheilung gab Mone die Abweichungen der letztern im Anz. 8, 474. Die erste Mitth. wird dem Orig. doch näher stehn, in der zweiten ist deutlich Einiges ersungen von Fernerstehenden; ich habe aus beiden in den ersten 9 Str. eine ungefähre Herstellung des wahrscheinlich Ältesten versucht. Das Lied scheint hist. wichtig; es wird doch von einem, der gegenwärtig war, herrühren, die Geschichten erzählen sonst, Toul habe sich wie Verdun zuvorkommend an Heinrich II. ergeben (so Sleidan, Ranke, auch Scherer, „der Raub der drei Bisthümer Metz, Tull und Verdun u. s. w." in Raumers Hist. Tasch. 1842 S. 281), hier aber finden sich die Einzelnheiten eines ehrlos hinterlistigen Verfahrens seiten der Franzosen. Der Ton ist 'Von üppiglichen Dingen', wie Nr. 27b; die Sprache ist der Quelle nach östr., aber die Reime 4, 9. 11, 2. 12, 3. 13, 3 sprechen auch für einen östr. Dichter.

1 Vermerkhet großen kumer,
wol heur zu diser frist
zu pfingsten in dem sumer
wie es ergangen ist,
da Toll wardt ubergeben,
verkaufft in grosse not,
schentlichen umb ihr leben,
in kumer muestens streben,
und leiden den pittern todt.

1, 1. **kumer**, nicht Gram, sond. Belästigung, Überlast der Umstände, Bedrängniß, Angst (Nr. 2, 1). 1, 2. **zu d. fr.**, in dieser Zeit, erst neulich, oft so wenn das Besungne in demselben Jahr geschehen ist; Zeile 2 und 3 gehören syntaktisch zur vierten, die strophische Form führte diese Theilung des Gedankens herbei, das **wie** aber sollte doch beim Verbum stehn; wie oft Nebenbestimmungen dem fertigen Satze nachgebracht werden (vgl. zu Nr. 3, 1, 3), so werden sie auch oft vorausgenommen. 1, 3. 4. A **wie es zu pf. im s. zu Toll erg. ist.** 1, 5. A **wie Toll**; B hat immer **Doll**. 1, 6. 'verkauft' meint doch Kurfürst Moritzens und seiner Genossen Vertrag mit König Heinrich, danach dieser Toul, Metz, Verdun, Cambrai 'als Reichsvicar' an sich nehmen sollte für Subsidienzahlung an jene deutschen Fürsten während ihres Kriegs gegen Kaiser Karl; es ist das rechte Wort. 1, 8. **streben** B; man möchte **schweben**, doch **streben**, sich anstrengen, kommt eben so vor, vgl. 12, 8.

2 Es lagen vil teütscher knechte
wol in der statt zu Toll,
ir sold was guet und geschlechte,
man vertraut in alzeit wol,
uber tor und uber mauren,
auch uber leüt und guet;
etliches waren lauren,
die statt die stuendt in trawren,
petrüebet was ir muet.

3 Der künig het im velde
viel manicher teütscher knecht,
auf Toll legt er groß gelte,
wie ers gewinnen möcht,
etlich mit gueten worten,
die pöswicht wolten sein,
die kamen gen Toll an dporten,
als palt man sy erhorte,
man ließ die Teutschen ein.

4 Sy sindt ain nacht darin gelegen,
stelten nach guet und gwin,
drew fändlein machtens eben
recht nach dem teütschen synn;
ain kreiden tetens geben,

Str. 2. 3 stehn in A in umgekehrter Ordnung. 2, 3. Landsknechte, die die Stadt wol erst für diesen Fall in Sold genommen hatte. **geschlecht, schlecht** (das überhängende **e** ist Dichterfreiheit, s. S. 77, wie **gelte** 3, 3, **gelobte** 9, 8, **nichte** 10, 7), gewöhnlich, ordentlich, vgl. Schm. 3, 430. 431. B hat **gewiß u. g.** 2, 5. A **tar** (östr.), B **thuren**; aber die Thürme mußten wol schon mit bei den Mauern sein; die 'Thore' macht 3, 8. 9 wahrscheinlich. 2, 7. **lauer**, Heimtückischer, Verräther, viel als Schimpfwort gebraucht. 2, 8. man kannte gewiß die Gefahr und ahnte das Ende. 3, 1. B verdeutlicht **der k. von Franckreich het im feld**; daß aber der franz. König in Toul schlechthin 'der König' heißt, ist naturgemäß und spricht für die Priorität von A, wie es für den Ursprung des Liedes in Toul selbst sprechen kann. 3, 2. angezogen von Kriegsführern, wie Schertlin, Reckerode u. a., die jetzt in franz. Diensten waren. 3, 3. **gelt**, doch wol die monatlichen Zahlungen an Kurf. Moritz, gleichsam das 'Kaufgeld'. 3, 5. sie waren wol im Einverständniß mit den 'Lauren' in der Stadt. 3, 7. **an porten** A, **an die p.** B. 3, 8. 9. B **do man die teütsch hörte, m. l. sye zu in ein.** 4, 1. Ein Vortrupp, die in den 'guten Worten' irgend etwas Falsches vorgegeben haben mochten; sie gebärden sich nun als Quartiermacher des Eroberers. 4, 3. als Cadres für Zwangwerbung. 4, 5. Hs. **kreutt**;

wan sy kemen in die statt,
wer fristen wolt sein leben,
der solt zum fendlein streben,
der fündt ein sichers glaidt.

5 An ainem pfintztag morgen,
da hueb sich groß ungemach,
zu Toll lag man in sorgen,
als palt man dfendlein sach
wol uber die maur ein fliegen,
sy maynten sy weren ir freundt,
sy westen nit umb ir liegen,
das sy sy wolten petriegen,
die pösen valentein.

6 Vermerkhet grosse wunder,
zwo schar mit frawen fein,
jetliche trueg besunder
ain silbrin gschir mit wein,
sy wolten dknecht empfachen,
sy maynten sy weren ir freundt,
dem silber thetens nachen,
die frawen thetens erschlachen,
ir hertz stundt jn in pein.

7 Kain mort tetens vermeiden,
sy erschluegen die swangern weib,
dar zw tettens aus schneiden

Kriegsgeschrei, Schm. 2, 381; B ain pott (Gebot) t. außgeben. 4, 6. sy; sie werden 'wir' gesagt haben, meinend das Gros ihrer Armee. B wol in der statt zu Doll, ohne Reim. 4, 7. wer, B der, auch richtig. 4, 9. A findt; B dem geyt man ain fraiß gelaidt. statt : glaidt, bair.-östr. Reim. 5, 1. Pfinztag, bair., Donnerstag, s. Schm. 1, 321. 5, 5. die stolz gehobnen Fahnen ragen über die Mauern; fliegen formelh. von Fahnen. 5, 7. mhd. liegen, lügen. 5, 9. Valentein, wol der Name, wie viele der gebrauchtesten Namen, als Schimpfwort, mit Anklang an vâlant, Teufel. B vallent ein. 6, 1. B Nun merckent furpaß w. 6, 4. ir silber geschir A; ain silberin g. B. 6, 5. die knecht; B empfachen, A thetten .. umbf.! 6, 7. A theten sy; ich wollte die nöthigen Verschleifungen nur andeuten. 6, 8. thetens fehlt A. 6, 9. A in trawren stundt. Thaten das Deutsche? vgl. 8, 8. Toul wird als Feindesstadt behandelt, der Kaiser gieng damit um diese Städte seinen benachbarten Landen einzuverleiben. 7, 1. mort oft allg.

die kindlein aus muetter leib,
sy erstachens mit den spiessen
und schluegens umb die wendt,
kain poshait sy nit liessen,
das tor tetens verschliessen,
haben leib und guet verprendt.

8 Vermerkht den grossen jamer
got het auch vor in kain glaidt,
das sacrament sy namen
dar zw die heiligkait,
des wir all muessen gniessen,
das schyttens in das kot
und traten darauf mit fiessen,
ain Francoß der muest es püessen,
ain Teütscher stach in zu todt.

9 Die straff was also wilte,
die sy getriben hond,
ain hüpsches Marien pilte
auf ainem altar stuendt,
was füerts auf seinem haubte?
ain kron von golt so rot,
ain Francoß darnach tobte,
das pilt gar hoch gelobte
vor jamer es wainen wardt.

10 Vil andechtiger priester
in ainem kloster warn,
geziert mit gotes orden

Gräuelthat, Gewaltthat (Nr. 31, 39). 7, 5. B stachen darein mit sp. 7, 8. B von stundt sy die statt an stiessen, anzündeten. Ist das alles übertrieben? oder nicht? In Metz zogen die Franzosen wenige Tage darauf mit Verrath, asiatischer Hinterlist und Mord ein. 8, 1. B Nún merckt iren pessen (bösen) samen. 8, 2. auch fehlt B. kein geleit haben, ohne Bedeckung oder Paß reisen, vogelfrei sein. 8, 5. die Hostie, A misverst. das wir all tag geniessen, das Brot. 8, 6. A warfens. 8, 9. lies ztodt. 9, 1. B unmilte. 'Strafe' vom französischen König! er hatte in einem Manifest beim Beginn des Feldzugs sich als Retter d.r deutschen Freiheit, Widerstrebenden aber Ausrottung mit Feuer und Schwert angekündigt, s. Sleidan s. a., Scherer a. a. O. 9, 2. B die die Franzosen g. h., A haben. 9, 3. B feines. 9, 5. B das het. 9, 7. tobend verlangte. 9, 9. B wainent, beides gleich. 10, 2. war? s. Nr. 31, 7,2, S. 126. 10, 3. im Ornat.

schon uber dem altar klar,
sy waren in rechter pflichte
und dienten dem waren got,
das mocht sy helfen nichte,
die schendlichen pöswichte
erschluegen sy all zu todt.

11 Sy sindt darein gefaren
so gar unkristenleich,
was kirchen darin waren,
arm oder reich,
die habens all auf prochen,
verderbtens gantz und gar,
den gotsdienst habens zerbrochen,
die priester all erstochen,
der war ein grosse schar.

12 Nun her, laß diers erbarmen
wol in dem höchsten thron,
das die zu Toll haben verlaren
und erputen sich alzeit wol,
das sy wurden ubergeben,
verkaufft in grosse not,
schendlichen umb ir leben,
in kumer muesten sy streben
und leiden den pittern todt.

13 Nun künig aus Frangkhenreiche,
nun sich dich gar eben für,
ich sag dir sicherleichen,
man wirdt sich rechen an dir,
das du Toll hast petrogen
und lesterlich verfüert,
das Volkh hast du verlogen,

10, 4. **den.** 11, 2. Hs. =lich, vergl. 13, 3. 11, 4. **sie weren a. o. r.?** 11, 5. **tetens .. prechen.** 12, 3. verlorn, der Reim (: **erbarem?**) gibt die östr. Form an; **wol zToll hand.** 12, 4. und sind doch immer zuvorkommend, gefällig gewesen (gegen Frankreich? oder Deutschland?); gewöhnlich **es einem wol erbieten,** (einem Gaste) alle Ehre werden lassen, vergl. 14, 5. 12, 5. wie wirksam die Wiederholung aus dem Eingang! hier könnte ursprünglich der Schluß gewesen sein.

die burg hastu uberzogen,
vil frumer leit ermürdt.

14 Der uns das hat gesungen,
das merkhent all geleich,
wie Toll wart uberdrungen
vom künig aus Frankhenreich,
das sy sich teten erpieten
albeg gantz und auch gar schon,
herr got, thue sy ergetzen,
und thue in ir marter setzen
wol in den höchsten thron.

13, 9. geschr. ermerdt; auch Nr. 24, 18, 5 war vielmehr ermürdt in den Text zu setzen, vgl. Schm. 2, 615. 14, 2. merken, in Acht nehmen, ins Auge fassen. 14, 5. das, daß, in der Bed. 'obgleich'; Uhland 260 und daß der wind so kule wät, so hat mich noch nie (doch nicht) gefroren; Claws Bur (h. v. Höfer) 897 her doctor, dat ji vele ovel sen (obwol ihr bös aussehet), doch mot ik juw de warhet jen; solche außerordentliche logische Geschmeidigkeit hat daz schon mhd.; vgl. S. 147. 14, 6. albeg, b für w damals öfter in bair. Schriftstücken, jetzt bes. fränkisch, hessisch, schlesisch. 14, 8. marter, Märtyrthum.

36.

Eyn neuwes liede

von zweyen feltschlachten,

so hertzog Heinrich der Junger zu Brunschwig vnd Luneburgk mit hulff des Churfürsten zu Sachsen herzog Moritzen ꝛc. hochloblicher Gedechtnisse, Marggrafen Albrechten von Brandenburg vor Seuershausen eyne, die andere vor Stettenburg abgewunnen im Jare 1553.

Hormayr's Taschenb. f. d. vaterl. Gesch., Jahrg. 1837 S. 1 ff., ohne Quellenangabe. Den Ton gibt, wie öfter, der Anfang, s. S. 106. Der Sänger ist ein Braunschweiger (47, 2), sein Deutsch das damalige Hochdeutsch jener Lande, das neben oder über dem Niederdeutschen immer weiter griff.

1 Wer streiten vnnd wil sturmen nu,
Der ziehe den fursten von Brunschwigk zu,
Denn sie fechten allezeit mit ehren,
Sie haben bestritten Stede vnd Landt vnd Leude,
Darzu vhil manchen Herren Iha Herren.

2 Da man schreib tausent funffhundert Ihar,
Vnnd dry vnnd funftzig die Ihar Zall war,
Hub sich an rauben vnnd prennen,
Der Marggraff zogk Ins Frankenlandt,
Vnnd hub es an zu verbrennen Ja brennen.

3 Eyn auffrur hait er gefangen an,
Erst ruff man die fursten von Brunschwigk an,
Sie sollten ja nicht aussen bleiben,
Vnnd zigen mit Reuttern vnd knechten herran,
Den feyndt woll zw vertreiben Ja treiben.

4 Zur Steynbrucke lagen wir an dem Sande,
Newlichen hatten wir bezwungen Stedte Burgen vnnd Lande,
Erst komen vnns neuwe mere,
Wie noch eyn Feind vorhanden were,
Vnd hette eyn grosses Here Ja here.

5 Wir brachen vff mit gantzer Schar
Hertzog Philips Magnus vnser oberster feltherre war,
Auff Schweinfurt thetten wir zyhen,
Wir meinten er solt vnns libern eyn schlacht,
Erst hub er an zw fliehen, Ja flyhen.

1, 1. **nu** vermuthete Soltau als Ergänzung; der Landsknecht spricht zu seinen Genossen. 1, 2. H. Heinrich d. Jüng. v. Br.-Wolfenbüttel mit seinen Söhnen Philipp Magnus, Carl Victor; wol auch Friedrich von Br.-Lüneburg (17, 4). **Brunschwigk**, die landesübliche Form auch im hochd. Zusammenhang; übrigens trägt das ganze L. niederd. Färbung, in der Sprache, der Schreibung, in der Silbenfülle der Zeilen (vgl. S. 197). 2, 4. Albrecht von Brandenburg-Culmbach, gegen den als einen 'beißigen Hund' Kurf. Moritz einen Fürstenbund geeinigt hatte; er kriegte für erzwungene Ansprüche an Bamberg und Würzburg. 3, 1. Landfriedensbruch. **hait**, nd. 3, 2. **ruff**, rief, wie **luff**, s. S. 85; der Landsknecht ist offenbar in Braunschw. Diensten. 3, 4. **zîgen**, aus dem Prät. **zugen**, Part. **gezogen**. 4, 2. gedr. **Burger**; Heinrich d. J. hatte vor kurzem seine Lande zurückerobert von seinen Edelleuten und seinem Vetter Erich von Calenberg. 5, 3. im

6 Er flogk woll auf das Sachssener Landt,
Zw Brunschwigk kam er zugeranndt,
Hub sich erst an zu sterken,
Die Im darzu geholffen han,
Ich meyn sie liessen sich mercken, Ja merken.

7 Zw Hildesheim kam er für das Thor,
Die Burger hilten gute Wach davor,
Sie wolten In nit eynlassen,
Der Manffelt der vnns betrogen hait,
Zyhet hin, zyhet hin euwere Strassen Ja strassen.

8 Zw Petershagen ruckt er fur das Hauß
Da schoß man mit großen Buchsen herauß,
Ir Kriegsleude halt euch feste,
Der Marggraff zeugt gewaltig daher,
Vnnd bringt euch frembde geste, Ja geste.

9 Hertzog Philips kamen neuwe mehr,
Wie der feindt In Sachssen komen wer,
Recht thet er sich besynnen,
Er brach mit Reuttern vnnd Knechten auff,
Ich meyn wir thetten sie finden, Ja fynden.

10 Wir zogen bis vff das Eichsfelt,
Da schlugen wir auff vnser gezelt,
Hertzog Moritzen thetten wir wartten,

Besitz Albrechts. 6, 1. flogk, floh, vom Prät. flugen, wie vorhin zigen; sonst werden fliegen und fliehen öfter verwechselt, s. 31, 1. 6, 2. die Stadt Br. war dem Herzog feindlich gesinnt. 7, 4. gedr. Manspel; Graf Volradt von Mansfeld, Parteigänger und Heerführer, alter Waffenbruder Albrechts und vor kurzem erst Bedränger Herzog Heinrichs von Braunschweig, dann aber vom Kurf. Moritz gegen jenen gewonnen, und nun Waffengenoß Heinrichs, mit dem die Städte in alter Feindschaft waren, auch Hildesheim. Emphatischer Ausruf, der den Grund der Abweisung verbirgt. 8, 1. an der Weser, damals Braunschw. 8, 5. diese 'fremden Gäste' im Reim auf 'Feste' sind manigfach gewendet, in Süd und Nord formelhaft seit dem 15. Jh. bis ins 17., Solt. 102. 221. 291. 398. 407. Körner 44. Uhl. 505. 553. Weller 132. Adrian, Mitth. 121. Mones Anz. 4, 42; denke niemand da an Fortpflanzung durch Schrift oder Druck, das ist echt epischer Nachwuchs. 9, 3. Entschluß fassen. 9, 4. von Franken aus; 'Ritter und Landsknechte', unter diesen der Dichter. 10, 2. das gezelt, wie mhd., damals wol auch collectiv.

Das war eyn Churfurst hochloblich,
War schon auff der farte, Ja farte.

11 Ehns Morgens da der tagk anbrach,
Hertzog Philipus nicht vhil ruhen pflach,
Zwm Churfursten thette er eylen,
Die Fürsten ranthen einander an,
Tryben vhil kurzweyle Ja Weyle.

12 Sie ranthen oft für vnnd hinter sich,
Bestelten Jr felt gar fleissiglich,
Eyner thet mit dem andern schertzen,
Ich glaub sie weren eynander holt,
Von grunde Ires gantzen hertzen, Ja hertzen.

13 Wir lagerten vnns vor Eymbeck Ins weite felt,
Hertzog Heinrich hait sich herzugestellt,
Mit seynem lieben Sone,
Hertzog Carol hieß der Name seyn,
Sere milt vnnd auch seer frome, Ja frome.

14 Wir kamen In Hertzog Erichs landt,
Poppenburg das haben wir außgebrandt,
Das Rathause thetten wir zwstoren,
Ich hoff man wirdt noch fürbas hyn
Von vnns wol sagen horen, Ja horen.

15 Der feyndt flog auff Hannober zw,
Erst liessen wir Ime gar wenig Ruh,
. . . .
. . . .
Wir seyn zw Syvershausen zusammen komen, Ja komen.

16 Erst traffen die Meissener vnnd Hessen woll,
. . . .

10, 5. über Sangerhausen: 11, 1. Druckf. für Eins? oder rein nd.? 11, 4. galoppierten auf einander zu, gewiß gar freudig, Moritz war ein gar lustiger und witziger Herr; bei Giboldehausen wars. 12, 1. nach vorn und hinten, gewiß vom Standpunkt des Dichters aus. 12, 4. weren, nd. waren. 13, 1. hier stieß H. Heinrich zu ihnen. 14, 1. Erich von Calenberg, H. Heinrichs Gegner. 15, 2. 'nun erst recht', wie 30, 4. 15, 5. nahe bei Peina, 9. Juli. 16, 1. trafen,

Doch wurdens abgetrungen,
Brunschweigische Reutter von der Art,
Haben diese Schlacht gewunnen, Ja gewunnen.

17 Der Churfürst hilt sich doch so woll,
Wie noch eyn solicher Kriegsfurst soll,
Mit seyner weissen Fahnen,
Der von Luneburgk hilt sich ritterlich,
Sie waren beyde drane, Ja trane.

18 Hertzog Heinrich in seinem fehen Hudt
Vorwar er furdt eyns leuwen mudt,
Vnnd ist ser hoch zu preissen,
Dan er jagt die feinde vff borgtorff zu,
Er lag zu felt In eysen, Ja eysen.

19 Hertzog Philips Magnus hochgeborn
Der sprach fürstlich aus grymmen zorn,
Meinen schaden muß ich rechen,
Got hilff mir beschutzen mein vatterlandt,
Syn spieß thet er zerbrechen, Ja brechen.

20 Also nam die Schlacht eyn endt,
Der Marggraff nach Hannober rendt,
Die nacht kam her schleichen,
Wir haben verloren vhier fürsten milt,
Wo fyndt man Jr geleichen, Ja gleichen.

21 Die fursten sturben hie edell vnnd lobesam,
Nymendt Jr lob genugk preisen kan,
In aller Welt gemeyne,

näml. das Ziel, auf den Feind (wie 26, 4), vom Schießen entlehnt; wir noch 'es kommt zum treffen'. 16, 4. Art, Land (Landeskinder), so damals noch unzweifelhaft; Körner 75 jr sind vß Tütscher arte; Uhland 374 in unser art, hier zu Lande, 395 an fremde art, in die Fremde (396 in land übersetzt); daun in landart (z. B. Uhl. 630) verdeutlicht und darin bis nach 1700 erhalten; noch bei Goethe (1829) 23, 67 'in dieser Landesart sei er geboren' ist im Grund dasselbe Wort. 18, 1. gedr. fehlen; feh, edles Pelzwerk, Adj. u. Subst. 19, 5. in ritterlichem Kampf; der Spruch Wolff 390 schildert: es prastelet als in dem wald, die spies die brachen alda bald; vgl. 30, 4. 20, 4. Moritz, Friedrich v. Lüneburg und die beiden Söhne Heinrichs, im Reiterkampf. 21, 2. vgl. 'lobpreisen'.

Dann sie haben gefochten für Ir vätterlandt,
Deutsch Nacion Ich meyne, Ja meyne.

22 Johan Monichhausen gar ein teurer Held,
Wart auch In solcher Menge gefelt,
Er starb nach wenig tagen,
Er wardt dem edlen fursten Jungk
Wol durch seyn hertz gezogen, Ja zogen.

23 Lieber herre got von hymelreich,
Wie sint Deine Gaben so wunderleich,
Ach mocht Ich die fursten rechen,
So oft meyn hertz gedenkt daran,
Vor leidts wills mir zerbrechen, Ja brechen.

24 Hertzog Heinrich bleib noch allein bestan,
Der Marggraff fluchtig darvon
Vnnd bleib auf freyen fuessen,
Vor Bleckenstedt kam er wider an,
Sein lust missen wir Ime buessen, Ja buessen.

25 Er zogk wider in das Brunschweiger landt,
Vnnd hait wider auffs Neuwe gebrandt,
Vhil dorffer sache man rauchen,
Wir zogen eyns Tags funff gantzer Meill,
Bis wir sie konthen erlauffen, Ja lauffen.

26 Ditterich von Quitzow der sprach als Ritmeister an,
Wolauff ir werden Reuttersmann,
Frisch her In gotes namen,
Treft neben den knechten feyn ordentlich,
Vnnd halt euch woll zwsamen, Ja samen.

27 Heinrich Mente schöes mit gantzen fleis,
Den feynden macht ers mit froden heiß,

22, 1. der Dichter bei Wolff 392, der den gefallnen Adel allen aufzählt, nennt zwei Münchhausen, Johann und Jost; darunter Balthasar Stechau (oben S. 199); auch Bastian Walwitz (S. 240). 22, 2. menge scheint Kampfgedränge, vgl. mhd. gemenge Parz. 216, 29. 277, 10; vgl. Nr. 49, 30, 5. 22, 4. Philipp Magnus, des Dichters Feldherrn; ward = war. 24, 2. fehlt, eilt? zog? 27, 1. also der 'Büchsenmeister'; das oe ist auf gut nd. langes o, schôß die alte rechte Form. 27, 2. froden, wie 3. 4, für fröden, Freuden, Anklang an freidig.

Mit halben vnnd gantzen schlangen,
Mit froden schoes er allezeit dreyn,
Darnach stundt seyn verlangen, Ja langen.

28 Der feyndt sücht forteil vff eynen berg,
Wir machten vnser schlachtordnung überzwerg,
Vor Stetterburg Im Velt gar eben,
Wir fochten kurtze weil mit Ine,
Brachten Ir vhill vmbs leben, Ja leben.

29 Wir behielten guth schlachtordnung das ist war,
Berndt von Habel dismal vnser Oberster war,
Mit ehren that er fechten,
Mit den hauptleuten stund er zw forderst tran,
Stecht dreyn Ir fromen Knechte, Ja Knechte.

30 Sie sungen vhil psalm vnd liederlein,
Wir hiessen sie got schon willkommen sein,
Mit schiessen, hauwen vnnd stechen,
Erst must sich mancher schoner spies,
In der mit eyn zwey zerbrechen, Ja brechen.

31 Der Marggraff ist geflogen davon,
Zu pfandt lies er vhil Reutters sonn,
Die wir Inne haben genommen,
Gerecht er noch eynmal an vns,
Davon sol er nicht komen, Ja komen.

32 Freidich ist er gerissen aus,
Geflogen auff Brunschwigk das werde hauß,
Trauriglich wardt er entpfangen,
Her bringt Ir hertzog heinrichen nicht,
Oder wie hats euch ergangen, Ja ergangen?

28, 3. im Angesicht Braunschweigs, 12. Sept.; **eben** nicht vom Felde, sond. von der Schlachtordnung, richtig, passend, woleingerichtet, Nr. 35, 4, 3. 29, 5. Wolff 390 bei Sievershausen (hochd. Seyfertshausen 397) **stich tod, stich tod, das wars geschrey.** 30, 1. in protest. Weise. 30, 2. wie **grüßen** Nr. 29, 37. 24, 10. 31, 2. Rittersöhne. 31, 4. **raken, reken** nd. heißt reichen, treffen, gerathen (Brem. Wb. 3, 423. 472); **gerecht** wäre dieß Wort in hochd. Aussprache; oder für **gereht**, geräth? 32, 1. **freidich**, wirksamer Spott, s. S. 35. 32, 4. als

33 Darauff schwigk er eyn weilen still,
Nuhn hort nuhr was er sagen will,
Ich hoff er sey erschlagen,
Wiewoll ers felt behalten hait,
Mein hertz mocht mir verzagen, Ja verzagen.

34 Seyne Reutter fälten Ime hardt verwundt,
Erst hub sich klagen manich mundt,
Von Jungkfrauwen vnndt schonen frauwen,
Manich verborgen hertze brach herfür,
Thet nach seynen Bulen schauwen, Ja schauwen.

35 Vnd welcher Ir Buel ist bleiben thodt,
Dieselb leidt nhu In schwerer noidt,
Wie ichs den hab vernomen,
Vor schanden sie nicht lachen darff,
Bis sie eynen andern hait überkomen, Ja komen.

36 Claus Berner must auch bleiben thodt,
Der Marggraff leidt nun selbest nodt,
Vnnd alle seyne Kriegsleuthe,
Seit sie zwo schlacht verloren handt,
Haben sie nuhn schlechte beuthe, Ja beuthe.

37 Hertzog heinrich behilt nochmals das bries,
In der vorigen schlacht gleicherweiß,
Mit seynen Reuttern vnnd knechten,
Er hait noch eyn hertz In seinem Leib,
Got hilfft Ime allezeit fechten, Ja fechten.

38 Brunschwigk die berumbte Stadt,
Iren herren gar oft betrubet hait,
Den feindt habens Ingenomen,

Gefangenen. 34, 1. gedr. falten. 34, 2. mundt von mir, im Dr. Volgk. 35, 1. bleiben, falsch verhochdeutscht nach nd. bleven. 35, 2. nhu, gedr. uhm; vgl. jhar, vhil, das h Dehnungszeichen. 35, 4. gut landsknechtisch, Uhl. 519, Wunderh. 4, 18 ein iede tůt nach irem 'man' umb schawen; welcher der ir ist bliben tot, darf (wagt, mag) nit vor schanden lachen, biß sie ein andern hat. 35, 5. überkomen wie gewinnen, eig. besiegen, dann erwerben. 37, 2. gleichwie in d. v. Schl.; ist die Str. verstellt, etwa nach 30? 38, 2. dem Sinn

Wir haben got lob erlebt die Zeit,
Ist Ir nicht wol bekomen, Ja komen.

39 Der Marggraff ist wider gezogen auß,
Im Oberlande hilt er vbel hauß,
Wir zogen mit großer eyle,
Folgten Ime auf rechter strassen nach,
Des tags vhil manche meyle, Ja meyle.

40 Zw Bockelen haben sie vnns die Pferdt genomen,
Zw Lichtenfels haben wirs widergewonnen,
Mit Sturmen vnnd mit schiessen,
Sie riffen vnns durch Christum von Himmel an,
Daß wir sie leben liessen, Ja liessen.

41 Wir lagerten vnns vor blatzenburg das hohe hauß,
Die Reuter fielen zw Culmbach herrauß,
Mit vns wollten sie handiren,
Balt liessen sie eyn graffen von gleichen zw Pfand,
Zwolff Reutter von den Iren, Ja Iren.

42 Stadt kulmbach die zundens an,
Plotzlich zwgen sie Im rauch darvon,
Ist war vnnd nit erlogen,
Vor war sie verliessen eyn schone Stadt,
Seint schendlich darauß entpflogen, Ja entpflogen.

43 Wir sein noch Imer fortgezogen,
Der Marggraff vnns allezeit geflogen,
Die neuwen stedt wir In namen,
Seyne Reutter seint schentlichen entflogen daruß,
Des mussens sich allezeit schemen, Ja schemen.

nach Relativsatz, s. zu Nr. 6; 2, 2. 39, 2. er wandte sich zurück nach seinen bedrängten Erblanden in Franken, Heinrich folgte ihm bald. 40, 1. gedr. dis Pf. 40, 2. Niederlage Albrechts bei Lichtenfels 7. Nov. 40, 4. durch, wegen, um .. Willen. 41, 1. die Plassenburg über Culmbach, Albrechts Stammsitz. 42, 1. die Culmbacher selbst, heißt es sonst, die sich mit Hab und Gut auf die Burg flüchteten. 42, 2. d. i. im Schutz des Rauchs; das war ein gewöhnl. Kriegsmittel, von dessen manigfacher Anwendung z. B. Fronspergers Kriegsbuch ausdrücklich handelt. 43, 3. neun? bes. Hof und Baireuth waren wichtig. 43, 5. gedr.

44 Er flog zwletzt In Schweinfurt hyneyn,
Ich hore da sol keyn freidt mehr sein,
Der winter ist vorhanden,
Wir froen vnns aber der Sommerzeit,
Heraus muß er mit schanden, Ja schanden.

45 Wilhelm von Grumbach Ist allzeit geflogen,
Den Marggraffen hait er schendlich betrogen,
Mit bosen falschen reden,
Ob Ime sein herre gefolget nuhn,
Den spot heit er zwm schaden, Ja schaden.

46 Dies liede will Ich gesungen han,
Den Marggrafen damit gewarnet han,
Er woll sich doch bekeren,
Sich halten zw dem deutschen vatterland,
Vnglücke mocht sich sunst mehren, Ja mehren.

47 Eyn Reutterskna be sangk erst das Lied,
Eyn Brunschweigisch hertz heit er im leib,
Nach ehren that er ringen,
Er wirdt dem Marggraffen zw Sommerzeit
Eyn neuwes liede singen, Ja singen.

mussen. 44, 2. Die förmliche Belagerung Schweinfurts erfolgte erst im folg. Frühjahr. 45, 1. der bekannte Grumbach. 46, 5. gedr. Unglückt. 47, 1. 2. gedr. Liede : leibe, wie 37, 4 Leibe, 41, 4 Pfande, 46, 4 vatterlande, 5, 1. 2 Schare : ware. 47, 5. doppelsinnig, als Sänger und als Soldat; gedr. liedt, auch Soltau rieth liede.

Aus dem Befreiungskriege der Niederlande.

37.

Einnahme von Grave.

Mai 1586.

Dieß und das folg. von einem flieg. Bl. (4 Bll. 8°), abschr. in Leysers Nachlaß: „Zwey Newer Lieder, das erste von der Statt Graff. Das ander Von der Belägerung vnd Blutvergiessung, der Statt Neuß Vnd wie dieselbige eingenommen

Geplündert vnd verbrandt worden, Geschehen den Sechs vnd Zwentzigsten tag deß Monats Julij, Anno M. D. L. XXXVI. Im thon, es gehet ein frisser Sommer." Titelholzschnitt, eine Schlacht darstellend. Der Ton wie Nr. 31. 33. 27, s. S. 230.

1 Hört allzusamen Jung vnd alt
Wie das jhr seyt, jha manigfalt
Das soll ich euch verklaren
Von einer Statt Graue genandt
Wie das sie ist gefharen.

2 Den dreyzehenden Mey furwar
Disses sechs vnd achtzigsten Jahr
Ist war vnd nicht erlogen
So ist der Hertzog von Parma
Auß der Statt Brüssel gezogen.

3 Der Edle Printze wol gemuth
Ist kommen fur den Graue mit der spůt
Mit Cartawen vnd mit schlangen
Deß haben die Lansknecht wolgemuth
Den Printz von Parma wol entfangen.

4 Der Printz ist auff gesessen zu pferdt
Zu besehen, wo die statt am sterckſten wer
Die in der statt habens bald vernommen
Das der hochgeborne Printze gut
Ins leger war gekommen.

1, 2. wie für wer, niederrheinisch; daß nur Verstärkung des Relativs, ja eine allgemeine Bekräftigung, manigfalt gehört dem Sinn nach gleich zu 'wer ihr auch seid', vgl. Nr. 42, 87, 4. Sonst ist die Mundart verhältnißmäßig erstaunlich rein hochdeutsch, schwerlich Übersetzung, und doch verrathen die jh, fh einen Druckort in jenen Gegenden. 1, 4. Grave, auch de Graaf (3, 2) an der Maas in Nordbrabant, dem Utrechter Bunde zugethan. 2, 4. Alexander von Parma, Statthalter der span. Niederlande; im Herbst vorher hatte sich Antwerpen ergeben müssen, er eroberte nun die Maasgegenden und das niedere Gelderland zurück, die Anwesenheit englischer Hilfe unter Leicester hinderte es nicht. 3, 1. wolgemut, beliebtes Beiwort für ritterliches Sein und Thun, gehört zu dem aus der höfischen Dichtung überlieferten Dichtapparat, verdankt also seine Geltung auch hauptsächlich seinem alterthümlichen Klange. 3, 2. spuet, niederländisch spoet, Eile. 3, 4. des, zufolge davon, dafür. 4, 3. vernommen, nicht gehört, sondern gemerkt.

5 Als er nun reyt her vmb die statt
Gar bald jhr ein ersehen hatt
Hatt vnder jhm das pferdt erschossen
Er gedacht aber in seinem sinn
Er hett den Printzen getroffen.

6 Die statt Graue die war sehr vast
Darbey so ist naß Moraß
Kein schantzen kond jhn gelingen
Deß gleich können sie kein geschutz her
Ahn vnsere statt nicht bringen.

7 Doch ist der pracktick so viel
Daß ich nicht alls erzellen will
Sie haben rath gefunden
Das sie das geschutz haben fort gebracht
Wol zu den selben stunden.

8 Sie fingen dar zu schiessen ahn
Dar greiwelt beyde fraw vnd Man
Niemandt dorfft gehen auff der strassen
Einer zu dem andern sprach
Furwar das thu ich hassen.

9 Sie haben da ein groß Bolwerck
Eingenomen das war seher starck
Haben alles dodt geslagen
Dar auff haben sie jhr geschutz gestelt
Die statt darmit zuplagen.

10 Der Gubernator Johan von Hemert
Wart geschossen von seinen pferdt
Da sach man die Landsknecht trawren
Sie haben nach dem Printzen geschick
Zu Parlamentieren vber die Mauren.

5, 2. fehlt **das**; **ihr ein**, einer von den Landsknechten. 7, 1. **praktik**, gew. im Plur., Listen, Kniffe, hier gewiß technische Erfindungen und Aushilfen, die in dem Sumpfboden dennoch die Belagerungsarbeiten möglich machten. **fort**, vorwärts, der Stadt zu, Comp. **fürder**. 7, 5. **stund**, wie mhd., Mal; Zeitmoment. 8, 2. mhd. **griulen**, **griuwelen**, unpersönlich; **greiwelt**(e), Prät. 9, 2. **seher**, wie in den Braunschw. Liedern (S. 34). 10, 4. **geschick**, die nd. Mundarten

11 Sie haben sich so bald bedacht
Vnd sich zur stundt, vnd sonder verdrach
Gaben ins Printzen henden
Auff das sie nicht kamen in beklag
Vnd auch in grosse schanden.

12 Die von Venlo haben diß gesehen
Wie den von Graue ist geschehen
Das der Printz mit gewalt wolt kommen
Da gedachten sie in jhrem sinn
Es bringt vns kleinen frommen.

13 Sie gaben sich ins Printzen hand
Welchs jhnen ist fur war kein schand
Genad haben sie thun erlangen
Wol von dem gütigen Printzen mildt
Gott wöll das er regier gar lange.

14 Ich radt all stetten in gemein
Last euch Neuß ein spiegel sein
Es wirt euch sein groß ehre
Das jhr euch widerumb ergebt
Zu ewerem rechten Herren.

neigen dazu dieß beschwerliche t bes. nach k abzuwerfen (vgl. haupman Nr. 38, 16), einige haben es jetzt gänzlich abgeworfen, wie die Ditmarſ., die Reime weisen aber den Abfall schon früh aus; einzeln ist das übrigens in allen andern Mundarten, mitteld. u. oberd. zu bemerken. 13, 5. es wird ein Landsknecht sein, der so schnell den Herrn und das Herz wechselt; es war im 16. Jh. gewöhnlich für den Sieger, die gegnerischen Landsknechte alsbald in Dienst zu nehmen. 14, 2. das Lied ist also nach dem Fall von Neuß gedichtet.

38.

Eroberung von Neuß.

Juli 1586.

Überschrift im Druck: 'Das Ander von Neuß'. Neuß war mit ganz Niedergeldern der Utrechter Union beigetreten; Geldern aber war schon von Karl V. den Niederlanden einverleibt worden.

1 Wer will horen ein new Lied fur war
Was geschehen ist zu Neuß jm jahr
Sechs vnd Achtzig, thu ich erzellen
Von Jamer ellend vnd grosser noth
Das kan ich euch nicht verhelen.

2 Den funff vnd zwentzigsten hewmonat
Ist kommen fur Neuß die werde statt
Der Printz von Parma thu ich sagen
Mitt Reutter vnd Landsknechten vil
Sein Leger allda zu schlagen.

3 Er besann sich dar furwar nich lang
Mitt graben er sein volck fort trang
Darnach thett er sich erwegen
Er fordert auch die Statt gleich auff
Wol von des Churfursten wegen.

4 Dar auff gab man jhm kein bescheidt
Wiewohl es jhn darnach war leidt
Es thett sich weiters begeben
Wolten sie solches jha nicht thun
Es kost sie Leib vnd leben.

5 Da sprach Herman Clot nein darzu
Das kelblein muß folgen der khu
Wir wollen die statt nicht auff geben

1, 1. furwar gehört dem Sinn nach zu geschehen ist; solche Freiheiten sind die Folge einer vielgeübten Technik, die sich Geleise gräbt, in denen dann die Worte wie von selber laufen; übrigens springen solche Betheurungen ihrer Natur nach gern. 1, 3. thu ich erz., Reimformel, parenthetisch, wie 2, 3; in dieser Technik, die für den Gesang, im bessern Falle im Gesang arbeitet, hat immer jede einzelne Zeile das Streben etwas Ganzes für sich zu werden; das führte auch oft solche Flickworte herbei. 2, 4. Plurale auf -er entgehn gern dem n des Dat., vgl. S. 11, Nr. 33, 3, 3. 3, 1. nich, gut nd. 3, 2. fort, vorwärts. 3, 3. sich erwegen mit Gen., sich entschließen, was sonst sich bewegen; in er- fühlte man damals noch den Zusatz des Gründlichen. 3, 4. auffordern, wie aufheischen S. 203, fordern daß sie sich 'aufgebe'. 3, 5. im Namen und Vollmacht des K., von Köln, oder des von Mainz, der Kreisoberster des kurrhein. Kreises war? 4, 1. 'kleinen', ironisch, wie Nr. 17, 15, 3 u. oft. 4, 3. 'es sollte noch kommen ...' 5, 2. 'Kalb und Kuh' in manigfacher Wendung sprichwörtlich, hier 'wir müssen dem Bund treu bleiben'.

Bey tag vnd nacht zu aller stundt
Es kost vns Leib vnd Leben.

6 Da sprach der Printze von Parma
Zu Clot er solt zu jhm kommen dar
Villeicht mocht ers geniessen
Ein gloß gab Clot den knechten sein
Sie solten den Hertzog erschiessen.

7 Clot der sagt dem Hertzog dar
Er solte seinen knechten bar
Vier Monat ahn soldt darlegen
Alß dann wolt er vnd seine knecht
Inn die statt Neuß vber geben.

8 Der Printz gedacht in seinem muth
Die sach ist fur war nicht gut
Ich muß jhn anders kommen
Er ruckt mit seinem kriegs volck ahn
Deß hatten sie gar kein frommen.

9 Er fieng deß morgens zuschiessen ahn
Das hatt gehort manch bider man
Jen stetten vnd auch in Flecken
Man hat so manchen stoltzen heldt
Wol auß dem schlaff thun wecken.

10 Das wehret biß auff den mittag
Hort man auff schiessen als ich sag
Biß ahn den andern morgen
Da stund Neuß die werde statt
So gar in grossen sorgen.

11 Es geschach auff Sant Annen tag
Das man auff Neuß stürmen sach
Vngefehrlich vmb zwo vhren
Da hatt man gesehen jamer groß
Zu Neuß all jnnen der Mauren

6, 3. es möchte ihm gar leicht nützlich sein! eine Verständigung vor dem Sturm. 6, 4. gloß, Loßung, den rechten Augenblick zu bezeichnen; sonst loß, auch schon losung Wolff 252 (a. 1525). 9, 5. wie sonst die Mettenglocke (S. 229), vgl. Nr. 29, 24, 7. 10, 2. fehlt da. 11, 3. Morgens. 11, 5. all niederd.

12 Sie kamen in die statt in eil
Vnd schlugen jhr zutodt gar vil
Was sie wehrhafftig funden
Schlugen zu todt, man niemandt schont
So gar in kurtzen stunden.

13 Da nun die in der statt sahen das
Es alles mit jnn verlohren was
Haben die statt ahn gezundet
Damit so hat der feyend auch
Die stat gantz vnd gar geplundert.

14 Man macht dar ein grossen allarm
Dem Reichen so wol als dem arm
Es mocht sich ein stein erbarmen
Man hatt es ein halb meil wegs gehort
Das schreyen vnd auch das karmen.

15 Man sacht das in Neuß gedötet sein
Funffzehen hundert groß vnd klein
Die vmb das leben seindt gekommen
Des waren die Soldaten fro
Das sie Neuß hatten gewonnen.

16 Der Gubernator hauptman Clot genandt
Den haben sie gehangen vnd verbrandt
Zween Capitein ein Predicant dar neben
Hetten sie sich doch anders bedacht
So wer jhn geschenckt das leben.

Füllwort, Nachdruck gebend, s. S. 27. 12, 1. **eil : vil**, ebenso reimt 11, 3. 5 **vhren : Mauren**; das ist kein Beweis von Übersetzung, es lag so in der gelernten Reimkunst; doch hat der Dichter wol noch **müren, îl** gesprochen, vgl. zu Nr. 42, 7, 4. Hier und da kann das auch auf Rechnung der Druckerei kommen. 13, 1. die Satzpartikel für die folgende Zeile noch in der ersten Zeile findet sich zuweilen; das ist mit manchem Andern in das Lied eingedrungen aus der Spruchdichtung; häufig z. B. in Mich. Behaims Buch von den Wienern, ja schon in der mhd. Dichtung; vergl. S. 232. 13, 4. die alte zweisilbige Form **feiend** oder ähnlich hielt sich lange in der nd. und schweiz. Mundart, nd. gewöhnlich **vyent**, auch noch **vyand**, schweiz. **figend**. 14, 5. **karmen, kermen** (Nr. 42, 72), nd. schreien vor Angst und Weh; auch mitteldeutsch und niederländisch. 15, 1. **sacht**, niederdeutsch **secht**.

17 Nun ist die statt so gar geschandt
Verhergt, geplundert, vnd verbrandt
Auch manch mann vmb sein leben
Es wer jhn furwar besser gewest
Sie hetten die statt auff geben.

17, 2. **verhergen**, verheeren, auch hochd. noch in dieser Zeit und länger (Solt. 485 a. 1631), bair. noch heute; und doch mhd. **verhern**, selten **verherjen**, **verhergen**, vom ahd. **heri**, Heer.

Zwei Calvinistenlieder.

39.

Ein Alt New Liedt.

Dieß und das folg. L., von Leyser nachgewiesen (Notiz im Nachlaß), aus Wolfgang Amlings, Superint. zu Zerbst, Briefen von 1581—1612, handschr., Univ. Bibl. zu Leipzig Nr. 1274, sie stehn im 4. Bd. zwischen Briefen vom April 1593. Daß sie schon cursiert hatten, zeigen einige Entstellungen; Amling, selbst calvinistisch gesinnt, aber im Anhaltischen gegen Verfolgung geschützter, schrieb sie wol ein, als sie, sich verbreitend, zu seinen Ohren kamen; entstanden sind sie in Sachsen. Beide fallen in die ersten neunziger Jahre (vgl. hier 4, 1), in die Zeit der streng lutherischen Reaction in Sachsen nach dem Tode des Kurf. Christian I., als namentlich die Predigtämter von allen zu Calvin Neigenden gereinigt wurden. Das erste parodiert, mit dem Humor des Unglücks, ein altes Reuterlied (Uhl. 383) '**Der reif und auch der kalte schne, der tut uns armen reutern we ..**', daher im Orig. die Bezeichnung **ein alt new liedt**; der Dichter ist ein vertriebener Prediger, deren 2400 waren, wie es bei Wolff 306 heißt, und nur 500 unterschrieben die als Gewissensprobe vorgelegte luth. Formel. Der Ton ist der Stortebeker, einzeln mit Binnenreim in der 4. Zeile, vgl. S. 92.

1 Der Luterisch Reiff, Papistisch Schnee,
Thut vns Armen Brüderlein weh,
Wo sollen wir vns erneeren,
So vnser Predigt nicht mehr gild,
Was haben wir zuuerzeeren?

1, 2. die **Brüderlein** werden treu aus einer andern Fassung des Vorbilds als der bei Uhl. sein, ebenso 1, 3 (Uhl. **was s. w. n. beginnen**); 1, 5 ist wörtlich

2 Ziehen wir dem Von Anhalt zu,
So lest man Ihm kein rast noch Ruh
Biß er vns fortt mus treiben.
Der Herr ist fromb, das Land ist klein,
Wo sollen wir doch bleiben.

3 Ziehen wir dem Pfaltzgrauen zu,
So lest man Ihme keine ruh,
Man wil ihn sonst vertreiben.
Ich hoff Ihr Anschleg seind vmbsonst,
Sie werden ihn lassen bleiben.

4 Dem Hessen wern sie gern in die Haar,
Sie fürchten sich nür der gefahr,
Er möcht sich etwan wehren.
Er ist für war ein frommer Helt,
Er kan vns wol erneeren.

5 Graff Moritz von Nassaw wolgemuth,
Geborn aus hochsächsischen Blut,
Ein Held von thaten reiche,
Alß man im Reich itz finden mag,
Seim Großvater wird gleiche.

6 Christian Churfürst gestorben ist,
Noch ein Christian lebet, das wist,
Auß Sachsen hochgeboren.
Sein Vater Er wol rechen wird,
An ihm ist nichts verloren.

entlehnt, wie man in diesem Fall gern die erste Str. möglichst wörtlich beibehielt, damit neben der Mel. auch die geläufigen Worte eben die Stimmung hervorriefen, die man entlehnen und weiterbrauchen wollte; vgl. Nr. 43. 2, 1. Johann Georg von A.-Dessau, calvinistisch gesinnt. 3, 1. Friedrich IV., Vater des 'Winterkönigs'. 4, 1. Landgraf Moritz von Hessen-Kassel, begünstigte seit seinem Regierungsantritt (1592) das reformierte Bekenntniß, trat auch später (1604) förmlich dazu über; seine Vettern wollten ihm 'in die Haare', eben deswegen, sie verlangten eine neue Theilung. 4, 2. **nür**, richtige Nebenform mit Umlaut, vgl. folg. L. 18, 1; auch **neur**, **nar** (**nor**), **när** sind Nebenformen, der Entstehung nach berechtigt. 4, 5. **erneren**, eig. 'genesen' machen, daher nicht bloß an Brot zu denken. 6, 2. Christian II., für den als minderjährigen H. Friedrich Wilhelm von S.-Altenburg die Regierung hatte; dieser eben war eifriger Gegner des Calvinismus. 6, 4. die

7 Weil wir denn Keinen Herren hahn,
So ruffen wir Gott im Himel an,
Den wollen wir loben vnnd ehren.
Er ist Almechtig, weiß, vnd Kluck,
Er Kan vns all erneeren.

8 Es fehet sich an ein wunderspiel,
Deutschland es Dir itz gelten wil,
Hab wol acht auff dein Schantze.
Der Spannier drawt, der Babst der lacht,
Pfeiffen Dir süß zum tantze.

9 Ihr Deutschen schlagt ein ander tod,
Vnd bringt euch selbst in angst vnd noth,
Das thut den Babst erfrewen.
Dencket zurück an ihre tück,
Es wird euch sonst gerewen.

10 Vnd so es nicht wil anders sein,
Zihet aus dem Land, last andre rein,
Gotts straff die ist verhanden.
Die warheit man nicht leiden kan,
Denckt an folgende Schande.

11 Wann ein Reich mit ihm selbest wird
Vneins, sein Vntergang man spürt,
Sagt Christus Gottes Sohne.
Der Babst itz renoviren wil,
Sein hoch dreyfache Krone.

12 Niemand klagt es, ewr ist die Schuld,
Vnnd kriegt ihr stöß, so tragt geduld,

Verfolgung der Calvinisten als Vergehen an Christian I. angesehen. 8, 3. schanze, eig. Fall der Würfel, dann wie franz. chance die bestimmte Combination der Glücksumstände, bes. eine günstige; **hab wol acht auf deine sch.** ist also soviel, als **sieh treulich ins spil** S. 145. 8, 4. 'der Spanier', aus den Niederlanden her, von wo die kath. Reaction sich den deutschen Landen immer mehr näherte. 10, 2. er meint doch seine Glaubensverwandten, die es besser machen würden. 10, 3. **verhanden**, vor der Thür. 11, 4. vortreffliche Bezeichnung der kath.-papistischen Reaction, die die Zerfallenheit der Evangelischen herrlich ausnutzte. 12, 2. d. i.

Spannier sind Kluge Leute.
Franckreich, vnd Engeland sind gerüst,
Warten all auff die Beute.

13 Ihr Werden Deutschen Ritter all,
Sucht nicht muthwillig ewren fal,
Bleibt, wie ihr lang gewesen,
Bey Jesu Christ, wie man denn list,
Dem folgt, wolt ihr genesen.

14 Last den Papisten ihren tand,
Den Calvinisten Ihr Land,
Steht auch bey Luther feste.
Einer den andern bleiben laß,
Das ist das aller beste.

15 Drümb last es gahn, gleich wie es geht,
In aller welt es vbel steht,
Verdampt einander nichte.
Glaub jeder fest an Jesum Christ,
Sein ist allein das Grichte.

laßt es euch gutwillig gefallen. 14, 2. auch ihr? 14, 3. das ist eine Gesinnung, wie sie unter Kurf. Christian I. in Sachsen galt, ausgleichende Vermittelung des Lutherthums und Calvinismus; nach diesem und 6, 2 scheint der Dichter ein Sachse. 15, 1. gleich wie, wie auch immer (S. 227. 213), laßt die Weltdinge gehn, besorgt eure inneren, geistlichen Fragen versöhnlich, denn das Gericht ist nahe!

40.

An den Meißnischen Adel.

Der Ton ist von einem sehr beliebten Lied entlehnt 'Ich stund an einem morgen' (Uhl. Nr. 70), das in Parodie oder nur mit der Mel. auch geistlich und politisch (Nr. 22. 45) mehrfach gebraucht worden ist. Die Interpunction gibt zum Theil Singezeichen, Stollen und Abgesang auszeichnend, wie bei Nr. 29. 34. Der Dichter war nach 9, 3 ein vertriebener oder gefährdeter calvinistischer Prediger.

1 Herfür, die Ihr verjaget,
Itzund vnd alle zeit.
Die Armen Leut nur Plaget,
Schicket euch zu dem Streit.
Vnd jagt den Türcken aus dem Land,
Vnd thut einmal beweisen
Ewren hohen Ritterstand.

2 Durch ewr täglich Jagen,
Darmit Ihr manchen Man
Vnauffhörlich thut Plagen,
Last fahren die Wildbahn:
Vnd Jaget frisch dem Türcken nach,
Das er muß weichen aus dem Land,
So stehet wol ewre Sach.

3 Die Förster rufft zusammen,
Vnd ewre Jäger all,
Der Türck thut hereinkommen,
Nemt die Hund alzumal,
Hirsch, Bären, Rähe, vnd wilde schwein,
Vnd alle die von Adel groß,
So im Jagen ersoffen sein.

4 Ihr Teutschen hoch von Adel,
Die ihr jederman veracht,
Doch sein wolt ohne tadel,
Ewrn Adel itz betracht.
Stehet für ewrem Vaterland,
Last Ihr den Türcken herein,
Es ist euch ewig schand.

1, 1. 'mit Jagen verbringt'. 1, 2. 'die Gegenwart und ..' 2, 1. seltsame Attraction, 'euer t. J.' sollte als Object zu **last fahren** gehören, aus dem 'damit' und dem Relativsatz aber wird **durch** schon vorausgezogen zum Jagen, sodaß dieses nun verlassen zu stehn scheint; man kann nicht bestimmt genug sich vorstellen, daß diese Verse im Rahmen und Gang der Melodie gedichtet sind und bloß fürs Singen bestimmt, also immer noch 'ersungen' heißen können, geschah es auch mit der Feder in der Hand. 3, 3. **einherkommen**? 3, 6. ist diese Zusammenstellung boshaft gemeint? 4, 4. jetzt denkt an euren Adel. 4, 5. **stehn für** (für mengte sich mit **vor**), hintreten vor .., vgl. '**verstehn**', vertreten. 4, 6. **einher** (ein zu

5 Last fressen, Sauffen fahren,
  Allen Pracht vnd Vbermuth.
Die Landschafft wol sich nicht Sparen,
  Beweisen ihrn hochmuth.
Die Wildbahn, vnd all schinderey
  Von euch itzund sey ferne,
Beweist ewrn Adel frey.

6 Herfür aus den Roßställen,
  Die ihr Regieren wolt,
In hochgeistlichen fällen
  Wist Ihr zu Vrtheln bald.
Last falsches tichten, vnd gewald,
  So Ihr seid Kriegesleute,
Vertreibt den Türcken bald.

7 Wird nu fressen vnd Sauffen,
  Pracht, Stoltz, vnd Vbermuth,
Dem Wild nach jagen vnd lauffen,
  Der Armen Schweiß vnd blut,
Der stoltzen Weiber lieb, vnd gunst,
  Den Türcken itzt vertreiben,
So halt ichs für eine Kunst.

8 Ihr Geistlichen vol Zoren,
  Ehrgeitz, hoffart, vnd Neid,
Die durch Verdammen vnd morden,
  Zusammen gehetzt die Leut:
Nemet ein Zorn, Neid, vnd gewald,
  Last fromme Christen bleiben,
Vertreibt den Türcken bald.

betonen)? 5, 3. **landschaft**, die Vertretung des Landes. 5, 4. doppelsinnig 'hohen Muth', hohen Sinn (so **hochmütig** noch Nr. 64, 6, 7), und Hochmuth. 5, 7. **frei**, häufig so, enthält eig. ein Sätzchen 'ich sag es frei', rückhaltlos, das **frei** sprang aber dann in das über, was man sagt; dieß ist freilich oft kaum noch erkennbar bei dem unendlich viel gebrauchten Worte; so entstand unser **freilich**. 6, 3. Der Adel war meist lutherisch gesinnt, betheiligte sich lebhaft an den dogmatischen Streitigkeiten, bes. praktisch. 8, 1. die streng lutherischen. 8, 3. **morden**, ein Parteikraftwort der Zeit, nicht immer eine Blutthat, oft nur ein Bild für Gewaltthat wider Gott und Recht. 8, 5. 'ja, faßt doch einen Z.', es ist ein recht Ziel für

9 Weil ihr lust zuuertreiben,
So treibt den Türcken nauß,
Damit wir mögen bleiben
Bey Gut, Weib, Kind, vnd haus.
Dann bey euch Zorn, Neid vnd gewald
Ist so mechtig am tage,
Den Türcken schlügt ihr bald.

10 Wenns thet Verdammen, vnd schenden,
Die Leute richten aus,
So müst sich der Türck wenden,
Schnel wieder ziehen zu haus.
Die Leute Schenden, des Babstes Bann,
Da wenig Krafft dahinden,
Den Türcken nicht wird schlan.

11 Ewr Viel wollen Türckisch lieber,
Dann itz Calvinisch sein.
Kert vmb, vnd weinet drüber,
Der Türck kömpt schon herein.
Wist Ihr was Türckenglaube ist?
Calvinus gleubt gar feste
An seinen Herrn Jesum Christ.

12 Ach Gott schlag Du den Türcken,
Laß vns auffwachsen schon
Wider Räthe, Junge Helden,
In Deutscher Nation.
Bewar, vnd für durch Deine hand
Christian vom hauß zu Sachsen,
Beschirm sein leut vnd land.

ihn da. 9, 1. fehlt **habt**; diese Auslassung gieng zum Theil sehr weit, z. B. Körner 315 **mit wenig thet er sigen, das Lob er hie vnd dort für des hat er L.** In der Anweisung eines Scharfrichters Meßing (17. Jh.) bei Adrian, Mitth. 302, zur rechten Verwendung der Tortur bemerkt ders. am Ende: **Er bethe auch vielmahl mit ihnen** (der Scharfr. mit den Inquisiten), **wie er denn alle Zeit ein Gebethbüchlein deshalben bey sich.** 9, 6. vom Bergbau entlehnt. 10, 2. **ausrichten**, schmähen, schänden. 11, 1. **lieber**, die Hs. **bleiben**; hierher gehört eig. **itz**, es ist gesprungen. 12, 2. **schon**, nicht 'schon', sondern noch Adv. zu **schön**; auch das **schon** 11, 4 ist noch nicht ganz das unsrige. 12, 3. **bider**? 12, 6. Christian II., Kurfürst nach Christians I. Tode (1591), noch minderjährig, s. S. 283.

13 Die Kayserliche Majestet
Nim Herr in Deinen Schutz,
All Christlich Königreich vnd Städ,
Die Chur vnd fürsten nutz.
Graffen, Ritter, den Adel hoch,
Den Raht, die Bürgerschaffte,
Erbarm dich aller doch.

14 Das Christian vermeinet
Zuthun, wird richten aus
Christian, so lebet,
Vom hochsächsischen Hauß.
Gott geb ihm Sieg, Weißheit, vnd Ehr,
Seine Feinde zu vberwinden,
Zuerhalten reine Lehr.

15 Graff Mauritius von Nassaw,
Von Churfürst Mauritij blut,
Ein held im feld, vnd grüner Aw,
Gib Herr den Sin vnd muth.
Zu Nutz dem Heilign Römischen Reich,
Füre ihn durch deine Mechtige Hand,
Das er mag werden gleich

16 Seim Großvater an thaten,
An Hertzen, muth vnd Sin,
Thue ihm Herr weißlich rathen,
Das er mag schertzen hin
Den Spannier vnd sein groß gewald,
Auch sein Inquisition
Zu vnterdrücken balt.

13, 4. Chur= und Fürsten, Canzleistil, wie Nr. 28, 12, 2. Hs. Nütze : Schutze; nutzen damals oft mit Acc., das Adj. nütz schiene ganz unpassend. 13, 7. doch, Hs. Gott. 14, 1—3. was Christian (I.) zu thun vorhatte, wird Christian (II.) ausführen, absichtlich und wirksam bloß derselbe Name zweimal, s. das vorige Lied Str. 6. 15, 1. Hs. Moritz, aber diese und die 3. Zeile haben stumpfen Reim mit vier Hebungen, vgl. S. 235. 15, 2. Kurf. Moritzens Tochter Anna, vermählt an Wilhelm I. von Oranien, war Graf Moritzens Mutter, Statthalters der Niederlande. 16, 1. Hs. Seinen. 16, 4. schetzen? in einem L. Frankf. Liederb. Nr. 135 Von eim schwartzen Mönch, wie jhm vnd seinem Bulen das Bad zu heiß warde, heißt es 2, 7 vom Mönch: sein Diener thet hin schetzen,

17 Hertzog Johann vnd Casimir,
Ermuntert ewer Hertz,
Nemet an Euch mit lust vnd begier,
Gotts wort, es ist kein schertz.
Dencket an der Alten Sachsen blut,
Welches stadliche Helden gewesen,
Von Hertzen vnd gemuth.

18 Wann nür nicht hinderm Türcken
Etwa ein loser Hund,
Der Ihm ein loch zu wirken,
Mit ihm gemacht ein bund,
Deutschland zuführn in angst vnd Noth,
Durch Spannische list, vnd Bäbstisch tück,
Dein feinden wehr, ô Herr.

19 Werdt ihr schlaffen vnd warten,
So sehet euch wol für,
Er siehet euch in die Karten,
Graft nach der Deutschen thür.
Er siehet sehr tieff herein ins land,
Vnd lacht, murret vnsers Zanckens,
Vnd der Geistlichen Schand.

um mit seinem weibl. Badknecht allein zu sein, barsch fortschicken? oder gehört dazu, was Stieler, Sprachschatz 1761 angibt: **die Magd will scherzen**, will abziehen? 17, 1. Johann Wilhelm und Johann Casimir, die Söhne des in Östreich gefangnen Johann Friedrich des Mittlern, die in Thüringen regierten. 17, 3. wie mhd., **sich annemen** mit Acc. 18, 1. **nür**, s. Nr. 39, 4, 2. 18, 3. für sich.

Siebzehntes Jahrhundert.

41.

Ein new Lied vonn Abzug Canischa,

Anno 1601 im Novembri.

Aus der reichen Schadischen Handschr.-Sammlung der Bibl. in Ulm mitgeth. von Mone im Anzeiger f. K. d. t. V. 8, 195. Canischa, ungarische Festung, war im Herbst 1600 von den Türken unter Ibrahim Pascha erobert worden; im folg. Jahr zog ein gut kathol. Heer, Italiener mit möglichstem Ausschluß des deutschen Elements, unter dem 23jähr. Erzherzog Ferdinand aus zur Wiedereinnahme des Platzes. Es war die Zeit der schonungs- und rücksichtslosen kirchlichen Reaction, ausgeführt unter jesuitischem Nachdruck gegen die östr. Erblande, die vom Protestantismus weit angesteckt waren. Der Erzherzog lag dieser Reaction eifrigst ob; alle Deutschen waren in Miscredit; alle hohe Stellen im Heer waren Welschen anvertraut, die zur Bedingung gemacht hatten, daß in dem heiligen Kriege kein Protestant einen Dienst erhielte; deutsche erprobte Generale, mit der türkischen Kriegsweise wol vertraut, dienten als Gemeine im Heer, das stattlich geputzt auszog, im voraus übermüthig triumphierend. Der Zug schlug schrecklich fehl, das Lied ist ein frischer Abdruck der Stimmung, welche die zurückgesetzten östreichischen Protestanten dabei erfassen mußte; es ist ein Triumph- und Angstschrei zugleich, hauptſ. aber Schadenfreude und Hohn über den bevorzugten Fremden, der den Herrn im Lande spielt; denn das nationale Moment ist mit dem religiösen gleich gemischt, ja vorangestellt.

Der Dichter nahm dazu eine Parodie des bekannten und alten Abschiedsliedes: 'Insbruck ich muß dich lassen' Uhland Nr. 69. L. Erk, Neue Samml. D. Volksl. 3. Bdes 1. Heft, S. 92 fg. C. F. Becker, Lieder und Weisen vergangener Jahrh. 2. Aufl. Lpz. 1853 1, 9. Dieß Lied, mehrmals geistlich umgedichtet, hat auch zu politischer Parodie öfter gedient, s. Nr. 46.

1 Canischa ich muoß dich Lassenn,
ich fahr dahin mein strassen,
wider heim In mein Land,
mein freud Ist mir genomen,
daß Ich Dich nit hab gwonen,
sondern zeuch ab mit schand.

1, 1. Lassenn; es fragt sich, ob ein Drucker dieß L hätte stehn lassen, in den Handschriften aber, lange vorher schon und bes. im 17. Jh., finden sich oft große K,

2 So gehts wen Man mit Pfaffen,
mit Weiber vnnd mit Affen
will haben Krieges Rath,
vnd nit vff Got thuet Bawen,
vnnd seiner hilf vertrawen,
alsdann kombt Rew zu spat.

3 Es kam da herr gelauffen,
wolt die Fröschteuch vß Sauffen,
der welschen Vebermuott,
in wolts eben nit glücken,
theten darob Ersticken,
Verachtung thut nit guot.

4 Der Jesuiter Schlappen
vnd Capuciner kappen
darzu Jr Curcifix,
vil Ablaß vnnd vil Segen,
Glocken Weichen vnnd fegen,
wolt Alles helffen nichts.

5 Die felt-kam her mit houffen,
drumb muosten wir entlauffen
mit ganzer krieges schaarr,
wir theten All verzagen,
der Haßan thet vns jagen,
Lauf, Lauf, die Loßung war.

W, V, J, R regellos, selbst mitten in Wörtern als Silbenanfang, ohne erkennbaren Grund, als etwa Laune der Schreiberhand, die einmal im Zuge ist und gern Initialen malt; ich lasse sie hier als Beispiel stehn. Schon Philipp von Hessen ruft vor Ingolstadt 1546 (Solt. 358) O Jngolstat ich muß dich lan. 2, 2. die aufgeblasenen, kriegsunkundigen 'Romanisten'. 2, 6. daher sonst gern 'Nachreu' genannt. 3, 2. die Sümpfe um die Feste, in denen sich doch wol Frösche behaglich sicher fühlten. 4, 1. breite Hüte, Schlapphüte, Schm. 3, 454. 4, 3. sprach man so? wol möglich, es lag ein Spott drin. 4, 5. 'Glockenweihen' und 'fegen', d. i. Reinigung durch Räuchern, Wiederweihung der Kirchen die durch den Protestantismus verunreinigt worden waren. 4, 6. nichts, dem Reim nach 'nix' gespr., Nr. 30, 15. 5, 1. Antwort der Verhöhnten. 5, 2. Hs. müeßen. 5, 3. schaarr, sucht die östr. Aussprache einzuholen, das a klingt nicht kurz, daher das aa; aber auch nicht lang, darum das rr. 5, 5. Haßan, die Handschrift haß; Hassan war der türkische Commandant von Canischa. 5, 6. war, Handschrift waß.

6 Roß vnd Man war erfroren,
vil khnecht Im moß verloren,
die kranckhen Nider gehawt,
O Wehe deß grosen schmertzen,
Es geht mir erst zu hertzen,
wir Lieffen vmb die Braut.

7 Daß geschütz derr hinder lassen,
das Silbergeschirr dermassen,
dar zu vil Proviant,
kleider vnnd Ander sachen,
dem feindt In seinen Rachen,
es kam Im Alles In dhand.

8 Nun singt deum laudamus,
zu Gratz kriegs Leuth eramus,
do drin mit grosser Macht,
sturmeten Papiren mauren,
lüessen vns kein müh tauren,
dessen der feindt Jetzt Lacht.

9 Nun sag mir einer eben,
warumbs Got hat zugeben,
da doch die gantze schaarr
wahren die gute Christen
vnd Lawter Romanisten,
allda kein ketzer war.

10 Darumb Magstu gaar wol fragen,
die Pfaffen werdens dir Sagen,
sie fehlen nit ein schritt,

6, 3. Die verfolgenden Türken wütheten gräßlich unter den Welschen, die durch Nässe und Kälte des Nov. und durch Krankheiten schon im Lager entsetzlich gelichtet waren; bei der Flucht blieben Tausende von Kranken und Erfrierenden an den Straßen liegen. 6, 6. (in die Wette) um den höchsten Werth, das Leben; vgl. Brautlauf und S. 155; so auch um die Braut tanzen. 7, 1. Zelte, Silberzeug, Kutschen, der kostbare Thron des Erzherzogs, 47 Kanonen u. a. blieben in den Laufgräben zurück. 8, 1. hatten sies schon in Grätz gesungen? 8, 2. der Dichter deutet an, wie dieses Te deum laudamus fortgereimt werden solle. 8, 4. auf der Karte. 8, 5. Hs. trauren. 10, 3. fehlen, eig. des Ziels beim Schießen, daher Fehler, eig.

werden dich nit Betriegen,
vnd dir gewiß nicht liegen,
nach Irer Arth vnnd Sitt.

11 Sie werden gewißlich sprechen,
Got thut den Vnfleüß rechen,
denn man Braucht In dem Land
mit vßrottung der ketzer
vnnd des Bapsts verLetzer,
daß sey groß sind vnd schand.

12 Darumb thue ein Ernst Beweysen,
nemb feur, schwerdt, strick vnnd Eisen,
des wassers hast auch gnug,
an kötzern Ist nichts gelegen,
dann würt dir Got Sig geben,
du hast es guoten fug.

13 Du hast doch noch zum Bösten,
von deinen frembden gösten,
was yberblieben Ist,
laß steelen, mörden, Rauben,
die ketzer ausser klauben
allda zu dieser frist.

Fehlschuß, Gegensatz des Treffers; daher ein schritt als Maß. 11, 2. mit welchem Gefühl muß der protest. Östreicher dieß geschrieben haben! und wie richtig wars! 12, 6. gerechte Ansprüche darauf. 13, 1. 'zum Besten haben', Preis gegeben, zum freien Genuß geboten. 13, 2. das kann ja wol nur die Protestanten meinen?! 13, 5. außer (außher), 'heraus' Kl., etwa wie Ungeziefer.

42.

Eigentlicher vnnd Warhaffter Bericht,

Welcher Gestalt die Stadt Braunschweig jüngsthin am Tage Galli, den 16. vnd 17. Octob. Im Jahr Christi 1605. vnuerhoffentlich vnd gantz feindselig vberfallen, was sich dabey zugetragen, vnd wie dieselbige durch Gottes starcken Arm endlich den Sieg vnnd Vberwindung erlanget.

Psalm 34.
Der Engel des Herrn lagert sich vmb die her,
so Jhn fürchten, Vnd hilfft jhnen aus.

(Holzschnitt)

Menniglich zur guten Nachrichtung vnd stetem Gedechtnis in nachfolgende Reyme Gesangs weise verfasset.

Im Thon: Ich ritt mich einsmals nach Braunschweig aus, etc.

Gedruckt im Jahr Christi, 1606.

6 Bll. in 4°, abschr. in Soltaus Nachlaß; der Anfang der Gewaltmaßregeln, mit denen Herzog Heinrich Julius seinen Händeln mit Braunschweig ein kurzes Ende machen und den Widerstand der stolzen Stadt brechen wollte. „Der Holzschnitt stellt zwei Engel dar, in der einen Hand Palmen, in der andern Kränze haltend über einen mit einem größern Kranz umgebnen [den ‘rothen’] Löwen; über diesem die Buchstaben: S. D. G., darunter links: G. A. rechts: D. E. Das Titelblatt hat eine Randeinfassung, auf der Rückseite den Psalm 64 theilweis abgedruckt; Bl. A ij[a] beginnt der Text und schließt mit B ij[a]; die Strophen sind abgesetzt, die Verszeilen nicht. Dabei ein Schlachtplan: ‘Belegerung der Statt Braunschweig, angefangen den 16. Octob. Ann. 1605.’“ Das Ganze entspricht also in Wesen und Zweck den heutigen Broschüren, die bald nach einem interessanten Ereigniß dasselbe für die Zeitgenossen möglichst genau darzustellen unternehmen, nur daß man dieses weniger still für sich las, als sang oder öffentlich gesungen hörte, denn das war so willkommner Stoff für die Zeitungssinger. Das Lied erhebt sich aber über die gewöhnlichen Zeitungslieder, es ist noch Poesie, ist noch von einer Stimmung getragen, von patriotischer, kriegerischer und Parteigesinnung, wie einseitig sie auch sein mochte; es ist vermuthlich von einem der ‘Relation-Schreiber’ der Stadt, von denen Rehtmeier, Braunschweig-Lüneburg. Chronica 1172 spricht. Derselbe verweist auf die ‘Braunschweigischen Histor. Händel’ P. III, Sect. I. p. 40 sqq., ‘wo die Lieder und Zeitungen, so an Seiten der Stadt Br. dieserwegen durch den Druck spargiret worden’, nachzuschlagen seien; das hiesige steht das. S. 47 ff. Der Ton des L. ist wahrsch. noch der von Nr. 16, doch ist die 4. Zeile nicht überall in sich gereimt. — Einen andern Druck des L. „Leipzig i. J. 1606“ notiert

H. Schletter in Naumanns Serapeum 14, 287, auch erschien es als Anhang einer pros. 'Relation' von den betreff. Vorgängen, angeblich zu Leipz. bei Lamberg, in der That aber zu Erfurt bei Birnstiel, s. Schletter S. 286. Auf Beschwerde des Herzogs beim Churfürsten von Sachsen gab dieser dem Leipz. Rath auf, den Verkauf der (in der Ostermesse 1606 veröffentlichten) Schmähschriften zu verhindern und das Singen aller Schmählieder zu verbieten (Schletter a. a. O.), in Leipzig!

1 Herr Gott thu mir trewlich beystahn,
was ich jetzt sing vnd hebe an,
daß ichs zu ende bringe,
Die warheit ich nicht schweigen kan,
hilff Gott daß mirs gelinge.

2 In Sachsenland die fürnehmb Stadt,
Braunschweig sie jhren Namen hat,
Löblich vnnd weit gepreiset,
worinne dann, manch frembden Mann,
viel gutes ist beweiset.

3 Die kriegte Feind in kurtzer frist,
man kundt nicht mercken diese List,
gwaltig thet man sich rüsten,
Sie zogen fort, aus manchem Ort,
wohin: solchs niemand wuste.

4 Eh man sich des vorsehen hat,
da galts Braunschweig der guten Stadt,
die woltens vberfallen,
Welches doch nie, verschuldet sie,
vmb solche Feinde alle.

5 Vorhin hattn sie sich exercirt,
mit Büchsn vnd Schwerten wol verirt,
das solte drillen heissen,
sie lieffen zu, wie tolle Küh,
Braunschweig solt sie nicht beissen.

1, 1. Dieser Ruf um Beistand ist alte geheiligte Form. 5, 2. das Einüben der Soldaten war natürlich nicht neu, dieß 'Drillen' aber, eine strenge genaue Art des Exercierens, mochte neu sein, zumal es auch auf die aufgebotnen Bürger und Bauern zu erstrecken war; mit dem Drillen und den Drillern treibt der Dichter wiederholt seinen Scherz. 5, 5. (so toll,) Br. würde ihnen gewiß nichts anhaben können.

6 Hatten sich auch bereiten thun,
auff Rüstung vnd Munition,
viel Kleider, Wehr vnd Waffen,
gemunstert wol, recht wie man sol,
zu Roß vnd Fuß recht schaffen.

7 Braunschweig hat sich drauff nicht bereit,
trawt Gott vnd des Reiches Abscheidt,
Sie waren in vielen Jahren,
ein lange zeit gesessn in Fried,
kein Kriegs sie sich befahren.

8 Man schrieb sechszehnhundert fünff Jahr,
der sechszehende Octobris war,
ein Anfall thetens wagen,
Wouon ich jetzt zu dieser frist,
kürtzlich wil etwas sagen.

9 Nach Braunschweig aus sie zogen hin,
darnach stund gantz vnd gar jhr Sinn,
die Stadt thete gefallen,
so manchem Laurn vnd groben Bawrn,
wie auch den Drillern allen.

10 Bürger, Bawren vnd Kriegesleut,
wolten holen viel guter Beut,
sie theten da erwehlen,

6, 3. sie trugen die fürstliche 'Livret'. 6, 4. **munstern**, sonst **mustern**, von **monstrare** (ital. **mostra**, franz. **montre**, Musterung, engl. **to muster**, mustern, aufbieten, versammeln), das technische Wort für Sammlung und Darstellung und Prüfung der Soldaten in ihrer 'rechtschaffnen', wolbeschaffnen Ausrüstung und Ausbildung, auf dem **Musterplan** (Nr. 33, 4). 7, 2. dem Landfriedengebot. 7, 4. **zeit : fried**, namentlich in den Reimen auch hier mehrfach niederd. Vocalisierung, 13, 4. 14, 3. 5. 17, 1. 2. 19, 4. 24, 4. 60, 3. 5. 77, 1. 2. 79, 4. 88, 3. 5. 89, 4; dagegen z. B. 30, 4 niederdeutsch unmöglich; vergleiche S. 251. Diese Dichter kannten noch keinen Reim fürs Auge, in den Ohren aber lag ihnen eben ihr mütterlicher Dialekt, das neue 'Hochdeutsch' dagegen ist von Anfang an hauptsächlich fürs Auge gewesen. 8, 2. richtig der Genitiv **Octobris**, denn man fühlte noch 'der 16. Tag', noch hieß nicht auch jeder einzelne Tag wie der Monat. 8, 5. 'einen Theil davon', absichtlich bescheiden. 9, 5. **Lauer**, siehe Nr. 33, 3.

Ein gschwinde List, zu dieser frist,
die solte jhn nicht fehlen.

11 Ein Trommeter Georg genandt,
der werden Stadt sehr wol bekandt,
dieß Anschlags ein Angeber,
wie mans gespürt, als ers geführt,
war er der Stadt Vorrehter.

12 Da er die Sach wolt nemn zur hand,
zur Wachte sich betrieglich fand,
vnd als ein Freund thet stellen,
es kommen mehr gefahren her,
sprach er: sind mein Gesellen.

13 Zween Kutzschen kamen her gefahrn,
gleich obs ehrliche Kauffleut warn,
thut hierauff gute achte,
Ein Schelmnstück groß sie richteten aus,
erschossn vnd mordten die Wachte.

14 Mit zwölff grossen bedeckten Wagn,
damit thetn sie das Thor bejagn,
drauff Büchssen, Stangn vnnd Spiesse,
Kraut, Lot, Fußangl vnd Kriegesleut,
solt Gerst vnd Weitzen heissen.

15 Egydien Thor ward gnommen ein,
dazu der starcke Zwenger fein,
den Wall sie da erstiegen,
die Katz auch zwar, verloren war,
hieran thu ich nicht liegen.

16 Damit auch nicht würd der Außfall,
aus der Stadt zu jhn auff den Wall,

10, 4. geschwind, urspr. heftig, gewaltsam, damals aber als Parteiwort bes. von Tücke und Hinterlist, Schlauheit, Betrug, auch Empörung, Unruhe; vgl. Schm. 3, 540. 10, 5. wie ein 'Anschlag' fehlt, nicht trifft, S. 248. 11, 4. wie mans im Verlauf wol gemerkt hat. 12, 2. 'sich einfand'. 13, 1. eine List, die wol öfter angewandt wurde, z. B. 1490 gegen Hannover. 14, 1. als kämen sie von der Leipziger Messe. 14, 3. Speerstangen, die zur Munition gehörten, vgl. S. 17. 15, 4. die Katze,

theten sie bald zulauffen,
das jnner Thor, verriegeltns vor,
strewten Fußangl bey hauffen.

17 Es kam auch auff den Wall gezogn,
der Nachtruck wie man sah für Augn,
jhn war gemacht die Bahnen,
eh mans versach, merckt was geschach,
steckt der Wall voller Fahnen.

18 Nun schickt es eben Gott der Herr,
daß etzlich Bürger im Gewehr,
vff jhrem Wall im Hagen,
wurden gewahr, der Feinde schar,
theten sies mit jhn wagen.

19 Vnd wie nun solchs ward offenbar,
vnd auch die That für Augen klar,
hört man die Klocken brommen,
dauon in eil, der Bürger viel,
zusammen theten kommen.

20 S. Magnus vnd den Secker Wall,
die hett der Feind jnn beyde all,
das Gschütz thet er schon wenden,
die Bürger zwar, mit grosser Gfahr,
schlugn jhn dauon behende.

21 Vnnd griffen drauff den Rückestandt,
das Gschütz so der Feind vmbgewand,
thetens kegen jn keren,
es war hie not, red ich ohn spott,
man thet sich redlich wehren.

irgend ein Gebäude, auch 35, 2. 16, 3. zum innern Thor, eig. mußte **und** folgen. 17, 2. ziemlich was der 'Gewalthaufe' S. 235. 18, 3. **Hagen**, eins der fünf Weichbilder Braunschweigs, ein andres der **Sack** 20, 1, die andern drei s. 26, 3. 4. 21, 4. **red ich on spott**, formelhaft. 21, 5. **redlich** noch im alten Sinn, gehörig, tüchtig, wie Schillers Tell auf dem See '**und fuhr redlich hin**', was Börne hätte ahnen können, statt darin eine unbegreifliche Unsittlichkeit zu finden.

22 Gantz ritterlich die Bürgerschafft,
viel junger Knaben auch hertzhafft
theten so tapffer streben,
für jhr geliebtes Vaterland,
wagten sie Leib vnd Leben.

23 Vom Gyßler vnnd dem Secker Wall,
dazu vom Brouck vnd Mawren all,
hieß man willkommn die Gäste,
viel Kraut vnd Loth, dazu auch Schrot,
gab man jhn da zum besten.

24 Vom Sturmschlagn vnd schiessen mit macht,
wurden die Thor gschwind zu gemacht,
man hat acht auff den Wällen,
daß nicht in eil, der Feinde viel,
an Orten mehr einfällen.

25 Dann wie vor S. Egydien Thor,
eben so wolt der Feind seyn vor,
S. Michels Thor vnd hausen,
er kam zu spat, welchs auch nicht schadt,
vnd must bleiben darauffen.

26 Die Hägner vnd auch die Secker,
schossn in die leng vnd auch die quer,
die Altstadt solchs vernommen,
Newstadt zu gleich, der Altenweich,
eilig zu hülff seyn kommen.

27 Die besten Schützen waren dar,
von allen Wällen in der schar,
liessen sich nichts vordriessen,
wor nun ein Loch, dadurch geschach,
vnauffhörliches schiessen.

22, 2. junge Burschen. 23, 2. das **Brouck**, auch 62, 1, eine Partie der Stadt am Wall, zum Theil von der Ocker umflossen; noch jetzt 'Brauk', 'upm Brauke'. 23, 3. Kanonengruß, wie Nr. 29; 37. 36, 30. 24, 1. **von**, wie mhd., zufolge von. 24, 5. **einfällen**, da schlägt das nd. **felen** für fielen heraus. 26, 1. die im **Hagen** 18, 3 und auf dem **Secker Wall** 20, 1; **Seckér** betont, wie noch

28 Mit den Büchsen klein vnd auch groß,
geschach so mancher starcker schoß,
bey gantzer zwantzig stunden,
welches den Feinden hart verdroß,
vnd sies wol haben befunden.

29 Solch schiessen wehrt die gantze Nacht,
drauff sie wenig hetten gedacht,
die Beut lag jhn im Sinne,
wie sie wolten erwerben Gut,
hohe Häuser so darinne.

30 Drillmeisters vnnd auch Capithäin,
hattn außgetheilt die Häuser fein,
woran sie nichts vermuchten,
es schlug jhn feil, in kleiner weil,
sie funden was sie suchten.

31 Sie sprachen hran, hran an diesen Tantz,
heut wolln wir sauffen guten Kuhschwantz,
nandten also die Mummen,
gantz queit vnd frey, geld Gut dabey,
wolln wir heint vberkommen.

32 Es gieng jhn abr wie dem geschach,
der einen grossen Baren sach,
die Haut boht er zu kauffen,
wie ers nu solt, auch liefern wolt,
war jhm das Wild entlauffen.

33 Den Abend wie angieng die Nacht,
da schoß der Feind mit grosser macht,

in niedersächs. Gegenden diese persönl. Substantivendung (mhd. -ære betont) vielfach gesprochen wird. 28, 2. **schoß**, wie Nr. 31, 10. 30, 1. **Drillmeisters**, nd. Pluralendung starker Masculina, noch heute auch in mitteld. Mundarten vielfach gültig. 30, 4. **schlug feil**, wie ein Schuß; das alte **feilen**, fehlen auch bei Luther, und noch im 17. Jh. 31, 2. vgl. Nr. 4, 1, 4. 31, 4. **queit**, quitt, ledig, Lieblingswort damals und früher. 31, 5. **heint**, mhd. **hînt**, diese Nacht, heut Abend. 32, 2. **Baren** im Reim 74, 3, das **a** wol nicht rein, sondern zu **e** geneigt, vgl. zu Nr. 28, 24, 5. 32, 3. 'zum Kauf'. 32, 4. **liefern** auch schon zu **solt** zu ziehen; in **es** ist das **Wild** anticipiert; im Dr. umgekehrt **wolt** .. **solt**.

Fewrkugln wie man befunden,
ein jeder spricht, hett in der Wicht,
vngefehr bey 80. Pfunden.

34 Derselben war wol an der Zahl,
bey neun vnd achtzig allzumahl,
es war ein groß Gelücke,
Kein Hauß dauon beschedigt ward,
sprungn in der Lufft in stücken.

35 Die Mörser draus die Schüß gethan,
hattns in vnnd bey der Katzen stahn,
daraus sie Fewr gegeben,
Worauff denn bald, vnsr Stück gestalt,
vnd kamen viel vmbs Leben.

36 Man hat auch funden offenbar,
vorgifftig Kugeln, das ist war,
wie das sind jnnen worden,
Etzliche Leut, in diesem streit,
so dauon seynd verdorben.

37 Schantzgraben woltens auff den Wall,
mit schiessen legt man jhr viel dahl,
sie wurden abgetrieben,
bey dem Geschütz, das Blut vmbsprützt,
vnd blieben viel beliegen.

38 Das Lusthauß war jr beste Wehr,
da schoß man viel Creutz weiß durchher,
Endlich blieb keiner drinnen,
Jhnn begundte dar, zu grausen gar,
es wolt jhn nicht gelingen.

39 Die Driller dachten hin vnd her,
wo komn die vielen schüß all her,
solln wir jetzt nicht gewinnen?
Habn wir doch all, ein Thor vnd Wall,
dazu das Gschütz auch jnnen.

33, 4. Wicht als fem. ist nd. 36, 2. vergiftig, giftig ('vergeben'), damals gewöhnlich. 37, 2. dal, nieder, nd.; mhd. ze tal, nach unten. 38, 2. durchher

40 Vnd wo sie kemen mit gewalt,
habn wir ein mechtign Hinterhalt,
mit Harnisch, Schild, Wehr vnd Waffen,
zu Roß vnd Fuß, sind ohn verdruß,
wolln jn wol Arbeit schaffen.

41 Ihr Kundschafft war aber nicht recht,
auff Glauben war jn zugesecht,
kein Kriegsvolck wer darinnen,
Büchsschützn auch nicht, warn sie bericht,
das wurden sie wol jnnen.

42 Was Gott verhengt das must geschehn,
Er thet die rechte Zeit ersehn,
der Streit muste sich wenden,
dann wie Hochmuth, thut nimmer gut,
so thut jhn auch Gott schenden.

43 Sie hatten vbel glernt das drilln,
es gieng jhn nicht nach jhrem Willn,
Gott gab hier seinen Segen,
sechs Wochen fort, wars nie gehort,
daß wer gefalln ein Regen.

44 Zu regnen fiengs nach Mitternacht,
sehr hart vnnd scharff biß zum Mittag,
jhre Lunten gar außgiengen,
Sie waren dar, erfroren gar,
es wolt jhn nicht gelingen.

45 Der Wall kundt sie nicht lenger tragn,
musten sich hindr die Brustwehr wagn,
jhnen begunt zu grausen,
Manch kühner Held, allda befand,
Der Büchsen klang vnd sausen.

46 Sie sahen ein den andern an,
sprachn: Lieber Gott, wern wir hieuon,

und durchhin. unser 'hindurch'. 41, 2. nd. seggen, sachte, gesecht. 45, 1. lehmiger Boden? 45, 2. wagen, ironisch. 45, 4. befinden, an sich erfahren.

wir woltn nicht kommen wieder,
Ja mancher Bawr, sah da gar sawr,
vnd ward geschossen nieder.

47 Die Bürger vnd Handwerckes Burß,
die schossen weidlich ohn verdruß,
kunten nicht frieden haben,
Wer kalt, naß war, müde worden dar,
mucht sich zu weilen laben.

48 Mit dem schiessen hielt man hart an,
daß es verwundert manchem Mann,
ders gehört vnd gesehen,
dem es bekant, vnnd Kriegsuerstand,
sprach: solchs wer nie geschehen.

49 Den Morgen eh es worden tag,
wurden viel Todtn zurück gebracht,
geschossn vorm Thor vnd Wallen,
die Weiber bald, beyd Jung vnd Alt,
rieffen da laut mit schallen.

50 Ach Fuhrleut jhr viel guter Knecht,
Ihr müst vns sagn die Warheit recht,
was habt jr auff für Beute?
Die sprachen: Wann jhrs je wissen wolt,
es sind erschoßne Leute.

51 Auwe, Auwe wir armen Leut,
sol das heissen Braunschweigsche Beut,
sie wrungen Hand vnd Armen,
vnsr Kinder kein, so viel der seyn,
der thu dich Gott erbarmen.

47, 1. **Burß** war noch Collectivum, nicht der einzelne hieß so, s. Grimms Wb. 48, 1. 3. Silbenzählung, die mehrfach durchscheint; die Dichter dieser Region haben sich lange davon frei gehalten, es zeigt sich im ganzen 16. Jh. nur vereinzelt und spurenweise. 49, 1. nd. tach zu sprechen. 49, 2. von den Belagernden. 50, 3. **aufhaben**, wie **einhaben** Nr. 19, 8, 2. 50, 4. je, **doch einmal**, S. 110. 51, 3. **wringen**, die nd. Form, engl. **wring**, angels. **vringan**.

52 Sie warn von Schöning vnd Scheppenstedt,
darzu aus Lutter vnd Helmstedt,
von Wolffenbüttl in gleichen,
vnd auch aus Städtn vnd Dörffern mehr,
böß Beut sie da erreichten.

53 Zu Fuß seynd auch viel kommen an,
jhr Freund sie kaum gekennet han,
Wo kompt jhr so geflogen,
Ach lieben Leut, das ist die Beut,
darnach wir außgezogen.

54 Den Morgen wie es nun war tag,
der Feind im Thor vnnd Walle lag,
begundte sich zu stercken,
denn es war Tag, daß man die sach,
vnd kundten solchs wol mercken.

55 Man schoß zu jhnen vberall,
vom Thor vnd Häusern auff den Wall,
es fieng sehr an zu krachen,
sie schossen sehr, hoch wieder her,
die Stein vom Thor vnd Dachen.

56 Der Feind schutt aus seins hertzen grund,
vnnd was er alls erdencken kundt,
wolte sich wieder rechen,
starck für dem Thor, da war er vor,
man vermeynt er wolt hrein brechen.

57 Das spiel das ward gantz vngehewr,
darzu das lachen trefflich thewr,
wie man wol hat vernommen,
Es hielte hart, auff dieser fahrt,
die stund war noch nicht kommen.

53, 3. 'geflohen', s. S. 268; **wo**, nd. wie. 54, 5. wie sie 'sich stärkten'. 56, 4. 'davor'. 57, 2. **trefflich** urspr. durchaus nicht bloß lobend, verstärkt im allg.; **trefflich Unglück, treffenlich Tück** liest man so gut wie **trefflicher Held**; eig. zweckmäßig, zum Ziel und Zweck treffend. 'das Lachen theuer', alte Lieblingswendung in den lebensfrohen Zeiten, Nr. 59, 8; auch mehrfach anders gewendet. 57, 4. **fahrt**,

58 Wolt man nun seyn des Feindes queit,
so must man mit jm gehn zu streit,
von forne vnd von hinden,
Ein erbar Raht, griff zu der That,
mit Gott zu vberwinden.

59 Da hörte man die Trommen schlan,
vnnd auffodern viel junger Man,
wider den Feind zu streiten,
globt Mondsold, vnd daß man wolt,
ansetzn auff beyden Seiten.

60 Vmb eilff Vhr war die gröste Noth,
Jung vnd Alt rieffen zu Gott,
die Kinder auff den Knien,
Ach hilff vns Herr, vnnd sey nicht ferr,
dein Gnad wolst vns verleihen.

61 In Gottes Worte find man klar,
Was der zusagt helt er fürwar,
das ist hie auch geschehen,
Dann da hie war, die gröst Gefahr,
lies er sein hülffe sehen.

62 Etzlich mit Schiffn vom Brouck hindnahn,
die andrn vom Magnus Wall zu gahn,
mit frischem muth zulieffen,
zwey Gschütze groß, giengn auff sie loß,
das thet sie sehr verdrteffen.

63 Bald drauff sprach einr den andern an,
wir wollen ein beym andern stahn,
stracks zu dem Feind einlauffen,
ein Lerm gemacht, man schoß daß kracht,
do lag der Feind vbern hauffen.

Gelegenheit, ja geradezu Mal. 59, 4. einen Monatssold; und daß, 'damit' man möchte angreifen; die 'beiden Seiten' gibt 62, 1. 2 an. 60, 2. ohne Auftakt mit einer Hebung beginnend; diese Erlaubniß, deren Spuren in fast allen Liedern sind, scheint ein Rest der mhd. Verstechnik, sie herrscht auch bei Hans Sachs, Fischart und andern Dichtern, oft noch mit Bewußtsein angewandt der Abwechselung wegen. 62, 2. vom Wall 'zu gahn' scheint = vom W. aus, anfangend. 63, 4. Lerm,

64 Da ließ Gott sehen sein Allmacht,
Ein kleiner hauff erhielt die Schlacht,
in den Feind kam ein schrecken,
an statt groß Leid vnd Traurigkeit,
thet Gott vns freud erwecken.

65 Nun hört was ich euch weiter sag,
sie fiengen an eine grosse Klag,
man thete sie beschleichen,
Der Waitze so zur Stadt gebracht,
must kommen in die Weiche.

66 Man satzt zu jn den Wall hinan,
mit Spiessn vnd Schwerten lobesan,
der Feind wolte entlauffen,
man schlug viel todt in dieser Noth,
viel hundert da ersaufften.

67 Sie drillten in den tieffen Grabn,
Vom Wall hinuntr vnd musten badn,
Ohn jhren Danck vnd Willen,
Der mus ja nicht seyn Ehren wert,
Der jhn gelehrt solch drillen.

68 Es war ein wunder seltzam Ding,
Der Feind selbs ein den andern fieng,
In jhr Gewehr zur stunde,
Hettn sich vorwirrt, einandr geirrt,
Im Wasser mans befunden.

69 Da ward aus Kuhschwantz Gänsewein,
des musten sie viel sauffen ein,

Schlachtruf und Musik. **daß** = 'daß es'; das tonlose es geht so bes. in **bis** und **daß** gern unter; Goethe öfter in Briefen, im ersten Götz (A. letzt. Hand 42, 59): **Ihr steht in einem Andenken bei Hof und überall, daß nicht zu sagen ist.** Auch bei andern Wörtern, die mit s, ß schließen: Uhl. 276 **mein schwester Annelein muß** (d. i. **muß es**) **nimmermer tun**, und sonst oft. 65, 4. vgl. 14, 5. 12, 2. 65, 5. Wortspiel mit 'einweichen', vom Bierbrauen. 66, 4. im urspr. Sinn als Kampfesnoth, Gedränge. 67, 3. mhd. **âne danc**, wider Willen. 69, 1. Fischart nennt im Garg. Cap. 4 unter den Bieren eins **Kühschwantz**.

biß daß sie truncken worden,
Solchs ghört den nassen Brüdern zu,
vnd war der Driller Orden.

70 Sie fielen in jhr eigen Schwerdt,
zwischem Thor lagens an der Erd,
vbrn hauffen bey viel hundert,
hin vnd her, die leng vnd quer,
daß jederman verwundert.

71 Viel wurdn erschlagen vnd verwund,
wie man dann da befand zur stund,
das gschach in kurtzer eile,
vier hundert man gefangen nam,
in einer kleinen weile.

72 Gantz kleglich sie gebeten han,
daß man sie doch wolt leben lahn,
sie wern dazu gezwungen,
vnd sehr gekarmt, man sichs erbarmt,
ist jhr vielen gelungen.

73 Capthäinen vnd Drillmeistern gut,
war entfallen jhr kühner Muth,
mustn sich auch gfangen geben,
Rantzaunen wolten sie sich gern,
baten durch Gott vmbs Leben.

74 Die grossen theuren Helde werth,
welche vorhin warn vnuorfehrt,
für Löwen vnnd für Baren,
musten sich da gefangen gebn,
Knaben noch jung von Jahren.

75 Welche hiezu warn vnuerdrossn,
weidlich sie in die Feinde schossn,
das nehmet wol zu Hertzen,

69, 4. nasse Brüder, allgemeines Witzwort für Freunde von Wein und Bier, die sich (wie die Landsknechte, Drucker, Schreiber) in einem 'Orden' dachten, als Gegenfüßler des Kartäuserordens. 74, 2. 'unerschreckt'. 74, 3. für, anstatt, gleichwie.

dann diß gewesen Gottes Werck,
damit nicht ist zu schertzen.

76 Da thet es an ein schlagen gahn,
Sie musten gute Beute lahn,
das sie nicht warn vermuten,
Viel hörten singn, jhr eigen Klingn,
daß jhn die Köpffe bluten.

77 Muscheten, Schwert vnd lange Spieß,
gut Kleider Hüte vnd was sonst preiß,
das liessen sie zu Pfande,
viel Geldt, Harnisch, dazu auch mehr,
schöns Gutes mancher hande.

78 Der Trommeter dauon ist komn,
wie man solches wol hat vernomn,
ob er nicht thut ersauffen,
wird er fürwar der Hencker schar,
mit nichten thun entlauffen.

79 Der vbrig Hauffe auch entrant,
was ich euch sag das ist kein tandt,
viel Gutes thet verlassen,
an Kraut vnnd Loth, auch ander Gut,
vnd stunden an der Strassen.

80 Acht Stück grobes Geschütze zwar,
dazu sieben Fewr mörser dar,
die bey der Katzen waren,
die must er lahn zurücke stahn,
man thet sie bald einfahren.

77, 1. lange Spieße, eine bestimmte Gattung, so gab es auch besondere langen spiessere, z. B. im Heere Karls von Burgund, Haupt 8, 332; der gefallne Landsknecht wurde, das war sein Recht (Uhland 520, Mones Anzeiger 8, 174), nach Khriegsgebrauch mit dreyen Trumeln und Pfeiffen und 'auf langen Spiessen' zu grabe getragen. 77, 2. Preis geben, Preis thun, Preis machen (Weller 40) heißt als Preis der Tapferkeit zur Beute geben, zur Plünderung, das so 'Preisgegebne' aber 'ist Preis'; in den Landsknechtartikeln bei Mone a. a. O. §. 50 wird erlaubt, was nach dem Siege, außer Geschütz u. s. w., in der Stadt befunden wird, soll einem Jeden Preis sein. 80, 1. zwar, fürwahr.

81 Den Feindn giengs nicht nach jhrem Willn,
sie musten wieder abwarts Drilln,
Ihn vnter Augen kamen,
viel frischer Helt, wol in dem Feld,
zogen mit fliegnden Fahnen.

82 Zu rück, Zu rück, das rahten wir,
für war es riecht dort nicht wie hier,
wir seyndr schon gewesen,
komn da nicht mehr, sie schiessen zu sehr,
mit noth sind wir genesen.

83 Sie seyndr gewesn vnd komn nicht mehr,
Sie haben eingelegt kleine Ehr,
das thut jhn sehr verdriessen,
Wenn sie weren zu Hauß gebliebn,
hetten sies zu geniessen.

84 Drumb vor gethan vnnd nach betracht,
hat manchen in groß Leid gebracht,
thut man im Sprichwort sagen,
das habn auch than, der Driller Fahn,
vnd dürffens niemand kagen.

85 Braunschweig du hast ein harten Feind,
der es fürwar böß mit dir meynt,
darumb halt gute Wachte,
vnnd glaub fort an, nicht jederman,
dasselb thu wol betrachten.

86 Teglich hastus zu dancken Gott,
laß dirs durch aus nicht seyn ein Spott,
Gott hat dich thun erretten,
von dieser deiner Feinde Hand,
so dich wolltn vntertretten.

87 Die Feind hattn dich den Todt geschworn,
es solte seyn mit dir verlorn,

81, 4. verspätete Verstärkung. 82, 3. seyndr, d. i. sein dar, dieß dar tonlos angehängt. 82, 4. da (hochd. dar), dahin, gerade weil dar 'da' heißt. 87, 1. dich,

keinr solt beym Leben bleiben,
wedr Jung noch Alt, so mannigfalt,
auchs Kind in Mutterleibe.

88 Wie das noch hat gesaget new,
der Trommeter ohn alle schew,
für Olber auff dem Steige,
vnd solche Wort, haben gehort,
Leute so es nicht liegen.

89 Vnd Ers selbst auch nicht leugnen kan,
der Ehrloß Gotsvergeßner Man,
der Schelm, Dieb vnnd Böß wichte,
Gott wird den Schwein, dazu auch Ihn,
zu seiner Zeit wol richten.

90 Viel Vnglück hat Gott abgewand,
durch seinen Arm vnd starcke Hand,
Er lest sich gar nicht äffen,
Gott wird den Sax, vnd auch den Max,
zu rechter zeit wol treffen.

91 Also Braunschweig du gute Stadt,
Siehe wie dich Gott errettet hat,
mit Wunder vbr die massen,
Im Gbet halt an, als dann er kan,
vnd wil dich nicht verlassen.

92 Vor die Victori dancke Gott,
Er ist Schutzherr in deiner Noth,
ob dich schon viel drumb hassen,
wer Gott vertrawt, fest auff jhn bawt,
den wil er nicht verlassen.

wie mich als Dativ, früher und noch so in nd., auch mitteld. Mundarten, vergl. Nr. 49, 15. 74, 3. 4. Uhl. 447 eck geve deck en par nier scho; 709 ick kom to deck; Solt. 396 (Braunschw.) Stechaw wer gab dich disen Radt; Mones Anz. 4, 328 (um 1200) ich gab dich mîn himelbrôt; vgl. Haupts Zeitschrift 1, 64. 88, 1. 'neulich'. 89, 4. Ihn, den Herzog; der so derb Gescholtene aber ist wol der verhaßte Kanzler des Fürsten, Dr. Joh. Jagemann, zuvor Professor in Helmstedt. 90, 4. Formel wie 'Heinz und Kunz' (Solt. 236), die gemeinten Namen versteckend und höhnend zugleich, „wahrscheinlich Churfürst Christian II. von Sachsen und Herzog Maximilian von Bayern.“ Schletter a. a. O. S. 288.

93 Ach Herr hilff ferner aus gefahr,
wir sind vmbher belagert gar,
Bleib bey vns in den Mawren,
so hoffen wir, vnnd trawen dir,
den Feind wolln wir außdawren.

94 Du heilige Dreyfaltigkeit,
wir bitten dich zu aller zeit,
wolst vns hinfort nicht lassen,
In aller Noth, frü oder spat,
du weist wol zeit vnd masse.

Des Dichters Zugabe.

95 Lieber Leser kein zweiffel trag,
was ich hieuon geschrieben hab,
Ob ichs gleich nicht hab troffen,
daß wol gefall, den Drillern all,
so thu ich dennoch hoffen,

96 Du wirst mirs nicht für vbel han,
die Warheit findst darinnen stahn,
was damals ist geschehen,
das bzeugen heut viel tausent Leut,
dies selbst mit angesehen. Vale.

Gott allein die Ehre.

43.

Überfall von Aurich.

1609.

Mitgetheilt von Petersen und Lappenberg in der Zeitschr. des Vereins für Hamburg. Gesch. 2, 595, aus einer polit. Flugschrift: „Apologia, d. i. Wahrhaffte Verantwortung des Ostfries. Bauren Dantzes u. s. w. durch Vbbo Ennen. Gedr. zu Embden, d. J. H. Langebarth.“ 16 Bll. 4°. Diese Mittheilung verdanken wir der Wichtigkeit der ersten Strophe des Liedes, die wenigstens ein Bißlein des originalen

Stortebekers gerettet hat. Doch hat das Lied für sich hohen Werth; der Fall ist einzig, daß das Original, dessen musikalischen Rahmen der Dichter entlehnt, in der ersten Str. wie gewöhnlich nicht parodisch umgesungen wird, sondern mit Haut und Haaren wie es ist vorangestellt, um die Melodie des Liedes und die darein verwachsene Stimmung und Gemüthslage sicher zu haben für den vorliegenden Fall. Der gräflich gesinnte Dichter macht in seinem Zorn aus den Friesen, deren Häupter er ja mit Namen herzählt, Seeräuber, ja Störtebekers und Godeke Michaels, die jeder von Jugend auf kennen lernte als Ausbund aller Seeräuber, d. h. als das schlimmste Ungezieser, das es für eine Seehandelsstadt geben kann. Die bloße Mel. genügte nicht mehr zu dem Zweck, denn darin wurden schon lange auch viele andere Lieder gesungen. Es war das das äußerste Mittel des Parteihasses in den Schranken der Poesie. — Zwischen dem Grafen von Ostfriesland, Enno III. und der stolzen Seestadt Emden waren langjährige Zerwürfnisse im Gange, der Haß der Parteien gieng schon bis zum Schimpfen in den amtlichen Schriftstücken; der Graf hatte einen Landtag zur Ausgleichung ausgeschrieben auf den 11. Sept. 1609, aber in zum Theil widerrechtlichen Formen, in gehässiger Sprache und, was der mächtigsten Stadt Emden am meisten zuwider war, nach seiner Residenz Aurich. Die Emdener verboten die Theilnahme an dem 'Schandtag', drohten sogar sie als Friedensstörung und Verrath zu behandeln. So erschien denn niemand als ein paar aus der Ritterschaft, von den Emdenern aber 600 Bewaffnete, die Aurich einschlossen und unter seltsamen Umständen erstürmten. Darauf Plünderung in den Häusern der Gräflichen und besonders im Schloß, dieß jedoch ohne Auftrag der Emdener. S. Wiarda, Ostfries. Gesch. 3, 556 ff.

Der alte Hamburger Stortebeker verendert vnd auff die jüngst zu Aurich begangene Landfriedtbrüchige thadt bezogen.

1 Störtebeker vnd Godeke Micheel
De roveden beide tho gliken deel
Tho water vndt tho lande,
So lange dat idt Gott vom hemmel verdroth,
Do mosten se liden grote schande.

2 Euen also vnd mit gelikem pries
Heben de Fresen recht vp rouers wies
Bestolen ehren eigenen Heren,
Tho Aurigk vpm huese vnd in der Statt
Tho ewigen schanden vnd vnehren.

3 Se wern ehrn Heren mit schulden hoch verplicht,
De se in vel Jaren betalen konden nicht,

2, 3. Das ganze Schloß war bis auf die Tapeten ausgeräumt worden, der Schaden wurde nach Zehntausenden Thlr. berechnet. 2, 4. 'Haus' als Schloß,

Do lepen se als dulle hunden,
Van Embden na Aurich vor de Port
Dar se keine viende funden.

4 Roueden aldar und drogen alle wech,
Nichts waß tho schwar, licht noch so schlecht,
Se stolent alle mit schanden,
Ihres Heren Dener schlogen noch dartho
Vnd nehmen de Räthe gefangen.

5 Dat hebben all gedaen des landes Collectorn
De dar den gemeinen Man verleiden vnd verfören,
Vnd bringen in verderf vnd nöden,
Se werden ock geschunden bes vp den gradt
Von ehren eigenen Ludenn.

6 Wiltu nu wethen duße Rouers quaet,
De dar bedriuen duße bose daet,
Ick sall se dy alle vertellen,
Wo se schinden vnd schauen dat gantze landt
Mit allen ehren gesellen.

7 Schwer van Dehlen vnd Jost Grimersum,
Schotto van Vphues vnd Enno van Midlum,

Burg althergebracht. 3, 5. Die Bürger waren von den Wällen gegangen, um auf dem Markt über die angetragne Capitulation mit zu stimmen. 4, 1. **alle**, ausgedehntes **al**, alles. 4, 4. Bürgermeister Bolo Hayen ward 'durchgeprügelt'. 5, 1. doch wol, was Wiarda die 'landschaftlichen Ordinar-Deputierten und Administratoren' nennt, Repräsentanten der Stände; sie hatten sich mit den Emdenern gegen den Landtag erklärt. 5, 4. 'bis auf den Grat' (Gräte), wörtlich vom Fisch; schon mhd. **unz ûf den grât**, bis auf den Knochen; merkw. das halbhochd. **bes** für **bet**, wenn es nicht vom Drucker herrührt, wie andere hochd. Anklänge. 6, 4. **schinden und schaben** alte Alliterationsformel für diese Thätigkeit; die Stegreifritter des 15. Jh. aber stellen mit Selbstgefühl ihr Wegelagern dem 'heimlichen Schinden und Schaben' der Duckmäuser entgegen, oben S. 191; Solt. 299 **sie schabents gelt von leüthen, vnd nement gute pfandt**; **schinden** aber auch eben vom Geschäft der **straßrauber: so ließen sie auf der straßen ir schinden** Rosenplut bei J. A. Göz, Auswahl von Hans Sachs 3, 157. G. Schambach, die plattd. Sprichwörter der Fürst. Göttingen und Grubenhagen S. 92 **schinnen un schaben geit beter asse hacken un graben.** 7, 1. Sonst herrscht in diesen Liedern eine eigne Scheu, Namen zu nennen, daher die häufige Auskunft: Ich brauche sie nicht zu nennen —

Dusse vehr sint vth dem Adel,
Vnd so se noch schinden vmmer so vorth,
So maken se vns gar tho Schlauen.

8 Vbbo Remetz vnde Focke Crumminga,
Heinrich Fuers vnd Otto Loringa,
Dusse vehr sint vth den Stetten,
Darbey finden sick der bueren acht,
Darunter sint twe gecken.

9 Vbbo Folrichs vnd Hero Boienna,
Wileff Circks vnd Hero Vnkenna,

Ihr kennt sie alle recht wol — Man weiß wol wer er ist, oder so; um so gewichtiger ist dieser Seeräuberkatalog, auf den eigentlich das Lied angelegt ist. 7, 5. Schlaven, Sclaven und Slaven, beides zugleich, 'eig. kriegsgefangner Slave' Diez, Etymol. Wörterb. der rom. Spr. 308. In einer polit. Flugschrift 1628 in Sachen Stralsunds, die General Arnheims Verlangen an die Stadt, kaiserliche Einquartierung aufzunehmen, ins rechte Licht stellt, heißt es, die freien Sunder sollten damit 'jhre Schlüssel zu Kirchen vnd Thoren, in Summa sich Spanier vnd Bapst zu *Slaven offeriren.*' In Leipzig war am 2. Febr. 1702 ein Anschlag am Schwarzen Bret, eine agitatorische Ansprache an die Studenten, beginnend (Bibl. der Deutschen Gesellschaft zu Leipzig):

Du werthes Volck, das Gott zur Freyheit selbst erkohren,
Das Keyser, König, Fürst, stets hat für frey geacht;
Das nicht in 'Wenden' ist 'und Sclaverey' gebohren,
Das sich durch Klugheit selbst und Kunst hat frey gemacht.

J. H. Voß, in den Anmerk. zu seiner 2. Idylle (1825 4, 189), indem er von der Leibeigenschaft in Pommern und der Nähe spricht: 'die Leibeigenen selbst nennen ihren Zustand Sklaverei, nicht aus der Buchsprache, und der [urspr. deutsche] Freibauer verachtet sie'; also in urspr. slavischen Gegenden Sclaverei = Slaventhum und umgekehrt. Was 'wendisch' noch vor hundert Jahren hieß, zeigt der Franzosenaffe Hr. Simon in Gellerts Loos in der Lotterie 3, 3: Ich weis nicht, es klingt im Deutschen alles so hölzern; man kann in dieser Wendischen Sprache gar keinen charmanten Gedanken anbringen ... die deutsche Sprache ist zur Fuhrmannssprache gebohren; vgl. Lessings 65. Literaturbrief (bei Lachmann 6, 183). 8, 5. geck, das hochd. gauch, Gukuk, Narr, der über seinen Stand hinauswill, mhd. gouch. Geck und Gauch scheinen wirklich dasselbe Wort zu sein, man fühlte es wenigstens so, denn in einem Erfurter Spottlied auf die Lutherischen bei Haupt 8, 338 reimt: geile pock vnd stincket geck, seint hodie, achten sich jre (der Mutter Gottes) gleich — geck : gleich, übersetzt aus hochd. gäuch : gleich. Geck, gecken hat aber schon Fischart, ja einmal schon S. Brant 76, 1 neben dem herrschenden gouch, s. Zarncke S. L. u. XLVIII. Eine vermittelnde Form scheint

Dat sint vehr lose bouenn,
Darbey gehoeret der Hellebrandt
Dartho ock Hewe Vden.

10 Darnegst so folgen de beide Narren ock,
Wo de dar springen vnd dantzen mit gesang,
Sualrich Schatteborgen,
Mit ehem oge, vnd Luwert Claeß,
Den Narren holt de verborgen.

11 Recht twe mal achte, Seftein euen sint,
Legge dar noch twe by vnd rekene dan tom endt,
So hefffstu der bouen achteine.
Reinoldt Reiners einer ist daruan,
Gecke Gerdes ock Violeine.

12 Merke doch recht du Junge Fresenkindt,
Ist nicht din Vader gewesen dull vnd blint,
De duße bouen hefft erkaren,
Tho schatten tho schinden dat gantze landt,
Verdrucken ock die Armen?

gech ebend. S. CXXV[a]; anderseits findet sich nd. gôk (: rôk) bei Mone, Schausp. des Mittelalters 2, 57. 9, 4. Hildebrand, zugleich aber 'Höllenbrand'; hat Gregor VII. diese noch häufige Auslegung veranlaßt? 10, 1. Narren mank (darunter)? 10, 5. holt, d. i. holdet, mhd. haltet, hält; man behandelte 'den Narren' als ein dämonisches Individuum für sich, das den Menschen heimsuchte und ihm beiwohnte, ihn in den Nacken schlug, aus ihm herausgükte u. s. w., vgl. Zarncke zu Brant S. XLIX. 12, 3. gedr. erkoren. 12, 4. schatten, schatzen, vgl. 'brandschatzen'.

44.*)

Ein warhaffter Bericht,

Reimweis zu singen,

wider der Stadt Braunschweig offentlich im Druck jüngst außgesprengte falsche Aufflage, daß jr Kriegsvolck für sich alle Attentata ohne Befehl begangen, zu derselben Ehrenrettung vnd wahren Kegenbericht.

Im Thon,

Zu Roma wohnt ein Grafe.

6 Bll. in 4°, abschr. in Soltaus Nachlaß; unter dem Titel ein Holzschnitt, Arabeske, dann: 'Im Jahr 1607'. Nach 17, 5. 6 sind es Kriegsleute, die hierin ihre Genossen von den Anschuldigungen der Braunschweiger befreien wollen, sie vor der öffentlichen Meinung retten; wie es scheint, sind es sogar solche, die im Dienst der Stadt gewesen waren. C. Fr. v. Vechelde, T. Olfen's Geschichtsbücher der Stadt Braunschweig, Br. 1832 S. 175 gibt Str. 7—10 aus des Obristen H. Quaden Verantwortung 2c. Helmstedt 1608. S. 1649. Vom Ton s. S. 45.

1 Ach Gott ins Himmels Throne
Wie ist so groß Vnruh?
Deß entferbt sich Sonn vnd Monde,
Vnd auch die Stern darzu,
Daß man sich gar nicht schewet,
Zu schreiben vnwahr ding,
Dem Pöfel solchs einblewet,
Der solches acht gering.

2 Braunschweig mit jhrem Fürsten,
Der jhnen angeborn,
Zu Kriegen gar sehr dürsten,
Vnd seynd voll lauter Zorn,
Daß sein Genad sich rühmen

1, 3. des, darüber (dafür, dazu, daraus u. dgl.), vgl. 24, 6 und Nr. 30, 16, 8. 1, 8. so ziemlich: der nichts davon versteht, eig. leicht, wenig bedenkt,

*) Ein Versehen macht es nothwendig, daß dieß Lied, das der chronol. Reihe nach dem vorigen hätte vorausgehn müssen, nun hier stehn bleibt.

Landsfürsten vnd Erbherrn,
Vnd darumb seyn Gebote
Von sich verwerffen fern.

3 Wolln seyn ein Stand des Reiches
Von jhrem Fürsten frey,
Vnd sey nicht jhres gleichen,
Die nicht zu zwingen sey.
Herr Omnes thut des lachen,
Schöpffen daraus ein Muht,
Vnd allesampt verachten
Jhrn edlen Fürsten gut.

4 In roter Farb den Lewen,
Den sie vom Fürsten han,
Thun sie allein anschawen,
Setzen jhn oben an.
Derselbe sol vexiren
Das Fürstlich Rößlein weiß,
Vnd gar wol tribuliren,
Des wolln sie haben Preiß.

5 Vom Zaun sie Vrsach nehmen
Solches zu setzen fort,

achten urspr. rechnen. 3, 4. Herr Omnes ('Jederman' 14, 2), beliebte Personification des großen Publicums oder einer gewissen Menge überhaupt, z. B. Scheible, flieg. Bll. 289: daß Lärmen (Kriegslärm) ist in allen Gaßen ... jezt haßt man Fried und Einigkeit, jezt hat Herr Omnis Lust zum Streit; im hochd. Reinicke Fuchs Frankf. 1583 bei Basseus fol. 39b der grosse hauff des gemeinen Volcks, Herr Omnes; 40a der vnbestendige gemeine hauff, Herr Omnes; bei Fischart, Bienenkorb 2, 13 (1588 fol. 153b) Hänßlin Jederman, wie Eigenname mit Vornamen. Ursprünglich ein Spaß, wol veranlaßt durch einen andern, in dem man Herr Niemand als Person behandelte: Scheible a. a. O. 87 jch war der Niemand, kennt ihr mich? Wunderh. 1, 369 das ärgert den (heil.) Peter verteufelt, daß er dNiemand sollt sein, nichts gelten. Im J. 1525, nachdem Würzburg vom Bund eingenommen, wollte (Wolff 260 ff.) niemand schuldig sein: Niemand hät übels gethan ... Niemand der wicht hät alls erdicht u. s. w. 'Niemand' und 'Jederman' wechselnd; 'Abschied genommen von Herren Nemo und Nullus' Hans Wurst in einer engell. Comödie bei Devrient, Gesch. d. D. Schauspielkunst 1, 183. 4, 1. der rothe Löwe, das Wappenthier der Stadt Braunschweig; Lawe war die Braunschweig. Form, die Braunschweiger Pfennige hießen Lauenpfennige. 5, 2. 4. fort : roth, so wird öfter im Reim ein r nicht

Sich keines Vndancks schemen,
Werden auch nicht Schamroht,
Wann sie schon vberwunden
Ihrer Vnbilligkeit,
Sagn sie was zu, zur Stunde
Wirds jhn bald wider leydt.

6 Brunonis grosse Gnade
Sein Priuilegia,
Vnd alles was sie haben,
All Beneficia,
Das hat jhr Roter Lewe
Vom weissen Rösselein,
Theten sie das anschawen
Subjectè, das wer fein.

7 Roth Lew in seinem Gatter
Treibt grossen Vbermuht,
Pölckt, gruntzt, kratzet vnd gnattert,
Veracht das Rößlein gut.
Das Rößlein weiß ergrimmet,
Ob solchem Vbermuht,
Groß Fewr daraus erglimmet:
Verachtung thut kein gut.

8 Ein Krieg der ward gestillet,
Ein ander fieng sich an,
Der Rote Lewe brüllet,
Reitzte das Rößlein an.
Darüber ward verlohren

eingerechnet, Folge der Aussprache, bes. in nd. und bair.-östr. Stücken. 5, 5. **überwinden**, urspr. Rechtsausdruck vom 'gewinnen' im Proceß durch Rechtsspruch oder Zweikampf; wie im Kampf, ward einer auch durch Zeugen, Zeugniß **überwunnen**, denn das ist die urspr. Form. 5, 7. 8. Von der Wassersnoth bezwungen, hatten die Städter 16. März 1606 sich zur Unterwürfigkeit und zum Abdanken des Kriegsvolks erboten; der Herzog dankte darauf das seine ab, die Städter aber nahmen sodann ihre Söldner heimlich wieder an. 6, 1. Bruno, der alte Sachsenherzog, gegen Ende 9. Jh., der die Stadt gegründet und benannt haben soll (Brunonis vicus). 6, 8. subjectè, unterthänig. 7, 1. Solt. **Gitter**, Bechelde **Gatter**; doch zeigt dieser Abdruck mehrere Willkürlichkeiten aus wolmeinender Absicht; auch bei Havemann, Gesch. der Lande Braunschw. u. Lün., Gött. 1855 2, 438, der in dem

Manch küner Heldt vnd Mann,
Der Okerstrohm erhoben
Den Lewen machet zahm.

9 Wie Roht Lew bgunt zu fühlen
Die grosse Wassers noht,
Begunte er zu heulen
Vnd bat vmb Gnad durch Gott:
Das Rößlein vnd sein Herre,
Der Edle Fürst so gut,
Abwenten Kriegsgewehre,
Vnd auch die Wasserfluht.

10 Wie Roht Lew Lufft bekame
Vnd ein geworben Heer,
Da war er nicht mehr zahme,
Griff wider zum Gewehr.
Dem Rößlein weiß nachtrachte
Zu thun jhm Schad vnd Weh,
Seim Kriegesvolck aufflagte,
Daß solches so gescheh.

11 Groß Außfell drauff begangen
Dem Rößlein weiß zu Neydt,
Dauon Braunschweiger prangen,
Sagen es sey jhn Leydt,
Geschehn wiedr jhren willen
Von jhrem Kriegesheer,
Hettens nicht können stillen,
Ist ein erdichte Mehr.

12 Kein Vrtheil irritiret
Roht Lewens Kriegesleut,

Bruchstück irrig ein ganzes Lied sieht. 8, 7. Die Ocker, die durch die Stadt fließt, war vom Herzog durch einen Damm bei Ölper aufgestaut worden und die Stadt unter Wasser gesetzt. 9, 1. 3. **fühlen : heulen** (nd. **hulen**), s. S. 299; Bech. hat **hülen**. 9, 4. Solt. **zu Gott**, Bech. wie oben. 9, 7. = gevāre? 10, 4. 'nachtrachtete', nicht Imper. 10, 7. **lachte**, nd. Prät. von **leggen** (neben **leide, lêde**); **auflegen**, auftragen. 11, 2. **Neid** noch mit alterthüml. Anklang von Haß, Feindschaft. 11, 3. **prangen**, Ostentation jeder Art, hier: heuchlerisch behaupten, bloß des Scheins halber sagen. 12, 1 ff. alles noch Vorgeben der Braunschweiger,

Man hats jhn hart mandiret
Zu machen holen Beut,
Sonst werens lauter Memmen,
Verzagte Tropffen gar,
Also thet man sie nennen,
Dasselb ist Sonnen klar.

13 Erinnert jhrer Pflichte,
Den Eydt so sie geschworn
Vergessen solten nichte,
Zu Nacht man jhn die Thorn
Auffmachte vnd außfuhrte,
Also ists gangen her,
Diß seynd wol wahre Worte
Vnd kein erdichte Mehr.

14 Wie Roht Lew so laxiret
Den Zügel Jederman,
Herr Omnes iubiliret
Vnd griffens tapffer an,
Wallaunen, Niederlender
Exorbitirten da,
Außzogen hin vnd wieder,
Vnd manchem gar zu nah.

15 Dann jhre Spießgenossen
Sie nicht verschonet han,
Dieselb herab geschossen,
Beraubt gerittn dauon,
Dorfft solch Buben nicht straffen,
Man mustes vbersehn,
Solches kan kein guts schaffen,
Es muß vnrecht zugehn.

die ihrerseits alles gethan haben wollen, die Gewaltthaten ihres Kriegsvolks zu hindern. 12, 4 muß einen Fehler enthalten. 12, 5. näml. außer dem Beutemachen — so weit geht die scheinbare Lossagung der Städter von ihrem Kriegsvolk. 13, 4. während man das öffentlich vorgab, machte man ꝛc.; von den Gewaltthaten der Braunschw. Soldatesca s. Olfen's Bericht bei Vechelde S. 179 ff. 14, 4. das Werk des Beutens. 14, 5. bes. niederländ. Reiter, die zum Theil außer Dienst sich noch umhertrieben. 14, 6. Canzleideutsch, wie offensio 16, 2. 14, 8. **zu nahe greifen, kommen, treten, sein, liegen** u. dgl. in feindlichem Sinn. 15, 6. Dr. **muste.** 15, 8. **zugehn** nicht wie jetzt, sond. herbeikommen, nahen, bevorstehn,

16 Also hat sichs beloffen
Offensio warlich,
Roht Lew wil nun solchs stossen
Gar reine wegk von sich,
Es hetts allein verrichtet
Für sich sein Kriegesheer,
Sie werdens angedichtet,
Roht Lew du Lügener.

17 Schwartz Adler hochgeehret,
Du Edles Rößlein weiß,
Weil sich solch Liegen mehret,
Vnd Roht Lew brendt sich weiß,
So bitten abgeschaffte
Gut ehrlich Kriegesleut
Nembt sie nicht in Verdachte,
Ihr Vnschuld sucht mit fleiß.

18 Das habt jhr Ruhm vnd Ehre,
Darzu gar grossen Danck
Bey allem Kriegesheere,
Vnd wird nicht werden lang,
So muß doch Recht, Recht bleiben,
Vnd fallen Vbermuht,
Gott woll das Glück so treiben,
Daß alles werde gut.

19 Roht Lewe laß dich weisen,
Vnd stell dein brüllen ein,
Weiß Rößlein hat schwer Eisen,
Drumb brich den Hochmuht dein.
Negst Gott hastu dein Ehre
Von jhm, vnd sonst von nicht,

wie mhd. 16, 1. das Subj. es, erst näher bestimmt durch offensio, d. i. Verletzung des Rechtszustandes, eig. vom Standpunkt des Kammergerichts aus. 16, 7. viele Verba mit an= haben urspr. statt jetzigen Dativs richtiger den Acc. der Person bei sich, so anerben, anerbieten, angeboren, vgl. Grimms Wb. 1, 315. 319. 17, 1. der kais. Adler statt des Kammergerichts, dessen Gebote und Herolde wenig Beachtung, ja selbst Mishandlung erfuhren. 17, 5. vgl. 23, 4. 17, 7. sie, die Kriegsleut überhaupt. 18, 7. da wird noch das alte Bild einer Glücksscheibe

Gegn jhm dich nicht so sperre,
Sonst wird es treffen dich.

20 Das Rößlein hat mehr Lawen,
Die können zehmen dich,
Auff dein Gewalt nicht bawe,
Das Glück möcht wenden sich,
Der Adler schwartz möcht kommen,
Dem Rößlein stehen bey,
Solchs wird dir wenig frommen,
Dafür gewarnet sey.

21 Dann mit deinm schüldign weichen
Kanstu erlangen mehr,
Denn sonst mit deinen streiten,
Beydes an Gut vnd Ehr.
Dem Baum dem sol man neigen
Der einen Schatten macht,
Drumb dich von Hertzen beuge,
Das nim gar wol in acht.

22 Ach Gott laß dichs erbarmen,
Leg dich mit Gnaden drein,
Vnschüldige vnd Armen
Laß dir befohlen seyn.
Die Boßheit wolstu wenden
Durch deine starcke Hand,
Straff auff den Hoffart sende,
Erhalt des Rößleins Standt.

23 Fromb Lantzt vnd Cabelirer
Vnschuldt zu retten frey,
Vnd auch sein selbest Ehre,

vorschweben. 20, 5. Drohung mit Execution von Reichsseiten. 21, 5. **neigen** mit Dat., wie mhd., sich neigen vor ... 21, 6. Braunschweig-Wolfenbüttel gemeint; **Schatten** als Schutz ist alt. Simrock, Sprichw. 847: man ehrt den Baum des Schattens wegen. 22, 7. **der Hoffart**, hoffärtige Person. 23, 1. **Lantzt**, auch **Lanz**, Kürzung von **Landsknecht**, das nun außer Gebrauch kam, verdrängt durch frische Namen. **Cabelirer** (Gen., abhängig von **Vnschuldt**) von **Cavalier**, mit einer deutschen Endung verlängert, wie **Offizierer**, **Musquetierer** (Solt. 499)

Dieses gesungen sey
Von einem Martialer,
Zu der Zeit war er mit,
Weil er nicht war ein Praler,
Halff sein gut meynen nit.

24 Wiltu sein Namen kennen,
Vnd wie derselbe heist,
C. Z. thut er sich nennen
Der hincknde Bote meist,
Kanstu sein Liedlein wenden,
Des darffstu grosse Kunst,
Must dich drumb selbest schenden,
Vnd bringt dir gar kein Gunst.

25 Also wil ich beschliessen
Diß newe Liedelein,
Laß es dich nicht verdriessen,
Es kan nicht anders seyn,
Warheit die muß doch bleiben
In alle Ewigkeit,
Es hilfft kein Lügen schreiben,
Ade von hier ich scheidt.

C. Z. Z. H. J. S.

Ende.

u. dgl., noch jetzt Cassierer. 24, 4. der mit seinem guten Rath zu spät kommt. 24, 5. wie früher verkeren, anders, bös auslegen. 24, 6. darf für bedarf, noch Herder im Cid. 25, 1. 2, besonders aber der Abgang Ade rc. 25, 8 noch ganz in den alten Formen des frischen gesungenen Volkslieds, der Dichter nimmt von seinem Publicum Abschied, höflichen oder spöttischen, als ob er singend vor ihm gestanden hätte; das ist hier freilich nur noch Form, schon ähnlich dem 'Singen' der Anakreontiker und anderer Dichter vor dem Pult.

45.

Klaglied der Neuburger.

1616.

Aus der Schadischen Samml. in Ulm mitgeth. von Mone im Anz. 8, 326. Der Ton ist genommen von einem Lied auf das Heldenende des Niclas Zrinyi 1566, das aus Hormayrs Taschenb. bei Solt. 419 gedruckt ist, nach Hormayrs Quelle (einem Wiener flieg. Bl.) genauer bei Körner 211 'von dem Graffen vnd thewren Ritter N. von Serin'. Es nennt selbst als Ton: 'Ich stund an einem Mörgen' (oben S. 285), ward aber dann die beliebtere Bezeichnung dieses alten Tons, so bei Solt. 468, Körner 270. 281. 311 (a. 1633); ja zu einem älteren geistl. Lied in jenem Ton schrieb eine spätere Hand als Ton 'wie der Graf von Serin', bei Hoffmann v. F., Gesch. des D. Kirchenliedes, 2. Aufl., S. 479. Seltsam ist die Angabe des '**Rheingrafen' von Serin** (bei Mone **Scrin**). Das 'alte' Neujahr ist das nach dem Julianischen Kalender, die Protestanten sträubten sich im 17. Jh. noch gegen die Gregorianische Kalenderreform; ein Spruch bei Scheible, flieg. Bl. 208 'geistlicher Raufhandel' von 1619 klagt: **Im Kalender auch ein Streit ist, Der neu Kalender als ich sag, Gfällt allweg eh um zehen Tag. Luther und Calvin, die zwene Man, Wöllens zehen Tag später han.** — Die Strophen geben das Akrostichon: 'Von Gottes Gnad Wolffgang Willhelm Pfalzgraff bey Rhein, Herzog in Bayern, zu Gülch Cleve vnd Berg, vnserm Fürsten vnd Herrn'. Dieser war kurz zuvor (Nov. 1615) plötzlich zum katholischen Glauben übergetreten, seine lutherischen Unterthanen erschraken darüber trotz seiner beruhigenden Zusicherungen für ihr Bekenntniß, sein Vater Philipp Ludwig, entsetzt und erzürnt, war wie man sagte von Schreck darüber gestorben. Das 'Mandat' wird das sein, das den Religionswechsel in der Residenz Neuburg im Rieß verkündete.

Ein Klaglied

der betrangten Newburgischen Vnderthonen,

wegen des großen Trangsaals der Religion Ihres Fürsten, so von etlichen derselben zu N. im Rüeß an dem Alten Heil. Newen Iharstag diß 1616. Ihars nach gehaltener Frue Predig, vnd Anschlagung deß Mandats auff dem Kirchhoff gesungen worden,

Im Thon: Wie man den Rheingrafen von Serin singt.

1 Von Freud wolten wir singen
ein new Lustiges Lied,
so thut vns Herzlich zwingen

1, 1. Das Vorbild: Wie gerne wolt ich singen, so ficht mich trawren an,

macht vns für trawren müed,
ach Gott wir thun dirs klagen,
diese betrübte geschicht,
so sich in diesen tagen
newlich hat zu getragen,
nun höret den Bericht.

2 Gottes Heiliges Worte
in Teutschland kham in schwang
in manich Land vnd Orthe,
welches mit hellen kang
in die Pfalz auch ist khommen,
da es dann gleicher weiß
mit Lust von manchen Frommen
frolich ward angenommen,
zu Gottes Lob vnd Preiß.

3 Gnad Segen vnd gedeyen
vnd glückliche Wolfahrt,
thet Gott darzu verleyhen
den Edlen Fürsten Zart,
daß sie Christlich vnd weise
in Ihrem ganzen Land
zu Gottes Ehr vnd Preise
suchten der seelen speise,
bis das jezund zur Hand

4 Wolff khommen her gelauffen,
vnd machen vns gar bang,
die wider All verhoffen
mit höchstem trug vnd Zwang
vns jezund wöllen zwingen
vom Rainen Gottes Wordt,
mit Gewalt vns darum bringen,
wan es Ihnen thet gelingen,
so stifftens Seelen=Mord.

Zeile 5. 7 sind fast wörtlich, 8 wörtlich behalten; vgl. zu Nr. 39, 1. 1, 5 als Parenthese. 5, 2. Wolfgang wurde zu Wolf gekürzt (Schmeller, die Mundarten Bayerns S. 168), vgl. 'Wölfchen' Goethe; ist der Wolf 4, 1 mitgemeint? nach

5 Gang hin zu Gottes Tempel,
Wolff Wilhelm, Lieber Fürst,
sieh deiner Eltern Exempel,
daselbst du finden wirst,
wie sie von Gottes Wegen
erlitten haben Gefahr,
da doch Gott mit seim Segen
ihrer trewlich thete Pflegen
jetzunder her Vil Ihar.

6 Will Dich das nicht erweichen,
vnd bist Also verstockt,
so niemb wol wahr der Zaichen
durch welche Gott dich lockt,
daß der Papisten Sachen
nur gewinnen den Krebsgang,
vnd wan Du thust erwachen,
wirst du selbst nicht drob Lachen,
sondern dir werden Bang.

7 Helm, Schilt, Panzer vnd Kragen,
Spieß, Harnisch, Schwerdt darbey,
hat Paulus selbsten gschlagen
in seiner Liberey,
darmit man solt vertreiben
den Feind Christi Alzeit,
darbei wollen wir Bleiben
vnd Gott die Hülff zuschreiben,
der tröst vns Arme Leuth.

der ganzen Stimmung des Liedes wol möglich. 7, 3. 4. **Liberey** (vgl. Nr. 48, 18), das unterscheidende Abzeichen eines Herren für sein Hofgesinde, das an der Kleidung oder nur einem Stück derselben, wie am Hute getragen wurde, Schm. 2, 417. Stieler, Sprachschatz 1123 **symbolum vestiarium**, und diese Kleidung selbst, die 'geliefert' wurde; hier die geistliche Rüstung, die Paulus Ephes. 6, 11 ff. den Christen gleichsam als Zeichen ihres Herrendienstes gibt: den Harnisch Gottes, den Krebs der Gerechtigkeit, den Helm des Heils, das Schwert des Geistes. **schlagen** von Schmiedearbeit, **bouge geslagen** Altd. Bl. 1, 235; 'Schlüssel schlagen' Haupts Zeitschr. 5, 392 **sclotele, dar andere syn na gesclaghen** (nasclotele). Übrigens ist die Wendung zum Theil entlehnt aus einem beliebten älteren lutherischen Streitliede 'Lobt Gott, ihr frommen Christen' von L. Hailman Str. 9 Zun waffen wöll wir greyffen, den harnisch legen an, den Paulus hat geschlagen, in

8 Pfalz steht jetzund in nöthen
wegen des großen Zwang,
O Herr Gott thue vns retten
auß disem Vebertrang,
vnd hülff vns allhier streitten
wider die Gottloß Rott,
vnd wölst zu Allen Zeiten
deine Feind selbst Außreutten,
so auß dir treiben Spot.

9 Graff kändest Du wol bleiben,
darzu ein Fürst im Land,
darffest drumb nicht vertreiben
Gotts Wort mit schmach vnd schand,
welchs Du vor thetest üben,
jezt aber so verkhert,
das thust Du jezt betrüeben,
Abgötterey darfür Lieben,
also Bist Du Bethört.

10 Bey so Hell Liechtem tage
das Wort Gottes so klar,
das ist jezt vnser klage
vnd Herzlaid offenbahr,
daß weiln Du Bist verführet,
vns Auch verführen wilt,
durch den der Dich Regieret,
in dir Tyranisieret,
schaw Auff, dann es Dir gilt.

11 Rhein, Lautter vnd eben
hast du das Edel Wort,

seyner liberey, Schilt helm pantzer vnd kragen, ein Schwerdt ist auch dabey. Wolff 81; Bergkreien h. v. O. Schade S. 66; Ph. Wackernagel, Kirchenlied Nr. 415. 8, 9. Spott-treiben aus .., so hieß es sonst, Grimms Wb. 1, 824. 9, 1. kennen wird mit können verwechselt; Solt. 364 all wolfart in dem gantzen Landt gehindert wardt so vil man kandt; dafür erkunnen statt erkennen Körner 173; vgl. Haupt 5, 20 wol chan ich die wege, Tristan 69, 22 hunde, die die waltstîge kunden. 9, 5. Hs. welches .. zu üben. 9, 6. 'j. a. (ist es) so v.', schlimm gewendet. 10, 1. 2. Ausruf: (nun) Gottes Wort so klar am Tage (ist)! 11, 1. ohne Auftakt, wie 12, 1, auch 13, 8; vergl. S. 308.

so Gott selbsten hat gegeben,
ein lange Zeit gehort,
dem thustu Jezt mit schrecken
frech widersezen Dich,
da Du sampt deinen Geggen
wilt wider den Stachel lecken,
das soll gerewen Dich.

12 Herzog In ganz Bayern
vermainestu zu seyn,
vnd sitzest schon ob den Ayern
mit sampt der Pfäffin Dein,
schaw, daß dich nit thue treffen
Gottes straff vnd auch Ruth,
weiln du solchen thust äffen
mit Allen Deinen Pfäffen,
vnd Dir verderbst die Bruth.

13 In Gottes gewalt vnd Händen
stehn Alle Sachen vorauß,
der wöll seine Gnad vns senden
wol in das Pfälzisch Hauß,
dem Teuffel steuren vnd Wehren,
daß es Ihm nicht geling,
vnd vns nicht thue verheren,
Leib vnd Seel verzehren,
vnd im gewalt verschling.

14 Bayern Wöll Gott auch steuren,
der durch heimbliche tückh
Tag vnd Nacht nicht thut feyren,
daß es Ihm nicht gelückh,

11, 4. Hs. **gehört**. 12, 3. hoffnungsvoll. 12, 4. gemeint kann nur sein des Pfalzgrafen Gemahlin, Magdalena, Schwester des eifrig kath. Herzogs Maximilian von Baiern; die Vermählung war dem Übertritt schnell gefolgt, ebenso unerwartet; man erwartete die Tochter des Kurf. von Brandenburg Anna Sophie als seine Gemahlin zu sehen, durch welche Vermählung zugleich die eben streitigen Ansprüche beider Häuser auf die erledigten Grafschaften Jülich, Cleve, Berg versöhnt werden sollten. 'Pfäffin' ist sonst etwas anderes, Mones Anz. 4, 234 eine Glosse '**presbytera** pfäffin'. 14, 1. **steuren**, stützen, fördern. 14, 2. 3. nach mhd. Weise der

daß auch die Jesuzwiter
sich nicht erfrewen darob,
dann sie des Teuffels Güter
all Frieden machen Bitter,
hülff Gott, Dir sey das Lob.

15 Zu Gülch, Cleve vnd Berge
hastu vil Vnruh gemacht,
daß weder Riß noch Zwerge
daselbst Jezt mehr Dein acht,
dein Namen machst Du stinken
in deinem ganzen Land,
vil Herzen thust du kränken,
das wöll Dir Gott nicht schencken,
dich machen zu spott vnd schand.

16 Vnserm Fürsten vnd Herren,
der in dem Himmel ist,
dem wöllen wir Lob vermehren
jezt vnd zu Aller Frist,
der woll seine Feind rechen
vnd vns helfen auß Leyd,
vnd wöll stürzen die Frechen,
so wöllen wir Ihme Lobsprechen,
jezt vnd in Ewigkeit.

Amen.

Relativsatz vorausgenommen, damit dann der Hauptsatz 'daß es ihm (dem Teufel) n. g.' ganz und schon klar auftrete. 14, 5. d. i. 'Jesuzuwider' in bair. Aussprache, mit der lat. Endung des Originals. 14, 7. Hüter? 15, 3. spätere nachdrückliche Wendung für 'Groß und Klein', nicht volksmäßig, wie vieles im Lied. Der Fürst hatte, noch als Thronerbe, gleich nach der Erledigung 1609 die Lande in Besitz genommen, zugleich mit Brandenburg; die daraus entstandnen Wirren werden ihm hier als Schuld angerechnet. 16, 3. mehren heißt, schon mhd., oft bloß: häufig thun, in Fülle geben, frequentieren. Haupt 7, 127 almûsen, venjen unde gebet mêrten si dô beide; S. Helbling 1, 85 und hât ir selten gemêrt daz wir heizen bettespil; Solt. 173 wie si (die Raubritter) den orden meren.

46.

Ein Lied von Cardinal Cläsel.

1618.

Aus einer Hdschr. der Sammlung des verstorb. Antiquars Kuppitsch in Wien abgedruckt in Mone's Anz. f. Kunde der teutschen Vorzeit 8, 82; es findet sich nach Mones Angabe auch in der Schadischen Sammlung zu Ulm. Der Cardinal Melchior Clesel oder Khlesl, wie er selbst gut östr. sich schrieb, aus niederm Stand emporgekommen, der vertraute Rathgeber, ja Gewalthaber des Kaiser Matthias, Bischof von Wien und Neustadt, „ein geschwinder, verschmitzter Sophist", wie ihn ein Chronist nennt, die Haupttriebfeder der 'Reformation' gegen den auch in den östr. Landen eingerissenen Protestantismus, war in der Zeit seines Glücks aufs äußerste gehaßt gewesen beim Volk; nach Ausbruch des böhmischen Aufstandes 1618 gieng die noch kräftigere Führung der kirchlich-politischen Reaction schon bei Lebzeiten des Kaisers in die Hände seines Vetters Ferdinand von Steiermark, des nachmaligen Kaisers, über, und als da dem Kaiser sein geheimer Rath entzogen und der Cardinal gefangen nach Tyrol auf Schloß Ambras abgeführt wurde, ergoß sich eine Fluth des beißendsten und derbsten Spotts in Lied und Spruch über den gehaßten Feind, der durch seine eigne Partei gestürzt war. Proben davon bei Hammer-Purgstall, Khlesl's 2c. Leben. 4. Bd. Wien 1851, Urkunden S. 353—370, vgl. Hurter, Gesch. K. Ferdinands II. 7. Bd. Schaffh. 1854 S. 323; voran steht bei Hammer das hiesige Lied, aus Mone*); es scheint auch böhmisch übersetzt und gedruckt zu sein, vgl. bei Hammer 1, XXI. — Das Lied führt Clesel persönlich ein, wie er Abschied nimmt vom Sitz seiner umfassenden Thätigkeit mit einer Parodie des Liedes 'Insbruck ich muß dich lassen', s. S. 293.

1 O Wien ich muß dich lassen,
ich fahr dahin mein Straßen
wol in ein anders landt:
mein Geist muß ich uffgeben,
darzu mein leib und leben,
enden mit spott und schandt.

2 Gar schlecht bin ich geboren,
in einem hauß erkohren,
daran gemalt ist schon
ein Esel in der wiegen,

2, 2. **erkoren**, Reimwort, sonst in hohem, bes. geistlichem Stil (s. zu Nr. 48, 20, 1) von großen Menschen und Dingen rühmend gebraucht, hier spöttisch parodisch, ja travestierend. 2, 4. So hieß sein Haus in Wien, das er von seiner Mutter geerbt;

*) Das als Quelle angegebne „Mosens Biographie" ist nur ein seltsamer nicht angezeigter Druckfehler, vgl. Hammer 1, XXII.

ich war, will jetzt nicht liegen,
eines Eselbecken Sohn.

3 Bin lutherisch gewesen,
hab gesungen mit und gelesen
zu Welß wars mir zu schlecht,
darum thet ich mich verkheren,
beim babst khomt man zu ehren,
das war mir eben recht.

4 Ein bischoff bin ich worden
in den bäbstlichen orden
und gar ein Cardinal,
aus meiner Mutter kunste
bekam ich große gunste
vor andern überall.

5 Der kunst war ich erfaren
und thet kein fleiß nit sparen,
hab zu Hamburg studirt,
wie es vil thun bekhennen,
die da musten verbrennen,
von dem teufel verfürt.

6 Gar hoch bin ich ankhomen
und hab mich angenomen
dem Babst sein Reich zu mehrn,
dar zu groß hilf mir theten
Jesuiter List und Räthe,
aber mit schlechten ehrn.

7 Ich kont artlich verhetzen
mit Stricken und mit Netzen

dazu war sein Vater ein Bäcker; man schrieb spottend seinen Namen CLesel (150 Esel) s. Hammer-Purgstall a. a. O. 1, 232. 3, 2. 3. als Schüler? Khlesl war 16 Jahr alt, als er kath. ward und bald auch seine Eltern bekehrte; zu **Wels** gehört im Sinn auch zu **gesungen u. g.**; von einem solchen Aufenthalt zu Wels, von einem Studium zu Hamburg, von andern Schwierigkeiten im Liede, das doch Hammer mit abdruckt, ist bei diesem nichts zu finden. 3, 4. Wortspiel mit **bekehren.** 4, 4. scheint eine arge Verdächtigung der Mutter. 6, 1. 'herangek.' 7, 1. 2. beides

Kayser und König fromb,
Ungarn kann von mir sagen,
Böheim thuts jetzund klagen,
dar ein ich nimmer komm.

8 Blutbad wolt ich anstellen,
die Lutherischen fellen,
bringen umb gut und blut,
dar zu thet mich antreiben
der Babst und sonst ein Weibe,
das war meins hertzen muth.

9 Mit Böheim ists nicht gerathen,
sie schmeckten solchen braten
und heten drab ein grauß;
darumb sie meine gesellen,
die mir auch helfen wellen,
warfen zum fenster aus.

10 Ich het in mögen gönen,
sie heten fliegen können
also balt zu mir gen Wien;
aber nichts half mein triegen,
so können sie nicht fliegen,
darumb lagens in der grien.

11 Mein geist hat mich betrogen
und mir gar vil verlogen,
durch mein Praktik und list,

von der Hetzjagd entnommen; **artlich**, gehörig. 8, 3. **bringen** von mir zugesetzt. 9, 2. Hs. **schmecken**, riechen. 9, 3. **ab** (nicht **ob**) bei 'fürchten' u. dgl. noch lange im 17. Jh. 9, 5. 'haben h. wollen.' 9, 6. der bekannte Vorfall zu Prag 23. Mai 1618. 10, 1. Hs. **thet**. 10, 2. man nannte solchen Sturz, wie ihn Martinitz, Slawata und Platter thaten, **on federn fliegen**, Körner 27 (a. 1475) **man leert sy allesant über die mur, on alls gefider fliegen**. 10, 4. 'hier half meine Kunst nichts'. 10, 6. Hs. **grui**; mhd. diu grüene (auch gruo), Rasenplatz; gleichsam wie entsattelte Ritter, auf dem Prager Schloßhof war gewiß oft turniert worden. 11, 1. der ihm seine 'Kunst' 5, 1 einblies, vergleiche 21, 4; dieser 'Geist' Clesels scheint im Volksmund gegangen zu sein, bei Hammer Band 4, Urkunden Seite 366 ist ein Gespräch Clesels mit seinem 'spiritus familiaris' Pruflas gedruckt, der da seinen Mephistopheles spielt. 11, 2. vorgelogen.

würd Böheim sich ergeben,
so man bringt umb das leben
vil herren zu diser frist.

12 Raittung thet ich mir machen,
sie versten nicht die sachen,
Böhm seind grobe knöpf;
nun haben sie verstanden,
man weiß in allen landen
daß sie auch haben köpff.

13 Heten sies über sehen,
umb Osterreich wers geschehen,
Mehren müsten auch hernach,
Ungeren hets wol empfunden,
die Schlesier gebunden,
dem Babst gefiel solch sach.

14 Mein hertz im leib mir lachte,
wann ich daran gedachte,
wie es im Reich zu geht:
Krieg ist in allen landen,
ich steckt an solchen Brande
durch Jesuiter Rät.

15 Nach blut thet uns nur dürsten
wider die unirten Fürsten,
O lendlin ob der Ens,
wer uns der poß angangen,
wir heten mit verlangen
gebraten deine genß.

11, 4. Hs. wird. 11, 5. brächt? das schiebt wol dem Cardinal Anschläge unter auf das Leben der Oppositionshäupter, die dem Wiener Hof schon lange viel Kummer machten. 12, 1. raiten, rechnen, noch bair., östr. 12, 2. Hs. zu verst. 12, 3. was sonst grober Knoll (Abrah. a St. Clara), vgl. Schm. 2, 375 knopfet von Personen: grob, Knüpfel grober Mensch, Klotz. 13, 1. meine Pläne nicht gemerkt, vgl. S. 51. 13, 2. das protest., vgl. 15, 3. 13, 3. an den Reihen. 13, 5. wol zu denken: wären geb. 15, 3. Oberöstreich war am eifrigsten protest., bis zu den Bauern herab. 15, 4. der Spaß geglückt. 15, 6. vgl. Nr. 2, 6.

16 Oft hab ich mich gerüemet
und meinen lust verblüemet
des Kaisers fromem hertz,
an stundt auch des geleichen,
das ganze Römische Reiche
regiert ich hinder werts.

17 Bracht auch aus vil patenten
ins Reich an vilen endten,
Krumb kunt ich machen schlecht,
recht sprach ich ungerechte,
das clagen herren und knechte,
das war mir eben recht,

18 Und bracht mir großen fromen,
wolt einer füren Kayser khomen,
gab mir nicht golt und gelt,
schenkt ketten und auch Rossen,
so hat er mein nit genossen,
ist khundt in aller welt.

19 Ach ach, du fromer Sanger,
ich bracht dich an den Pranger
und an des henckers ruth,
Colnisch du armer knechte,
dem hab ich wider rechte
vergießen wollen sein blut.

16, 1. gemeint ist: ruhmredig große Erfolge vorgemalt, große Pläne aufgebaut. 16, 2. Hs. **mein**; **lust** masc.; unter Blumen (flosculi) versteckt. 16, 3. Hs. **frome**, muß aber Dativ sein zum vorigen. 16, 4. in **an stundt** (auf der Stelle) wird etwas Andres stecken, verstund? 16, 5. Mone ergänzte **römische**. 17, 3. das (häufige) Wortspiel ist eigentlich zwischen **krumb** und **recht**; **schlecht**, gerade. 18, 4. Hs. **Rösser** (gut östreichisch); **Rossen** rieth Soltau, Zeit und Mundart erlauben es; die hohen Geistlichen waren oft Pferdekenner und Liebhaber, kostbare Rosse nahmen deutsche Fürsten im 15. und noch im 17. Jahrhundert mit über die Alpen als Geschenke oder Bestechung für römische Cardinäle; der Cardinal Clesel pflegte mit sechs Weißschimmeln vor seinem Wagen zu fahren, „es war ein langer dürrer Mann, sah gelb aus wie ein Jude.“ Welch enorme Summen er durch seine Dienste und Künste zusammenschlug, immer über Noth klagend, davon s. Hurters aktenmäßige Darstellung am angef. Orte 7, 309 ff. 324 ff.

20 Groß freud wers mir gewesen,
wan ich in meinem wesen
das gantze Lutherdum
im blut gesehen schwimmen,
das war mein gantz fürnemen,
sieh woll got ist zu from.

21 Ein ding hab ich nicht glaubet,
hab Keyser und König betaubet,
hab gehalten für mein gott
meinen geist unds gelte,
darumb betrog ich die welte
und trib aus ir den spott.

22 Ach ach, ihr Jesuiten,
wie haben wir uns verschnidten,
man glaubt uns nimmer mehr;
Unglück hat uns betroffen,
aus Böheim seid ihr entloffen
mit schant und spott und unehr.

23 Weyß nit wie mirs wird gehen,
sorg wol es sey geschehen
und ist mir Angst und bang,
es peinigt mich mein gewissen,
gott will von mir nit wissen,
der teüfel macht mir zwang.

24 Grüenauwer, o mein Apte,
hetestu mich lassen zablen
zu Welß wol in der Traun,
die weil ich nicht khündt ertrinkhen,
so werd ich müssen hencken
an einem dürren baum,

20, 2. wesen, hochfahrendes Treiben, 'in der Zeit meiner Macht'. 20, 4. 5. schwimmen : nemen reimt ziemlich genau in östr. Munde. 20, 6. Hs. sie; ich siehe hat noch Haller, Schweiz. Gedichte 2. Aufl. 1734 S. 27: wann ich mich in der Zeitung siehe (: Mühe); S. 38 biß ich euch dereinsten wieder sieh (: Müh), aber von der 3. Aufl. an entfernt. 21, 1. Kein? wenigstens ist es der Sinn. 21, 6. siehe Nr. 45, 8. 23, 2. Mone ergänzte umb mich, unnöthig, der Rhythmus verbietet es. 24, 6. Galgen, vergl. Jac. Grimms Rechtsalt. 682.

25 Und mit Cain verzweyflen,
hinfahren zu allen teüflen
gar in die bitter höll,
hernach, Papst, Münch und Pfaffen
und Jesuitische Affen,
daselbst ist unser stell.

26 Es will uns ja nicht gerathen,
umbsonst ist unser Raten,
der Pabst neigt doch sein haupt,
in Teutschlandt ist gefallen
sein ehr, nichts gilt sein pralen,
er wird seins gewalts beraupt.

27 Hiermit will ich beschließen,
ach wie dut mich verdrießen,
daß ich an einem baum
soll wie der Haman prangen,
liß man mich heimlich hangen,
darf darzu nicht vil Raum.

28 O Keyser, liebster herre,
trauwe keinem Pfaffen mehre,
schaw selber auf die Sach,
uns Pfaffen dürst nach blute,
halt trauw und glauben in hute,
sonst bleibt nicht aus die Rach.

29 O Vater Pabst zu schauwe,
dir ich allein vertrauwe,
ists müglich hilf du mir,
sorg doch, es sey vergeben,
zu endt lauft mein bös leben,
das angst mich für und für.

30 Vater Preyer, mein geselle,
gwisse post hast in die hölle,

25, 1. Hs. **nit can** sinnlos, ich mußte mich aufs Vermuthen legen; **Cain** konnte, einsilbig gesprochen mit östr. **ai**, leicht als **kan** gehört werden, **nit** und **mit** sind oft vertauscht. 25, 4. **hernach**, (mir) nach! wie 30, 6. 25, 6. **ist**, Hs. **in**. 26, 4. Hs. und T. 27, 5. Hs. **hemlich**. 28, 3. Hs. **aus**. 29, 6. ängstet. 30, 2. durch

melt dich nur bey mir an,
ich wills gewiß ausrichten,
dein Sach beim Teüfel schlichten,
hernach ich fahr davon.

mich. 30, 6. komm bald nach! Hs. fahr dahin.

47a.

Heerzug der Böhmen nach Unter-Österreich.

1619.

Dieß und das folg. mitgeth. von Mone im Anz. 7, 66. 67 aus dem Pfälzer Copialbuch Nr. 78 im Karlsruher Archiv. Eine Parodie von Luthers Adventlied: 'Nun komm, der Heiden Heiland', Übers. des Ambrosianischen Hymnus Veni redemtor gentium; die politische Anwendung ist auch in den Worten dem Kirchenlied durchaus so genau angepaßt, bes. in den Reimen, daß man in jedem Vers das Original hindurch hörte. Das ist der Charakter dieser und der folgenden Zeit, daß in dem so lang verzögerten Zusammenstoß der beiden Religionsparteien, der über alle lange schwebenden Fragen für weltliche und ewige Existenz entscheiden sollte, die Gemüther zu tiefstem religiösen Ernst gestimmt sind und für alles Streben und Denken, für alle Noth und Angst, für allen Aufschwung und Erhebung, auch für Spott und Triumph, wie als Trost und Ergebung die verjüngte reine Religion als Folie unterhaben; war doch das kirchliche Problem der Knotenpunkt, von dem die Fäden alles Geschehens in dieser Zeit ausgiengen. Natürlich, daß auch in diesem wichtigen Gebiet der Geistesthätigkeit die weltliche Form der kirchlichen weichen mußte; die Anfänge dazu fallen aber schon in die vorbereitenden Kämpfe des vorigen Jahrh. Mit welcher Erregung mag im böhm. Heere dieß Lied erklungen sein in den gewaltigen Tönen der uralten Kirchenweise, als Graf Thurn Anfang Juni vor Wien rückte, wo die Protestanten ihm entgegenjauchzten; es ist übrigens gedichtet vom Standpunkt der Unterösterreicher aus, denen Graf Thurn wie ein 'Heiland' kommt.

Ein adventlied
im thon: nun komt der heiden.

1 Nun kombt Graff Thurn in das land,
schreckt den könig Ferdinand,

1, 1. Hs. ins l., der Rhythmus hat vier Füße, ohne Auftakt mit einer Hebung

allen pfaffen in der Welt
Gott ihn hat zum grausen bestellt.

2 Nicht von stoltzen pfaffen geweist,
allein von dem heiligen geist
dieser heldt ist worden geführt,
Gotts wort er recht defendirt.

3 Europae leib schwanger wardt,
doch bleibt gehorsam lang verward,
leucht herfur die wahrheit schon,
gilt doch nichts vor pabstes thron.

4 Ein her zog aus Beheim her,
fand das geraubte gut ohn gefehr,
Graff Schlick Zwettel überfil,
das stanck bis vors keysers stül.

5 Der du bist in Oesterreich,
für uns unser sach zugleich,
die von Gott dir gebne gwalt,
in uns das kranck gmüth erhalt.

6 Dein gotsfürchtigkeit glänzet klar,
Gott weis das dein eifer war,
bitt nun gott, das in gemein
der glaub bei uns auch so schein.

beginnend; man beachte die östr. Verschleifungen der ge-, be-. 1, 3. Hs. alle, von Mone verbessert. 2, 2. wörtlich übergenommen. 3, 1. nach 'der Jungfraun leib s. w.'; die Leute fühlten ihre Sache als eine europäische Angelegenheit, überhaupt war der polit. Blick der Zeit gegen das 16. Jh. ins Große erweitert, wenigstens in Deutschland; das war eine Folge eben der Kämpfe in Geist, Wort und That um das eine Große, zu denen schon im 16. Jh. immer ein Staat mehr nach dem andern hereingezogen worden war. 3, 2. 'doch bleibt Keuschheit rein bewahrt'; lange gieng die Hoffnung, der weltl. Gehorsam, die Staatsordnung bliebe davon unbeschädigt. bleib, blieb? 4, 1. 2. Hs. Beheimen — ohne. 4, 3. Graf Joachim Andreas Schlick, einer der Directoren, der dann an dem Bluttage zu Prag 21. Juni 1621 als der erste das Schaffot bestieg. 4, 4. der Brand; im Original Gottes Stul. das, daß es. 5, 1. 'der du bist dem Vater gleich'. 5, 3. 4. (Hs. gegebne) 'daß dein ewig Gottes gewalt In uns das krank (schwache) Fleisch enthalt (aufrechth.).' 6, 1. Hs. sehr klar. 6, 2. näml. ist.

7 So wolln wir von hertzen thon
loben got und seinen sohn,
danken auch dem heiligen geist,
der den weg nach Zwettel weist.

7, 1. thon, thun; Hs. wollen. 7, 3. Hs. auch got. 7, 4. weist, d. i. weiste, die rechte alte Form.

47b.

Ein anderes
im thon: von himmel kam der Engel schar.

Parodie von Luthers als Ton benanntem Weihnachtslied, die Anwendung geht hier dem Vorbild noch genauer nach, sodaß auch genaue Vergleichung nöthig ist, denn der Ausdruck im Einzelnen geht mehr vom Vorbild, als von innen aus.

1 Von Bohemen kam ein krigesschar,
erschien in Oesterreich offenbar,
sie sagten, sie sein all bereit,
wieder zu holen unser beut.

2 Zu Zwettel in des keysers stat,
wie uns kuntschafft vermeldet hat,
das unser bagassi ist in gemein,
welche Dampirn soll zustendig sein.

3 Des sollen wir alle frölich sein,
das graff Schlick ist mit uns worden ein,
und uns nach Zwettel führen thut,
darin verhaltn das geraubt gut.

4 Was kan uns thun des keysers macht?
wir sind von gott daher gebracht,
laßt zürnen babst, keyser und hell,
gotts wort ist worden euer gesell.

1, 3. 4. Die Böhmen singen hier erzählend von sich selbst, daher der Wechsel des persönlichen Standpunkts. 3, 4. verwahrt (ist), vorenthalten wird.

5 Graff Schlick uns auch wöll lassen nicht,
setzt nur uff ihn euer zuversicht,
ob auch Ferdinand gleich fechtet an,
sei dem trotz, ders nicht lassen kan.

6 Zuletzt behalten wir doch recht,
des keysers macht ist uns zu schlecht,
des dancket gott in ewigkeit,
der uns mit sig stets hat erfreut.

7 Lobsinget nun mit hertzensthon
hern Graffen von Thurn und seinen sohn,
Graff Schlick und die gantze schar
wünscht auch von hertzen ein neues jahr.

5, 2. Hs. seht, obiges von Soltau. 5, 3. näml. 'dagegen', wie wir ergänzen, was schon in an liegt.

48.

Wahrhaftige neue Zeitung

von dem mächtigen Aufstand der Bauren im Lande ob der Enns.

1626.

Im Thon: Wie man den Grafen von Serin singt.

Nach einem flieg. Bl. von 1626 gedr. in einem von J. Scheibles Sammelwerken: Das Schaltjahr, welches ist der teutsch Kalender mit den Figuren und hat 366 Tag. 5 Bde. (nur den Januar enth.), Stuttg. 1847, Bd. 5, 59 ff. als Lückenbüßer zwischen größeren Stücken. Ein anderes, kürzeres Lied von ders. 'Unruh u. Rebellerey der Bauern im Ländlein ob der Entz', auch in dems. Ton, steht im 3. Bd. S. 65. ('flieg. Bl. 1626.') Den ganzen Verlauf dieses langwierigen oberennsischen Bauernaufstands, dessen endliche Niederwerfung an Bedeutung für den Kaiser und den südd. Katholicismus dem Siege am Weißen Berge gleichkam, erzählt ein damals als flieg. Bl. gedrucktes Lied in 55 14zeil. Strophen, das Fadinger-Lied, benannt nach dem Bauernanführer Stephan Fadinger (eig. Feidinger), von Hormayr 1827 im Archiv für Gesch. ꝛc. und 1830 im Taschenb. für die vaterl. Gesch. in Proben, nun aber ganz bekannt gemacht durch einen Abdruck in den Historisch-politischen Blättern für das kath. Deutschl., 33. Bd. (11. Heft) München 1854 S. 950 ff. — Vom

Ton s. S. 327; vielleicht sind Str. 1—4 beim Druck des L. hinzugesetzt, Str. 5 scheint der natürliche Anfang, zumal sie sich nach gewohnter Art möglichst an die Anfangsstrophe des Vorbildes anlehnt; solche religiös politische Betrachtungen, möglichst zu Herzen gehend und allgemeine Gedanken der Leute aussprechend und anregend, waren im Geschmack der Zeit (vgl. schon Nr. 11. 16. 17. 18. 20. 29) und machten wol das Lied verkäuflicher; es ist übrigens ein rechtes Zeitungslied, daher ohne eigentliche Parteinahme mit einem gewissen objectiven Interesse, das jedoch damals noch seltener bloße Neugier nach den Thatsachen war.

1 Was Paulus hat geschrieben,
vor etlich hundert Jahr,
das ist noch wahr geblieben,
bleibt noch wahr immerdar,
daß in den letzten Tagen,
wann der Welt End sey da,
viel Herzleid, Jammer, Klagen,
viel Kriegsschrei, große Plagen,
werden seyn fern und nah.

2 Wir dürfen nicht weit sehen,
was in der Fern geschicht,
für Augen thun uns stehen,
viel traurige Geschicht,
wie Land und Leut verheeret,
wie alles verderbet wird,
und solch Unheil sich mehret,
viel Örter werden verstöret,
viel armes Volk erwürgt.

3 Ich muß gleichsam jetzt singen,
wider den Willen mein,
kann es schwerlich verbringen,
jedoch so muß es seyn,
daß große Krieg gewesen,
vor Jahren gleich sowohl,
als jetzunder darneben,
Beispiel kann ich euch geben,
der ist die ganz Schrift voll.

1, 1. Wol vielmehr Luc. 21, 8 ff. gemeint, die Leute citieren einmal mit Vorliebe Paulus und natürlich aus dem Gedächtniß. 2, 9. das g in **erwürgt** ja nicht weich zu sprechen; vgl. den Reim 13, 5. 7 **Hacken : plagen.** 3, 3. 'mit Mühe vollbr.', vor Leid. 3, 4. zum Trost, s. 4, 4. 6. 3, 7. **darneben**, hier

4 Im alten Testamente,
finden wir offenbar,
von Krieg an manchem Ende,
auch der Frommen fürwahr,
mit allem Fleiß geschrieben,
uns zu einem Trost viel,
was sie haben getrieben,
ist bis auf heute blieben,
les da wer lesen will.

5 Höret in kurzer Summen,
ich muß euch zeigen an,
die ihr da steht herummen,
ihr Frauen und auch Mann,
Herr Gott, ich thu dirs kagen,
den Jammer und große Noth,
was sich hat zugetragen,
neulich in kurzen Tagen,
laß dichs erbarmen Gott.

6 Im Ländlein ob der Enze,
fangt sich ein Unruh an,
dann in derselben Gränze,
auf achtzigtausend Mann,
lauter Landvolk in Summen,
welches weil man sie zwingt,
zu Bapstischen Irrthumen,

in der Nähe? 4, 9. **les**, lese es. 5, 1. Dieß Versprechen der Kürze scheint auf einem bestimmten Anspruch der Hörer zu beruhen, die in der Unruhe der Zeit keine Lust mehr hatten Lieder zu hören von 40, 50 und mehr Strophen, wie früher; es kömmt zu oft vor, um zufällig zu sein, auch plötzliches Verkürzen gegen Ende des Liedes mit dem angegebnen Grund, damit es nicht 'verdrieße'; und seit einiger Zeit scheint gerade die 'Summe, kurze Summe' das Lieblingswort geworden: Körner 261 (a. 1583) **Ich will diers sagen in einer Summ**, ja es erscheint bald, wie es Modewendungen geht, als halb bedeutungsloses Wort für den Reim gebraucht, vgl. 2, 5. Körner 232 (1582). 268. 273. 292. Adrian, Mittheil. 387 (1605) **Als er Vrlaub in summen, von sein Eltern genommen hett**, 387 **Mit solcher klag in summen ..**, d. i. ums kurz zu machen (auch 'kurz!'), vgl. **frei** S. 287. 5, 3. 4. man sieht nicht oft in diesen Liedern den Sänger so deutlich seinen Hörern gegenüber, die damals noch lieber von Mund zu Ohr vernahmen, als still vom Auge übers Papier. 6, 3. **Grenze**, das neuere fremde Wort für **Mark**, Gränzland;

häufig zusammen kummen,
sich zu wehren beginnt.

7 Dann als an einem Orte,
in Oesterreich dem Land,
ein Mönch trieb solche Worte,
auf der Kanzel zuhand,
am Fest der Himmelfahrte,
daß wenn sie sich nicht bald,
bekehrten ohn länger warten
man solche Ketzerbarte
zwingen würde mit Gewalt.

8 Man werde Weib und Mannen,
zum Theil ausstechen thun,
die Augen und fortane,
die Ohrn abschneiden lon,
das Herz aus dem Leib reißen,
und dann auch also bloß,
ihnen um das Maul schmeißen,
damit man möchte weisen,
diese Ketzer so groß.

9 Darauf die Bauren balde,
den Mönchen gschlagen todt,
und sich alsdann mit Gwalte,
zusamm haben gerott,
häufen sich mehr je mehre,
wöllen mit starker Hand,
und Gottes Hülf sich wehren,
nicht von der Lehr abkehren,
so sie haben erkannt.

10 Als man nun solches hat bericht,
nach Linz der schönen Stadt,
höret was weiter geschicht,
der Statthalter da hat,
zu Haufen bracht geschwinde,
fünfzehenhundert Mann,
Burger, Soldaten, Gesinde,

zuerst Granitz, von den Reichsgränzen nach den slav. Ländern. 10, 7. Gesinde,

wie man es da mocht finden,
und damit zu Feld kam.

11 Er vermeint leicht zu bannen,
das Volk zum Krieg ungeschickt,
mit seinem Volk fortane,
den Bauren entgegenrückt,
welche sich aber mächtig,
tapfer gewehret han,
schoßen auf sie gar heftig,
daß der Statthalter prächtig,
das Feld mußte verlan.

12 Tausend Mann sind todt funden,
worden auf der Wahlstatt,
der Statthalter verwundet,
mit zweien Schüssen hart,
ist auch schwerlich entronnen,
denn zwei Pferd unter ihm,
erschossen und umkommen,
es hat ihm nicht gelungen,
wie ers hatte im Sinn.

13 Dann er etlich Wägen
mit ihm geführet aus,
welche beladen gewesen,
mit Stricken überaus,
vielen Ketten und Hacken,
auch Henker mannigfalt,
damit er wollte plagen,
und martern vor Augen,
die Bauren manchergstalt.

14 Aber Gott thut es wenden,
stehet den Gerechten bei,
gnädig ihnen Hülf sendet,

esindel', s. Nr. 33, 19. 12, 3. ein Herbersdorf, ein grausamer von dessen Schwiegersohn, dem Pappenheim, wurden sie bezwungen, nach er Gegenwehr. 13, 7. **Hacken : plagen : Augen**, gut östr., au wie rein â; noch Anast. Grün reimt im Letzten Ritter **Takt : Magd.**

macht sie dieser Pein frei.
Darauf die Bauren forte,
gezogen seyn als wild,
nehmen ein alle Orte,
wie ich euch dann zum Worte,
deren kann sagen viel.

15 Denn sie haben eingenommen,
Welß die schöne Stadt,
auch haben sie bekommen,
Lintz, welche ist das Haupt,
der Städt diß Ländleins kleine,
den Markt Beirbach verbrennt,
das Kloster Sanct Jörg feine,
darüber einer möcht weinen,
auch andere angezündt.

16 All Päß diß Volk verwahret,
verhauet alle Wäld,
über die Donau schlaget,
Ketten und auch aufhält,
all Kriegsvolk so hinunter,
will ziehen wider sie,
schießen die Schiff zu Grunde,
ehe sie aussteigen, Wunder
sagt man von ihnen hie.

17 Alles was sie einnehmen,
und mit ihn haltet nicht,
gar bald solches wegbrennen,
plündern große Stück,
gar viel sie mit ihn führen,
auf Wägen mancherlei,

14, 8. zum Worte muß sein, was sonst mit Namen. 15, 2. 4. Stadt : Haupt, nur das p reimt nicht mit, wie 2, 9 g; das a in Stadt klingt nicht kurz. Das andere L. nennt ihn Feurbach, das Fadingerl. 5 Boyerbach. 15, 7. d. a. L. Ein Kloster thätens verbrennen, liegt gar schön an der Grenz, zu St. Jörgen thut mans nennen, ein halbe Stund von Linz. 16, 2. vgl. Nr. 14, 21, 4. 16, 4. das and. L. ein Kette über die Donau haben sie schon gemacht. 17, 4. Grundstücke. 17, 7. Ein Edelmann, Achaz Wielinger von Niederau, war

viel Herren sich zu ihn fügen,
alles Volk sich zuschmieget,
von vielen Landen frei.

18 Schwarz Fahnen thun sie führen,
das ist ihr Liberey,
ein Todtenkopf darinnen,
auch die Wort geschrieben seyn,
weils gilt die Seel und Gute,
So gelts auch unser Blut,
Gott geb uns Helden Muthe,
das ist unser bestes Gute,
halt uns Herr in deiner Hut.

19 O Kriegen, schrecklichs Kriegen,
der Feind hat dich erdacht,
und dem Deutschland zufüget,
in diesen Jammer bracht,
große Fürsten und Herren,
müssen drob gehn zu Grund,
gleich wider ihr Begehren,
wo sie davon nicht kehren,
das sey ihn allen kund.

20 O Vater aller Frommen,
der Gerechtigkeit steh bei,

sogar eine Zeit lang ihr Feldhauptmann. 18, 1—3. Das a. L. wörtlich ebenso, dann aber: der gibt zu verstehen frei, daß sie sind unterworfen dem Tod, gangs wie es wöll. 18, 2. vgl. Nr. 45, 7. 18, 6. fehlt bei Scheible ohne Angabe einer Lücke; Hormayrs Taschenb. für vaterl. Gesch. 1830 S. 413:

„Von seinem (des Statthalters) Joch und Tyrannei
Und seiner großen Schinderei
Mach uns, o lieber Herrgott, frei;
Weil es dann gilt die Seel und Gut,
So gelts auch unser Leib und Blut,
Gott geb uns einen Heldenmuth,
Es muß sein!

schrieben sie auf ihre Fahnen." Danach hab ich die Zeile ergänzt. 19, 1. 2. nach den häufigen Abschiedsworten: 'Ach scheiden, immer scheiden, Wer hat das scheiden erdacht!'. der Feind, der Antichrist. 19, 3. bei Scheible zufügen (eig. anpassen, hinbringen); ich suchte nur dem rechten Sinn einigermaßen nachzukommen, der Fehler steckt tiefer. 20, 1 ff. verräth protest. Gesinnung auch des Dichters; das andre

laß uns nicht werden genommen,
dein Wort und mach uns frei,
die sich wider uns setzen,
denselben wehr und steur,
daß uns der Fried ergetze,
hernach in dein Reich setze,
all Christen fromm und treu.

Lied schließt Strophe 11 ähnlich: O Herr Jesus erkoren, mach Fried zu dieser Zeit ... und laß weiter leuchten dein heiliges göttliches Wort ꝛc.

Belagerung von Stralsund.

1628.

49.

Ein Liedt,

darin fast alle Reden begriffen, welche ausser der Stadt Stralsundt in dero Belagerung vnter den Kayserischen sind vorgefallen, von einem Peregrinanten auß fernen Landen gecomponiert, als ein Colloquium,

nach art vnd Melodey, Ein Jungfraw streng von Sitten, etc.

'Allerhand lustige KriegsLieder, der sehr starcken Stralsundischen Belagerung betreffend, geschehen im Jahr 1628. Monats Maij, Junij vnd Julij. Gedr. i. J. M. DC. XXX.' 4°. Bl. B iij[a]—C ij[b] (abschr. in Soltaus Nachl.). Daher zuerst mitgetheilt, in erneutem Gewande, in Zober's Ungedr. Briefen Wallensteins und Gustav Adolfs d. Gr. ꝛc. Strals. 1830 S. 96 ff. Ein anderes Lied ebendaher, diese Belagerung betr., gab Soltau schon im 1. Bd. S. 472 ff. — Der erste Abschnitt des großen Krieges war seinem Ende nahe mit völliger Niederwerfung der protestantischen Kräfte, die wie schon vordem es nicht zu vereinigter Kraftwirkung gebracht hatten; die einzelne Stadt plötzlich, freilich nachher mit dänischer und schwedischer Hilfe, stellte sich dem Siegeslauf des neuen kais. Generalissimus entgegen, der noch nie dagewesene weitschauende kaiserliche Pläne an der Ostsee zu verfolgen hatte; die einzelne Stadt kam mit der veralteten Berufung auf ihre Freiheit und Privilegien, welche Fürsten nicht gewagt hatten, und in dem Augenblick fast der höchsten Macht, die ein Kaiser im Reich vorher und nachher je besessen hat! sie wollte keine kais. Besatzung aufnehmen! Die folgende Belagerung zog Aller Augen auf sich, wie einst der Widerstand des vereinzelten Magdeburg gegen Kaiser Karls Interim; die eine Stadt wollte ja principiell die Freiheiten des Reichs retten, denn daß man sich des weitern Zusammenhangs der einzelnen kais. Bestrebung wol bewußt war, zeigt schon unser Lied Nr. 51, 3. Das Recht Stralsunds wird in gleichzeitigen Flugschriften der rohen soldatischen Macht gegenüber bald mit halber Angst deduciert, bald mit Entrüstung und Reichspatriotismus vertheidigt; nicht unwichtige Aktenstücke aus dem bewegten Jahre sind auch diese Lieder, in denen Stralsund triumphiert.

In die Lieder scheint die Gesprächsform erst in diesem Jh. eingedrungen, denn Streitlieder des 16. Jh., wie das vom Buchsbaum und vom Felbinger, vom Wasser und dem Wein, sind erzählte Dialoge, nicht wirkliche, s. die folg. Nr.; der Keim dazu lag übrigens längst im Bereich dieser Lieder, denn seit Alters wurden mitten in der Erzählung Reden eingebracht ohne erzählende Einführung. In der Spruchdichtung ist diese Form weit älter, politisch bes. im 17. Jh. gebraucht, und daher mag sie zunächst in die Liederdichtung gekommen sein, wol zugleich mit dem theilweisen Verklingen des Gesangs und unter Einfluß der wachsenden Lust an der Bühne (ein dialog. Spruch bei Scheible, flieg. Bll. 187 ist geradezu in 'Actus', ein anderer ebend. 219 in 'Actiones' getheilt); sie hat sich gerade für politische Stoffe als bestimmte Form ausgebildet und bis in unsere Zeit erhalten, vgl. zu Nr. 67b. — Dem Sprecher der ersten Str. legte der Dichter zugleich die nöthige Exposition mit in den Mund, daher er etwas aus der Rolle fallen mußte; etwas Burleskes haben die feindlichen Personen in Thun und Reden (ganz deutlich 25, 1 ff.), das macht der Spott und wol auch die vorschwebenden Bühnenerinnerungen.

Da man nun das Werck mit frewden wolte angreiffen, hat ein Reuter zu seinen guten Freunden also gesprochen, nahmens Sprichgroß:

1 Was soll ich lieben Leute,
Jtzt bringen euch zur Beute,
Von der berümbten Stadt,
Gelegn in Pommerlande,
Gebawt wol an dem Strande,
Stralsund den nahmen hat.

Darauff antworteten jhm seine guten Bekandten mit solchen Worten:

2 Wir haben sonst im sinne,
Weiln statlich Beut darinne,
Die Stadt zunehmen ein,
Es heisset doch ein Dörfflein,
Ein Weebr vnd ein Fischerlein,
Drinn seyn sie nur allein.

In solchem Gespräch singet ein ander Reuter, mit nahmen Röckloß:

3 Wir thun euch semptlich dancken,
Fahrt hin vnd thut nicht wancken,
Weiln sie vns achten nit,
Wir wolln kein Beute haben,
Allein zu einer Gaben,
Ihr Köpff vns bringet mit.

4 Glück zu mein Bruder Sprichgroß,
Ich bin dein Bruder Röckloß,
Wir wollen auff geschwind,
Die Sundschen tapffer zwingen,
Ihr Stadt vnd Landt vmbringen,
Sie sollens wol empfindn.

Da diese beyde also Gesprech halten, kombt ein Rittmeister herreiten, also sagend:

5 Laß die Trommeten schallen,
Trommeter jtzt mit allen,
Wir wollen ziehen fort,
Denn was zu lange seumet,
Viel guts außm wege reumet,
Eh man kombt an den ordt.

Drauff fengt der Trommeter, wie er das Volck also heuffig zusamen kommen sihet, an zu blasen:

6 Sa, Sa, da kombts Volck draven,
Quartier wollen sie haben,
Wol in dem Sundschen Dorff,
Frisch auff heran, Trompeter blaß,
Die Bungn man itzt hören laß,
Herauß, herauß du Schorff.

Weiln sie den Feind in der Ordnung gleichsam sehen, fodert der Marschalck Arnheimb die vornembsten Officirern zu sich, vnd spricht:

7 Monseurs in gleichem stande,
Wie jhr bey mir im Lande,

Str. 3. **Röcklos**, nd., das hochd. **ruchlos**, d. i. eig. rücksichtslos, engl. **reckless**; **ruochen**, nd. **röken** curare, respicere. 5, 2. **mit allen**, nd., durchaus, überhaupt; was hochd. **überal**. Die Trompeter sollen die Stadt 'anblasen', d. h. zum Angriff blasen. 5, 6. **ort**, Ende, Ziel. 6, 4. **Trompter**? 6, 5. Heerpauken. Str. 7. **gleich**=

Bißher gewesen seyd,
Ihr solt euch nicht lahn mercken,
Was wir jtzt gehn zu wercke,
Gegn der Gemein so sterck.

8 Wann wir gleich allesammen,
Gantz vberein wol stammen,
Daß diß ein Dörfflein sey,
Darinn nur Visschr vnd Weber,
Kuhüter vnd Erdgreber,
Sich auffenthalten frey.

9 Dennoch sie sich nicht schawen,
Mit ernst vnd auch mit trawen,
Das werck sie greiffen an,
Laß hörn Pfeiffen vnnd Bungen,
Trommeten wol geklungen,
Nun fort vnd frisch heran.

Indem sie nun also fortziehen, vnd eine Parthey hinter dem Galgenberge sich macht, kombt bey der ersten Schildwacht ein Reuter zustehen, genandt Suputh, der spricht:

10 Wahr ist es, was man saget,
Vor allen wol gewaget,
Stralsund ist nur ein Dorff,
Dasselb ich jtzt befinde,
Vnnd dem es nicht gelinge,
Der mag recht seyn ein Schorff.

11 Es liget gar im grunde,
Diß Dörffelein Stralsunde,
Da kan man lauffen in,
Die Mauren seynd gar schmalich,

sam, ebenso, gleicherweise. Oberst Arnheim, Arnim, (Joh. Georg v.), der Wallensteinsche General, der die Affaire leitete; eben 1628 wurde er Feldmarschall. Seine Anrede enthält ein Compliment, mir nicht ganz klar, viell. mit Absicht burlesk gefaßt. 7, 6. **sterk** (nd. Ausspr.)? Reim? 8, 2. **stammen**? scheint nach nd. **stemmen**, schlecht ausgespr., oder ein falsches starkes Prät.? 9, 1. **schawen** für **schewen** (gut hochd. **scheuhen**), scheuen, wie **Lawe** für **Lewe**, **drawen** für **drewen**, dräuen. 9, 6. gedr. **fortgefahrn**; fort ist vorwärts. 10, 2. gedr. **allem**. 10, 5. wer

Kein Wasser da bekam ich,
Nun wolln wir ziehen hin.

Suputh spricht ferner zu einem andern, der jhn ablöset, vnd genennet wird Fludderup:

12 Was dünckt dich Bruder Fludderup,
Hat man auch in der Stadt Sup,
Auffn Abend wenn man kombt,
Die Bürgr vns müssen schaffen,
Gut Bier, kaltn Wein vnd Waffen,
Für war es vns nicht lumpfft.

Bruder Fludderup jhm andwortet:

13 Hab danck du Bruder Suputh,
Hastu bey dir Lodt vnd Krudt,
Heut wolln wir lustig seyn,
In diese Stadt Stralsunde,
Stormen wir gantz zur stunde,
Ihr Stadt wir nehmen ein.

hier nicht zum Ziel käme. 11, 5. keinen schlechten Trunk, wol die Quartierverweigerung gemeint. 12, 2. Sup, Sauf. 12, 5. was sonst 'kühler Wein'. **Waffen**, Waffeln, nordd Eiergebäck. 12, 6. 'geht uns nicht gut' hier außen, nd. **limpen, lumpen**, hier verhochdeutscht? 13, 1. 2. Der Dichter braucht zwischendurch, durch alten Gebrauch berechtigt, stumpfen Reimausgang mit einer Hebung mehr, statt des herrschenden klingenden Reims; aber dann läßt er regelmäßig (die wenigen Ausnahmen sind nur scheinbar oder übersehen) den Auftakt weg — warum? 'der Sylben Zal' spukt ihm im Kopfe, von der die Dichter schon lange viel redeten und die urspr. nur eine kaum halbrichtige, mechanisch genommene Bezeichnung dafür war, daß keine Senkung ausfallen oder mit Silben überfüllt werden sollte. Lange machte sich die Natur gesund geltend durch die falsche Theorie hindurch, aber je länger je mehr nahm mans mit der 'Silbenzahl' wörtlich ernsthaft, die kalte Theorie, die Rechnung, die todte Technik siegte endlich über den Sprachgeist. Wie aber der Dichter von Nr. 31 in einer sonst ganz singbaren Liederstrophe (der von Nr. 32 in derselben Strophe nicht), wenn er klingend reimt, zweisilbigen Auftakt setzt, oder anders gefaßt auch da seine acht Silben festhält, so will unser Dichter in Zeile 1. 2. 4. 5 nur 7 Silben haben (5 in Z. 3. 6); wo also am Ende durch stumpfen Reim auch die vierte Hebung ausgefüllt wird, die ohnedieß pausiert werden müßte, also auch ohnedieß rhythmisch da sein würde, da läßt er vorn eine Silbe weg, als gewissenhafter, streng geschulter Techniker. Ja, aber der Sprachinstinkt wirkt auch da noch, denn auch diese auftaktlosen Zeilen baut er als guter Deutscher meist jambisch, nicht trochäisch, wie er müßte, wenn für uns nicht (doch nicht immer, z. B. 13, 2. 20, 2. 29, 4.

14 Wann wir nun solchs geschlichtet,
Wie du itzt bist berichtet,
Schlagn wir die Bürger todt,
Vnd nehmen jhre Weiber,
Mit jhnn pflegn vnsre Leiber,
Auch nehmen all jhr Gut.

Suputh spricht wider zu jhm:

15 Recht so, recht so, ich gleub dich,
Die warheit sprichst du werlich,
Das wird angehen frey,
Allein wo soll man lassen,
Die Beut so wir ohn massen,
Allda bekommen frey.

Damit Suputh den Fludderup ablöset, reit darnach zum andern, vnd spricht:

16 Glück zu mein Bruder alle,
Wir wollen noch mit schalle,
Wol in dem Dorffesnest,
Vns frisch lustig erzeigen,
Beut bringen von dem Reyen,
Solchs ich geleube fest.

Die andern jhm andtworten:

17 Solts wol seyn Bruder Suputh,
Daß wir ohn Lodt vnd ohn Krudt,
Mochten einkommen all?
Wann solchs gescheh sagen wir,
Grossen danck man erzeigt dir,
Im Gsprech heut vberall.

Wie nun hierüber die Sundischen außfallen, vnd den Käyserschen viel Volcks danider machen, also, daß viel Wagen mit Todten vnd Krancken hinweg geführt werden, kombt der gute Fludderup wider zum Suputh vnd spricht:

18 Potzvelten warn das Vischer,
Kein hauffen ich hab frischer,

33, 2) darin der unausstehliche Widerspruch entstehn sollte, der nun vorliegt. Ähnlich machte es schon der Dichter des Theuerdank, der, wenn er in der vierten (dritten) Hebung klingend reimt, den Auftakt wegläßt, damit acht (sechs, sieben) Silben bleiben; Seb. Brant, H. Sachs, Fischart wissen von dieser Silbenzählung nichts. 15, 1. dich

Gesehen all mein tag,
Das seyn recht Teuffelskinder,
Auch streitbahr Held nicht minder,
Ich freylich sagen mag.

Herr Suputh jhm andwortet:

19 Das wil ich mit dir sagen,
Vnd ist auch nicht erlagen,
Daß sie Soldaten seyn,
Wir seynd toll vnd auch thörich,
Daß wir kegn sie kriegn künlich,
Mich nimbt das grawen ein.

Drauff sie von einander reiten:

20 Fahr hin mein Bruder Fluddrup,
Stralsund wil vns nicht die Supp,
Geben wie ich gedacht,
Das muß ich mit dir sagen,
Welchs mir nicht thut behagen,
Hab hiemit gute Nacht.

Da nun hierauff der Feind auch ins Heinholtz kombt, vnd allda sein Lager auffschlegt, fodert Arnheim die Gemein zusammen, also sprechende:

21 Ihr Getrewen allzusammen,
Von hohen vnd niedrign Stammen,
Die hie vorhanden seyn,
Was wir vor etzlichn tagen,
Miteinandr thetn rathschlagen,
Wolln wir verrichten fein.

22 Nemblich wir wolln Stralsunde,
Zwingn vnnd reissen zu grunde,
Sag ich ohn alle list,
Frisch Beut solt jhr drin haben,
Ewr Hertz damit zu laben,
Gar bald zu dieser frist.

23 Dann euch erleubet soll stehn,
In eines jedn Hauß zugehn,

als Dativ, vergl. Seite 313. 19, 2. erlagen, gut nd. 21, 1. 2. der Dichter schrieb wol zusamm : Stamm. 23, 1. erleuben, wie gleuben, keufen.

Goldt, geldt nehmen darauß,
Odr was jhm sonst behaget,
Sey jtzt von mir gesaget,
Ein jeder nehm ein Hauß.

24 Darnach euch richtet alle,
Vnd sagt mit grossem schalle,
Was jhr hiezu thun wolt,
Ob jhr wolt Heuser werben,
Vnd lassen ewren Erben,
Nach euch viel Geldt vnd Goldt?

Die Gemein schreyt drauff vberall:

25 Wir, wir, wollen, wollen all,
Mit, mit, groß, groß, grossem schall,
Frey, frey, stor, stor, stormn,
Die Sundschen wolln wir dwingen,
Hans Katzen frisch vmbringen,
Biß wir sie sehn verdorbn.

Marschalck Arnheimb andwortet:

26 Wolan liebe Gesellen,
Zu euch mein Hoffnung stelle,
Verlaß mich keck darauff,
Thut euch gantz nichtes grawen,
Bleibt nur bstendig mit trawen,
Im Stralsundischen kauff.

Wie dieses Suputh höret, spricht er zu Fludderup:

27 Was wird uns diß bedeuten,
Daß man vns so thut leuten,
Ach Fluddrup Bruder mein,
Wir werden vieleicht kommen,
Wol in die Stadt gewonnen,
Sie soll vns offen seyn.

25, 3. gedr. **stormen**; der Auftakt fehlt hier, des Nachdrucks wegen; diese Freiheit war in solchem Fall hergebracht, vgl. Zarncke zu S. Brant S. 291[a] unten. 25, 5. **Hans Katze** (44, 3), Spottname der Stralsunder, wie Zober angibt. 26, 5. **trawen = vertrawen**, wie 9, 2. 26, 6. **kauf**, wie **kram, handel**, für Angelegenheit, Sache überh., ganz treffende, lebendigere Bezeichnungen; so **falsches kaufen**

Hiezu kombt noch ein ander sprechend:

28 Pumbsack mein lieber Bruder,
Ich bitt halt mir das Ruder,
Ich muß jtzt zweiffeln gar,
Vieleicht die Sundschen Hunde,
Vns speyn so mit dem Munde,
Daß wir nicht kommen dar.

Hierauff andwortet jhm ein ander mit nahmen Dyrumdey:

29 Ha, ha, Fluddrup mein Bruder,
Gut Freund vnd ein gut Luder,
Mit dir ich einig bin,
Doch nur gmacht davon kein wordt,
Stellen solchs an seinen ordt,
Ob wir kommen dahin.

Ein ander, genandt Stutzwoldt, der solchs höret, vberhewt jhn mit schnarrenden worten:

30 Daß dir das Hertze krache,
Zu deiner Red ich lache,
Bekenn ich kurtz vnd rundt,
Du must an dem Baum hengen,
Wo du noch wirst vermengen,
Solch wordt in deinem Mundt.

Wie nun hierauff der erste Sturm vergebens vnd vnfruchbar abgehet, spricht ein Mußquetirer Gantzweiß zu einem, genandt Halbtoll, also:

31 Was dünckt dir Bruder Halbtoll,
Ob dieses ein Kauff seyn soll,
Den wir verrichtet jtzt,
Mir deucht es ist vns worden,
Gar saur an allen orden,
Daß vns brach auß der schwitz.

für treulos handeln, Hor. belg. 11, 267; **ewig ist gar ein langer kauf** Uhl. 926; vergl. Soltau 185. 28, 5. so ist das 'Feuerspeien' der Geschütze bildlich entstanden. 29, 5. gedruckt Stelln. 30, 1. gedruckt Hertz. 30, 5. **vermengen** ursprünglich von wirrem Gedränge, hier ordnungslos herumwerfen, sinnlos reden; Soltau 333 **ein lerman wardt vermengt** vom Gewirre eines Sturms, vergl. zu Nr. 36, 22, 2. 30, 6. **wort** ist Plur. 31, 6. Schweiß, Schm. 3, 552.

Halbtoll andwortet:

32 Wir müssen allesamen,
Noch besser an den Kramen,
Eh mans noch kriget ein,
Sa, sa, wir müssen blarren,
Vns in der Erd bescharren,
O Gantzweiß Bruder mein.

Da nun hierüber vnter den Päpstlern eine Sage vnd Klage entstehet, daß, weiln sie vorher nicht Mariam oder andere Heiligen gnugsam angeruffen, sie desfals dabey kein Fortun gehabt, als tritt hervor ein Münch, der spricht jhnen ein Ave Maria vor auff folgende art:

33 O liebste Kindr allzugleich,
Ihr seyd hie arm oder reich,
Muß euch berichten jtzt,
Wollt nit so sehr mit thränen,
Diesn Fall bklagn vnd euch grämen,
Von sinn vnd allem witz.

34 Sondern mir thut nachsprechen,
Eh jhr euch noch thut rechen,
An ewren Feinden all,
Vorerst O Gottes Mutter,
Maria, gib vns Futter,
Goldt, geldt vnd allzumahl.

35 Darnach mein lieben Leute,
Euch richtet mit der Beute,
Wann jhr kombt wider heim,
Dann ich vor euch versöhne,
Die Heilgen vnd jhr Söhne,
Daß jhr obsieget sein.

Nach verrichtung solchs Gottesdienst lauffen sie zum andern mahl zu, vnnd gewinnen die Schantz auff S. Jürgens Kirchhoff, drüber Arnheim mit freuden also sagt:

36 Recht so, recht so, mein Kinder,
Nicht sag ich euch dest minder,

34, 6. all zumal, alles mit einander. 35, 2. uneigennütziger Wink des Paters. 36, 1. das Antwerp. Lb. Nr. 6, 4 (Hor. belg. 11, 10) läßt schon 1479 Prinz Maximilian bei Guinegate die Fläminge mit 'kinderen!' haranguieren. 36, 2. gdr. desto

Vor die Ehr grössen danck,
Sondern wil frölich singen,
Lustig vnd frisch vmbspringen,
Zu mir nehmn einen dranck.

37 Darumb jhr Trompter alle,
Jetzund mit grossem schalle,
Lustig euch hören lahn,
Weils glück vns favorisiert,
Vnd wir vns tapffer probiert,
So werdn wirs besser han.

38 Dann Morgn wollen wir haben,
Frisch Beut vnd frische gaben,
Hey, hey, wol auß Stralsundt,
Habn sie die Schantz verlahren,
Wir wolln sie besser wahren,
Lustig auß hertzens grundt.

Vnterdes halten auch im Heinholtz Schluris vnd Krancko ein solch Gesprech, vnd fenget Krancko an:

39 Glück zu mein Bruder Schluriß,
Bald ich mein Kleidt entzwey reiß,
Für frewden dar ich steh,
Morgen hat man die Stadt ein,
Bekommn alsdann guten Wein,
Darnach ich frölich geh.

40 Dein Schwerdt leg du zu rechte,
Zu delgen das Geschlechte,
Das vns zuwidern ist,
Wann wir die Stadt jnn haben,
Kriegt man viel köstlich gaben,
Genug zu jeder frist.

mindr; nicht noch = nichts. 37, 1. so Trompte Bechsteins Deutsch. Mus. 2, 228, vergleiche Trommeter Nr. 42, 11. 37, 3. lân als Imperativ, wie die 2. pers. plur. niederd. auch gi laten, lan für latet, lat heißt. 37, 5. probiert, erprobt. 38, 4. verlaren, niederd.; Schanze, Glücksfall, Gelegenheit, hier doppelsinnig, zugleich die wirkliche Schanze. 40, 2. delgen, niederd.

Schluriß spricht:

41 Wahr ist es Bruder Krancko,
Wans vns nicht gieng wie Xanco,
Der auch vorm Thore blieb,
Welcher es tapffr gewaget,
Die Sundschen zu jhm gsaget,
Diesn drunck nimb jtzt vorlieb.

42 Starb also bald zur stunde,
Nichts newes mehr begunde,
Sondern liget gar still,
Mit Kugeln durchgeschossen,
Dieselb an sein Hertz stossen,
Solchs ich nur sagen wil.

43 Hat vns das Glück gegeben,
Dis stück, merck nur gar eben,
Vieleicht das Glaß zerbricht,
Sie habn noch mehr der Stücken,
Ja Morgnstern vnd viel Krücken,
Lustig seyn gziemet nicht.

Krancko wider andwortet.

44 Dennoch ich mit dem hauffen,
Wil widr frisch zu Sturm lauffen,
Mich schlegt Hans Katz nicht todt,
Dann ich fast bin hin vnd her,
Frag nichts nachm Schuß oder Gwehr,
Drumb hats mit mir kein noth.

Schluriß wider andwortet.

45 Bistu fest O Krancko mein,
Wie giengs nechst dem Bruder dein,

41, 6. **vor (für) lieb**, als wolgefällig. 43, 5. **Krücken**, wol die Stellgabeln für die Musketen, 'Handbüchsen' wie man sie zuerst nannte; jene beschwerlichen Stützmittel schaffte erst Gustav Adolf ab. 44, 2. **widr**, vgl. zu Nr. 31, 11, 3 und zu Nr. 24, 1, 5; von andern Verschleifungen wie **disn** 33, 5. 41, 5, **habn** ꝛc. gilt dasselbe; der Fortschritt gegen das 16. Jh., das Nachdenken über die Sprache drückt sich darin aus, daß man das jetzt so gewissenhaft in der Schrift darstellte; das 'Schreiben' ward ja nun auf lange das Stichwort. 44, 4. schußfest 'von allen

So auch getödtet ward,
Er war erst lustig von hertzn,
Bekam bald drauff grosse schmertzn,
Halff nit daß er war hart.

Hierauff wird wider also zu Sturm gelauffen, daß sie mit grossem verlust manniger praffer Soldat vnd Cavallierer zu rück wider weichen müssen, Vnd weil Krancko mit im selben Sturm getroffen ward, spricht er gar kleglich vnd im zorn:

46 Heulen muß ich vnd weinen,
Wann vns die Straal thut scheinen,
Sag ich zu dieser stundt,
Hilff nun O liebste Mutter,
Maria, dis ist böß Futter,
Daß vns drübr schümt der Mundt.

47 Wie ich gwesen hart vnd fest,
Lernt mich nun das Rottenest,
Vnd Schluriß mein Prophet,
Stralsundt, Stralsundt, man nicht findt,
Deins gleichen du Teuffelskindt,
Von dir hab mein bescheidt.

Schluriß, so noch vngeschlagen davon kommen, hört solchs, vnd tröstet jhm:

48 Ja Bruder liebr sagt ich nicht,
Von solcher Beut vnd dem Gricht,
So wir mit schmertzen sehn,
Gleich wie die Katzn sehr murrn pflegn,
Wann sie solln was von sich gebn,
So ist vns auch geschehn.

Hiezu kommen noch zwey andere, nicht der geringsten Cavallierer, der eine Sthavast vnd der ander Demgleich, vnd spricht vorerst Stahvast:

49 Sih, wie ligt einr hie vnd da,
Daß Donnr, Blix vnnd Hagl zuschla,

Seiten'. 46, 2. dass. Wortspiel Solt. 480. 46, 5. Maria zweisilbig, wie mhd. 47, 2. Rottennest auch Solt. 473 von Stralsund, die ältere Gestalt des Liedes bei Weller 180 aber Rattennest; bei Soden, Sturm auf Velden S. 73 steht Ratzennest. 48, 2. gedr. Gericht. 49, 2. Blix, daraus Blitz erst geworden,

Kom auch nit mehr dahin.
Ich halt, hab auch meinen Rest,
Bekommen auß dem Storcksnest,
Demgleich wie ist dein Sinn.

Demgleich andwortet:

50 Ach Bruder ich mit dir gleich,
Von guten Stössn bin so reich,
Was soll ich viel sagen,
Manch tapffr Heldt hat zweiffels ohn,
Bekommen jtzt seinen lohn,
Vor sein schöne Thaten.

Der Dichter.

51 Hie wil ich nit mehr schertzen,
Die Käyserischen schmertzen
Erzehlen mehr vordann,
Gott geb der gutn Stadt Stralsundt,
Glück vnd Heyl, auß hertzens grundt,
Wünschet ein jedermann.

52 So es einm thut placieren,
Der mags continuiren,
Mir nit mehr gibt die zeit,
Sondern wil betn vnd bitten,
Den der vor vñs gelitten,
Wold geben Stralsund Fried.

s. Grimms Wb. 52, 1. placieren, gefallen.

50.

Ein Liedlein

Darinne Obrister Arnheimb vnd die Stadt Strallsund mit ein ander Gespräch halten,

verfertiget durch

M. B. C. S. P,

Der Historien Liebhaber.

Gedruckt zu Stettin, Im Jahr,

M. DC. XXIX.

Flieg. Bl. (2 Bll. 4°), abschr. in Soltaus Nachlaß (A); ein Titelholzschnitt stellt die Strahlensonne dar. mit Sternen umgeben. Das Lied liegt mir abschr. von Soltau noch aus zwei Quellen außerdem vor, aus einem alten Druck: Stralsundisches Lied, Zu den Zeiten Wallensteins, 1627 (so!). 4 Bll. 4°. Bl. 3^b—4^b, vgl. Solt. 473 (B), und aus den Allerhand lust. Kriegsl. Bl. A 3 (C). In letzter Quelle ist es überschrieben: 'Historische Parodia nach dem Geistlichen Liede, vnd auch in desselben Melodia.' Dieß geistl. Lied ist ein Streitgespräch zwischen Fleisch und Geist, von Hans Witzstat von Wertheim 'Nun höret zu ihr Christenleut', und wird auch der geistliche Buchsbaum genannt (Ph. Wackernagel, D. Kirchenl. S. 198; Heyses Bücherschatz 1047) d. h. es ist selbst erst Umdichtung eines älteren weltlichen Streitliedes zwischen Buchsbaum und Weide, Uhl. Nr. 9 S. 30 ff., bei dem je die vierte Zeile repetendo gesungen ward. Die Streit- und Wechselrede ist noch in obiger Nachbildung aus zweiter Hand genau festgehalten wie im ersten Original; dieß, der Buchsbaum, hat auch zu andern Streitliedern die Form und Weise gegeben, die Lieder vom Wasser und dem Wein (Wunderh. 4, 179), und vom Seusack und dem Stockfisch (Frankf. Lb. Nr. 142) geben als Weise den Buchsbaum an, ersteres aber in einem spätern Druck (Basel 1607, Wunderh. 4, 183) Witzstats Lied. — Unser Lied ist auch in der Schadischen Sammlung zu Ulm, s. Mones Anz. 8, 473.

1 Nvn höret zu jhr Christen Leut,
Wie Arnheimb gegen Stralsundt streit,
Allhier in Pommern in dieser Zeit,
Habens ein vnnötiges Kriegen,
Keins wil vorm andern fliehen.

2 Arnheimb spricht, Ich hab eins Macht,
Damit ich nach Stralsunde tracht,

1, 2. C hat Arneimb, B Arnimb. 1, 5. B fliegen. 2, 1. eins,

Ehe mir das trawrige Alter nacht,
Wil ich im Kriege leben,
Nach einem Fürstenthumb streben.

3 Stralsund die spricht Ich raht dirs nicht,
Wir haben Vns zur Gegenwehr gericht,
So hastu dich gegen Pommern verpflicht,
Nach deiner Verschreibung zu leben,
Vnd nicht darwider zu streben.

4 Arnheimb spricht Ich bin stoltz vnd frey,
Ich acht dich nicht Stralsund darbey,
Sondern wil frisch vnd frölich sein,
Wil stücken darfür pflantzen,
Wils wagen auff die Schantzen.

5 Stralsund spricht denck an Pharonis macht
Der auch nach höhern Ehren tracht,
Er must darvon mit seiner Macht,
Ward in das Meer begraben,
Als Vns die Schrifft thut sagen.

6 Arnheimb spricht was acht Ich das Meer,
Ich hab bey mir das grosse Heer,
Dar mit wil Ich dich engsten sehr,
Vnd in die Stadt marsiren,
Mein Volck darein quartiren.

7 Stralsund spricht du brauchst dein list,
Weil du der Römische Marschalck bist,
Gott kan dich sturtzen zu aller frist,
Endecken dein list vnd tücken,
Vernichten deine freffle stücken.

einmal. 2, 3. **nacht**, naht, von mir; die Drucke alle **kömpt**, **kommt**, **kombt**. 2, 5. wie ja Wallenstein schon ein Herzogthum erkriegt hatte. 3, 2. **Wir habn vns zur Gegnwehr gericht** in C, wo überhaupt der Rhythmus technisch gereinigt erscheint; B **du kömmst zu kurtz** (wie ein Geschoß, das das Ziel nicht erreicht, to fall short), **glaub sicherlich**. 4, 5. **Schantze** wieder im Doppelsinn. 5, 1. C **Pharaonis**, B **Pharons**. 5, 3. **mit seiner M. darvon** alle. 6, 4. **marsiren** die damals herrschende Form; auch **losiren**, **Losament** hieß es (S. 123); das spätere B hat **marchiren**. 6, 5. A **Auch mein V.** 7, 2. Wortspiel mit 'Schalk'. 7, 5. C

8 Arnheimb spricht, Ich sag fürwar,
Die Stadt muß Ich einnehmen gar,
Komm sonst beym Käyser in gefahr,
Drumb du dich willig ergeben,
Es kost dir sonst dein Leben.

9 Stralsund spricht, vnser Sach ist gerecht,
Drumb fürchten wir Vns nicht so schlecht,
Mit Gottes hülff gantz mutig fechtn,
Trawen auff Gott den Herren,
Vnd wollen Vns Männlich wehren.

10 Arnheimb spricht, das acht ich gering,
Wann Stralsund mit Ketten am Himmel hieng,
So wil Ichs doch herunder bringn,
Meinen Stuhl darein setzen,
Vnd mich an jhnen ergetzen.

11 Stralsund spricht, bedenck dich recht,
Ein kleiner offt den grossen schlecht,
Wir fürchten nicht dein grosse Macht,
Du wirst mit schimpff abziehen,
Mit deinem Volck darvon fliehen.

frefflsche. 8, 4. **du,** C **thu,** B ändert hier und sonst sehr frei. 9, 2. 'auch nicht so viel (wenig)'? **schlecht** heißt auch schlechthin, geradezu. 9, 3. A **fechten.** 10, 3. A **bringen.** Diese übermüthige Drohung, sonst Wallenstein beigelegt (er soll sie in Prenzlau zu Wahl, dem Abgesandten Stralsunds ausgesprochen haben, 28. 29. Juni), erscheint schon früher als eine Art poetischer Formel; in dem Dithmars. Liede von der Schlacht bei Hemmingstedt 1500 (bei Uhl. 445) sagt der König von Ditmarschenland: **it is nicht mit keden an den heven gebunden, it licht wol an der siden** (flachen) **erden**; von den Kurfürstischen vor Leipzig 1547 heißt es b. Solt. 382 **Sie meynten zu gewinnen die Statt, Wann sie gleich hieng an Ketten.** Den Anlaß gab wol die Gewohnheit, bei Belagerungen gefährdete Thürme an Ketten zu legen, s. zu Nr. 31, 8. Dem Wallenstein vor Stralsund legt den Trotz auch das L. bei Solt. 475 in den Mund, aber nicht die ältere Gestalt desselben Lieds bei Weller 180, der die Str. ganz abgeht; vgl. Scheibles Fl. Bl. 156. Das sind solche Kraft- und Schlagworte, die sich leicht fortpflanzen, wie das neuere vom brennenden Tuch in der Tasche, s. Nr. 68, 4. 10, 5. **ergetzen,** schadlos halten. 11, 2. **schlecht,** die nd. Form. 11, 3. C **nicht ein,** Hörfehler. 11, 5. C **Mit deinm** (auch 13, 5 und sonst so), so baut in dieser Zeit die Theorie sich den alten bequemen Dativ **deim, dîme** nun zurecht, um ihn dann ganz auszumerzen, weil die Grammatiker zu bitter

12 Arnheimb spricht, du magß mich bang,
Muß dencken, das Ichs anders anfang,
Stettin hilff mir in diesem trang,
Das Ich mög Accordiren,
Mein Volck mit Ehrn abführen.

13 Stralsund spricht, Wir treiben kein schertz,
Wir haben darzu ein frisches Hertz,
Du must mit schimpff vnd grossem schmertz,
Für vnsern Stücken fliehen,
Vnd mit deinem Volck abziehen.

14 Arnheimb spricht, O Käyser mein Herr,
Dieweil ich kan einlegen kein Ehr,
So schicke mir zu ein solche Mehr,
Die Türcken sein im Marsiren,
Wider die Ich mein Volck sol abführen.

dawider kämpften; so Solt. 475 (1628) einm gtrewn Freund dreisilbig. Diese Thätigkeit der Theorie, die die frische mundbequeme Sprachgestalt corrigiert nach geahnten Regeln, beginnt spurweise schon im 16. Jh., wol von den sächsischen Schulen aus; z. B. oben Nr. 34, 10, 1 trachtt, was das gesprochne tracht läßt und das zu 'schreibende' trachtet andeutet, ebend. 20, 7 einn. Dieß repristinierende Theoretisieren hat an unsrer Sprache weiterhin viel Gutes und viel Schlimmes gethan.

12, 1. magß (BC magst), machst wol nicht Druckfehler (Verwechselung von g und ch an dieser Stelle liegt der niederd. Aussprache nahe), vgl. 15, 3. Wie im mhd. das t, damals noch nicht so fest geworden, nach Bedürfniß wieder abfallen konnte, so hat lange noch der Wohlklang dieß t unbequem gefunden und es dann und wann noch abgeworfen, wenn es zwischen Consonanten ins Gedränge kam, bei Uhl. 380 du bots mir vil der süßen wort, man denke aber auch die Häufung 'botstmir', spreche sie aus und höre! Im Hürnen Seyfrid, gedr. zu Leipzig i. J. 1611 bey Nicol Nerlich (dieser Druck bibliogr. noch nicht bekannt, das Ex. ist in der Bibl. der Deutschen Ges. zu Leipzig), steht Str. 58, 8 Warumb thets duß nicht vor. Im Frankf. Liederbuch von 1599 (vgl. S. 3) Nr. 51, 2 brich nit dein Wort, das du zu mir thets sagen, das von 1582 hat thetst. In einem noch schlimmeren Falle, in der 2. P. des (schwachen) Prät. hat man sich früh auf sinnreiche Art geholfen, Nib. 2038, 3 hat A (dô du mich über Rîn) ladeste her ze lande, d. i. für ladetest, ladetst, C hat ladetes. Muscatplut reimt sogar in dieser Weise (Hätzl. S. 96b) O aller höchste schönste, Wie lieplich du in krönste, d. i. kröntest, kröntst. Dasselbe ist Hor. belg. 10, 60 och eselken du moetste stille staen, für moetest. Ich ward zuerst in der Erfurter Gegend darauf aufmerksam, wo man alle diese 2. Pers. Prät. so bildet, du dachste, wollste u. s. w., unterscheidend du machst und machste.

12, 3. Stettin mußte Geschütz herleihen zu wirksamerer Beschießung der Schwesterstadt. 14, 5. C wiedr die m. V. abzuführen, B wider den ichs Volck soll

15 Also hat dieses Lied ein endt,
Gott alles Vnglück von Vns wend,
Vnd stürß alle Tyrannen behend,
Dich fürter zu Vns kehre,
Vnd bestendigen Fried beschere.

A M E N.

führen, d. h. die je spätere Fassung ist allemal der Regel nähergebracht, so 15, 3 C Vnd stürtz all Tyrannen b., B Und st. all Tyranney b.; stürß, das z, tz war niederdeutschem Mund von jeher unbequem oder unmöglich. 15, 4. 5. gedruckt kehrr ., Frled.

51.

Noch ein ander Liedlein.

Allerhand lust. KriegsL., Bl. B ij[b] bis zu Ende.

1 SEht nun wol zu jhr Fürsten,
Im gantzen Römschen Reich,
Wie nach ewrm Blute dürsten,
Pawst vnd Spannier zugleich.
Wolt jhr noch sitzn vnd schlaffen,
Vnd sehen jmmer zu,
Sie werdn euch wacker affen,
Ihr werdts jnn werden nu.

2 Trawt jhr nun jmmer mehre,
Vnd last es so hingehn,
Ihr werdt an alln örten sehre,
Ewrn Vntergang bald sehn.
Habt jhr noch nicht vernommen,
Ihr List vnd Vntrew groß,
Dadurch manchr Fürst ist gewordn,
Von Land vnd Leuten bloß.

3 Raubn sie nicht ewre Güter,
Noch wolt jhrs mercken nicht,

1, 4. Pawst, die nd. Form, pawest (Claus Bur 140), pawes, paws,

Auß jhrn Teufflschen Gemütern,
Solt jhrs ja sehen schlecht.
Sie vermein'n euch zu bringen,
Vmb ewre Freyheit all,
Es wird jhn nicht gelingen,
Daß ein Erb werd die Wahl.

4 Arnheimb gdacht vns zu bringen,
Auch in dasselbe Joch,
Es must jhm nicht gelingen,
Drumb schärmutzirn wir noch.
Für die Freyheit wolln wir streiten,
Vnd wagen vnser Blut,
Wie auch für alten zeiten,
Von Theba man lesn thut.

5 Last euch vnsre gute Sach,
Auch wol zu hertzen gehn.
Vnd thut einmahl auffwachen,
Vnd tapffer bey vns stehn.
Gar leicht wolln wir sie brengen,
Auß vnserm Vatterland,
Wann wirs nur recht anfengen,
Tretn zu mit gsambter handt.

6 Sie thun jtzt ein wenig spüren,
Vnd mercken wol daran,
Die Katz thut nun schon murren,
Wil sich nicht streichen lan.

selbst **pais** (Haupts Zeitschr. 3, 357), altholländ. **pauwes, paus.** 3, 8. das Wahlreich ein östr. Erbreich; nie konnten dem östr. Hause diese Hoffnungen näher sein als damals, seine Macht schien an den Ufern der Ostsee festen Grund zu fassen, gestützt auf einen unüberwindlichen und schlauen Feldherrn, dessen Person in den Augen Tausender von einem dämonischen Wesen umkleidet war; die Ostsee sollte ein östr. Meer werden, mit einer Kriegsflotte wollte man die Seestaaten unterkriegen, und die Hansestädte, bes. Stralsund, sollten die Schiffe dazu geben. 4, 8. wie im 16. Jh. die Gelehrten, so suchten jetzt auch die Gebildeten und Halbgebildeten für alles Parallelen im Alterthum, damit in und an ihnen das Gegenwärtige groß erschiene; Schulen und Bücher hatten inzwischen ihre Pflicht gethan. 5, 5. gedr. **bringen.** 5, 7. **fengen** nd., wie **fällen** Nr. 42, 24. 5, 8. d. i. 'träten'. 6, 1. gedr. **spürn**, darin spukt

Er thut tapfr vmb sich praustẽn,
Vnd speyet Fewr herauß,
Wehrt sich mit beyden Feusten,
Vertrett sein Nest vnd Hauß.

7 Viel tausent guter Leute,
Allhie geopffert seyn,
Woltn holen gute Beute,
Abr jhr Gewinn war kein.
Werdn sie nicht bald ablassen,
Vnd ziehen auß dem Land,
So weisn wir jhn die Strassen,
Zu grossem spott vnd schand.

8 Niemand sonst hat zugericht,
Vns dieses blutges spiel,
Als Georg Arnheim der gar licht,
Vnd nichts werther Gesell.
Nebst vielen Patrioten,
Den wir gnug vertrawt han,
Sie woltn in allen nöthen,
Gantz Christlich bey vns stahn.

9 Doch hat vns nicht verlassen,
Der fromb vnd gtrewer Gott,
Welcher vbr alle massen,
Vns sehr beschützet hat.
Daß vns nicht hat könn schaden,
Jhr wüten vnd jhr grimm,
Der woll mit seiner Gnaden,
Behütn vns stets vorthin.

die S. 354 gezeigte Theorie, wie offenbar 8, 1. 3. 6, 5. **praustẽn**, s. S. 19. 6, 8. **trett** für **tritt**, die nd. Mundarten haben seit je die Neigung, das (nicht ursprüngliche) e der 1. Pers. Präs. in **lese**, **neme**, **gebe** u. s. w., das sie zuerst statt des hochd. **i** annahmen, auch durchzuführen; **vertreten**, **verstehn** bes. von rechtlichem Vertreten, vertheidigen vor Gericht, einstehn für .., eintreten für .. 8, 5. Stralsunds Nachbarn, Städte und Fürsten; **Patriot** ist Landsmann, doch mit Anklang des jetzigen Sinns. 8, 7. **nöthen**, dieser im Reim nicht gerechnete Umlaut ist eine Folge der nd. Mundart des Dichters, wie das **r** in **gtrewer** 9, 2. 9, 8. **vorthin**, gedr. **vordann**.

52.

Romanisch Jubilate, Spannisch Cantate oder Magdeburgisch Ejulate

Ita IbIt roMæ VoX IVCVnDItatIs,

[1631]

Im Thon:

Ihr werdet weinen vnd heulen, aber Rom wird sich frewen.

Aus: Tyllische Vorbereitung zum Hingang zu seinem Vater, nebst Romanischem Jubilate, Spann. Cant. ꝛc. anno 1631. 4 Bll. 4°; die Tyllische Vorb. Bl. 1ᵇ. 2ᵃ ist eine kleine Satire in Prosa. Der angegebne Ton ist erfunden, im Sinne des Themas, das der Titel enthält. In dem Chronostichon sind die Zahlbuchstaben nicht nach Zufall hineingebracht, sondern wie in der Regel, z. B. auch bei Nr. 53. 55, ist jeder Buchstab der überhaupt als Zahl dienen konnte, auch dazu bestimmt; welchen Fleiß und welche Geisteskraft verschwendete diese Zeit auf Spielereien! Von der Form des Gedichts s. S. 351.

1. Römischer Käyser.

1 Viva du klein Römischer Gott
Monsieur aller Monsieuren,
So schlegstu recht die Ketzer todt,
Wallstein lehr nun Krieg führen,
Ihr Helden all in Römschem Reich
Kein andern Generalen,
Auff Erd jhr Tylli findet gleich,
Thut jhm zu Fusse fallen.

2. Spannier, Chur Bäyern, Trier, Mäynz, ꝛc.

2 Wol hat das gantz Römische Reich
Von so viel hundert Jahren,
Niemals gehabet deines gleich,
Nach Rom mustu nun fahren,
Ihr Bäpstigliche Heiligkeit,
Dir, O grossem Monsieuren,
Zur recompens sol seyn bereit
Sein Stul schon zu cediren.

1, 1. Viva, ital. Wolff 759: du Tylli, der Papisten Gott. 1, 2. der Reim zeigt, daß für die Aussprache noch die vorher gewöhnl. Form Monsier gemeint ist; ebenso 2, 6; so reimt bei Weller 255 Monsieur : Thier. 1, 4. den in

3. Türckischer Sultan.

3 Gott Mahumet, ich hett gemeint,
Daß wo ja je auff Erden,
Ein Potentat von Grausamkeit
Crudel' genent sol werden,
Du hettest mir allein das Præ
Vor allen Völckern geben?
Nun seh ich wol, daß Christen eh,
Dißfalls mich vberstreben.

4. Duc d'Alba.

4 Mein Lob von wegen Tyranney
Hat noch keim dorffen weichen
Nero, Caligula dabey
Theten mir weit nicht gleichen,
Nun muß ich solch præeminentz,
Monsieur Tylli abtreten,
Vnd nach Rhadamant sententz,
Ders besser kan, anbeten.

5. Monsieur Tylli.

5 Was meint jhr Potentaten all
Die in Europa wohnen,
Hat nicht mein Nahm nun vberall
Verdient Dreyfache Kronen?
Ein stoltze Magd, ein Ketzrisch Dirn
Die sonst von Wall vnd Steinen
Vnüberwindlich war vorhin
Durch mich bethört, muß weinen.

Ungnade Abgedankten. 3, 1. noch wie im Mittelalter Machumet, Machmet als maurischer, saracen. Gott, s. Nr. 60, 7. 3, 5. dieß prae, Vorrang, findet sich auch bei den schlesischen Dichtern. 4, 7. hier fungiert Rhadamantus als Höllenrichter; erscheint doch selbst Proserpina als Teufelsgenossin in einem bairischen L. um 1600 in Hormayrs Taschenb. 1846 S. 118: „Mainaidig leuth, die sein mein beuth, Er ghört in meinen R a c h e n“; der Dichter ist ein Jesuit und kennt in der Hölle auch einen ‚H e r r n Astaroth‘. 5, 5. Magdeburg; belagerte Städte als umworbene Damen, s. S. 93; auch in einer ‚Unterredung zwischen dem Könige und der Stadt Breslau etc.‘ 1758 bei Kühn, Preuss. Soldatenlieder S. 11 redet die Stadt als Spröde mit Friedrich, der ihren Jungfernkranz haben, Hochzeit machen will.

Idem zu den andern Reich vnd Seestädten,

6 Nehmt nun ihr andern Schwestern all
Ein lebendig Exempel,
Sonst werdet jhr auch allzumal
Meiner Macht ein Spectakel,
Vergebens ist, daß jhr von Gott
Einig succurs thut warten.
Mein List die bringt euch all in Noth,
Mengt wie jhr wolt die Karten.

6. Reich vnd Seestädte.

7 Gerechter Gott, wie straffstu nu
So sehr, in deinem Zoren?
Da doch hast zugesaget du,
Es sol nicht seyn verlohren
Dein Wort, dein Kirch, in Ewigkeit,
Solt gleich alls vntergehen,
Wie lestu nun zu dieser Zeit
Deim Volck vnd Kirch geschehen?

7. Elbenstrom.

8 Vor Jammer möcht zerbrechen nun
Das Hertz in meinem Leibe,
Das mit Gewalt, Du schönste Du,
Von Jungfraw zu eim Weibe,
Durch solch Barbarisch Tyranney,
Ja mehr, als von eim Heyden,
So grawsam solt geschendet seyn
Dein Schmach bringt mir mitleiden.

9 Ach tieffe See, dein Ströme groß
Laß mir zu hülffe fliessen,
(Weil auß der Allerschönsten Schoß
Ihr Blume ist gerissen,
Durch recht Ehbrecherisch Geschlecht

6, 2. lébendig mit der urspr. Betonung; noch die schles. Dichter betonen meist so, Opitz, A. Gryphius in Cardenio und Celinde 1, 112. 2, 198, Morhof (3. A.) 2, 124 ein lébendiges Kräuterbuch. 9, 2. nach der alten Meinung, das Meer speise durch versteckte Gänge die Quellen der Flüsse, vergl. H. Rückert zum

Knaben vnd Jungfrawn schänder,
Der keuschen Nymphen zier geschwecht)
Zuvorseuffen alle Länder.

10 Alle meine Ström sind nun von Blut
Theils auch von Brandt geferbet,
Gott geb, daß Acherontis Glut
Denjenign muß verderben,
Der auß Wollust, auß Vppigkeit
Auß Geitz nach hohen Ehren
Meins Edlen Flusses Reinigkeit
Durch Blut hat thun beschweren.

8. Magdeburg.

11 Ach Gott erbarm das Elend mein
Gerechtigkeit von oben,
Durch Rach vergilt die Vnschuld mein,
Den die durch solches Toben,
So lange mein Vnehr gesucht,
Da ich doch dir zu Ehren
Standhafftig stets, in keuscher zucht,
Mich niemals lahn bethören.

12 In Asch ich lig, ein Sack ich trag,
Mein Arm sind mir zerbrochen,
Mein Hertz erstirbet voller Klag,
Mein Augen außgestochen,
Vor Mattigkeit nicht rühren kan
Ein Glied an meinem Leibe,
Das hat gethan ein BaalsMann,
Verflucht von Mutterleibe.

9. Hertzogenbusch.

13 So hab ich ja in diesem fall
Gott deinem Guberniren

Wälschen Gast 6644. 9, 8. **ver=** für **er=** liebt die nd. u. mitteld. Sprache. 10, 6. **Geiz**, allgemeiner als jetzt, Gier; thüring. sagt man noch **geizig essen**. 11, 1. aus **daß ('s) Gott erbarm**, in dem man das **es** nachher überhörte, entnahm man ein persönliches **erbarmen**, wie oben. Str. 13. Herzogenbusch, Hauptfeste in Nordbrabant, in span. Besitz, ward von Friedrich Heinrich, Prinzen von Nassau-Oranien, Statthalter der Niederl. im Sept. 1629 erobert, nach schwieriger Belagerung. 13, 2. '**meinem**'.

Zu dancken viel, daß dazumal
Mein Krantz ich must verlieren,
Printz Heinrich doch der edle Held,
Noch wie ein Christ verfahren,
Vnd vngeacht mein Gut vnd Geldt,
Mein Schönheit thet bewahren.

14 Damals die Gottesfurcht so weit
Die in dem Helden wohnet,
Vermehret seine Tapfferkeit,
Daß er Gewalts verschonet,
Dadurch er mir mein Hertz gewan,
Meiner Lieb zugeniessen;
Das thut noch manch Gottlosen Mann,
Manchen Tyrann verdriessen.

15 So sey verflucht, der solch Vnehr,
An dir, du keusche Dame
Verrhäterlich, durch Hurenspeer,
Verübt, mit grossem Namen,
Doch was rühmt sich so ein Tyrann
Daß durch verrhätrisch hauffen
Die Ehr an so Adlicher Dam
Durch Geld hat thun erkauffen.

10. Sämptlich auffrichtige Favoriten.

16 Ihr Judas Brüder allzumal,
Verrhäterisch Speionen,
Wol habet jhr in diesem fall
Gethan, wie recht Cujonen,
Da sonst ewr Muth schlecht pflegt zu seyn,
Begehrt jhr nun ein Namen
Durch schelmische Verrähterey
An einer keuschen Damen.

13, 7. ungeacht, trotz. 14, 3. Tapferkeit, noch hier nicht bloß soldatische, sondern auch menschliche, sittliche. 14, 4. sich von Gewalt (noch masc.) fernhielt; **verschonen, schone faren**, eig. behutsam verfahren. 15, 3. **sper** in diesem Sinn ist eine ritterliche Erfindung, es findet sich in mhd. Gedichten. 15, 4 ff. insinuiert dem kais. Feldherrn Bestechung und Verrath in der Stadt als Grund ihres Falls. Str. 16. Die redlichen Günstlinge der Dame (die schwedisch gesinnten Fürsten). 16, 4. **Cujon**,

17 Gewiß Roma ist nicht so fest,
Wil sagen gantz Europa,
Verrähterey macht sie zum Nest,
Gleich wie das Edle Troja,
Man meint der hohe Cavallir
Von so viel Tausend Thaten
An Magdeburg Verrhäterey
Durch Mannheit kont entrahten.

18 Nun sehn wir wol daß Thorheit sey,
Was man offt Witz thut achten,
Vnd Tylli nicht so tolle frey
Als jhn sein Pfaffen machen?
Das Silber man weisser anstreicht,
Als sein Natur mitbringet,
So wann Verrhäterey abweicht,
Schlecht Mannheit hernach dringet.

19 Frisch auff dein Mann ist auch im Feld,
Zwar ein Junger Soldate,
Doch nent man jhn mehr einen Held,
Daß Er durch tapffere Thaten,
Ewr Tausent viel gejaget hat,
Als durch verrähtrisch spielen,
Ihr habt gethan an einer Magd,
Durch so viel reteriren.

20 Wo sind ewr Vierjährig Quartir,
Vnüberwindlich Päſſe,
Die doch, so schändlich, habet jhr
Als Cujonen verlassen,

neues Kraftwort dieser Zeit. 17, 2. 'das heißt'. 17, 3. Nest zuerst von Bergschlössern, dann verächtlich von (schlecht) befestigten, düstern Städten, vgl. Rattennest S. 362. 18, 3. 'nicht so außerordentlich liberal', gebildet, hochsinnig; Fragezeichen finden sich damals oft, wo wir Ausrufungszeichen erwarten. 18, 7. 8. 'wenn der falsche Anstrich weicht, kommt .. dahinter zum Vorschein'. 19, 3 ff. syntaktisch nicht rein ausgebildet, gemeint ist: 'er verdient mehr den Heldennamen, da er ..., als ihr die ihr ...' daß = 'deshalb daß', weil, indem, nach alter Weise; ein unbefangen Redender braucht daß noch heute so. 19, 8. meint wol zunächst Tillys Zurückgehn aus Mecklenburg kurz vor dem Beginn der Belagerung Magdeburgs (Apr. 1631), vgl. Nr. 56, 4. 20, 1. in Pommern und Mecklenburg.

Sie sämptlich euch noch schreyen nach
Daß kein Soldaten Haare,
Ohn bloß Pravad vnd einge Pracht
An ewrem Leibe ware.

21 Gott helffen wird, daß balde wir
Magdeburgisch Quartire
Zehnfach gedoppelt, an ewr Stirn
Mit lust, werden anschmieren,
Seid lustig nur, spendiret wol
Der Wirth der kan wol borgen,
Ein Stund euch alls bezahlen sol,
Des traget keine Sorgen.

&

Ita perIbIt roMæ VoX IVCVnDItatIs.

20, 7. Bravade und bravieren war (mit braf, praf) um diese Zeit Mode geworden, eben durch die gemengte Sprache der bunten Soldatesca; der Dichter scheint nach 21, 1 und anderm ein Soldat, wol Officier; daher auch das doch mehr soldatische, als menschliche Interesse an dem entsetzlichen Schicksal Magdeburgs und sonst. 21, 2. man denke an die Scene, da in dem erstürmten Frankfurt a. O. 13. Apr. die Kaiserlichen um 'Quartier' flehen und die Schweden ihnen 'Neubrandenburgisch Quartier' mit den Schwertern geben, als Rache für die Metzelung in Neubrandenburg kurz zuvor. 21, 6. 'immer wüthet darauf los, Gustav Adolph wird euch schon die Rechnung machen'.

53.

Ein schön New Lied,
welches
Der König in Schweden
mit einführet, oder repraesentiret, vnd nach einander erzehlet was seine Verrichtung etliche Jahr hero gewesen, wie er seinem Groß-Vater ziemlich gleich, ꝛc.

Durch Nusuant Francen Gedruckt zu Vpsal in Schweden. Im Jahr,
DIe LapLenDer VVoLLen eInen graVVen LIstIgen FVChs In SaChsen reCht eInLappen.

[1631]

2 Bll. 4°, abschr. in Soltaus Nachlaß, verglichen mit einem Druck von 1632 (4 Bll. 8°, Lpz. Univ. Bibl., s. zu Nr. 56), in dem es als zweites von drei Liedern

erscheint, 'Das Ander darinnen der König in Schweden mit einführet, oder repr. —' u. s. w. wie oben. Das Lied ist unzweifelhaft Parodie eines Kirchenliedes, das ich nicht finden konnte.

1 Gvstaph Adolph auß Schweden,
ein König von Gott erwehlt,
von dem kombt alle mein Leben,
jhm hab ichs heimgestellt,
Lifland hab ich gewonnen,
Vnlängst als ein Soldat,
hoff noch mehr zubekommen,
allein durch Gottes Gnad.

2 Darauff so bin ich kommen,
wol in das Preußen Land,
das hab ich einbekommen,
allein durch Gottes Hand,
wo seynd nun die Polacken,
hier kompt mein Prafes Volck,
jhr thut gar schlechte Thaten,
weil jhr nicht Fechten wolt.

3 Ferner thet mich Gott führen,
vber das Wilde Meer,
mich mehr zu Praesentiren,
mit einem Krieges Heer,
Keyser hast hören Prommen,
meine Liederne Stück im Feldt,
du redest ohnbesonnen,
ich käm dir nicht ins Feldt.

4 Pommern hab ich Purgiret,
von den Hewschrecken all,
Mechelburg restituiret,
Brandenburg gleicher Gestalt,
Sachsen kan von mir sagen,

2, 6. praf oder braf, so wurde das Wort zuerst, nach dem Gehör, übernommen; nach dem Aussehen im Buche stellte man dann erst das v her. 3, 6. liedern, ledern, die richtigere alte Form, mhd. liderîn. 3, 7. gemeint ist redtest, redetest; der andre Druck dem Ursprung näher ohn besonnen. 4, 3. 'Meckelburg'

viel Städte wissens auch,
noch mehr wil ich dran wagen,
Gott wird mir helffen noch.

5 Was mein Großvater thete,
bey seinem Vaterland,
da ers rettet auß Nöthen,
mit Ritterlicher Hand,
darumb ward er erhoben,
zu Königlichem Thron,
Gott in dem Himmel droben,
gab jhm solches zu Lohn.

6 Daß thue ich dergleichen,
jetzo im TeutschenLand,
thut nur dem Feinde nicht weichen,
ich leist euch trewen Beystandt,
wil den Feind gantz abtreiben,
von ewern Grentzen all,
damit rein möchte bleiben,
vnsere Christliche Lahr.

7 Sachsen du edle Raute,
ein schönes Kräntzlein bist,
dein Lohn bleibt Vnberaubet,
glaub nur an Jesum Christ,
ich wil dir helffn schützen,
sag ich auß HeldenMuth,
biß man wird sehen schwitzen,
auß mir mein rothes Blut.

8 Die Vrsach meiner Kriege,
ist allein Gottes Wort,
das giebt mir auch die Siege,
vnd Glück an allem Ort,
für das Göttliche Rechte,
wil ich biß an mein End,
Ritterlich allzeit Fechten,
mich nichts darvon abwend.

leidlich verhochdeutscht; nämlich die Herzöge von Mecklenburg. 5, 2. bei, für.

9 Die Evangelij Spötter,
zu bestreiten ich bin Pastandt,
vnd dieselbe außrotten,
vertilgen mit meiner Hand,
Bapst laß das reformiren,
so hast du keine Gefahr,
kein Dorff wil ich dir turbiren,
das glaube mir für war.

10 Wirstu aber fortfahren,
in deinem verstockten Sinn,
so thue ich auch beharren,
zuführen den Krieg forthin,
dir biß in Todt feind bleiben,
schwer ich ein tewren Eyd,
so lang biß ich auffreibe,
dich auff der grünen Heyd.

11 Daß Reich hastu turbiret,
nunmehr viel lange Jahr,
mit Gewalt reformiret,
die Evangelische Lahr,
dieselbe zubeschützen,
komm ich jetzt ohn verdruß,
vor deinem grossen Trotzen,
fürcht ich weder Mann noch Roß.

12 Darumb red doch nicht so Hönisch,
biß du wirst deß bericht,
als wenn der Schweden König,
den Winter tawret nicht,
ich Streit vnd Krieg im Sommer,
gleich wie ein kühner Heldt,
vnd thue es auch im Winter,
im kalt gefrornen Feld.

9, 2. ital. **bastante**, ausreichend, tauglich; daher auch im damaligen Franz. **bastant**. 9, 3. zu wirkte verbindend im 16. 17. Jh. noch mit auf einen zweiten und dritten Infinitiv, wie heut noch engl.; noch im 18. Jh. in einem Liede in Bechsteins Deutschem Mus. 1, 204: erhebe deine Waffen, alle Deutsche zu bestrafen, und sie schlagen aus dem Feld.

13 Frisch auff meine Soldaten,
fast einen HeldenMuth,
mit Gott wollen wir thun Thaten,
der hat meine Sach in Hut,
last vns Ritterlich streiten,
auffs Bapstes Land hinein,
da seynd viel wackere Beuten,
die Helfft soll ewer seyn.

14 Hiermit wil ich beschliessen,
das Liedlein new gemacht,
thuts schon den Feind verdriessen,
dasselb ich nicht groß acht,
sondern thue Gott vertrawen,
das ist die rechte Sach,
auff den thu ich starck bawen,
er wend alles Vngemach.

Ende.

54.

Die Schlacht bei Leipzig.

1631.

Aus einem flieg. Bl. (Leipz. Univ. Bibl., 4 Bll. 8°): 'Das fröliche Jubilate, Vber den Vntergang vnserer Feinde, In ein Christlich Danckliedlein gesetzt, Von G. R. [unbedeutend.] Beneben einen schönen Liede, Ich hab den Schweden m. A. g. Psalm 136. Der HERR hat grosses an vns gethan, deß sind wir frölich. Gedruckt im Jahr 1632.' Das Lied brachte schon das Wunderhorn 2, 93 (n. A. 90) nach einem 'alten flieg. Bl.' (daher wieder bei Erlach 2, 398); dann auch Wolff 436 ebenfalls nach einem 'flieg. Bl.', mit einigen wesentlichen Abweichungen und Kürzungen. Daher in mehrern Sammlungen, z. B. Wolffs Hausschatz der Volkspoesie S. 343, Ad. Böttger's Liederchronik deutscher Helden S. 311, Talvj, Charakteristik der Volkslieder germ. Nationen S. 442. Das Lied ist wichtig und verdiente einen neuen quellenmäßigen Abdruck; man könnte sagen, es vermittelt in Ton und Gang das Landsknechtlied des 16. Jh. mit dem neueren Soldatenliede. In der ersten Str., also wahrsch. auch in der Mel., ist es Parodie eines Jesusliedes, das aber selbst nach einem weltl. Vorbild gesungen ist (bei Hoffmann v. F., Gesch. des Deutsch. Kirchenl. bis auf Luthers Zeit, 2. Ausg. S. 406):

Ich weiß mir ein Blümlein hübsch und fein,
es thut mir wohl gefallen,
es geliebt mir in dem Herzen mein
für die andern Röslein allen.

Ein schön Lied,

Von

Kön. May. in Schweden.

1 JCh hab den Schweden mit Augen gesehn,
er thut mir wol gefallen,
er geliebt mir in dem Hertzen mein,
für andern Königen allen.

2 Er hat der schönen Reuter so viel,
lest sich nicht lang vexiren,
er hat der schönen Stück so viel,
etlich tausent Mußquetirer.

3 Das Franckenland ist ein schönes Land,
es hat viel schöner Strassen,
es hat so mancher praver Soldat,
sein junges Leben gelassen.

1, 1. Auch diese Wendung lehnt sich vielleicht an ein altes Kirchenlied an, ein Frohnleichnamslied (Hoffmann a. a. O. S. 515. 516):

Freut euch ihr lieben Seelen,
euch ist ein Freud geschehn,
wir haben mit unsern Augen
den lieben Gott gesehn.

Vgl. auch Nr. 70. 2, 4. etlich, manches! mit Emphase. Str. 3. ist erst durch den Kriegszug des Königs in Franken nach der Breitenfelder Schlacht hinzugekommen, die halb bängliche Erwähnung des Baierlandes paßte am natürlichsten in die Zeit, als das schwed. Heer im März 1632 von Nürnberg aus auf München zog, die neuen Kämpfe in Franken Anfang 1632 könnten selbst zu Str. 3 mitgewirkt haben, das Lob des Sachsenlandes ist vermuthlich auch erst in kathol. Landen hinzugekommen — so ist das Lied in verschied. Zeiten zusammengesungen, wie es so Soldatenliedern geht, die in einem Regiment oder Heer umgehend dasselbe auf einem ganzen

4 Das SachsenLand ist ein einiges Land,
es dienet GOtt dem HERREN,
vnd wenn wir kommen ins Beyerland,
frey tapffer wollen wir vns wehren.

5 Der Obriste Baudiß beym Schweden thut seyn,
vnd thut sich tapffer halten,
ist vnverzagt mit dem Pappenheimb,
ein Schlacht zwey drey zu halten.

6 Die Officirer die vnter dem Schweden seyn,
die thun sich stattlich exerciren,
von dem Monsier Tyllen vnd Pappenheim,
lassen sich nicht tribuliren.

7 Mit jhren Carthaunen vnd Stücken groß,
sie tapffer thun vnter sie krachen,
geben ihren Feinden gar manchen Stoß,
daß sie wol nicht viel lachen.

8 Ob schon der König in Dennemarck,
manche Schlacht hat versehen,
ist doch Gustav Adolphus ein praver Held,
wird seinen Feinden wol widerstehen.

9 Der Tylli hat ein Garn gesponnen,
es wird jhm bald zureissen,

Feldzug begleiten (vgl. Nr. 98). Str. 8, auch 9 paßt am besten an den Beginn der schwed. Feldzüge in Deutschland, das Übrige ist, der Kern des Ganzen, offenbar gleich nach der Breitenfelder Schlacht entstanden. Str. 3 ist übrigens im Soldatenlied des 18. 19. Jh., ja im Volkslied überhaupt typisch geblieben, immer nur mit leichten Änderungen. 4, 1. **einig**, preisend, wie jetzt einzig. 5, 1. Graf Wolf Heinrich v. Baudissin. Der erste Dichter war gewiß ein Soldat in seinem Regiment, ja das Lied kann danach überhaupt diesem Regiment gehört haben. 5, 2. **thun** ist hier deutlich auf dem Wege, das zu werden als allgemein stellvertretendes Hilfswort, was engl. do wirklich geworden ist. 5, 4. s. S. 216. 6, 2. **sich exerciren**, nun eingetreten für das frühere **sich brauchen**, **sich üben**, thätig sein, sich anstrengen; ebenso engl. to exert one's self. 7, 3. **Stoß**, vgl. Nr. 56, 10. 8, 2. **versehen**, urspr. das Ziel, wie **übersehen** S. 51; Gustav Adolf war ja wirklich in die Rolle seines alten Gegners Christian eingetreten, nachdem sie dieser übel abgespielt hatte, durch Unglück und Ungeschick. 9, 1. wie zur Jagd; **gesponnen** mit **gespannt** (eig. **gespannen**) verwechselt, wie die and. Fassung b. Wolff hat. 9, 2. gdr. **jhn**.

vnd wenn wir seine Soldaten bekommen,
der Teuffel soll sie bescheissen.

10 Da Tylli ins Land zu Meissen zog,
frewt er sich sehr von Hertzen,
vnd wie er wieder weichen must,
thet er sich sehr entsetzen.

11 Nun weiß ich noch ein Cavallier,
der wird genant der Holcke,
von dem Spanischen Wein vnd Malvasier,
Da thet er kriegen die Golcke.

12 Das Confect ist vergifftet worden,
thu ich mit Warheit sagen,
da hat der Schwed dem Tylli den Bart geschoren,
vnd auß dem Lande thun jagen.

13 Wie lieffen die Crabaten davon,
darzu die Welschen Brüder,
Ade Leipzig behalt deine Malzeit,
zu dir kom ich nicht wieder.

14 Also hat dieses Lied ein End,
das sey zu Ehren gesungen,
dem König in Schweden gar behend,
der Tylli ist jhm entsprungen.

9, 4. s. Grimms Wb. 1, 1560. 10, 1. gedr. Der Tylli, wol versehen nach dem Anfang der 9. Str. 11, 3. der Mahlzeit bei Leipzig. 11, 4. Golke, im Wunderh. Kolke, Kolik, colica (passio). 12, 1. s. Nr. 56, 6. 14, 4. wörtlich, denn ein schwed. Rittmeister war auf der Flucht hinter ihm, ihn mit der Pistole auf den Kopf klopfend.

55.

TRIUMPHUS SUECO-SAXONICUS,

GOtt dem starcken Kriegsfürsten zu Lob, Ehre, Preiß vnnd Danck: denen beyden Christlichen Helden, Ihrer Königlichen Majestät in Schweden, vnd Churfürstlichen Durchleuchtigkeit zu Sachsen: So wohln, Allen derer Ober vnnd Niedern Officirern vnnd Befehlshabern, als in gemein, Allen Ehrliebenden vnd Gottfürchtigen Soldaten, zu ewigen Ruhm vnnd Andenken in ein einfeltigen Gesang gebracht,

durch

Friedlieb von Hoffstadt, Theol. Stud.

ANNO in quo

SVeCVs & SaXo, Deo fortVnante, trIVMphant.

Exod. 15. vers. 3. Der HErr ist der rechte Kriegesman, HERR ist sein Name.

Im Thon: Hermanni Scheins Waldliedleins:

Relation, Relation,
von Phylli vnd von Corydon.

2 Bll. 4° (Leipz. Univ. Bibl.), angehängt ein lat. Jubelhymnus in Distichen. Der angegebne Dichtername ist ein angenommener, nach der Sitte der Zeit. Von den Waldliedlein des Leipziger Poeten und Componisten Joh. H. Schein s. Gervinus (3. A.) 3, 261.

1 Relation, Relation,
was ich euch jtzt wil zeigen an
darff ich mit warheit sagen,
wie Gott durch seine starcke Hand,
die Feind gemacht zu Spott vnnd Schand
vnd jhre Macht zuschlagen.

Relation! als Ausruf eines Zeitungssingers gedacht, der Neuigkeiten anpreist, um Hörer und Käufer zu versammeln; jenes Wort war moderner und tönender, als das alte Zeitung, brauchtens doch auch Italiener, Franzosen, Spanier. 1, 6. zuschlagen, dieß zu- (Nr. 31, 10, 4) nach nd. to-, schon früh bei mitteld. Schriftstellern (noch genauer zobowen want in Bertholds Crane Haupt 1, 86); dann bei

2 Relation, Relation,
was der König aus Schweden kan,
vnd der Churfürst von Sachsen,
wie sie durch Gottes Hülff vnd Schutz
den Feindten können bieten trutz,
seynd jhn zum Häupt gewachsen?

3 Relation, Relation,
was kömmet jetzt vor Zeitung an,
wie thut jetzt Tylli kriegen?
hat er nach Wundsch Churfürsten Landt,
verheert, verzehret vnd verbrand,
lest er sein Fahn noch fliegen?

4 Relation, Relation,
gut Zeitung bring ich auff die Bahn,
vnd wil euch nichts verhalten,
GOtt hat des Tylli Stoltz vnd Pracht
verlacht, gestürtzt, zu Nicht gemacht
sein Tyranney vergolten.

5 Relation, Relation,
nu höret all mit Frewden an,
wo sich das Glück thet wenden,
zu Leipzig in dem Meisner Land,
ist die Häuptstad gar wohl bekand,
thet GOtt sein Hülffe senden.

6 Relation, Relation,
warumb fieng sich der Lermen an?
Tyll hatt die Mahlzeit gessen,

Luther, und im 16. 17. Jh. einzeln selbst oberdeutsch, z. B. Körner 143 **vnzutaylet** in einem Regensburger Druck, **zuhawen** Solt. 334 in einem Nürnberger; 188 **zubrochen** in einem bair. Stück, ja **zurütten** schon in einem Schreiben K. Maximilians I. bei Eichhorn, D. Staats- u. Rechtsg. § 439c; auch Chr. Weise schreibt noch **zureißen**. Noch Gottsched, Vernünftige Tadlerinnen, Halle 1725, 31. Stück (1, 247) **Zurreißung des mürben Zwirns**; druckte und las man doch da **zu-** und **zur-** noch in Bibeln; **zurpleut** in einem Nürnberg. Klopfan (Kunig. Hergot.) Weimar. Jahrb. 2, 122; dieß **zur-** vermittelte die streng nd. Form mit der hochd., und sie selbst ist wieder der nd. näher gebracht in **zorstort** Nr. 33, 18. Schottel, selbst ein Niederd., gibt (T. Hauptsprache 615. 654) doch schon bloß **zer-** an. 3, 4. **Wundsch**,

mit allen Ständen in dem Reich,
so Lutherischem Glauben gleich,
Land vnd Leut auffgefressen.

7 Relation, Relation,
do die Mahlzeit ein Ende nahm,
kont der gut Herr nicht schlaffen,
er wolt zuvor ein Schlafftrunck habn,
vnd sich mit dem Confect erlabn,
Chur Sachsen solt jhn schaffen.

8 Relation, Relation,
wie bracht ers bey Chursachsen an?
er thet sein Heer außschicken,
mit Rauben, Plündern, Brand vnd Mord
verheert, verzehrt er manchen Ort,
thet biß in Leipzig rücken.

9 Relation, Relation,
Chur Sachsen wolt jhm wiederstahn,
thet jhn getrost angreiffen,
mit seinem Heer in freyem Feld,
mit sein Carthaunen wohlbestelt,
thet er zum Confect pfeiffen.

10 Relation, Relation,
der König rücket auch heran,
Chur Sachsen *succuriret*,
schlug dapffer drauff in kurtzer Zeit,
mitts ChurFürsten Durchleuchtigkeit
des Feindes Heer *cassiret*.

so schrieben Luther, Opitz. 7, 5. s. S. 392. 9, 2. vgl. zu Nr. 7, 8, 3. 9, 3 ff. Der Leipziger schont, freilich in kühner Weise, die chursächs. Kriegsehre, noch weit kühner aber 10, 5; bittern Spott erfährt sie dafür in dem von Maltzahn herausg. schweiz. Lied von Gustav Adolf Str. 34 fg.: Den Saxen war nicht gheuwre, Außzwarten diesem Spiel ... Der Rauch von grossen Stucken Sie bisse sehr ins Gsicht ... Viel ringer (leichter) war den Frauwen Auffzwarten in dem Gmach ... Dann auff den Platz zu kommen, Da Mars ernstlich regiert Vnd das Geschütz thut brommen, Manchem den Kopff hinführt. DSpielleuth waren vnhöfflich Auffs Tyllins Seiten all, Sie spielten gar

11 Relation, Relation,
es hat gekostet manchen Mann,
zwölfftausend hat verlohren,
Monsier Tylli zu guter letzt,
der Confect ist ihm auffgesetzt,
ist *ad plures* gefahren.

12 Relation, Relation,
was vbrig bleib, floh bald davon,
meynt sich zu *retrahiren*,
jhr keiner aber wiederkehrt,
sie wurden alle abgeschmiert,
musten *valediciren*.

13 Relation, Relation,
was bringen sie vor Ruhm davon,
das Magdeburgk verstöret?
jhr Jungfraw mus jetzt nacket gahn,
die Morgengab dahinden lan,
welches sie *perturbiret*.

14 Relation, Relation,
so muß es allen Feinden gahn,
die vns wollen verderben,
es lebt vnd siegt ein starcker Mann
im Himmel, der sie stürtzen kan,
vnd jhre Macht auffreiben.

15 Relation, Relation,
der König kan nicht stille stahn,
thut weiter fort marsieren,
nach dem Erffurd genommen ein,
wil er kosten den Francken Wein,
die Pfaffen visitiren.

zu gröblich Mit der Carthonen Knall. 11, 5. **aufgesetzt**, doppelsinnig, auf die Rechnung, und im Preis übertheuert, s. Grimms Wb. 1, 738. 11, 6. gewiß damal. Studentendeutsch, dessen Spuren das Lied mehrere enthält. 12, 2. **bleib**, so lange hat die alte rechte Form sich gehalten! die Bauern der Leipziger Gegend sprechen noch durchaus 'bleb, treb, schreb', auch oft noch mit langem e, da hier alle organ. ei zu nd. ê werden. 15, 6. heimsuchen, vgl. Anz. f. Kunde der D. Vorz., Neue Folge 1, 104 die Statt wird hefftig mit Schießen visidiert (a. 1634).

16 Relation, Relation,
der Handel thut von statten gahn,
wie Zeitung ist einkommen,
die best Festung im Francken Land,
Köngshofen hat er angerand,
vnd glücklich eingenommen.

17 Relation, Relation,
wie wirds den Jesuitern gahn,
werden sie noch gloriren?
ach nein, ach nein die guten Brüdr,
die liegen trawrig jtzt darniedr,
dürffen nicht imperiren.

18 Relation, Relation,
was solln wir Lutheraner thun?
last vns andächtig beten,
GOtt geb dem König frischen Muht,
behüt das Churfürstliche Blut,
vor Vnfal vnd vor Schäden.

19 Relation, Relation,
es streit vor Sie der starcke Mann,
Herr Zebaoht sein Name,
des Pabstes vnd Calvini Lehr,
leidt nicht des Rautenkräntzleins Ehr
im hohen Sachsen Stamme.

20 Relation, Relation,
last vns treten vor GOttes Trohn,
vnd bitten seinen Namen,
daß er geb ferner Sieg vnd Frewd,
hernach die ewge Seeligkeit,
durch JEsum CHristum Amen.

56.

Schwedisches Lied.

Im Thon deß 91. Psalm. Wer in deß Allerhöchsten, ꝛc.

4 Bll. 8°, Leipz. Univ. Bibl.: Drey Schwedische Lieder. Das Erste: „Von der Flucht vnnd Niderlag deß Käyserlichen vnnd Ligistischen Generalen, Graffen Johann von Tylli, auch glücklichen Successe vnd Victorien deß. Großmächtigsten, thewren Heldens, Herrn GUSTAVI ADOLPHI, Königs in Schweden, Patronen vnd Erretter der Teutschen Freyheit. [diese letzten Worte vom gleichzeit. Sammler mit Tinte dick unterstrichen.] Im Thon deß 91. Ps. Das Ander, darinnen ... [unsere Nr. 53]. Das Dritte, Ein schön newe Lied. Im Thon: Durch Adams Fall, ꝛc. Gedruckt im Jahr, 1632." Folgendes 'das Erste Schwedische Lied' brachte vor mir schon Weller, Lieder des 30jähr. Kr., Basel 1855 S. 226 aus einem andern Druck dess. Jahrs.

1 GVstaphus bin ich hoch gebohrn,
ein König deß Schwedischen Reiche,
Tylli hat mir den Todt geschworn,
sein Anhang auch deßgleichen:
Tylli mein alter Corporal,
wie bistu so vermessen,
bedenck dein Glück wendt sich einmal,
der Schmach wil ich nicht vergessen.

2 All Fürsten vnd Ständ im Römischen Reich,
hastu recht cujoniret,
All Länder vnd Städt, arm vnd reich,
hastu fast auß spoliret:
Ich bin der Löw von Mitternacht,
mit dir wil ich frisch fechten,

1, 1. gedr. bin ich gebohren, obiges b. Weller. 1, 5. so nennt er sich selbst in einer Satire in Bechsteins Deutsch. Mus. 2, 226, vgl. Scheible, flieg. Bll. 156 Tylli der alt Bräutigam. 1, 7. gedr. vnd sihe, das urspr. wendt sich nehme ich aus K. Heyse's Bücherschatz der Deutsch. Nat.-Lit. Berl. 1854 S. 159 Nr. 15 (hdschr.) mit 26 vierzeiligen Strophen, also auf eine andere Mel. gebracht. 2, 1. gedr. Städt. 2, 5. Weller 195 heißt er der von Mitternacht, ebenso in Bechsteins D. Mus. 2, 265; Scheible 155 er ist der Löw von Mitternacht, der den Pfaffen all ihren Pracht mit Gottes Hülf kan legen. Das meinte 'den von Mitternacht', von dem die alttest. Propheten dräuend prophezeiten als dem Erfüller der Rache Jehovas an Sündern und Heiden, z. B. Joel 2, 20; der Löwe v. M.

ich streite ja durch Gottes Krafft,
GOtt helffe dem Gerechten.

3 Tylli du alter Pfaffenknecht,
du alter NonnenBruder,
warumb lieff so sehr dein Geschlecht,
zu Franckfurt an der Oder?
Stehe mir bistu ein Held,
vnnd lern den Schweden kennen:
Dann ich bin ein Kriegsmann im Feld,
nicht wie du zum plündern vnd brennen.

4 Sag, was bringstu für Ruhm darvon?
daß du Magdeburg gewonnen,
pfuy ewig ist dies Spott vnnd Hohn,
du bist mir aus Forcht entronnen:
Tylli du werest doch ein Hanrey,
die Magd ist dir nicht nütze,
ich rath dir, deines gleichen frey,
ein alte Kloster Pfütze.

5 Tylli du Ligistischer General,
wo seynd nun deine Thaten:
Viel Schlachten ohne Feind vberal,
vor Werben wolt dirs nicht gerathen.
Das macht du hast ein Jungfraw geschwächt,
jhr Brüder vnd Schwester erstochen,

aber meinte den schwed. Wappenlöwen und etwa Jerem. 4, 6. 7, vgl. 46, 20: Denn ich bringe ein Unglück herzu von Mitternacht, es fähret daher der Löwe aus seiner Hecke und der Verstörer der Heiden zeucht einher aus seinem Ort, daß er dein Land verwüste u. s. w. Schon in Luther hatte man nach Jes. 41, 25 'den von Mitternacht' gesehen, Wolff 79 (Bergkreien, h. v. Schade S. 64) **von mitternacht ist kummen ein Euangelisch man.** 2, 8. d. h. im Zweikampf, der das Recht an Tag bringt, vgl. Solt. 458 (a. 1619) **Gotts Vrtl kan nit fehlen,** des Rechten. 3, 2. beides öfter wiederkehrende Titel Tillys; der Dichter bei Weller 225 fragt: **Warumb ist er nicht in sein Closter gegangen?** und ein satir. Gespräch zwischen ihm und dem Papst in Bechsteins D. Mus. 2, 225 ff. handelt nur davon, daß Tilly dem Kriegsleben Gutenacht sagt, um ins Kloster zu gehn. 4, 4. aus dem Norden, meint das, um vor Magdeburg leichtere Arbeit zu haben, vergl. Nr. 52, 19. 20. 4, 8. persönlich gemeint. 5, 4. in der Altmark an der Elbe, wo nach des Königs Elbübergang im Juli die beiden Lager einander länger gegenüber standen, bis Tilly

jhr Stätt verbrand darumb geschicht dir recht,
Vnschuld muß seyn gerochen.

6 Tylli du hast dich hoch vermessen,
zu Leipzig wolstu sie kleiden,
zu Wittenberg halten die Brautmesse,
zu Dreßden die Hochzeit Frewden.
Das Brautkleid hastu zwar außgenommen,
aber Leipzig wolt nicht lang borgen:
wie ist dirs Churfürsten Confect bekommen,
das du assest den andern Morgen.

7 Wittenberg mustu wol mit frieden lahn,
Dreßden wirstu nimmer sehen,
wagstu schon dein grawen Kopff daran,
dennoch sols nicht geschehen.
Du hast den Leipzigschen Convent verlacht,
vnd seine Bundsverwandten,
die König, Chur:Fürsten vnd Herrn veracht,
so wol auch der Städte Gesandten.

8 Du hast alles wollen Papistisch machen,
Lutherum reformiren,
die Stiffter besetzen mit München vnd Pfaffen,
nach dem Edict exequiren.
Aber Gott im Himmel lachet dein,
sein Wort muß ewig bleiben,

zurückgieng. 6, 7. Tillys Confectliebhaberei ist ihm vielfach so zum Spott gewendet worden, gerade mit Bezug auf seine Niederlage bei Breitenfeld, fast in keinem Lied oder Spruch dieser Zeit fehlt das Confect, das ihm so übel bekommen. Die Meinung war wol, als habe er sich in Leipzig, das er kurz vor der Schlacht schnell einnahm, auf dem Naschmarkt ein besondres Gütchen thun wollen, Solt. 486 (**drauf wolt er) Confect Essen Vff dr Leipsischn Messen.** Bechstein, Deutsch. Mus. 2, 261 ff. berichtet aus der Meininger herz. Bibl. über mehrere darauf gehende Satiren: Newgedeckte Confect-Taffel (darin: **Seyd ihr doch alle bey der Stadt, da man vollauf gnug hat**), Tyllische Confect-Gesegnung (gedr. bei Weller 193), Sächsisch Confect; aus der einen gibt er S. 262 den 'Küchen vnd Taffelzettel, so Gen. T. Abends vor der Schlacht von Leipzig begehret', darunter neben den auserlesensten Küchenstoffen: vberzogen Aniß, vberz. Coriander, vberz. Mandeln, Zimmet u. s. w., Bisemzuckerbrodt, candirt Confect, Datteln, Ziewetnüssel, AmbrosinMandeln, eingemachte Lugnaten, alles zu 80 Pf., zuletzt: 30 Wispel Haber. 7, 1. W. **mustestu.** 7, 8. W.

der wird mit allen Abgöttereyn,
dich vnd die deinen außtreiben.

9 Welches denn GOtt Lob geschehen ist,
zu Leipzig auff dem Plane,
sechs vnd dreyssig Stück hastu eingebüßt,
hundert fünff vnnd vierzig Fahnen.
Deine starcke Armada wurd zerschlagen,
deine Obristen gefangen,
verlohren seynd alle Pagagiwagen,
darmit so kontest prangen.

10 Drey gute Stöß trugstu darvon,
dein Volck must ins Graß beissen,
das dancke der Reformation,
die wolst führen in Meissen.
Werestu in deinem Kloster blieben,
vnd hettest Meß gesungen,
so werestu nicht von Leipzig vertrieben,
die Schlacht ist mir gelungen.

11 Hall vnd Halberstadt hastu quitirt,
den Thüringischen Creyß verlassen,
Erffurdt hat sich mir accomodirt,
nun bin ich in der PfaffenGassen:
Der Fränckisch Creyß ergab sich gern,
der Adel, Bürger vnd Bawer,
das Schloß zu Würtzburg wolt sich wehrn,
der Lohn ward jhm gar sauer.

12 Ich ließ viel Volcks drauff niederhawn,
gute Beut thet ich finden,
viel Proviant, Gewehr vnd Munition,
der Schatz der lag dort hinden:

Ständte. 9, 5. Armada, span., in dieser Form ist das Wort aufgekommen, dann erst allmälich durch die franz. armée verdrängt; niederl. steht armee schon um 1500 Hor. belg. 11, 309, hochd. 1631 bei Weller 194. 10, 1. persönl. Verwundungen. 11, 4. in den fränk. Bisthümern, Bamberg, Würzburg; Solt. 496 ist damit **Meintz** gemeint, ebenso in dem von Maltzahn herausg. Gustav-Adolfs-Liede Str. 53. 12, 4. jetzt nur: war d. hinterlegt; vgl. Uhl. 380 **all mein**

Da wurden meine Soldaten froh,
das Geld theilten sie mit Hüten,
holla Tylli, was sagstu darzu,
mit deinen Jesuiten.

13 Nun wil ich nach Franckfurt an den Mayn,
in der Pfaltz mein Quartier machen,
Fridericum zu Heydelberg setzen ein,
du wirst darzu nicht lachen:
Tylli du alter böser Feind,
kompstu in meine Hände,
du must ins Kupffer-Bergwerck hinein,
in Schweden wil ich dich senden.

14 Amen, das ist, es werde war;
treib auß deß Tylli Rotten,
auff das Gottes Wort rein vnd auch klar,
gelehrt werd an allen Orten:
Vnd gib mir ferners Glück vnd Heyl,
zu Wasser vnd zu Lande,
dann ich erwehl das beste Theil,
das Bapstthumb werd zu Schanden.

hab stet hinder dem wirt, Klage eines armen Reuterknaben, der alles verzehrt hat. 13, 3. so hoffte man also; aber der König zögerte nachher damit, er schien die Pfalz für sich zu wollen.

57.

Schwedisches Lied,

Im Thon: Durch Adams Fall, rc.

Das dritte von den 'drei Schwed. Liedern', woraus vorige Nr., ebenfalls nun schon bei Weller gedruckt S. 230, in dessen Quelle es auch mit voriger Nr. zusammen steht. Das Lied ist eine Parodie von Laz. Spenglers Kirchenlied: Durch Adams Fall ist ganz verderbt Menschlich Natur und Wesen rc., aus J. Walthers Gesangb. 1525 bei Ph. Wackernagel, D. Kirchenl. Nr. 234. Dasselbe wurde auch auf die Jesuiten parodiert, Wolff 413, Weller 29. Auch diese Parodie fordert genaue Vergleichung des

Vorbilds, das ja auch die Zeitgenossen in jeder Zeile durchhörten, darauf eben beruhte die Wirkung; sonst könnten auch einige Übertriebenheiten störend sein.

1 DUrchs Tylli Fall ist in Grund verderbt,
das gantz Ligistisch Wesen,
solch Gifft ist auff den Keiser geerbt,
das er nimmer kan genesen,
weil niemand ist, der zu der Frist,
den Schaden wider brächte,
darein die Schlacht, bey Leipzig bracht,
das gantz PfaffenGeschlechte.

2 Weil der Jesuiter Schlang hat bracht,
den Keyser zum Abfalle,
von ReichsGsatzen, die er veracht,
die Evangelischen alle,
zu bringen in Tod, so war je noth,
das er vns solte geben,
auß Mitternacht, durchs Schweden Macht,
Freyheit, Gotts Wort vnd Leben.

3 Wie nun durch frembd Joch vnser Land,
der Käyser vntertrucket,
also hat GOtt durch frembde Hand,
jhm den Compaß verrücket,
vnd wie wir all, durch Sünden Fall,
der Freyheit abgestorben,
also hat Gott, durch der Ligæ Todt,
widerbracht das verlohrne.

4 Weil vns nun GOtt von Mitternacht,
einen Gedeon erwecket,
der vns zu gut kein Gfahr nicht acht,

1, 3. 'Dasselb gifft ist auff vns geerbt'. 2, 1. 'Weil dann die schlang Hevam h. br.' 2, 3. 'Von Gottes wort ..' 2, 5. je, doch nun einmal, s. Nr. 18, 17. 3, 4. so Hoffmannswaldau, Getr. Schäfer (A. v. 1700) 3, 6 S. 95 Nichts weiß sich dieser (Liebes) Lust zu gleichen, da Seuffzer, Angst und Noth nicht den Compaß verrückt; das ist Ausführung des Übers., Guarini hat nur che non ti costà nè sospiri nè pianto nè periglio nè tempo. 3, 6. 'sind ewigs tods gest.' 3, 7. 'd. Christus tod.' 4, 2. Gideon (Richt. 6 ff.), nationalen Rettern, Vorfechtern von Freiheit und Glauben gab man gern diesen alttest. Ehrentitel;

sein Leben selbst darstrecket,
dardurch wir seyn, gemachet rein,
von dem geschmirten Hauffen,
wer wolt dann nicht gleich, stracks Sporenstreich,
dem Schweden thun zulauffen.

5 Er ist der hocherhobne Held,
nach Gottes weisen Willen,
Von Ewigkeit darzu erwehlt,
den Antichrist zu stillen,
zu seyn ein Schutz, dem Bapst zu trutz,
allen betrangten Christen,
darumb wird bald, kein Macht noch Gwalt,
den Antichrist mehr fristen.

6 Der Mensch ist Gottloß vnd verflucht,
(anders last euch nicht bereden,)
der Hülff beym Bapst vnd Keyser sucht,
vnd nicht, nechst Gott, beym Schweden,
dann wer jhm wil ein ander Ziel,
nach Gott, ohn Schweden stecken,
den wird gar bald, die Spannisch Gwalt,
mit jhrer Tück erschrecken.

7 Wer hofft in Gott vnd Schweden trawt,
der wird nimmer zu schanden,
vnnd wer auff diesen Felsen bawt,
bleibt wol bey seinen Landen,

die Katholiken ihrerseits nannten Tilly so (Körner 313 Gedeon der Helde); der Name ist so noch 1813 gebraucht worden. Gedeon ist die Form der Septuag. und Vulgata. 4, 6. Pfaffen, früher gew. der beschoren haufen; das schmieren meint die Priesterweihe; grob bezeichnet das ein Danziger Lied, Zeitschr. des Vereins für Hamb. Gesch. 2, 479: er olye (Öl) dat is roth (Rotz), darmit se ire prester smeren. 4, 7. stracks aus Weller, fehlt dem Leipz. Druck. 6, 3. 4. 'der trost bei eynem menschen sucht vnd nitt bei Gott dem Herren'; gerade diese 4 Zeilen hat der gleichzeit. Sammler dick unterstrichen, wer fühlt nicht aus diesen Tintenstrichen den Ernst und die Angst der Gemüther und den seltsamen, aber entschiednen Stand der Dinge. 6, 7. 8. 'Spanische Gewalt und Tücke' war schon durch Karls V. spanische Soldaten und Hofleute im Land sprichwörtlich geworden (Schiller, Wallensteins Tod 3, 15 Lug und Trug und spanische Erfindung). 'Gewalt' bestimmter als jetzt als Gegentheil des Rechts gefühlt. 6, 8. 'aufschrecken' hätte der Dichter jetzt

sicher verlacht, die Spanisch Macht,
Pabsts Bann vnd Keysers Achte,
hast Schwedisch Huld, hab nur Gedult,
den Bapst keins Hellers achte.

8 Ich bitt O HErr von Hertzen grund,
wolst Glück vnd Sieg verleyhen,
dem König in Schweden zu aller Stund,
sein Anschlag laß gedeyen,
mit Helden Muth, krön vns zu gut,
dein Gesalbten lieber HErre,
weil er sich vest, auff dich verläst,
sein Feind vor jhm zerstöre.

9 Weil Er allein dein heilig Wort,
begehret fortzupflantzen,
vnd hält dich vor sein höchsten Hort,
Lobt dich in seinen Schantzen,
in seim Gezelt, bey Schlachten im Feld,
so segne seine Thaten,
regier sein Muth, vnd was er thut,
laß du, HErr, wol gerathen.

10 Wer ist wol der, rath Keyser, rath,
der diß Lied hat gedichtet,
er ist der so mit Wort vnd That,
sich gäntzlich hat verpflichtet,
Schwedisch zu seyn, vnd hasset dein
falsch Spannisch Sinceriren,
bitt GOtt daß bald, Schwedisch Gewalt,
in Teutschland mög floriren, Amen.

E N D E.

geschrieben. 10, 6. Ein 'Schwed- vnd ChurSächsisches Triumph- vnd Dancklied im Thon: Ausz meines Hertzen grunde' nach der Breitenfelder Schlacht (Leipz. Univ. Bibl.), angehängt einem pros. Schlachtbericht, 24 Bll. in 4°, singt Str. 12: **Ihr intent war zu fällen; zwo Churfürstliche Seuln, das Reich mit Blut zu schwellen, als bringen fort mit eyln, Das heist wol syncerirn** 2c. Also ein ligistisches Stichwort, mit dem sie ihre Absichten zeichneten, 'aufrichtig, ohne Falsch verfahren'. 10, 7. gedr. Gwalt.

58.

Belagerung von Freiberg.

1643.

„Neu-vermehrtes vollständiges Berg-Lieder-Büchlein, Welches nicht allein mit schönen Berg-Reyhen, Sondern auch Andern lustigen, so wohl alt- als neuen Weltlichen Gesängen, Allen lustigen und fröhlichen Hertzen, Zu Ergötzung des Gemüthes, versehen. Gedruckt im Jahr." in 8° (Leipz. Univ. Bibl.), vermuthlich zu Freiberg gedruckt, in der ersten Hälfte des vorigen Jh., nach Uhland S. 977 „gegen 1730", nach L. Erk, Deutscher Liederhort S. 116, Wunderh. 4, 86 „wohl um 1740 (nicht 1730)." Die folgenden vier Str. stehn das. S. 100 als Str. 7—10 eines 10strophigen Bergmannsliedes, das beginnt:

Frölich wollen wir Bergleut singen,
Weil wir hie versamlet seyn,
Weil uns Gott den Fried hat geben,
In dem gantzen Römischen Reich...

und dann in den lange beliebten religiös-symbol. Bergmannsstil fällt, z. B. Str. 3:

O du mein HErr JEsu CHrist,
Der du der rechte Bergmann bist,
Bist am Char-Freitag eingefahrn,
Hast für uns dein Leben auffgeben.
Drum freut euch rc.

Die von mir ausgelösten Str. scheinen der Rest eines eignen Lieds auf die Belagerung (bei der die Bergleute gar tapfer ihren Mann gestanden, bes. mit Gegenminieren), wie es ohne Zweifel noch gesungen wurde, als das Buch oder eine frühere Auflage gedruckt erschien; das relig. Lied scheint freilich auch älter, der Eingang meint doch den Westfäl. Frieden. Eingang und Ende des hist. L. sind wol erhalten, in der Mitte aber kann man frühere Specialitäten über die Belagerung vermuthen, die etwa später das Interesse verloren. Ein Lied „Gott mit uns! Schwedischer Abzugk von Freybergk. — 1643." erwähnt Mone, Anz. 7, 389, mit der Bemerkung „ist fast ganz dem Volkston entfremdet".

* * *

1 Freyberg ist eine schöne Berg-Stadt,
Darinnen man das Ober-Berg-Amt hat,
Sie haben ausgestanden grosse Gefahr,
Preß geschossen und das ist wahr.
Drum freut euch, ihr Bergleut,
Traget Gott im Hertzen allezeit.

1, 4. Presse, die zuerst und lange bräuchliche Form, sch mußte doch das franz. ch im Inlaut eben nicht ausdrücken; vgl. marsieren Nr. 55, 15. Wer an der Wendung

2 Freyberg ist eine grosse Berg-Stadt,
Darinnen es gar sehr viel Bergleute hat,
Sie haben ausgestanden so grosse Gefahr,
Sie erhalten die Stadt mit den Bürgern fürwahr.
Drum freut euch, ihr Bergleut,
Traget Gott im Hertzen allezeit.

3 Freyberg hat eine feste Stadt-Mauer,
Daran lieff zu Sturm viel Bürger und Bauer,
Sie ist gewesen in grosser Noth,
Der Feind must abziehen mit Schand und Spott.
Drum freut euch, ihr Bergleut,
Traget Gott im Hertzen allezeit.

4 Freyberg ist so feste geschlossen,
Der Käyser und der Schwede hat es müssen lassen,
Wenn die Feinde wären in die Stadt nein kommen,
So hätten sie uns Leib und Leben genommen.
Drum freut euch, ihr Bergleut,
Traget Gott im Hertzen allezeit.

syntaktisch oder logisch Anstoß nimmt, denke nur 'Bresche schießen', oder 'geschossene Bresche', oder nach dem obigen ein !, vgl. auch Lachmann zu Walther 81, 20. Die Hauptbresche, durch eine Mine gesprengt, maß 20 Ellen. 2, 2. **es hat**, es gibt, eine im 17. Jh. gewöhnliche Wendung, die im Südwesten noch gilt: Logau 2, S. 108 **Wo Poeten durch entzücken Sich zu guten Reimen schicken: Hat es allenthalben Hasen** (Verliebte, Narren), **Hat es Leute die da rasen** u. s. w. Scheible, flieg. Bl. 316 (a. 1621) **Zu Frankenthal wol in der Stadt, allwo es reiche Burger hat.** 2, 3. zu der Wiederholung aus Str. 1. vgl. S. 18. 3, 2. **Bürger?** gewiß im Mund der Leute versungen, herbeigezogen durch die Alliteration; die 'Bauern' werden richtig sein, die wurden von jeher zum Schanzen, Graben u. dgl. Arbeiten gebraucht; nach Fronspergers Kriegsbuch gehörte zur Belagerungsrüstung und zur Wagenburg ein besonderes Corps 'Schantzbauern'. **lief**, der Sing. von **viel**, das nach seiner Herkunft hier noch nicht adjectivisch, sondern substantivisch gebraucht ist, vgl. S. 126. 4, 1. **geschlossen**, der Ausdruck ist wol von den alten, (mit Ketten) 'geschlossenen' Wagenburgen geblieben (s. Nr. 18, 24, 5), wie **laden** urspr. von der Armbrust. Piccolomini entsetzte am 17. Febr. die 53 Tage lang belagerte Stadt.

59.

Der Weitberühmten Stadt Erfurth

Zurück und Irrgehender Triumph=Wagen, Mit den verdunckelten Morgenstern

Im Thon: Wie schön leuchtet der Morgenstern.

Gedruckt Im Jahr,
Da Sie im höchsten Nöthen war.
1664.

Hdschr. in der Bibl. der Deutschen Gesellschaft zu Leipzig, in einem Sammelbande in fol. mit allerlei Politicis von 1665—1715; der Band, von einer Hand geschr., gibt eine lebhafte Einsicht in die Lust jener Zeit an derbem und auch geistvollem politischen Spott und in die Fruchtbarkeit, mit der dieser wucherte. Dieß Lied jedoch hat mehr Derbheit als Geist, es ist der ziemlich plumpe Triumph des Papisten, der die alte wichtige Stadt, die so lange die freie gespielt und für eine protestantische gelten konnte, jetzt mit franz. Hilfe niedergeworfen und endlich völlig dem Erzstift Mainz in die Hand geliefert sieht. — Das als Ton genannte Kirchenlied (vgl. Wunderh. 4, 157) war im 17. Jh. außerordentlich beliebt und ist auch mehrfach politisch verwandt worden; bei Kühn, Preussische Soldatenlieder ꝛc. Berl. 1852 S. 50 ist ein 'Lied eines preußischen Husaren bey dem Ausmarsche aus Holland' noch von 1787 in derselben Mel., ein politisches Spott- und Straflied gegen die niederländ. 'Patrioten', ziemlich in Ton und Stimmung des folgenden.

Der Erfurther Morgenstern.

1 Wie schön leucht euch der Morgenstern,
O ihr armen Erfurther Herrn,
Sambt Euren BundtsVerwanthen,
Die Sonn so Euch schön angelacht
Die habet ihr mit spott veracht,
Die wirds gar höchlich anthen,
Glimpflich Schimpflich
Müst ihr bücken, euren rücken,
Stadt und Leben
Auff discretion ergeben.

1, 1. Es scheint, daß die Erfurter ein Parteilied in dieser urspr. protest. Mel., von ihrem Morgenstern, gesungen hatten; das hier und die Überschrift klingt wie eine Antwort, ein höhnendes Zurückgeben. 1, 4. Mainz natürlich, viell. mit Gedanken

2 Nach dem Eyd habt ihr stets geziehlt
Und untern Hüttlein lang gespielt,
Man hat es wohl vernommen,
Die Karten habt ihr zwar gemischt,
Doch ist das StichBlat euch entwischt,
Wo mags wohl hin seyn kommen?
Grämmt euch schämbt euch
Daß mit glücke eure tücke
wir verkehren,
Halt, man wird euch mores lehren.

3 Ihr habt beym Tausend schlappermment
Den Fuchsbalg grausam sehr verbrennt,
Und zwar recht in der Mitten,
Ihr habt ihn wieder zugeplezt,
Doch nebens Loch den Fleck gesezt,
Die Kapp habt ihr verschnitten,
Unglück Fallstrick
Die ihr heget und beleget,
nunmehr fellen
Euch und euren Rottgesellen.

4 Den Herold habt ihr ausgeschänd
Sein Kleid der Papisten Rock genennt,
Und ihn halb todt geschmißen,
Das Crimen læsæ welch's gescheh'n
wird mancher der sichs nicht versehn,
Baargültig zahlen müßen,
Recht so Brecht so
Mit dem Stricke das Genicke
Den'n Rebellen,
Ihr ScharffRichters Zunfftgesellen.

an das Rad mit seinen Speichen im Mainzer Wappen. 2, 1. dem Treueid gegen Mainz, den sie gleichsam abzuschießen strebten. 2, 2. von Taschenspielern; schon bei Walther v. d. V. 37, 36. 38, 1 der Hut so, gougelhüetelîn bei Hugo von Trimberg. 3, 4. pletzen, flicken, Bletz, Fleck aufsetzen, siehe Grimms Wörterbuch 2, 110. 4, 1. der Reichsherold, der die Reichsacht verkünden sollte, war kläglich mishandelt worden; ziemlich Ausführliches über diese merkwürdigen Verhältnisse bei K. A. Menzel, Neuere Geschichte der Deutschen 8, 374 ff., mit Aktenstücken bei J. H. v. Falckenstein, Historie von Erfurth 4. Buch, Capitel 14.

5 Doch weil sie wollen Edel seyn,
So meczet starck mit Schwerdtern drein,
Der Strick ist vor die Bauren,
Richt sie nach ihren Schild und Helm,
Bevor den wohlbekannten Schelm,
Den müst ihr eins ablauren,
Pflegt ihn Plagt ihn
Den Rebellen und den Tollen
Daß die Raben
Sich an solchen Wildpret laben.

6 Wohl dem, der seinen Hochmuth nicht
Den Petersberg hat gleichgericht,
und Zwietracht angeleget,
Der darff nicht mit der losen Rott
erwarten nebenst Hohn und Spott,
waß mehr zu folgen pfleget,
Dick dack Fick fack
Band und Eisen, LandVerweisen,
StadtRecht hegen,
Auff die Stirn den Galgen pregen.

7 Waß habt ihr nun von euren truz,
Ihr Rebellanten doch vor Nuz?
Ihr müst die Kaze halten,

5, 2. das z ist in der Hs. durchaus noch so geschrieben, daß das alte c davor, zwar mit dem z verschlungen, doch mehr oder minder selbstständig erkennbar ist; da unsere Typen das nicht ausdrücken können und ich den interessanten Zug nicht wegwerfen wollte, lasse ich hier einmal cz stehn, wie es seit Jahrhunderten bes. in mitteld. Gegenden herrschte (in Akrostichen des 16. Jh. ist z. B. in czu dem C ein eigner Vers gegeben); man erkennt das c im z sogar noch in Handschriften vorigen Jh., auch in Baiern hieß selbst das tz bis gegen 1800 in den Landschulen noch 'cezett', Schmeller 4' 209; daß in diesem einen Punkt die Deutschen sollten von den Slaven haben schreiben lernen, glaube wer da will. 5, 4. **ihren**, so steht außer dem Ton in der Hs. durchaus **n** statt **m**, und die Hand ist eine gebildete, vgl. S. 106. 5, 10. das wäre auf dem Galgenberg vor den Thoren der Stadt. 6, 7. malt wol das Stäupen, eine Strafe die damals noch galt; in Sachsen **Fake**, Ohrfeige, bei Stieler, Sprachschatz 481 **ficken**, ferire, virgis caedere; vgl. 7, 8. 6, 9. wol **Standrecht**? 7, 3. **Katze halten**, gefangen sitzen, wol hier schon scherzhaft; bei Lessing, Minna v. B. 3, 10 meldet die schnippische Franziska dem Major Tellheim, er solle mit ihrem Fräulein ausfahren: v. Tellheim. Ganz allein? Fr. In einem schönen

Euch ist fürwahr gar recht geschehn,
Den'n Andern wird's auch so ergehn,
Der Kopff steht schon in falten,
Dückt euch schmügt euch,
Last mit Igeln euch abstriegeln
und fein puzen,
Last doch eure Hörner stuzen.

8 Ihr Cammeraden lustig dran,
Sezt auff und spielt wer spielen kan,
Und last das glücke walten,
Hebt von den UnterBauer an,
Und stecht darauff den OberMann,
Das Feld müst ihr erhalten
Ey Sa Viva
Drein gesprungen, Drein gesungen,
Schwerd und Feuer,
Macht der Bursch das Lachen theuer.

9 Ist euch der Esel nun bezahlt,
Mit RosenKränzen abgemahlt,
Die er farzt aus den Hindern?
Waß thun euch die Religion,
Die Mutter und selbst GottesSohn,
Euch Höll- und TeuffelsKindern?
Schimpfft nur Stimpfft nur
Ihr LufftFechter, Gott'sVerächter,
wie ihr wollet,
Biß euch all der Teuffel hohlet.

10 Ihr HeringsNasen glaubt nur nicht
mit ein'n FußFall sey's ausgericht,

verschloßnen Wagen. v. T. Unmöglich! Fr. Ja, ja; im Wagen muß der Herr Major K a z a u s h a l t e n! da kann er uns nicht entwischen. 7, 7. nicht schmiegen, sond. das Intensivum dazu, genauer **schmücken, schmucken**, bes. vom Gedemüthigten. 8, 2. 'sezt auf', näml. aufs Bret, den Tisch; 'nehmt ja an allen Rache'. 8, 10. **die Bursch** collectiv (Nr. 42, 47), erst daraus ist der einzelne Bursch geworden; hier = Gesinde, Gesindlein. 9, 1 ff. so also hatten die Erfurter die Mainzischen malerisch persifliert, wol gar den Erzbischof selbst? 9, 7. Stieler 2224 **stümfen, stümpen**, carpere, conviciari; Schm. 3, 639 **stimpfen, stümpfen**, sticheln, schmähen, **stümpfige nämel**, Spottnamen. 10, 1. Fischart verspottet

es will sich mehr geziemen,
Das Diem venio das Zeugnüs ist
eh' ihr der Fürsten Hand geküst
Ihr dürfft euchs nicht berühmen,
Ey Ey Pliz Bley,
Solch's gekostet, Ihr steh'n laßet
Freund zu sagen
Man wird euch ins Bockshorn jagen.

11 Wie schmecken euch die Tractament?
Wie lieffen ab die Compliment
Damahls zu Königs Hoffen?
Viel lieber hett ihr vor Salat
Ein Storchs Nest sambt den ganzen Rath
Verzehrt dahint beym Ofen
Ha-ha Sa sa
Stecht den Stahren, diesen Narren
Lacht der Fausen,
Narr'n muß man die Kolbe lausen.

12 Wolan wolt ihr nun wißen gern
wies steht umb euren Morgenstern,

irgendwo die Thüringer als Häringsesser; er versichert, man bewahre dort die Häringsnasen sorgfältig auf, reihe sie an einen Faden und das werde dann an Festtagen der Familie dargegeben, daran zu lecken. Aber der Spott ist älter, in alten lat. Reimen, die verschiedne Stämme charakterisieren (z. B. Mones Anz. 7, 508) müssen die Thüringer mit dem Häring herhalten, aus einer Häringsnase machten sie fünf Mahlzeiten: Halec assatum (Brathering, Pöckling) Thuringis est bene gratum De solo capite faciunt sibi fercula quinque. In dem in Jena handschr. liegenden Gedicht 'der Hörselberg' von 1592, 'beschrieben durch Victorem Perillum', von dem Zeune in v. d. Hagen's Germania 2, 346—358 leider nur Notizen und Bruchstücke gab, empfängt Mercur die Schatten in der Unterwelt, ein Schatten sagt (Zeune a. a. O. S. 348): Ja Herr ich kom aus Turingen, darauf ist Mercurs erste Frage: Was sagt man da von Heringen? Im übrigen Theil der Strophe müssen Verderbnisse sein. 11, 3. Königshofen, Würzburgische Festung im Grabfeld an der fränk. Saale; dorthin war der Kurfürst von Würzburg gekommen, um den Erfolg der Berennung abzuwarten, und dorthin waren nach Übergabe der Stadt 15. Oct. Erfurtische Abgeordnete gegangen, fußfällig Abbitte zu thun und Gnade zu erflehen; übrigens verfuhr Johann Philipp ganz anders als der Dichter hier hofft, er war der mildeste weiseste Sieger, den es geben kann. 11, 9. Fausen, Fusen, Kunkelfusen, Flausen, Narretei, Possen, Stieler 443 'Spinnmärlein'. 11, 10. die Redensart ist urspr.: einem mit Kolben lausen.

Der vor so schön geleuchtet?
Er leucht noch immermehr von fern,
Wie Kuhtreck in der Baur'n Latern,
Die von den Safft befeuchtet,
Säfftig Kräfftig
Soll er geben, euren Leben,
Trost und Seegen,
Braucht ihn wohl von unsertwegen.

60.

Entsatz von Wien.

1683.

Neuvermehrtes Berg-Lieder-Büchlein (s. zu Nr. 58) S. 57. Das Buch enthält drei auf Wiens Entsatz und die Theilnahme der Sachsen daran bezügliche sächsische Lieder, außer diesem eins S. 144 ff., das vorwiegend den Kurfürsten Johann Georg III. als Helden feiert (Ihr Sachsen seyd froh, habt frölichen Muth, Es wallet vor Freuden Chur-Sächsisches Blut, Denn unser Chur-Fürst der tapffere Held, Hat seine Curasche bewiesen im Feld :|:) und am wenigsten volksmäßig ist, und eins S. 59 ff. (Hört Liebhaber allzusammen, Was ich singe von Krieges-Flammen), das auf Wien nur in den Schlußstr. 12—14 zu sprechen kommt, die ich als Bruchstück mittheile. Eigentliche Volkslieder können alle drei nicht heißen, aber daß sie in der veränderten Zeit, die ein originales Volkslied fast nicht hatte, die Stelle solcher einnahmen, beweist schon die Quelle, der man es ansieht daß sie nur Lieder aus dem Gesang und für den Gesang enthält, nicht zum stillen Lesen. Die Kunstpoesie der schlesischen Schule hatte bis dahin ihre Wirkung auch in diese Kreise schon geltend gemacht, wie eben das Buch mehrfach deutlich sehen läßt, denn es enthält Lieder von Opitz, A. Krieger, Chr. Weise u. a., zum Theil sehr frei zurecht- und umgesungen. Gedichtet ist das Lied etwa von einem gebildeten Corporal, oder auch einem Officier, vermuthlich mitten im Feldzug, und gewiß gleich frischweg gesungen. Die Form ist die beliebte dialogische (S. 351). Ein Lied von 28 achtzeil. Str. von Wiens Entsatz notiert Mone, Anz. 7, 389, ein 'Bauernlied' Schmeller 3, 15.

1 Der Mond der scheint er will voll werden,
er scheint viel heller als andere Licht,
er breitet sich aus gantz über die Erden,
seht ihr die feurigen Flammen nicht,

1, 1. Der Türke spricht. 1, 4. diese Flammen und Rauch (verwüsteter bren-

der Rach der steigt biß an den Himmel,
die Welt erbebet vor ihren Gedümmel.

2 Türck ist mein Nahm in allen Landen,
ich such der Christen Untergang,
ich führ sie weg in Eisen und Banden,
zu Schad und Schand ihr Lebelang,
denn ich sie jetzund unterwerffe,
wer ist der sich mir gleichen dörffe.

3 Was machst du Wien wo ist dein Käyser,
gieb ihn heraus und du bist mein,
dazu ihr Grafen und euere Häuser,
Graf Stahrenberg den gebt mir drein,
sonst wil ich das Blut von eueren Bürgern,
anzappen wie Ströhm mit Rauben und Würgen.

4 Wart bald wil ich dir eines zutrincken,
aus unsern Stücken groß und klein,
schau wie die teutschen Degen thun blincken,
dazu ist Wien auch noch nicht dein,
du Bluthund was hastu wohl viel zu prahlen,
ey kennst du nicht des Adlers Kralen.

5 Frisch auf ihr Deutschen mit Helden-Muthe,
die ihr allzeit berühmet seyd,
ferbet die Degen und Lantzen im Blute,
zu dienen den Türcken, denn er ist bereit,
daß wir ihn schröpffen und Aderlassen,
O weh Vecier wie thust du verblassen.

6 O Wien, O Wien, hier ist nicht gut warten,
ich wolt ich wäre geblieben zu Hauß,
ich gedachte das Spiel viel anders zu karten,

nender Ortschaften) hat der Dichter gewiß selbst mit gesehen, als das Heer dem Donauthal sich näherte. 2, 3. über 80000 Menschen, heißt es, waren in dem einen Feldzug von den Türken aus Östreich entführt worden. 2, 6. gedr. dürffe. 3, 5. sonst, gedr. so. 4, 1. die Wiener sprechen, wol auf das anrückende Entsatzheer weisend. 4, 5. **Bluthund**, seit dem 16. Jahrh. gewöhnlicher Titel der Türken. 5, 1. wol Anrede an das Entsatzheer. 5, 4. gleichsam als Badeknechte.

jetzt sitz ich wie eine gebattene Mauß,
vergoldne Ketten die werd ich schon kriegen,
den Strick um den Halß, den Galgen zur Wiegen.

7 Mein höre doch, Mahomet wie ist dir zu Muthe,
ich halt die Ohnmacht hängt dir zu,
wie laufft dir von Hertzen und Kopffe das Blute,
halt stille ich will dich verbinden thun,
mit Sebeln Pistolen und Deutschen Courwienern,
daß dir gar wenig davon thut belieben.

8 Vivat, die Churfürstlichen Stücke last knallen,
Trajoner und Infanterie,
Kranatierer werfft euere feurichen Ballen,
wohl in das Türckische Lager allhier,
seht doch wie alle die Schelm mit Hauffen,
aus ihren Graben die Berge nauß lauffen.

9 Ey wartet ihr Agen und Janitzscharen,
ihr werdet ja nicht reissen aus,
jetzt wollen wir gar bald erfahren,
wie ihr bey uns gehalten Hauß,

6, 4. 5. **gebatten, vergolden** als Participia; in diesen und vielen ähnlichen, die das Volk noch braucht, hat das wolklingende, leichtgesprochene **-en** gleichsam den Versuch gemacht, sich über alle Regel zum Zeichen des part. praet. überhaupt zu machen; an eine dabei etwa überall unterliegende starke Form ist nicht zu denken, obwol man im Westen gerade von **baden** auch das Prät. **bud** bildete (Grimms Wb. 1, 1072); so in Zarnckes S. Brant S. 26a **erlangen** für erlanget, Körner 275 **verwesen** für verweset, 160 **kam getraben**, 163. 89 **unverzogen** für unverzagt; Adrian, Mitth. 394 **kam geprangen**, Solt. 253 **du wirst geleichen** für geleichet, betrogen; **geforchten** bei Abraham a St. Clara; dieß bequeme **-en** hat auch von urspr. starken Verben gerade das part. praet. oft allein erhalten, wie man '**gewalten und geschalten**' noch jetzt hört. 7, 1. **Mahomet**, hergebrachte Personification des Türkenthums, s. S. 372. **mein**! eine Interjection, die meist Überraschung ausspricht, in vielen Mundarten gebraucht, nach Schmeller 2, 591 elliptisch für '**mein lieber**!', ebenso wurde **lieber**! als ziemlich gleichbedeutende Interjection gebraucht. Jenes **mein**! brauchen auch Schiller (Räuber 5, 1. Daniel: **mein doch! was treibt Ihr! das ist ja gottlos gebetet!**) und Goethe (**mein! sagt, wer schoß da drauß?**), selbst Hagedorn 3, 47 (A. 1764): **mein! sage mir, warum die Fürsten fechten?** 8, 3. **Kranatier**, die mundrechte Volksform, noch jetzt in Sachsen in Geltung, Nr. 61, 4 u. vgl. S. 325. 8, 6. Laufgraben.

Camele, Stücken und euere Rinder,
sind unser jetzt und eure Kinder.

10 O Weh, O Weh, nun hab ich verlohren,
worauff meine gantze Hoffnung stund,
ich wolt ich wär gar nicht gebohren,
verfluchet seyn der Tag und Stund,
als ich die Christen thät überziehen,
jetzt muß ich mit Schanden von ihnen wegfliehen.

11 Ey warte doch nur ein wenig Stunden,
ich wil dir Zehr-Geld geben mit,
Kugeln, Kartaunen bey tausend Pfunden
wie es hier zu Lande gebräuchlich ist,
Kartaunen, Musqueten und Kugeln mit Haufen,
trinck doch ich will dir noch eines zusauffen.

12 Ach nein Chur-Sachsen dir ist nicht zu trauen,
du führest bey dir starcken Wein,
wir bekommen vor dir ein hefftiges Grauen,
weil du so wohl thust schencken ein,
wir müssen uns des Besten bemühen,
daß wir von deinen Sauffen entfliehen.

13 O weh Vecier wo ist dein Prahlen,
der du zuvor die gantze Welt,
dienstbar wolst machen, jetzt werden bezahlen,
die Deutschen dich mit baaren Geld,
ey weist du nicht daß Deutsche Soldaten,
viel besser sind als Türckische Ducaten.

* *
*

11, 4. urspr. Gebrauch und Sitt? 11, 6. Dieß zutrinken, einschenken (12, 4) eine besondre Form des Willkommenheißens, Grüßens zum Kampfe (Nr. 42, 23; der Bär grüßt sy mit rucher stimme Körner 23, vgl. Uhl. 477); so schon in einem schweiz. Liede aus dem Schwabenkrieg 1499 bei Wolff 584, Rochholz 263: Sy (die Landsknechte in der Schlacht) wontend sy seßend daheimb bim wyn, Und spräch einer zum andern schänk dapfer in. Des Trunks will ich erwarten .... Damit hand sy in (die Schweizer den Landsknechten) yngeschänkt, In die Yl (Ill) gejagd vnd darin ertränkt 2c. Das alles ist nur eine landsknechtische Variation des alten ritterlichen kampfliche grüezen, ze kampfe grüezen.

1 Als Chur-Sachsen das vernommen,
daß der Türck vor Wien war kommen,
rüst er seine Völcker bald,
thät sich eylend dahin machen,
da hört man das Pulver krachen,
da wurden viel Bluthunde kalt.

2 Rauß mit einer frischen Karten,
wolt ihr Türcken denn nicht warten,
jetzt schneiden wir Toback ein,
lange Pfeiffen und Quweden,
wollen wir euch die Menge geben,
das macht euch die Köpffe rein :|:

3 Kasche, kasche, Rocklisabka,
walla walla Predeschea

Das Bruchstück (s. S. 405) ist wol nicht Rest eines eigenen Liedes, sondern an das vorhandne Lied zur Zeit eben so angesungen, es trifft dessen Ton zu gut; dieses selbst, ein wunderliches Stück, doch mit einzelnen trefflichen Zügen, ist etwas älter und handelt von einem Feldzug gegen die Franzosen am Niederrhein, mit Betheiligung Brandenburgs, vermuthlich dem von 1672, es scheint nicht sächsischen Ursprungs. Merkwürdig aber ist, daß wol jedes Ohr aus dem Rhythmus und Ton die Melodie und Art des Prinz Eugen zu hören glaubt; also wäre dieser in der Form nicht Original? der Anklang geht durchs ganze Lied (vgl. nun auch L. Erk, Liederhort Berl. 1856 S. 386).

1, 3. er, 'Chursachsen', s. S. 39. 2, 1. um ein andres Spiel zu beginnen, die erste war falsch oder falsch gemischt. 2, 3. in die 'Pfeifen' (vergl. S. 217 unten), die Geschützröhre, um daraus zu rauchen; hinter Toback steckt das Wortspiel 'Kraut' als Tabak und Pulver; die Worte klingen durchaus wie Einladung zu einem Tabaks- und Kartenkränzchen, der Doppelsinn ist trefflich durchgeführt; was aber sind Quweden? 2, 6. Man schrieb dem Tabakrauchen wie früher dem Brantwein allerlei medicinisch wolthätigen Einfluß zu, das obige kann wörtlich oder von Grillen verstanden werden, die man als im Kopf hausende wirkliche Grillen (Mucken, Schnaken) dachte; über die Wunderkraft, die man dem Tabak zuschrieb, siehe z. B. im Weimarischen Jahrbuch 2. Bd. 1855 S. 251, Canitz singt im 'Lob des Tobaks' von den Tobaksblättern u. a.: Wider Pest und Leibeswunden Sind sie schon bewährt gefunden. 3, 1. 2. türkisch, wie es scheint, Worte der Geschlagenen, die einander zur Flucht auffordern; schon im 16. Jh. finden sich so fremde Brocken in Lieder eingestreut wie ein kräftiges Gewürz ins Gericht, z. B. in dem Lied von der Flucht König Heinrichs III. aus Polen im Frankf. Liederbuch Nr. 152 (Ambraser Liederb. S. 197) ein polnischer Refrain; in dem Liede von den krainischen Bauernunruhen bei Uhland Nr. 186 S. 511 Krainerisches auch refrain-

Groß=Vecier gab Versen=Geld,
der Pohlnische König thät nachsetzen
und die Türckischen Hunde hetzen,
als ein praver Kieges=Held :|:

artig; in Husarenliedern des 18. Jh. Ungarisches, Wunderh. 1, 46, schlesisch bei Hoffmann und Richter Nr. 248, vergl. Nr. 249, Simrock Nr. 300, Ditfurths Fränk. Volksl. 2, 167.

III.

chtzehntes und Neunzehntes Jahrhundert.

61.

Erstürmung von Prag.

26. Nov. 1741.

Handschriftlich auf dem Vorsetzblatt eines 'Frauenzimmer-Lexicon' von 1715, mir mitgetheilt von Herrn Dr. Felix Flügel in Leipzig; nach mehreren Spuren ist die Niederschrift aus dem Gedächtniß geschehen, wie sich vermuthen läßt von einem sächsischen Soldaten, vielleicht einem Unterofficier, denn die Hand ist keine ungeübte und doch die Schreibung vielfach roh dialektisch, z. B. **Brag, wäugerst dich, wülst dich, rauden Kranß, diern** Thüren, **mir** wir, **nehmst** nebst oder vielmehr 'nebenst', **Lehben** Löwen. Das Lied ist zwar genug vom Zeitgeschmack berührt, aber doch ein echtes Soldatenlied, wie u. a. der Schluß genügend darthut, der auch einen Officier als Dichter nicht wol zuläßt. Die merkwürdige Episode aus dem östreichischen Erbfolgekriege, die auf kurze Zeit Prag dem Kaiserhause entriß, ist natürlich gut soldatisch ganz in sächsischem Geiste aufgefaßt, als ob die Sachsen die Stadt erobert hätten und zwar für ihren König; von den Baiern und Franzosen, die Theil nahmen, ist kaum die Rede, von dem der dabei die Hauptperson war, Karl Albrecht Kurfürst von Baiern, gar nicht.

1 Prag wenn ich rathen soll,
Laß Deinen Adler fliegen,
Nimm Sächsche Schwerder an,
Du wirst dich nicht betriegen;
Mein König, Fürst und Held
Augustus ruft Dir zu
Mit seinem Helden Muth:
Hie habt ihr Fried und Ruh.

2 Du aber weigerst dich
Und wilst dich nicht beqvämen,
Die Gnade unsers Herrn
Gutwillig anzunehmen;
Dieweil dein Rautenkranz

1, 3. Die sächs. Kurschwerter statt des östr. Adlers. 2, 5. Jungfernkranz?

Auf etwas anders zielt,
So sieh wie unser Held
Rodowsky mit dir spielt.

3 Des tapfern Franzen Corps
Fienck an dich zu beschießen,
Und dabei setzet es
Nicht wenig Blutvergießen;
Auf unser Seiten ward
Kein Feuer nicht gespart,
Biß daß der hohe Wall
Mit Sturm erobert ward.

4 Hier gienck es Schoß auf Schoß
Mit Donnern der Canonen,
Da schwärzte man das Maul
Mit Pulfer der Patronen;
Der erste Angriff ward
Durch Cranadirs gemacht,
So mit den Muschqvedir
Als Schoß und Schwert geacht.

5 Halt, Bruder, hieß es hier,
Laß mich am ersten klettern,
Und solt der erste Schoß
Mich augenblick zerschmettern;
Die Lenden beugten sich,
Doch ließ man nicht ehr nach,
Biß man den Wall erstieg
Und Thor und Thürn erbrach.

denn die alte Personification der Stadt als umworbene Jungfrau hat doch dem Dichter noch vorgeschwebt; der Soldat denkt sich, als ob Prag die freie Wahl hätte und etwa mehr Lust zu Baiern spürte? dergleichen mochte er doch in der Stadt wirklich gehört haben. 2, 8. Graf Rutowsky, der Befehlshaber des sächs. Heeres. 3, 1. also werden wenigstens die Franzosen erwähnt, die Baiern aber gar nicht, gerade das ist bezeichnend. 4, 1. Schoß gut mitteldeutsch, sächsisch, Nr. 31, 10, 2, der pl. das. 7, 2 schüsse. 4, 4. beim Abbeißen, ein echt soldatischer Zug im Bilde. 4, 6. volksmäßig, vergleiche Nr. 60, 8. 3. 4, 7. 8. ein zierlicher Gedanke, der an Kunstdichter wie Besser, Canitz erinnert, der Grenadier mit seinen Handgranaten gleichsam ein lebendiges Geschütz, der Musquetier ein lebendiges Schwert; die Vergleichung gieng vermuthlich im Heere um. 5, 5. Lenden richtig?

6 Darnach gienck es mit macht
Auf denen beiden Gassen,
Die Festunggarnison
Wolt man nicht leben lassen,
Doch haben wir an ihn
Barmherzigkeit gethan,
Und nahmen selbige
Als Kriegsgefangen an.

7 Da rant und raucht das Blut
An denen Wall und Mauern
Des tapfern Generals
Und andrer die uns dauern;
Der tapfre Weißenbach stieg
Am ersten auf den Wall,
Und diß beförderte
Nebst andern seinen Fall.

8 Wohlan die ihr nun habt
Blessur und Tod erlitten,
Und vor Augustus Ruhm
Den Löwen gleich gestritten,
Glaubt nicht daß euer Tod
Bald wird vergessen sein,
Die Fama träget sie
Ins Buch der Helden ein.

9 Ihr hohen General,
Ihr stundet an der Spitzen,
Und Euer Heldenmuth
Kundt unsern Muth erhitzen;
Ganz Saxen hört das Lob
Mit viel Erstaunen an,
Was euer Tapferkeit
Im Sturm vor Prag gethan.

10 Drum gute Nacht, mein Zelt,
Adje mein liebes Lager,

6, 5. **ihn** für **ihnen** gut volksmäßig und die alte rechte Form. 7, 4. geschrieben **andre**. 7, 7. geschrieben **befordert**, früher fehlte dem Wort allerdings der Umlaut. 7, 8. **Fall**, geschrieben **dot**. 8, 6. geschrieben **So bald vergessen wird sein**.

Heunt kom ich ins qvartir
Zu Euch ihr Herren Prager;
Vivat Augustus Rex,
Rothowsky schließ ich ein,
Das soll bey Bier und Wein
Auch unser Losung sein.

10, 3. heunt, d. i. heut Abend, jetzt sächs. hinte (mhd. hînt, hînte). 10, 7. Bier und Wein, Bier und Brantewein spielen eine wichtige Rolle im neuern Soldatenliede, besonders so am Schluß als schöne Perspective.

62.

Friedrich der Große und Daun.

Allgemeines deutsches Lieder-Lexikon oder vollständige Sammlung aller bekannten deutschen Lieder und Volksgesänge in alphabetischer Folge. Leipz. 1847. 3, 226 Nr. 1911; und Mittheilung des Herrn W. v. Ploennies in Darmstadt nach der Niederschrift eines hess. Soldaten; nun auch mit Melodie aus Franken in den Fränkischen Volksliedern ꝛc. herausg. von Franz Wilh. Freiherrn von Ditfurth. Leipz. 1855. 2, 158 als 'Feldzug von 1757'. Das Lied wird also am Mittelrhein und am Main noch gesungen; alle drei Fassungen treffen im Ganzen überein. Es scheint vergeblich, dem Liede Jahr oder Tag bestimmen zu wollen, es ist gleichsam ein Stück mythischer Geschichte aus dem Soldatengedächtniß; denn Friedrich hat Daun in Böhmen nicht geschlagen, ist vielmehr von ihm geschlagen worden (Collin), in der Schlacht bei Prag war nicht Daun Friedrichs Gegner, der Eingang scheint aber den Beginn des ganzen Krieges zu meinen. Das Lied ist wol zusammengeflossen aus unbestimmten allgemeinen Bildern der Feldzüge in Böhmen und anderwärts, den Hauptzug hat vielleicht eine trübe Erinnerung der Torgauer Schlacht gegeben, in der Daun geschlagen wurde. Das Lied erzählt gleichsam Friedrichs Kämpfe mit Daun, wie in einen idealen raschen Feldzug zusammengedrängt. Wer das etwa übelnehmen möchte, erinnere sich, wie leicht auch chronologisch geschulten Leuten Erinnerungen und Bilder etwa von verschiedenen Reisen sich verwechseln und vermischen. Das Lied hat gewiß seinen ersten Leib nicht mehr, es sind vielleicht bloß die Knochen geblieben, der Ruhm Friedrichs, vielleicht finds gar zusammengeronnene Reste mehrerer Lieder.

1 Vivat! jetzt gehts ins Feld
Mit Waffen und Gezelt,
Mit Waffen und mit meiner Kron
Zum Streiten in die Welt.

1, 3: Plönn. einer Kr., auch bei Ditfurth wie oben. 1, 4. so Pl. und Ditf.;

2 Und Friederich der Große
Er zeigts den Feinden an,
Er reiset dann gen Sachsen aus,
Zwei Schwerter in der Hand.

3 General Daun der steht vor Prag
Und der ist wohl postiert,
Und Friedrich ruckt in Böhmen ein
Und wird schon attakiert.

4 O Held, o Held, sprach Friederich,
O Held, wo steht dein Sinn?
Ich nehm dir dein Geharnisch weg
Und dein Kanonen all.

5 In drei Colonnen frisch aufmarschiert!
Der König geht voran,
Er gibt nun aus das Feldgeschrei
Und commandiert: heran!

6 Schlagt an, schlagt an, schlagt alle an,
Schlagt an in schneller Eil,
Und weichet nicht von diesem Platz,
Bis sich der Feind zertheilt!

7 Groß Wunder ists zu sagen,
Was Friederich hat gethan,
General Daun der ist geschlagen
Mit Hunderttausend Mann.

Lex. **zu str. in der W.** 2, 2. Kriegserklärung. 2, 3. **reisen** im alten ritterl. Sinn, der Heerzug gemeint, s. S. 158; so in einem 'Marsch nach Frankreich' 1813 bei Ditfurth 2, 179: **da reisen wir mit unsrer Fahn, mit neunmalhunderttausend Mann**; 'Feldzug 1815' das. 2, 183: **Die ungrischen Husaren waren auch schon dabei, Sie reisten mit Freuden ins Schweizerland nein.** 2, 4. Haben Sachsens Kurschwerter das veranlaßt? der Eintritt der bei Pirna gefangenen Sachsen in Friedrichs Heer? die Volksphantasie ist äußerst kühn, alles persönlich anschaulich zu machen; die Mühe, ihren sonderbarsten Wendungen auf den Grund nachzufragen, verlohnt sich meist besser als in ähnlichem Fall bei Kunstdichtern. 3, 2. Pl. **rückt.** 4, 2. Pl. **stehn.** 4, 3. **das Geh.**, Collectiv, die gesammten Rüstungsstücke, wol wie man sie damals in alterth. Form noch auf Bildern, Wappen, Münzen, in Kirchen sah. 5, 3. Lex. **gibt uns nun d.**, Ditf. **gibt uns gleich.** 6, 1. **alle** von mir zugesetzt. Str. 7 ist bei Pl. die drittletzte, im Lex. die vorletzte, bei Ditf. die letzte.

63.

Eroberung von Belgrad.

8. Oct. 1789.

Aus einem flieg. Bl. „Vier neue Arien, gedruckt zu Dresden“ bei Wil. Walter, Samml. Deutscher Volkslieder, welche noch gegenwärtig im Munde des Volks leben u. s. w. Leipz. 1841. S. 195 ff., mit wesentlicher Unterstützung eines Bruchstücks (Str. 2, 1—4. 3. 4), das Soltau in Halle aus mündl. Überl. aufnahm. Ein anderes Lied von dieser Belagerung Belgrads bei Simrock, Deutsche Volkslieder S. 496.

1 Als nun die große Stadt Belgerad
Joseph der Zweite belagert hat,
Da mußt Laudon commandieren,
Wie man den Streit sollte führen,
Da trat er mit seiner Macht
Vor die Türken in die Schlacht.

2 Ein Trompeter ward gesandt
In die Stadt zum Commandant,
Ob er sie wollt übergeben,
Oder solln wir sie einnehmen?
Mit viel Pulver und Kanon,
Läßt euch sagen der Laudon.

3 Der Commandant schloß diesen Rath:
Es muß brennen mir der Bart,
Eh ich diesen Ort sollt lassen,
Sollten alle Türken erblassen,
Es kommt auch der Großvezier
In sechs Stunden zu helfen mir.

4 Als nun Laudon das vernahm,
Daß der Großvezier nicht kam,

1, 2. Das ist gleichsam der officielle Stil der gut kaiserl. Soldaten. 1, 3. das Jahr vorher hatte Lascy den Feldzug geleitet und Belgrad konnte nicht genommen werden, darauf geht wol der Ausdruck. 2, 1 ff. so und ähnlich formelhaft bei Belagerungen. 2, 4. Walter O. **sie sollten sie einn.**, obiges mündl. bei Soltau. 3, 1. vergleiche **'Rathschluß'**. 3, 4. so Soltau, Walter: **Sollten gleich Trompeten blasen,** zum Sturm. 3, 6. Soltau **in zehn Tagen zu Hülfe m.**

Da ihn hatt mit Roß und Wagen
Prinz von Koburg sehr geschlagen,
So befahl er dieses Wort:
Greift gewaltig an den Ort.

5 Nun so richt euch ins Geschick,
Keiner weiche nicht zurück,
Thut der Festung nicht verschonen,
Schießt mit Pulver und Kanonen,
Schießt die Wachtel aus dem Nest,
Haltet euch aufs allerbest.

6 Als das Feuer zu schwer ward,
Und ihm abgebrannt der Bart,
Schickt er gleich durch Abgesandte,
Nur ein wenig anzuhalten,
Er wollt übergeben die Stadt,
Die Laudon belagert hat.

7 Als nun war vorbei die Schlacht,
Wurde gleich Anstalt gemacht,
Daß man alle Kriegsblessierte
In die Lazarethe führte,
Und darin durch Feldscheers Hand
Ihre Wunden bald verband.

8 Nun wurden ins Lazareth geführt
Alle die vom Feind blessiert;

4, 3—5. Walt. **Da hat er m. R. u. W. Dem Prinzen v. C. vorgeschlagen, Zu befehlen ..**, so seltsam suchen die Singenden sich zu einigem Sinn zu helfen, wenn einmal das Rechte und die Thatsache vergessen ist; Soltaus Aufzeichnung gab zum Glück das Rechte, nur die Zeilen verstellt: 5. 6. 3. 4. Der Herz. von Koburg und Suwarow schlugen den Großvezier am 22. September bei Martinestje in vernichtendem Siege. 5, 1. **sich schicken**, sich rüsten, alt. 5, 5. **Nest** (vergl. Nr. 52, 17. 49, 16. 51, 6, 8) paßt trefflich auf Belgrad; vergl. auch **vogelhaus** Uhland 471. 6, 2. und also sein Ehrenwort gerettet, das meint der Soldat; Achtung vor Feindestapferkeit ist in diesen Liedern, wie einst in den Landsknechtliedern. 7, 4. sehe man den Soldaten dieß ihr wichtiges Interesse nach, das dem Stubendichter freilich fern gelegen wäre (vergl. auch Nr. 61, 8, 2); jene haben gerade den Vers sicher mit physischem und psychischem Wolgefühl gesungen; die Ausführung der folgenden Strophe gehört vielleicht nicht ursprünglich her. 8, 2. **vorm?**

Wurden dann nach dreien Tagen
Alle die vom Feind erschlagen,
Nach gewohntem Kriegsgebrauch
Vor der Stadt begraben auch.

9 Nun so sei es ausgemacht,
Mit den Türken gute Nacht!
Dieses läßt euch Laudon sagen:
Wenn die Trommel wird geschlagen,
So packt euch ihr Türken fort,
Es ist ein kaiserlicher Ort.

10 Als nun Laudon dieß vernahm,
Daß er wieder nach Belgrad kam,
Da sprach er zu seinen Helden:
Ich will mich (wieder) nach Belgrad wenden,
Daß ich komme als ein Bild
An das kaiserliche Schild.

9, 2. den T. hat ihr letztes Stündlein geschlagen, **gute Nacht** alte Abschiedsformel im Volksgesang. In Str. 10, 1—4 kann ich nicht helfen, **wieder** in Z. 4 wird aus der 2. falsch aufgenommen sein, das Ganze enthält mehr einen Entschluß Laudons zur Belagerung Belgrads, als den Schluß dieses Lieds.

64.

Kaiser Josephs II. Tod.

1790.

Mündlich, aus dem Odenwald, mir mitgetheilt von Hrn. W. von Ploennies, mit 4 Str.; eine Fassung in nur drei Str. schon bei Simrock, die Deutschen Volkslieder, Frankf. a. M. 1851 Nr. 325. Nun auch aus Franken bei Ditfurth (mit Mel.), Fränk. Volkslieder 2, 163, aus Schwaben bei E. Meier, Schwäbische Volkslieder Berl. 1855 S. 262, dort mit sechs, hier mit fünf Strophen. Die vollständigste fränk. Fassung scheint auch die ursprünglichste; zur muthmaßlichen Herstellung trugen übrigens alle bei; die Noten können auch hier nicht bezwecken, die Verschiedenheit der Fassungen genau zu registrieren.

1 Josephus der römische Kaiser
Der weltberühmte Held,
Der es mit dem türkischen Kaiser
Gekämpft hat in dem Feld,
Thut sich der Welt empfehlen,
Seinen getreusten Generälen,
Muß in sein besten Jahren
Schon auf die Todesbahre.

2 Josephus der drückt dem Laudone
Zum letzten Mal die Hand,
Dem alten getreuen Barone,
Der weit und breit bekannt,
Dankt ihm für seine Treue
In allem Weltgeschreie,
Da weinte der alte Greis,
War wie der Schnee so weiß.

3 In einem so niedrigen Tone
Sprach er so hoch herab:
Wie weit ist denn vom Throne
Zur Erden ins kühle Grab?
O Herr du hast mir gegeben
Die Krone, das Schwert, das Leben,
Jetzt stürzest du mich herab
Vom Thron zur Erden ins Grab.

1, 1. Nur in der schwäbischen Fassung ohne die latein. Endung Joseph, vgl. S. 152. 1, 2. schwäb. der große muthige H. 1, 3. dieß es nur Odenw., vergl. S. 12. 1, 4. so auch Simrock, Ditfurth. 1, 5. 6. fränk. hat ... empfohlen, seim treusten Generale, also bloß Loudon. 1, 7. Odenw. frühsten J., schwäb. in den jungen J. Str. 2 fehlt Simrock, schwäb. als 4. 2, 1. schwäb. reichte, fränk. gabe; Laudone nur schwäb. 2, 6. fränk. im ganzen Feldgeschreie, schwäb. fürs ganze Feldgeschrei, vielleicht doch das Ursprüngliche, es ist aber interessant, wie die Odenw. Fassung das Militärische ins Politische nicht unpassend erweitert hat. 2, 8. schwäbisch dieß als Bezeichnung für die Art des Schmerzes benutzt: daß er wird wie Schnee so weiß; der seltsam übertreibende Zug kann doch die Innigkeit hören lassen, mit der der gemeine Mann das Lied und die Sache behandelt; wie leicht vertieft sich im Singen die Empfindung. Str. 3 fehlt Odenw., auch Simrock hat nur 3, 5—8 als zweite Hälfte der (3.) Schlußstr. mit 4, 1—4; 3, 1. 2 nur fränkisch, da Strophe 2 bei Meier verstümmelt ist.

4 Der Leib muß wieder zur Erden,
Woraus ihn Gott erschuf,
Zu Staub und Asche werden,
Hier in des Todes Gruft.
Sei Kaiser, Pabst oder König,
Der Tod fragt darnach wenig,
Er nimmt den Herrn vom Thron
Als wie den Hirtensohn.

5 Hier ruhet Josephus der zweite,
Der Römischer Kaiser war,
Theresia an der Seite,
Die ihn zur Welt gebar;
Da liegt er ohne Kummer
In einem Friedensschlummer,
Zu Wien in einem Sarg
Liegt Joseph der Monarch.

6 Sein Grabstein ward gezieret
Wies einem Kaiser gebühret,
Mit Sternlein ausstaffieret,
Dem Titel den er geführet,
Daß Jedermann kann lesen,
Was er auf Erden gewesen,
Der große hochmüthige Held,
Der Erbe vom Thron der Welt.

Str. 4 fehlt Odenw. 4, 5—8 auch bei Simr. nicht. 4, 1. Simr. **Josephus muß** ... 4, 2. schwäb. **die Seele in Gottes Schoß**, wie ähnlich oft am Schluß von Soldatenliedern. 4, 4. fränk. **ins Reich der Todtengruft**, schwäb. **so recht des Todes Loos.** 4, 1. 2. fränk. 4, 3. so schwäb.; fränk.: **den H. Baron.** 4, 4. so fränk.; schwäb.: **wie auch dem Bettler sein Sohn.** 5, 3. schwäb. **Therese**, vgl. zu 1, 1. 5, 5. 6. Simr. (schw.) **In Fried und Freuden (Freud und) Schlummer Schläft Joseph ohne Kummer**, fränk. **In Frieden, Ruh und Schl. Liegt er hier o. K.** Str. 6 fehlt schwäb. und bei Simr. 6, 3. fränk. **mit Reimen a.** 6, 4. fränk. **die T. die er führt.** 6, 7. 8. fränk. **Ein großer Monarch und Held, der auch zum Tod verfällt. hochmüthig**, hochgesinnt, vergl. Nr. 40, 5.

65.

Belagerung von Mainz.

1793.

Mündlich, aus dem Odenwalde, mir mitgeth. von Ploennies; fast durchaus angepaßte Verwendung eines älteren Liedes, das als Rahmen gebraucht worden ist. Es ist das Lied von der Belag. Belgrads 1789 bei Simrock Nr. 324 S. 496, freilich mit sechszeil. Strophen; er bemerkt dazu S. 614: „Das Lied ward auf alle späteren Kriege umgedichtet, so bei Soltau 567 [Mainz 1793], Erk III, 1, 50 [Namür 1814, kein Belagerungslied, trifft nur in den zwei ersten Zeilen], Hoffmann Schles. Vl. 299. 300 [auch nur ein paar Zeilen], und in einem Soldatenliederb. in Herrn Mittlers Besitz"; vgl. bes. zu Nr. 68. Es bildeten sich vielmehr, wie in früheren Jahrh., mehrere solcher Rahmen für Kriegs- und Schlachtlieder, die durch verschiedne Heere und Zeiten fortlebten und noch leben, getragen wie damals von der Mel. und Strophenform; Simrocks Anführungen geben deren zwei, die einander allerdings in Einzelnem berühren; ein dritter in Nr. 80b. Eine 'Belagerung von Mainz' aus Franken in 7 Strophen bei Ditfurth 2, 165 steht zu den beiden Liedern bei Soltau 567 und hier in nächster Beziehung, Soltaus Lied ist davon nichts als eine etwas zersungene, theilweis verstümmelte spätere Fassung; das hiesige steht mehr selbstständig zu ihm, ist jedoch auch kein eignes Lied, sondern nur eine eigne, übrigens hübsch abgerundete Fassung, die auch im Einzelnen hier und da echter klingt. Das ursprüngliche Lied hat vielleicht Goethe öfter singen hören; ein Lied, das es hauptſ. mit den Mainzer Clubbisten zu thun hat, in Pröhles Volksl. S. 189.

1 Marschieren wir ins Mainzer Land,
Stadt Mainz die ist uns wohlbekannt,
Marschieren wir in Schanzen,
Marschieren wir ins wilde weite Feld
Trotz den stolzen Franzen.

2 Der König schickt seinen Trompeter nein,
Was der Commandant vermeint,
Er soll sich resolvieren,
Ob er Stadt Mainz wolle geben auf,
Die Deutschen rückten so stark dafür,
Sie wollten es bombardieren.

1, 5. Bei Simr. **Zum Trotz (den stolzen Türken).** 2, 4. noch das alte **aufgeben** (Nr. 8, 4; 9, 3. 12; 11, 15; 31, 12. 13). 2, 5. wol nachträgl. Zusatz; doch könnte etwa Z. 4 in den andern Str. repetiert worden sein; Soltaus Lied und das bei Ditfurth haben durchaus sechs Zeilen in der Str., ebenso in demsel-

3 Der Commandant zur Antwort gab,
Daß er Stadt Mainz nicht lassen mag,
Das wär für ihn ein Schande,
Wenn er wieder nach Frankreich käm,
Sie jagten ihn aus dem Lande.

4 Und als der König die Antwort vernahm,
Was der Commandant vermeint:
Schlagt an, gebt Feuer, daß es blitzt und kracht,
Es lebe jeder brave Soldat,
Frisch auf, ihr deutschen Brüder!

den Rahmen eine Belagerung von Glogau 1806 bei Ditfurth 2, 171 (**Marschiren wir in das Preußenland** ꝛc.), und ein L. vom Rheinübergang 1814 ebend. 2, 180 (**Marschiren wir ins Franzosenland, Stadt Lyon ist uns wolbekannt** ꝛc.); 5. 6 sind auch in Soltaus L. von Mainz S. 567 fast wörtlich: **die Deutschen stehn so stark dafür, sie** u. s. w. Str. 3. bei Simr. Str. 4 fast wörtlich. 4, 3. ziemlich wörtlich in Soltaus, wörtlich in Simrocks Schlußstr. 4, 4. ein Ausruf, den das neuere Soldatenlied überall, bes. gern zum Schluß anbringt. 4, 5. derselbe Schluß bei Simr., bei Ditf. 2, 180, in dem Glogauer Lied bei Ditf. **Frisch auf, ihr bairische Brüder**; er ist formelhaft in vielen Liedern, bes. um 1813, und gibt gleichsam nach allem, auch dem trübsten Geschehen, eine frische frohe Aussicht, einen Aufschwung des Gemüths der über alles siegt. Dieß **frisch auf!** mit verschiedner Anrede ist alt, in geistlichen und weltlichen Liedern, '**Frisch auf du teutsche Nation, auf Gott im Himmel baue!**' beginnt ein L. v. 1620 b. Scheible, flieg. Bll. 147.

66.

Die Franzosen vor Philippsburg.

1799.

Mündlich, aus dem Odenwald, mir mitgeth. von Ploennies; auch der sächsische Veteran, von dem Nr. 83. 85 sind, kannte das Lied, leider nur den Anfang noch. Das Odenwälder Lied ist ebenfalls verkürzt und in einem wichtigen Punkt versungen; vollständiger und der urspr. Gestalt näher ist es nun aus Franken mitgetheilt (mit Mel.) von Ditfurth 2, 168; endlich aus dem Weimarischen aus Soldatenmund, in fünf Strophen, von O. Schade im Weimarischen Jahrbuch 3, 315. Es behandelt da die Belagerung von Philippsburg im Aug. 1799 durch Jourdan und seine Entsetzung durch Erzherzog Karl, im Sept.; Mannheim war damals seiner Festungswerke schon beraubt, hat auch eine solche Belagerung nie erfahren. Das Odenwälder Lied ist aber in sich so hübsch abgerundet, z. Th. auch echter, daß ich es stehn lasse wie es ist, zumal zu einer völligen Herstellung auch die andern Fassungen nicht ausreichen.

1 Die Franzosen brachen ein
Bei Mannheim übern Rhein,
Denn sie wollten es wagen
Diese Festung zu belagern,
Sie bauten Schanzen auf,
Sie schossen schon drauf.

2 Der französische General
Seinem Trompeter befahl:
Thut die Festung aufgeben,
Sonst kosts euch euer Leben,
In Feuer und Flamm
Schießen wir euch zusamm.

3 Der Commandant war voller Muth:
Wir befürchten kein Blut;
Bis die Stadt liegt in der Asche,
Und das Pulver brennt in der Tasche,
Eher lassen wir nicht
Diese Festung im Stich.

4 Wie ein Donnerwetter schlug es ein
Das Kanonenfeuer übern Rhein,

1, 4. fränk. Stadt **Philippsburg zu bel.**, auch thüring. so; es ist wol begreiflich, wie das Genaue aus jener Zeit durch den gewaltigen Ereignißschwall der folgenden Jahre im Gedächtniß der Singenden verwischt werden konnte und wie dabei das große Mannheim an die Stelle des kleinen Philippsburg trat, zumal nachdem auch dieß seine Festungswerke verloren hatte; die 2. Zeile gab das Misverständniß an die Hand. Was solche Lieder im Gedächtniß festhält, ist das Heroische darin, das was die Stimmung und Empfindung anspricht. 1, 5. 6. fränk. **sie bauen darauf ihr' Sch. wol auf.** 2, 1. 2. hier echter; **befahl**, gab Auftrag, im alten Sinn. 2, 3. **aufgeben**, s. Nr. 65, 2, 4; fränk. **ergeben**, thür. **geben.** 3, 1. gesungen ward **v. Wuth.** 3, 2. fränk. **kein Tod.** Zwischen 3, 2 u. dem folg. bei Ditf. in 12 Zeilen Genaueres von sechstägiger Kanonade, doch scheinbar auch nicht ganz vollständig. 3, 3. 4. fränk. **die Stadt liegt in Aschen, das Tuch** (s. Nr. 68, 4, 4) **brennt in der Taschen, doch** *rc.*, thür. wie hier, aber auch **Tuch** statt **Pulver.** 4, 1. 2. fränk. (Str. 6) **Mit sechzigtausend Mann Kam**

Da fieng an zu laufen
Der ganze französische Haufen:
Wir begehren auf Ehr
Eure Festung nicht mehr.

Herzog Carl nun an —; was aber hier steht, ist dort-Str. 4 von der franz. Kanonade gesungen. Bei Ditfurth eine 7., eine echte Soldatenstrophe, zum Schluß: **Gute Deutsche sind wir**; die Str. auch bei Schade, aber mit dem Schluß: **Weimaraner sein wir**! Ditfurth hat sein Lied vielleicht i. J. 1848 aufgenommen.

67.

Saalfeld, Jena.

1806.

Flieg. Bl., „Fünf neue Gesänge. Dresden, zu haben bei d. Buchbinder H. B. Brückmann [der seit Jahren thätigste Liederverleger in Sachsen] Breitegasse Nr. 63," der zweite. Das Lied ist ohne Zweifel von einem Soldaten, der dabei gewesen, vielleicht hat ers erst als Invalid gedichtet (s. Nr. 78); es ist aber so bloß von Soldatengeist, die heldenmäßigen Anklänge des früheren Soldatenliedes sind darin so fern, daß es zur Betrachtung auffordert: und es gibt um diese Zeit eine ganze Gattung solcher Lieder, die so bürgerlich gebildet klingen, sich namentlich über Krieg und Blut entsetzen, Betrachtungen über den Werth des Menschenlebens und des Friedens anstellen, daß man den deutschen Krieger nicht wieder erkennt — ich nenne sie für mich immer die hausbackenen. Das schien mir oft die Wirkung der humanistischen Bildungsarbeit des 18. Jh. in diesen Kreisen, die sich in einem weiten Gebiet des Volkslieds damals überhaupt offenbart. Sie zeigt sich selbst im Ausdruck, der gewählter, fast vornehmer ist als früher, gleichwie die Opitzianer eine Wirkung in Sinn und Form auf das Volkslied geübt hatten; aus der Kunstlyrik und der Oper sind manche, bes. Reimwörter als Lieblingswendungen aufgenommen worden, die meist bis heute gelten. Wie weit dieß Hausbackene in der Zeit reichte, werden die folg. Proben zeigen. Am bezeichnendsten ist ein Lied auf einem Brückmannschen flieg. Bl. „Von der Schlacht bei Wagram, Mel. Nichts Betrübters ist auf Erden," beginnend: „Alle Menschen hört man klagen, traurig geht es in der Welt, mit Entzittern, Furcht und Zagen —" weiter „weil jetzt die Gewerbe liegen, welche sonst emporgestiegen." — „unzählbare Thränen fließen, durch das viele Blutvergießen." — „Weint doch nicht ihr guten Eltern, ihr sollt nicht verlassen seyn! Gott hat sie [die gefallenen Söhne] gemacht zu Helden, wo sie sich des Friedens freun;" von der Schlacht nur zwei Zeilen. In ähnlichem Geist ist ein Lied 'Schlacht bei Regensburg' 1809 aus Franken bei Ditfurth 2, 171 mit 21 Str. (17, 5: „Schütz unsern König und zugleich das Vaterland und Deutsche Reich"), bedeutend gekürzt (4 Str.) aus Schwaben bei Meier 218.

1 Dort draußen an der Saale,
da gings gar grausam zu,
da gabs so manche Quaale,
bey Tag und Nacht nicht Ruh;
da gings an Schießen und Hauen
und Metzeln fürchterlich,
daß man bekam ein Grauen
für andere und für sich.

2 Kaum waren wir gekommen
bis Jena vor das Thor,
so hat auch schon vernommen
mit Schrecken unser Ohr,
wie die Kanonen knallen,
und wildes Kriegsgeschrey
im Echo wiederhallen,
nun war die Ruh vorbey.

3 Des Freytags um halb Zehne,
da ging das Vorspiel an,
da floß so manche Thräne
von manchem braven Mann:
Prinz Louis mußte bleiben,
das gab ein großes Weh,
bey Hof ein ärger Treiben
thät fast noch die Armee.

4 Des Dienstags früh halb Viere,
da gings erst grausend an,
wo Menschen und auch Thiere
stürtzten zur Todesbahn;
Kartätschenkugeln flogen,
gleich wie der Sand am Meer,
Franzosen, Preußen und Sachsen
die zogen die kreuz und quer.

3, 1. Freitag, 10. Oct., bei Saalfeld. 3, 7. auffallend so dazwischen gebracht; bei Hof ward am 7. Oct. von Soult eine preuß. Abtheilung unter Tauenzien geschlagen. 4, 1. bei Jena, 14. Oct. 4, 8. das **kreuz und quer** wird aus eigner Erfahrung zeichnen, wie dem Auge eines Einzelnen die Evolutionen, Angriffe und

5 Nun gings bald hier bald dorthin
ohn Unterlaß so fort,
daß man nicht anders glaubte,
man sey am Höllenbord;
besonders ungeheuer
gings drüber und drunter her,
mit fürchterlichem Feuer
beym feindlichen Chaseur.

6 Da lagen friedlich viele,
von beiderseits gestreckt,
wohl unter dem Gewühle,
von Blut und Staub bedeckt;
das war ganz zum erbarmen
und grausend anzusehn,
was unter diesen Tagen
vor Unglück war geschehn.

7 Nun auf der Retirade,
da gings erst über mich,
da gab es keine Gnade,
glaubt mir es sicherlich,
die Deichsel war zerbrochen,
der Wagen ging derquer,
mich hat man bald erstochen,
das schmerzte mich gar sehr.

8 Ist Geld bey dir zu sehen,
so geb ich dir Pardon,
ich wollt ihn nicht verstehen,
allein er griff mich schon,
den Rock mir aufgerissen,
genommen Uhr und Geld,
befördert durch Erschießen,
fort in die andre Welt.

Märsche der versch. Corps sich ausnahmen. 5, 8. dieser Sing. ist der Stil der Volkssprache. 8, 7. 8. offenbar versungen, wie gewiß noch manches Andere; auf diese flieg. Blätter kommt ein Lied in der Regel erst dann, wenn es eine gewisse Beliebtheit errungen hat, aus dem Mund eines Sängers, darum selten ohne Fehler; der

9 Nun mußt ich auch mit wandern,
auf das Schloß Viehbog zu,
wohl unter vielen andern,
da gab es keine Ruh;
mir war gar herzlich bange,
ich mußte zwar mit nein,
doch wollte ich nicht lange
im Schloße Viehbog seyn.

Franzos kann doch der Erschossene nicht sein? 9, 2. **Schloßvippach**, Weimarischer Marktflecken mit Schloß unweit der Unstrut bei Sömmerda; an der Entstellung ist gewiß nicht der Soldat schuld, sondern die Landesaussprache. 9, 7. **durfte?** das wird ein Sachse sein, zu Weimar wurden schon am 15. Oct. 5000 gefangene Sachsen freigegeben und diese Freiheit auf alle Sachsen ausgedehnt; Einzelne mögen aus Versehen länger gefangen geblieben sein.

67b.

Preußen nach der Schlacht bei Jena.

In Soltaus Nachlaß zwiefach aus verschiedner Zeit und in verschiedner Fassung: geschrieben von einer unerfahrnen Hand auf vergilbtem Papier, nach den Fehlern und Auslassungen offenbar aus dem Gedächtniß, — und abschriftlich von Soltaus Hand aus einer nicht angegebnen, mir unbekannten Quelle, wie es scheint einem Druck. Daß das Gedicht ins Jahr 1806 gehört bald nach der Jenaer Schlacht, zeigt z. B. Str. 17, denn schon am 31. Oct. wurde durch Bulletin aus Berlin der Kurfürst von Hessen als Feind Frankreichs seines Landes verlustig erklärt, zugleich der Prinz von Oranien (Str. 16); in der andern Fassung, die sonst wenig abweicht, auch die Lücken der ersten ergänzt, ist statt des rettenden mächtigen Napoleon und Frankreich überall Rußland gesetzt, d. h. das Stück ist wol oder übel auf das J. 1813 umgesetzt; dennoch hat die zweite Fassung einigemal das scheinbar Echtere. — Die Form eines solchen Fürstengesprächs, in Vers und Prosa, gleichsam einer europäischen Fürstenconferenz, ist älter, sie stammt aus dem 17. Jh., wo das Volk zuerst mit politischem Auge ein europäisches Gesammtinteresse ahnen und fassen lernte; die Form im Anfang zeigt oben Nr. 52; eine europ. Conferenz in strophischer Spruchform von 1618 bei Scheible, flieg. Bll. 249, vgl. 274. Im 18. Jh. waren sie bes. in Prosa beliebt (einzeln so auch schon im 17., z. B. Adrians Mitth. 318. 327), oft in Form eines gemeinschaftlichen Spiels (vgl. schon um 1593 bei Wolff 316). Eine 'Vertrauliche Unterredung zwischen allen Europäischen Hohen Mächten den gegenwärt. Krieg betr. 1758' bei Kühn, Preussische Soldatenlieder S. 13, in Liedform; da hat der Papst das erste Wort, wie hier das letzte: **Friede, Friede sey auf Erden, Wünschet meine Heiligkeit** 2c. Folgendem Lied steht in Zeit und Ton am nächsten ein in Bechsteins Deutsch. Museum 1, 212 gedrucktes, in dem die verschiednen Fürsten ihre Meinung aussprechen über den Presburger Frieden 1805; der Deutsche Kaiser beginnt: **Ach was hab ich doch begangen, Ach wie bin ich angeführt!** zuletzt spricht wieder der Papst versöhnend.

König von Preußen.

1 Friedrich, steig aus deinem Grabe,
Rette deine Nation!
Meine Ehre, Kron' und Habe
Aus der Hand Napoleon!
Ach, mein Unglück ist zu groß,
Ach, der Feind sitzt mir im Schooß!
Friedrich, steig aus deinem Grabe,
Rette deine Nation!

Geist Friedrichs.

2 Wilhelm, Wilhelm, bist du toll?
Laß mich ungeschoren!
Du bist nicht zu Preußens Wohl,
Nur zur Schmach geboren!
Du bist — Schande vor der Welt —
Allen Fürsten nachgestellt,
Hast in einem Augenblick
Preußens Glanz verloren.

König von Preußen.

3 Nun, so mag mich Gott behüten,
Wenn mir will kein Mensch beistehn;

1, 4. Soltau's spätere Fassung **durch der Russen tapfern Sohn!** 2, 1. die Handschr. mildernd **W., W., ich weiß wohl**; die Str. sollte offenbar absichtlich im Geist des großen Friedrich derb und schneidend sein; man muß um das zu würdigen, sich möglichst vom objectiven Standpunkt herabbegeben in den Gemüthszustand der Patrioten, die eben den October 1806 mit erlebt hatten, auch die Reden der preußischen Officiere im Anfang des Monats gehört und die preuß. Proclamationen vor dem 14. gelesen hatten. Wem das Unrecht, das dem König damit geschieht, doch zu schwer und unbegreiflich ist, erinnere sich daß man sich unter den Leuten hatte gewöhnen müssen Wohl und Wehe des Staats als ein Privatinteresse des Fürsten anzusehn. 2, 4. Soltau vermuthete **Ihm zur Schmach.** 2, 5. Soltau **Du hast — Schande für die Welt.** 3, 2. Soltau: **kein Mensch mir will.**

Soll ich denn um Frieden bitten,
Und mich ganz erniedrigt sehn?
Steht, ihr Fürsten, steht mir bei,
Macht mich Gram und Kummer frei,
Rettet meine schönen Länder,
Daß ich wieder glücklich sei.

König von Bayern und alle 4 rheinischen Bundesgenossen.

4 Stolz und Hochmut kommt vor'm Fall,
Nach dem Fall kommt Leiden,
Deine Völker war'n brutal,
Frech und unbescheiden;
Schrieen schon Victoria,
Ehe noch ein Schuß geschah,
Und bei'm ersten Flintenknall
Floh'n sie schon vom weiten.

König von Preußen.

5 Wahrlich, das war übertrieben,
Nur im Spott und Scherz geredt;
Sind nicht Feinde viel geblieben
In der Schlacht bei Auerstädt?
Kämpfte nicht mein Volk für mich
Wie die Löwen ritterlich?
Nur das Glück hat mich verlassen,
Und ließ auch mein Volk im Stich.

König von Sachsen.

6 Ja, das Glück war uns nicht gut,
Hat uns sehr geschoren,
Und wenn Gott kein Wunder thut,
Bist du doch verloren.
Darum, Bruder, sitz' ich still,
Helfe dir, wer helfen will,
Denn wenn Gott kein Wunder thut,
Bist du doch verloren.

5, 1. Solt. **ist üb.** 5, 3. Hdschr. **hier g.** 6, 4. Hdschr. **Scheinst du fast verlohren.** 6, 5—8. nur bei Solt.; 6, 5 klingt übrigens wie noch vor dem am

Russischer Kaiser.

7 Laß dich nicht vom Satan schrecken,
Wilhelm, der nur blenden kann;
Meine Macht soll dich bedecken,
Fünfmalhunderttausend Mann,
Die wie Felsen halten Stand,
Die erobern Dir dein Land
Und auch deine Fahnen wieder,
Und vertilgen deine Schand'.

König von England.

8 Und ich habe Volk und Geld,
Kann ich damit nützen,
Will ich gern, wenn dir's gefällt,
Dich mit unterstützen.
Frisch gewagt und frischen Muth,
Endlich geht noch alles gut!
Uns're Feinde bleiben all'
Dort in Polen sitzen!

König von Schweden.

9 Wilhelm, lebe ohne Sorgen,
Und erheitre deinen Sinn,
Ich will auch mein Volk dir borgen,
Ja, so wahr ich ehrlich bin!
Mehr denn funfzigtausend Mann
Schweden sind dir unterthan,
Und mein guter Nachbar Däne
Giebt auch gerne, was er kann.

König von Dänemark.

10 Nein, mein Freund, das thu ich nicht,
Lieber sitz ich stille;
Nur wenn Frankreichs Herrscher spricht,

11. December geschloßnen Frieden zwischen Napoleon und Sachsen. 7, 6. 8. die Handschrift kein Land — keine Schand, sieht wie absichtlich aus. 8, 4. mit ist damit; der Dichter war wol ein Preuße. 9, 5. bei Soltau funfzehnhundert, scheint satirisch. 10, 3. bei Soltau Rußlands Herrscher.

Dann gescheh sein Wille!
Sonst nimmt man das Holstein mir,
Drum bedank ich mich dafür,
Friede nur ist meine Pflicht,
Friede nur mein Wille!

König von Holland.

11 Recht so, recht, geliebter Vetter,
Lieber Frieden, als den Tod!
Ist Napoleon dein Retter,
O, dann hat es keine Noth:
Er liebt Frieden, gleich wie du,
Doch man läßt ihn nicht in Ruh,
Und um diese zu erkämpfen,
Schlägt er auf die Störer zu.

König von Spanien.

12 Das verdammte englisch' Geld
Das die Fürsten blendet,
Hat beinah die halbe Welt
Schrecklich umgewendet,
Hat so manchen Königssohn
Abgestürzt von seinem Thron,
Doch sah'n sie ihr Unglück nicht,
Bis es war vollendet.

Kaiser von Oesterreich.

13 Bruder, wahr sind die Gedanken,
England ist auch mein Ruin;
Frankreich hab' ich's nur zu danken,
Daß ich noch bin was ich bin;
Künftig als ein weiser Mann

10, 5. Solt. **den Frieden mir.** 11, 3. Solt. **Ist der tapfre Russ'.** 11, 6. satirisch, doch gestützt auf Äußerungen Napoleons, z. B. in seinem Schreiben an den König von Preußen vom 12. Oct. — „warum unsre Unterthanen morden? — — Sie haben meine Entehrung gefordert — — Ich bitte Ew. Maj., in diesem Briefe nur meinen Wunsch zu sehn, des Menschenbluts zu schonen" u. dgl. 12, 1. Solt. **verdammt' französisch' G.** 12, 4. Solt. **Schändlich.** 13, 2. 3 fehlen leider der Handschr., die Fassung von 1813 hat: **Frankreich ist auch mein Ruin,**

Schließ' ich mich an Frankreich an,
Denn ihm hab' ich's nur zu danken,
Daß ich noch bin was ich bin.

Türkischer Kaiser.

14 Und ich werde mich wie du,
Auch mit ihm alliiren;
Rußland läßt mir keine Ruh,
Will mich ruiniren;
Endlich reißt mir die Geduld,
Ich bezahle meine Schuld,
Und ich lasse länger nicht
Mich von ihm vexiren.

Polen.

15 Glück zu, Frankreichs Heldensöhne!
Sultan, sei uns auch gegrüßt!
Helft uns wieder zu der Krone,
Die uns einst genommen ist.
Alle Polen sind bereit,
Mit zu kämpfen in dem Streit;
Können wir euch wieder dienen,
Thun wir's gern mit Dankbarkeit.

Prinz von Oranien.

16 Ich von Gottes Gnaden Prinz,
Was hab' ich verbrochen,
Daß man meiner Erbprovinz
So hart zugesprochen?
Daß man mich, Gott sei's geklagt!
So von Haus und Hof gejagt?
Sagt, was hab' ich denn gethan,
Was hab' ich verbrochen?

Rußland hab ichs nur zu d. 13, 6. Soltau Rußland. 14, 3. die Hs. aliren. 14, 3. Soltau Frankreich; Rußland besetzte z. B. die Moldau und Wallachei und unterstützte die aufgestandenen Serbier. 15, 1. Solt. 1813 seltsam Vivat Rußlands Heldensöhne! 16, 4. Soltau So hat zugesprochen.

Churfürst von Hessen.

17 Und ich armer Fürst von Hessen,
Habe weiter nichts gethan,
Als nur meine Pflicht vergessen,
Was so leicht geschehen kann;
Und für dieses klein Versehn
Muß ich leider flüchtig gehn,
Und mein Land und Volk verlieren,
Ach, mir ist zu viel geschehn!

Die Könige von Sardinien und Sicilien.

18 Tröstet, Brüder, tröstet euch
Mit uns gleichem Lohne;
Wir sind, wie ihr, ohne Reich,
Ohne Volk und Krone;
Ohne Land, daß Gott erbarm'!
Laßt uns sämmtlich, Arm in Arm,
Wandern nach Sibirien
Zu der Zobelfrohne.

Kaiser der Franzosen und König von Italien.

19 Weil Kontrakte nicht mehr galten,
Und die Zeiten sind nicht mehr,
Da man mußte Glauben halten,
So stell' ich sie wieder her,
Und Gott tröste den, der nicht
Halten will, was er verspricht,
Den soll auch mein Daumen drücken
Auf das Auge, daß es bricht.

Pabst.

20 Friede, Friede sei mit euch!
Friede mit den Fürsten,
Die nach Land und Ruhm zugleich

17, 6. 7 fehlt der Hs. 18, 2. **gleichem Lohne**, Dativ statt des Gen., dem das Volk entschieden aus dem Wege geht, vgl. Nr. 82, 10. 88, 5. 18, 6. Hs. **endlich**. 19, 4. Hs. **Stellte**; trefflichste Satire. 19, 5. die Hs. **tröstet**, wie immer gern das Volk einen Indicativ aus dem Conjunctiv macht, z. B. Nr. 98b, 1, 3.

Und nach Rache dürsten;
Merket auf was Christus spricht:
Richtet und verdammet nicht.
Friede, Friede sei mit euch,
Friede, Volk und Fürsten!

68.

Belagerung von Colberg.

1807.

Zuerst machte auf das Lied aufmerksam Fouqué, der sich dessen aus seinem Feldleben erinnerte, in seiner „Lebensgeschichte, aufgezeichnet durch ihn selbst." Halle 1840. S. 297; er wußte aber nur noch Str. 1. 2. und 4, 3. 4. 7, 1. 2, welch letztere er umgestellt als eine Str. gab. Im folgenden Jahr brachten es darauf vollständig Wilib. Walter, Samml. Deutscher Volksl., welche noch gegenwärtig im Munde des Volkes leben und in keiner der bisher erschienenen Samml. zu finden sind. Leipzig 1841 S. 193 „von einem Colberger" mitgeth. (aus diesen beiden Quellen abschr. in Soltaus Nachlaß) — und Ludwig Erk, Neue Samml. Deutscher Vl. Berl. 1841. 2. Heft. Nr. 6 „mündl., aus dem Brandenburgischen", mit der Melodie. Nach Erk gab es G. W. Fink, Musicalischer Hausschatz der Deutschen. Leipzig 1842 S. 340; auch Simrock Nr. 327 gibt Erk als Quelle an, muß aber selbst daran gebessert haben (z. B. 5, 3 So lang ein Tropfen Blut noch in uns thut wallen. 6, 2 könnens ablauern, d. i. abwarten). Wie sich aber nun ausweist, hat auch dieß Lied ein älteres Vorbild, ein Lied aus der Rheinpfalz von der Belagerung von Landau 1793, in Franken aufgenommen von Ditfurth, Fränk. Vl. 2, 166: Lustig, ihr Brüder, seid fröhlich, s' geht prächtig, Kronprinz von Preußen der war uns nicht mächtig rc., der Anfang auch: Lustig, ihr Brüder, das Ding freut uns prächtig. Und auf die Einnahme von Paris 1814 angewandt aus Schwaben bei Meier S. 205: Nur lustig, ihr Brüder und freuet euch mächtig, Der Kronprinz von Würtemberg regiert uns prächtig rc. — A. Kretzschmar, Deutsche Volksl. 1, 352 bringt als „Kriegslied des Colbergschen Regiments" (vgl. 363) das Bruchstück eines L. von Colberg? oder Danzig?, das zu den bei Nr. 65 besprochenen Liedrahmen gehört hat:

Wir müssen den Franzosen den Buckel besehn,
Sonst wärs uns eine Schande,
Und wenn wir wieder nach Pommerland kämn,
So jagen sie uns aus dem Lande.

Vgl. Simrock Nr. 324 4, 3 der Pascha in Belgrad 1789 Wir müssen die kaiserlichen Stücklein besehn, Sonst wär es für uns eine Schande, Und wenn wir in das Türkische kämn, Sie jagten uns aus dem Lande.

1 Seid lustig ihr Brüder, es freuet uns prächtig,
Der Kaiser von Frankreich ist Colbergs nicht mächtig,
Er ließ zwar durch einen Trompeter ansagen,
Daß er die Festung von Colberg wollt haben.

2 Der brave Commandant antwortet ihm drauf,
Wir geben die Festung von Colberg nicht auf,
Wir haben Kanonen, viel Pulver und Blei,
Es gibt auch noch recht brave Preußen dabei.

3 Seid ihr gleich brave Preußen, ich Kaiser von Frankreich,
Schieß Colberg zusammen, und so zeig ich euch,
Daß ihr mir sollt geben die Festung jetzt auf,
Und gehen als Kriegesgefangne heraus.

4 Wir thun uns nicht ergeben, wir lieben den König
Und unsere Freiheit, und fürchten uns wenig,
Wenn auch gleich die halbe Stadt liegt in der Asche,
Doch brennet das Schnupftuch noch nicht in der Tasche.

5 Glaubt ihr denn, Franzosen, wir müssen retirieren,
Weil ihr konntet Prinz Louis bei Saalfeld blessieren?
Glaubt mir, so lange das Blut in uns wallet,
So lange auch alle Kanonen frisch knallen.

1, 1. So Erk und Fouqué; Walter das Ding freut. 1, 4. bei Erk die Stadt Colberg und Festung, Fouq. die St. K. und die F.; Simrock bessert die Festung Stadt C., ebenso 2, 2. 2, 1. Gneisenau, der an des schwachen Loucadou Stelle am 29. April Commandant wurde; neben ihm wirkte Steinmetz. 4, 1. In Landau freilich: Wir thun uns n. e., wir wollen kein König, in Paris: Wir sind schon besonnen, wir brauchen keinen König — Wir lieben die Freiheit zc., sodaß wol auch die Sänger des Pariser L. das ältere Lied noch im Sinn hatten, nicht das Colberger. 4, 4. so Fouq., Erk; Walter Wenn nur nicht das S. brennt in d. T., ebenso das Landauer und Pariser L. Von Jemand, der 1807 selbst in Danzig war, wurde mir als bestimmt erzählt, Graf Kalkreuth, Commandant der belagerten Stadt (19. März — 14. Mai) habe auf die franz. Aufforderung geantwortet, er werde Danzig nicht aufgeben, bis das Schnupftuch in der Tasche brenne; oben Nr. 66, 3 nimmt soldatischer das Pulver diese Stelle ein. Das sind so wandernde soldatisch-heldenmäßige Kraftsprüche mit einem gewissen Zauber, die eben darum die Commandanten recht wol gesagt haben können, vgl. Nr. 50, 10. 5, 1. 2. retirieren, blessieren, die herrschenden Wörter, bes. soldatisch; so sprechen alte Leipziger,

6 Was helfen euch Kanonen? wir haben auch Mauern,
Wir sitzen in Kasematten und können ausdauern,
Wir haben Fleisch, Brot, Bier und auch Wein,
Die Thore sind verschlossen, darf niemand herein.

7 So haut auf mit Lunten und laßt's einmal knallen,
Laßt Bomben, Granaten und Kugeln drein fallen,
Daß Alle, die drin sind, in Gewölbe schnell rennen,
Darauf sie dann sprechen, wir müssen verbrennen.

8 Ihr wollt uns aushungern, wir lachen dazu,
Wir essen und trinken in fröhlicher Ruh,
Wir haben Kanonen und haben kein Bang,
Marschiert nur nach Hause und wartet nicht lang.

wenn sie von der 'Batalje' erzählen, nur von blessieren, Blessur. 7, 1. Fouqué die Lunten; die Belagerer sprechen. Der Tilsiter Friede 10. Juli befreite Colberg; 11. März hatte die Blokade begonnen, 11. Juni das Brescheschießen.

69.

Major von Schill.

Der Dichter des Liedes, Fouqué, kam darauf zu sprechen in seiner „Lebensgeschichte, aufgezeichnet durch ihn selbst.“ Halle 1840 und theilte es S. 290 mit (daher Soltau), aber nur „mir noch im Gedächtniß lebende Überbleibsel“, alles wußte er nicht mehr. Das Ganze brachte im folg. Jahr ein Duodezschriftchen, „Ferdinand von Schill in Liedern der Deutschen. Braunschweig 1841“; ein bevorwortendes Gedicht ist unterzeichnet „C. Fr. v. V.“, d. i. Freih. v. Vechelde, „der um die Ehrlichmachung Schills und seiner Schaar so hoch verdiente“, wie er bei W. Cornelius, Schill und seine Schaar. Berl. u. Stralf. 1842 heißt, der Gründer des von Schill'schen Invalidenhauses vor Braunschweig. Da eröffnet das Lied eine Reihe Schillslieder von Stägemann, Arndt, Rückert u. s. w., entnommen aus dem flieg. Bl., auf dem es Fouqué einst für Freunde hatte drucken lassen. Der Herausg. bemerkt dazu S. 81: „(Fouqué) beschäftigte sich damals ämsig mit dem Studium Deutscher Gesänge, historisch aus Geist und Mund des Volks ... Hierzu kam noch die durch Schills Einzug in Berlin erwachte fröhliche Stimmung zuerst wieder aufleuchtender Preußisch-Deutscher Eigenthümlichkeit in einem Kreise gleichgesinnter Freunde des Dichters, so zwischen Ernst und Scherz die Ahnungen künftiger größerer Siegestage hintönen lassend.

Nachdem von dem Liede, dessen Weise [„eine ältere liebliche Reiterweise" Fouqué] in dem Preuß. Reiter-Regiment von Quitzow heimisch war, der Abzug von etwa 100 Ex. veranstaltet worden, erlebte es drei ächte, mit Holzschnitten, Schill zu Roß colorirt darstellende Volksausgaben, die man in Bauer- und Schenkstuben an den Thüren festgenagelt erblickte." Alles das wirkt dem Liede die Erlaubniß aus, hier zu stehn.

1 Ihr lieben Preußen insgemein,
Die gerne frisch und lustig seind,
Und treu ergeben
Dem König und dem Deutschen Land,
Nehmt Euch ein volles Glas zur Hand,
Laßt Schill hoch leben!

2 Als schon die schlimme blutge Schlacht
Nicht weit von Aurstädt war vollbracht
Zur bösen Stunde,
Da hat sich Schill aufs Pferd gemacht
Zu Magdeburg, und nicht geacht
Seiner tiefen Wunde.

3 Er ritt so keck wohl aus dem Thor,
Ritt hin durchs ganze Ney'sche Corps,

1, 1. **insgemein** in solcher Anrede ist eben das rechte Wort des VL., z. B. Hoffmann, Schles. VL. S. 289 (Wunderh. 1, 46) **Und ihr Husaren insgemein, Schlagt die Pistolen an**; schon im 17. Jh., bei Scheible, flieg. Bll. 294 beginnt ein Lied: **Hört liebe Herren insgemein.** 1, 2. **seind** Fouqué, es sollte **sein** heißen, welche Form mit jener schon im 17. Jh. oder früher gebraucht ist, durch Vermischung der ersten Pers. (sîn) mit der dritten (sint), vielleicht auch durch Einwirkung des Conjunctivs (sîn); das hochd. **wir sind** ist grade ebenso falsch oder richtig, wie das volksmäßige **sie sein.** Gellert, allerdings im Scherz, dichtete 1746 an seine Schwester zu ihrer Hochzeit (Gellerts Familienbr., h. v. Leuchte. Freib. 1819 S. 3):

Wenn eins dem andern, reich an Zucht,
Stets mehr noch zu gefallen sucht,
Und beid' noch so behutsam seyn,
Als wollten sie erst einander freyn.

Hat Fouqué dieß **sein** 'zwischen Ernst und Scherz' geschrieben, so legte er darein eine leise Ironisierung des Volkstones (wie sie häufig Gebildete für sich anständig halten), den er eben in ernstester Stimmung brauchte, und das paßte zu seinem romantischen Dichtercredo gar wol. Vielleicht aber ist der ganze Anfang seinem Vorbild, dem Reiterlied, nachgebildet oder entlehnt. 2, 5. **geacht**; überschrieb doch noch 1827 A. A. L. Follen die Widmung seines Bildersaals Deutscher Dichtung an die Hohe Regierung des Aargaus: „Hochwohlgeborner, Hochgeachter Herr Amtsbürgermeister, Hochgeachte Herren!" 3, 1. Schill allein wollte die Capitulation nicht anerkennen,

Konnt keiner ihn halten.
Er ritt wohl übern Oderfluß,
Hier, sprach er, gehts von neuem los,
Frisch Stand gehalten!

4 Man sah der guten Jäger viel,
Die nahmen sich genau aufs Ziel
Die Voltigeure,
Und Reiter und Husaren auch,
Die hieben ein nach Preußschem Brauch
Auf die Chasseure.

5 Und zeigte sich wo ein Courier,
Gleich hieß es, meine Preußen, hier
Nehmt den gefangen!
Auch Waffen- oder Geld-Transport
Nahm man ohn Säumen mit sich fort,
Dem Feind zum Schaden.

6 Das bracht man Alles in die Stadt,
Die sich so brav gehalten hat,
Colberg geheißen.
Der Commandant nahms wohl in Acht,
Und hielts in gar getreuer Wacht,
Zum Nutz der Preußen.

7 Als drauf nun endlich Friede war,
Und nach 'nem ganzen langen Jahr
Das Land uns eigen,
Da hieß der König nach Berlin
Den Schill gleich mit Husaren ziehn,
Zuerst sich zeigen.

8 Und als zur Stadt herein er zog,
Da gieng es lustig: Vivat hoch!

durch die 8. Nov. 1806 Magdeburg an Ney übergieng (mit 800 Kanonen); obwol gefährlich am Kopfe verwundet wußte er am 9. durch den Cordon über die Elbe zu entkommen und die flüchtige preuß. Armee zu erreichen; am 20. Nov. begann er gegen den Sieger den kleinen Krieg auf seine Faust, wie später Colomb, Lützow. Nach Str. 3 gibt Fouqué eine Lücke an, hier habe das L. das Sammeln der Freischar in Kolberg geschildert, im flieg. Bl. aber ist nichts davon. Str. 6 wußte F. nicht

Der Schill soll leben!
Da lief die ganze Stadt heran,
Und jeder treue Bürgersmann
War ihm ergeben.

9 Giebts künftig wiedrum Kriegesbrand,
So wolln wir Alle für Fürst und Land
Mit Schill marschieren,
Und thun nach braver Preußen Brauch,
Gut drauf gehn, und hernach denn auch
Brav jubilieren.

Fr. de La Motte Fouqué.

mehr, ebenso Str. 8. 9, 1. F. wieder. 9, 2. Fouqué Wolln Alle wir.

70.

Schills Freischar.

„Ferdinand von Schill in Liedern der Deutschen“ S. 43, aus einem flieg. Bl., das der Herausg. dem Generalfeldzeugmeister Graf von der Decken verdankte, „welcher dasselbe i. J. 1809 während seiner Mission auf Helgoland von dem nach dem Stralsunder Blutbade glücklich dahin entkommenen Volontairofficier Lefftreu vom Schillschen Corps erhielt“ (S. 85). Der Anfang erinnert an das Lied Nr. 54 auf Gustav Adolf, eine ununterbrochene Verpflanzung dieser Wendung zu Ehren eines Helden, durch das 18. Jh. vermittelt, wäre nicht unmöglich; wie viel ist denn das, was vom Volkslied in unsre Hände, unsre Stuben kommt, von dem was draußen wirklich lebt und gelebt hat?

1 Ich habe den Schill mit Augen gesehn, Juchhe!
Das ist ein Husar mir, so stattlich und schön, Juchhe!
Er ritt einen Schimmel voll Feuer und Muth,
Und Dollmann und Pelz die standen ihm gut,
Juchhe, juchhe, juchhe!

2 Husaren und Jäger die hat er in Meng, Juchhe!
Sie brachten die Feinde schon oft ins Gedräng, Juchhe!
Es rasselt und prasselt, es blänkert und blitzt,
Nahn sie in Galopp sich mit Säbel und Büchs,
Juchhe, juchhe, juchhe!

3 Und weil ich wohl kannte des Preußenlands Noth, O weh!
All überall herrscht ja Französisch Gebot, O weh!
So gieng ich nach Dömitz ins Schillsche Quartier,
Und wurde da stracks ein junger Lanzier.
Juchhe, juchhe, juchhe!

4 Jetzt führ eine Lanze ich stark und groß, Juchhe!
Mit Eisen gespitzt den Franzosen zum Stoß, Juchhe!
O gieng es doch bald in die heißblutge Schlacht,
Schill giebt den Franzosen eine derbe Tracht,
Juchhe, juchhe, juchhe!

5 O hört ich der Säbel Geklirre doch schon! Juchhe!
Und hieß es dann Vorwärts! bei meiner Schwadron, Juchhe!
Jetzt, Kinder, jetzt gilts, die Lanze gefällt!
Schill führt in die Schlacht euch, der tapfere Held,
Juchhe, juchhe, juchhe!

6 Und sinke auch fechtend ich in den Tod, O weh!
Ward mir doch die Lanze von Feindesblut roth, Juchhe!
Mein Vater schon focht unter Ziethen mit,
Drum wag ich mit Schill jetzt den muthigen Ritt,
Juchhe, juchhe, juchhe!

3, 3. Dömitz, mecklenburg. Festung an der Elbe, von Schill am 15. Mai 1809 genommen; Tags vorher war in Berlin eine Commission niedergesetzt zur Untersuchung von Schills straffälligem Unternehmen; Dömitz behielt Schill bis 24. Mai.

71.

Schills Tod.

1809.

Ebenda S. 46 nach einem flieg. Bl.; dieß und das folg. „werden noch jetzt, mit andern Liedern zusammengedruckt, in vielen Läden der Buchbinder verkauft" S. 85). Vorbild scheint Bürgers Lied vom braven Mann, doch trifft die Reimstellung nicht ganz. Ein Lied aus Franken in 4 Str. bei Ditfurth 2, 174 schildert genau Schills Todesart (Schill ist todt, er gab sein Leben 2c.).

1 Major von Schill, ein muthger Held,
Er rückt hinaus vorn Feind ins Feld,
Mit einer kühnen, braven Schaar,
Die seiner Leitung würdig war.
Major von Schill, ein braver Mann,
Ihn rühme wer nur rühmen kann.

2 Als sie nun kamen vor Berlin,
So sprach er, unser Zug geht hin,
Das Vaterland zu machen frei
Von Fesseln und von Tyrannei.
Major von Schill, ein braver Mann,
Ihn rühme wer nur rühmen kann.

3 Und Alle sprachen: Wohl, es sei,
Wir schwören dir zu halten Treu,
Zu hauchen unsern Geist nur aus
Für unser Preußsches Vaterhaus!
Major von Schill, ein braver Mann,
Ihn rühme wer nur rühmen kann.

4 Dahin zog nun das muthge Heer,
Und ihre Kühnheit wuchs noch mehr,
Da Viele sich noch schlossen an,
Zu streiten für das Vaterland.
Major von Schill, ein braver Mann,
Ihn rühme wer nur rühmen kann.

5 Doch ach! ihr Glücksstern wandte sich,
Nur ihre Hoffnung sank noch nicht:
In Stralsund laßt uns feste stehn,
Nur siegen oder untergehn!
Major von Schill, ein braver Mann,
Ihn rühme wer nur rühmen kann.

1, 1. Das ist der gebräuchliche Name, den er führt; erst nach dem Tilsiter Frieden war er zum Major befördert worden. Es war am 28. Apr. 1809, daß Schill unter dem Vorwand einer Musterung aus Berlin rückte, in der Hoffnung Preußen und Norddeutschland mit fortzureißen in den von Österreich eben begonnenen Krieg. 2, 1. 'von'; erst vor der Stadt eröffnete er den Seinen jenen Plan. 5, 3. Schill überrumpelte die Stadt am 25. Mai und eilte sie besser zu befestigen, am 31. Mai

6 Sie drangen auf die Feinde ein,
Durchbrachen kämpfend ihre Reihn,
Doch fruchtlos war hier ihr Bemühn,
Major von Schill, er sank dahin!
Major von Schill, ein braver Mann,
Ihn rühme wer nur rühmen kann.

7 Und elf Officiere jung und brav,
Die noch ein härtres Schicksal traf,
Gefangen mußten sie dahin
Nach Wesel mit den Feinden ziehn.
Die elf Officiere jung und brav,
Sie rühme wer nur rühmen kann!

8 Hier vor ein Kriegsgericht gestellt,
Ward auch ihr Urtheil schnell gefällt;
Ihr Loos es war der bittre Tod,
Ihr Blut färbt Wesels Boden roth.
Major von Schill, ein braver Mann,
Ihn rühme wer nur rühmen kann!

9 Sie standen alle Elfe hier
Und schauten auf zum Herrn allhier,
Sie riefen: Vater, gieb uns Kraft,
Zu sterben für das Vaterland!
Major von Schill, ein braver Mann,
Ihn rühme wer nur rühmen kann!

10 Und Gott der Vater stand ihn bei,
Und sprach, ich bin wohl unter Euch!
Dann riefen sie begeistert aus:
Wir sterben für das Vaterhaus!
Major von Schill, ein braver Mann,
Ihn rühme wer nur rühmen kann!

11 Und ihre letzten Worte warn:
Ach Himmel nimm uns gnädig an,

wurde sie von holländ. und dänischen Truppen erstürmt; Schill fiel, von Wunden fast unkennbar, sein Kopf wurde als Trophäe (Nr. 72, 5) abgeschnitten und versandt, er hat bis 1837 in Leyden in Weingeist zur Schau gestanden. 11, 2. Himmel von mir

Beschütz das Preußsche Vaterhaus,
Und mach doch endlich ein Ende draus!
Major von Schill, ein braver Mann,
Ihn rühme wer nur rühmen kann!

12 Nun seht, ihr Brüder! seht aufs Bild,
Es zeigt das Monument enthüllt.
Sie ruhen nun von aller Pein
In ihrem stillen Kämmerlein.
Major von Schill, ein braver Mann,
Ihn rühme wer nur rühmen kann.

vermuthungsweise ergänzt. 11, 4. **draus**, aus dem einen Fürchterlichen was auf Allen lastete; das Lied ist wol noch vor 1813 gedichtet, später hätte der Dichter dieß **draus** wahrscheinlich vielmehr bezeichnet und benannt. Die Schlußstr. ist hinzugesetzt bei der Enthüllung des Denkmals zu Wesel für die eilf Märtyrer 1835; fast alle waren zwischen 18 und 25 Jahren alt. Auf höheren Befehl ward im Rheinbundsgebiet das Urthel öffentlich angeschlagen, gefällt durch die milit. Specialcommission zu Wesel in der 25. Militairdivision „über eilf Verbrecher von Schills Bande," datiert Wesel am 16. Sept. Die Namen der Verbrecher sind: Felgentreu, v. Flemming, v. Gabain, Galle, Jahn, v. Keffenbrinck, v. Keller, Schmidt, v. Trachenberg, zwei Brüder A. und C. v. Wedell. Der Held des folgenden Liedes war der Jüngste von ihnen, Lieutenant C. v. Keffenbrinck, 18 Jahr alt. Andere waren schon theils zu Stralsund theils zu Braunschweig erschossen worden.

72.

Das Kriegsgericht zu Wesel.

16. Sept. 1809.

Ebenda S. 50; Form und Weise deutlich von: Zu Straßburg auf der Schanz. Dieß Lied scheint sich früh verbreitet zu haben, es ist schon öfter gedruckt, wie in Kretzschmars Volksl. 1, 158 mit einer Mel. aus „Westphalen"; in Wilh. Bernhardi's Allg. D. Lieder-Lexikon 4, 261; im „Liederbuch des deutschen Volkes. Leipzig, Breitkopf u. H. 1843." S. 315, alle drei mit nur sechs Str., es fehlen ihnen Str. 3 u. 5.

1 Zu Wesel auf der Schanz
Da stand ein junger Knabe:
Lebt wohl, lebt wohl, ihr Lieben,

Die ihr daheim geblieben,
Mich scheidt von aller Noth
Der bittre Tod.

2 Mit meinem Führer zog
Ich aus für Deutschlands Ehre,
Doch es war Gottes Will:
Erschlagen liegt der Schill
Bei Stralsund auf dem Wall.
O harter Fall!

3 O hart Geschick für die,
Die ihren König lieben!
Wer ziehet nun den Degen,
Führt dem Franzos entgegen
Sein schönes Regiment?
Der Feind es kennt!

4 Wers mit dem Tapfern hielt,
Der war da bald gefangen,
Wie Räuber und wie Mörder
Geworfen in den Kerker,
Das Leben ward ihm gar
Gesprochen ab.

5 Vom Rumpfe schnitten sie —
Es will mein Herze brechen,
Denk ich es mir — das Haupt —
Bei Türken nur erlaubt!
Und umher wards gesandt
Im Deutschen Land!

6 Verblutet liegen da
Schon meine Kameraden,
Es ist schon frei von Schmerz
Ihr tief durchbohrtes Herz.
Mir nur ward Gnad gegeben
Für mein Leben.

6, 5. In einem Schillsliede, von J. W. Wolf am Rhein aus mündl. Überlieferung aufgezeichnet (mir mitgeth. von Ploennies), das leider nicht rein genug erhalten

7 Ich will, Napoleon,
Von dir gar kein Erbarmen,
Mit meinen Brüdern allen
Soll gleiches Loos mir fallen.
Schieß zu, du Schelm=Franzos,
Mein Herz ist bloß!

8 Mein Säbel und Gewehr,
Und alle meine Waffen,
Wird man aufs Grab mir henken,
Da soll man lang gedenken,
Daß hier ein treuer Knab
Ruht tief im Grab.

ist, heißt es: — Daß zehn davon müßten sterben Und der Eilfte hätt Pardon. Doch da sprach der mit hellem Muth: Wie ihr an meinen Brüdern thut, So nehmt auch hin mein deutsches Blut, Ihr seid uns doch allzumal nicht gut. Dann: Mit Stricken wurden sie gebunden, Und drei Wagen commandiert u. s. w. Schill ist da seltsamer Weise noch dabei und sagt am Richtplatz: Die soll nicht lang mehr zertreten werden Von Franzosen die deutsche Erd. Das Lied beginnt: Hört zu ihr deutschen Brüder, Was in Wesel ist geschehn. 7, 5. vgl. in Höltys Idyll „das Feuer im Walde": Doch kommt der Schelmfranzos zurück (7jähr. Kr.).

73.

Speckbacher.

1809.

Mitgetheilt von Ad. Pichler in K. Gödekes Deutscher Wochenschrift 1854. Heft 17. S. 530 mit einer Einleitung: „Tirolische Kriegslieder. Ein Beitrag zur Gesch. Deutscher Volksdichtung," handelnd von der Kargheit des tirol., bes. des hist. Volkslieds selbst in der aufgeregten Zeit 1809; zum Schluß obiges L. als eine außerordentliche Erscheinung — ich bin erfreut es hier einreihen zu können als wenigstens einen Vertreter politischen Volksgesangs des 19. Jh. im südlichsten Deutschland. Wo sind die Lieder die die östreich. Regimenter 1809, 1813, 1814 gesungen haben? hätten sie nichts gesungen, gar nichts mit Zeitbezug? nicht ein Lied von Aspern? oder von Erzherzog Karl? es wird wol an den Sammlern fehlen. In Schlesien hat Hoffmann, Schlesische Volksl. S. 294, ein Lied mit aufgenommen vom östr. Krieg 1805.

Das Speckbacherlied hörte Pichler zu Absam von Veteranen singen und erhielt es mit Mühe von einem derselben vorgesungen, denn, meinte er, „die Ari ghört auch dazu"; er gab an, er habe es im Neunerjahr zu Hall von Pfannhäusern (Salinenarbeitern) oft singen hören. Pichler bemerkt noch, wie hier wider die Geschichtschreiber das Volk den Speckbacher als den Helden vorstelle; doch schon Hormayr nannte ihn den 'unstreitig begabtesten Anführer des Tyrolerkrieges von 1809' in einem Lebensbild des Helden im Taschenb. für vaterl. Gesch. 1844 S. 137—209, das das schönste Denkmal des seltenen Mannes heißen kann; S. 166 das.: „Es war eine durch und durch Shakespearische Figur", vgl. S. 207 ff. — Die unvolksmäßigen tirol. Kriegslieder von 1796—1801 in der Bibl. Tirolensis des Präs. v. Dipauli, jetzt auf dem Insbrucker Museum, von deren Entdeckung Pichler spricht, sind aber schon besprochen und zum Theil gedruckt in A. Emmert's Almanach für Gesch., Kunst u. Lit. von Tirol u. Vorarlberg, 1. Jahrg. Innsbr. 1836; bloß etwa drei haben volksmäßige Anklänge.

1 Frisch auf, frisch auf, Tirolerbue!
Geh, richt dier jetz dein Stutzn zue,
Hast du ihn nit im Hause mehr,
So hol ihn nur vom Wald daher.

2 Franzosn und Baiern, kommt nur herein,
Mier wölln eure Begleiter sein,
So lang mier habn Pulver und Blei,
Bleibn mier dem Kaiser Franz getreu.

3 Der Kaiser Franz der liebt uns wol,
Das wissen mier alle in Tirol,
Drum habn wir uns aufs neu erwählt
Den Speckbacher zum Kriegesheld.

4 Den Speckbacher zum Kriegesheld!
Als Obrist ist er bstellt ins Feld,
Er lebet noch, er lebet noch
Im Volderthal auf einem Joch.

1, 4. Aus dem Versteck. 2, 2. trefflicher Hohn, **begleiten** in seinem urspr. Sinn, 'wollen euch in den Thälern das schützende Geleite geben', das **Geleite** war damals noch ein allen bekannter Begriff aus der Zeit des mangelnden Landfriedens; mußten ja die reisenden Kaufleute noch das Geleite bezahlen. 3, 2. das **Tirol** heißt es im Lande, daher **in** = **in'n**, in dem. 4, 1. im schönsten Volksliedstil, Aufnahme eines weiterzuführenden Gedankens mit denselben Worten; das steigt gleichsam. 4, 3. am 16. Oct. war Speckbacher bei Mellek geschlagen worden und auf der Flucht in den Bergen; am 15. November ergriff Hofer, der am 9. November sich

5 Von dorten kommt er glei hervor
Mit lustigem Tirolerkor,
Er fangt a wider z'schlag'n an
Und schwingt aufs neu den Kriegesfahn.

6 Tiroler streiten fürs Östreicher Haus
Und zeichnen sich als Sieger aus,
Damit sie werden einst befreit
Von ihrer harten Dienstbarkeit.

unterworfen hatte, aufs neue die Waffen, dahin gehört wol das Lied, das merkw. bei seiner Sehnsucht nach Speckbacher Hofers nicht erwähnt. Baiern und Franzosen drangen damals mit aller Macht an und mit besserm Erfolg. 5, 3. â, auch. 5, 4. der Fahn, das urspr. masc. hat sich im bair. Sprachgebiet erhalten.

74.

Tod der Königin Louise von Preußen.

19. Juli 1810.

Ein Lied das weit verbreitet ist (Preußen, Sachsen, Thüringen) und noch jetzt viel gesungen scheint, bes. ein häufiges Lieblingslied von Frauen und Mädchen nicht etwa niederer Stände allein, die der wehmüthige, religiöse und zugleich menschlich empfindungsreiche Ton anzieht; wie mir scheint, nicht das geringste der Denkmale, die der edlen Fürstin gesetzt worden sind. Es gehört einem bestimmten, reich vertretenen Kreise von Liedern an, die die Geistes- und Gemüthsbildung etwa des Bürgerstandes um jene Zeit aussprechen und Elemente von Gellert, Matthison u. a. zugleich zu enthalten scheinen; dieses mit seiner schönen stillen Wehmuth und vorsorgenden Entsagung ist eins der werthvollsten daraus. Es liegt mir in sieben verschiednen Fassungen vor: ein flieg. Blatt aus Halle in Soltaus Nachlaß, ein flieg. Bl. Leipzig bei Cleve, ein flieg. Bl. Waldenburg bei Witzsch; ein flieg. Bl. der ersten Dreißiger Jahre: „Der Freund des Gesanges. Samml. gefälliger Arien und Lieder. Nr. 17. Leipzig, in der Schröter'schen Leihbibliothek"; handschr. in einem Soldatenliederb. aus Thüringen, mündlich aus Frauenmund aus Thüringen; gedr. bei L. Erk, die D. Volksl. mit ihren Singweisen (1. Samml.) 6. Heft S. 28 ff., hier mit zwei versch. Melodien und in vierzeiligen Str. Alle treffen im Ganzen auffallend überein, die Hauptabweichung besteht in verschiedner Stellung mancher Verse, die polit. Strophen 3. 4 haben bloß zwei Fassungen. Das annähernd Rechte ließ sich leicht herstellen, wünschenswerth wäre ein flieg. Bl. näher an den Ursprung zurück. — Es ist eine alte Liedform,

Helden und Fürsten redend einzuführen (Wilhelmus von Nassawe, Wilhelm bin ich der Telle; Lieder, die Kurf. Moritz von Sachsen, die Königin Maria von Ungarn, Kaiser Karl V., Gustav Adolf redend bringen), meist mit einer Art Rechenschaftsablage von ihrem Thun; unserm L. ganz nahe aber stehn zwei ältere Lieder im Antwerp. Liederb. v. 1544 Nr. 125.126 (Hor. belg. 11,189.191) Van die coninghinne van Denemercken und Van vrou Marie van Bourgoengien. In jenem nimmt die sterbende Isabelle (19. Jan. 1525 zu Swijnaerde in den Niederl.), Gemahlin des vertriebenen König Christian II. von Dänemark, Abschied von ihrem Gemahl, von ihren Brüdern Kaiser Karl und Prinz Ferdinand u. s. w., bittet für ihre Kinder, dabei Klagen über ihr Exil und zwei berichtende Strophen zum Ein- und Ausgang; in diesem verabschiedet sich Maria von Burgund († 1482 zu Brügge) von ihrem Maximilian, von Schwestern, Kindern, mit einer erzählenden Eingangsstrophe. Beide Lieder klingen in rührender Innigkeit, Isabelle 2, 3 God wil v (wolle euch) in duechden stercken Ende alle mijn kinderkens cleyn, Nv moet ic van v scheyden; Marie 2, 1 Och edel prince Maximiliaen, Mijn man, mijn edel heere, Hier moet een scheyden zijn (z sprich s) ghedaen, Mijn herte doet mi seere (Weh); 4, 3 Oorlof (gib Urlaub), mijn reyn Keyserlijck bloet, Dien ic so seer beminne, T'scheyden van v doet mi so wee, Ghi en siet (Ihr seht) mi levende nemmermee; 6, 3 an alle Freunde: Nu bidde ic v met corter tale (Rede). Weest (seid) doch mijn kinderkens vrient .. Ende zijt eendrachtich in v lant; dann 7, 3 Ick ben so moede, ick en mach niet meere; auch Adieu Brugghe, schoon stede soet (schöne süße Stadt).

1 Wilhelm, komm an meine Seite,
nimm den letzten Abschiedskuß,
schlummernd hört' ich ein Geläute,
welches mich zu Grabe ruft.
Wilhelm, drücke, ach! so drücke
dich an meine bange Brust,
nimm von meiner kalten Lippe
nun den letzten Abschiedskuß!

2 Treu und fromm war mein Bestreben,
liebevoll dein Weib zu sein;
bester König, dir zu leben,
und der Tugend treu zu sein.
Aber ach! ganz ohn' Erbarmen
droht das Schicksal mir den Tod,
reißet mich aus deinen Armen,
drückt mein Herz mit Gram und Noth.

2, 4. Andere und in Tugend, eins und vor Sünden mich zu scheun.

3 Frankreich hat uns überwunden,
dies, mein König, kränket mich,
dies verkürzet meine Stunden,
reißet mich jetzt schnell von dir.
Ach! wie leiden uns're Staaten,
uns're brave Garnison,
Offizier', wie auch Soldaten,
ach! wie sinkt jetzt unser Thron!

4 Dies war lange schon mein Grämen,
Magdeburg und Halberstadt,
auch Westphalen hinzugeben,
da man nicht gesündigt hat,
dies ist's, warum ich mich kränke,
alles steht in Gottes Hand!
ist's sein Wille, o! so schenke
er dir das verlor'ne Land.

5 Sorge nur für meine Kinder,
nimm sie an dein Vaterherz,
sie sind Kinder jung und minder,
wende von ihn'n Leid und Schmerz.
Laß sie christlich fromm erziehen,
Armen immer Gutes thun,
o! so wird dein Staat einst blühen,
und auf dir wird Seegen ruh'n.

6 Nimm den Vorrath, den ich lasse,
Gold und alles Silbergeld,
gieb ihn in die Armenkasse,
dafür ist er nur bestellt,
Meinen Tod den sie beklagen,
ist für sie gerechter Schmerz,
weinend werden sie dir sagen:
Louise hatt' ein gutes Herz!

3, 4. offenbar urspr. **von dich**, s. zu Nr. 42, 87. Diese und die folg. Str. hatten nur Soltaus flieg. Bl. und die thür. mündl. Mitth. 5, 1. Solt. **Sorge nun.** 5, 3. gemeint 'minderjährig'. 6. 4. Solt. **hab ich ihn b.** 6, 5. nur Erk hat **denn mein Tod**; dieser Acc., vom Acc. des Relativs angezogen, ist echt volksmäßig, vgl. 9, 5, und zu Nr. 18, 6, 5. In dem L. von der Belag. Frankfurts 1552 Wunderh. 2, 354 (neue A.) steht in der Quelle (Lersner) vielmehr **Den Hundsstall**

7 Nun, mein Wilhelm, ich muß scheiden,
meine letzte Stunde schlägt,
nun entgeh' ich allen Leiden,
die man hier als Mensch nur trägt,
denn mein Geist eilt jetzt den Höhen
himmlischer Bestimmung zu,
wo wir einst uns wieder sehen,
ungetrennt in selger Ruh.

8 Nein, ach nein! es ist nicht möglich,
ich soll nur dein Opfer sein,
denn mein Geist ist bei dir täglich,
bester König, nur allein,
bis dich einst an meine Seite
so wie mich, Bestimmung ruft,
und ein tönendes Geläute
zu mir bringt in meine Gruft!

9 Mache nur, wenn ich erbleiche,
keinen Aufwand, keine Pracht,
setze stille meine Leiche
in die finstre Gruft bei Nacht.
Arme, die ich hier im Leben
unterstützt mit meiner Hand,
diesen, Wilhelm, wirst Du geben,
was ich hab' an sie verwandt.

10 In Charlottenburg bereite,
bester Wilhelm, mir mein Grab,
an des stillen Schlosses Seite,
wo ich Dir mich oft ergab.
Auf der schönen grünen Wiese
richte mir mein Denkmal hin,
setze drauf: Hier schläft Louise,
Preußens sel'ge Königin.

den du hast veracht, Der hat dich in groß Schand gebracht. Uhl. 878 (auch Hoffmann v. F., Kirchenl. S. 122. 124. 125) den maien den ich maine, das ist der süße gott. 8, 2. entweder stand zuvor noch eine Strophe mit einer Rede des Königs, der mitsterben will, oder diese Rede sollte vom Singenden und Hörenden im Geist ergänzt werden doch vgl. in den Nachträgen. 9, 5. nur in zweien Armen. 10, 4. eins wo ich dir mich ganz ergab. 10, 6. richte nur Soltau, die andern stelle. 10, 7. nur Soltau schreibe drauf; statt schläft auch liegt, ruht.

Der Rückzug aus Rußland.

75.

Auf einem flieg. Bogen in 12° (12 Bll.) mit dem Titel „Fluchtlieder. Riga 1813.“ S. 6—9. Das Heftchen enthält sechs Spottlieder, angehängt drei Spottsprüche, und ist in Scheible's Volkswitz der Deutschen über den gestürzten Bonaparte, Stuttg. 1849. 12 Bändchen, nicht benutzt. Ich lasse das Lied genau in der dortigen Form, mit der flüchtigen oder fehlenden Interpunction, denn daran kann man sehen, daß es aus dem Gedächtniß in lebhafter, vermuthlich erregtester Stimmung niedergeschrieben ist, auch in der Druckerei eilig behandelt — und das hilft im Kleinen den Augenblick malen.

Nach der Weise: „Ich hatt' mein' Sach auf nichts gestellt ꝛc.“

1 Kaiser Näppel zog gen Moskau aus
Juch he!
Mit großem Kriegessaus und Braus
Juch he!
Mit Fußvolk, Reiter und Geschütz
Mit Lug und Trug und Aberwitz
O weh, o weh, o weh!

2 Vermessen lästert Näppel gar
O weh!
Der Völker Kraft, der Feinde Schaar,
O weh!
Er tobt und ras't im tollen Muth
Doch bald stürzt er in Feu'r und Gluth
Juchhe, juchhe, juchhe!

3 Verschlingend wallt das Flammenmeer
Juchhe!
Der Wüthrich staunt des Volkes Wehr
O weh!
Er scheut des Glaubens hohe Macht
Und was ein Volk mit Gott vollbracht
O weh, o weh, o weh!

1, 1. Näppel, Napel in vielen Liedern dieser Zeit.

4 Doch trotzig packt der Teufel ihn
Juchhe!
Und Näppel will noch weiter ziehn
O weh!
Doch seiner Feinde hoher Muth
Stürzt ihn zurück in Teufelsglut
O weh, o weh, o weh!

5 Verzweifelnd sprengt er Felsen aus
Juchhe!
Zerbricht der Zaaren würdig Haus
O weh!
Drob brausen Völker rachentflammt
Und schlachten was der Höll' entstammt
Juchhe, juchhe, juchhe!

6 Die Franschen flieh'n, Gott giebt den Sieg!
Juchhe!
Und rächt mit rechtem Rachekrieg
Juchhe!
Es schweig't der Franschen Donn'r und Blitz
Der Sieg liegt auf des Speeres Spitz'
Juchhe, juchhe, juchhe!

7 Von Glut versengt, von Frost erstarrt
O weh!
Durch Sturm und Eis und Schnee verscharrt
O weh!
Zerspießt, zersprengt in Kreuz und Queer
Sieht Näppel sein groß mächtig Heer
O weh, o weh, o weh!

8 Da wandelt feige Furcht ihn an
O weh!
Er watet was er waten kann
Juchhe!

4, 3. in dem dritten Fluchtliede (auch in Scheibles Volkswitz 9, 190): **Was wird denn nun von ihrer Reise** (Heerfahrt) **Nach Indien, wie der Kaiser sprach?** 'Seit St. Jean d'Acre denke ich daran', sagte Napoleon zu Paris im Jan. 1812 zu Louis de Narbonne. 5, 1. Sprengung des Kremel durch Mortier, 23. Oct.

Durch Schnee und Eis, durch Nacht und Graus
Mit Näppels Kniffen ist's nun aus
Juchhe, Juchhe, Juchhe!

9 Der kleine Mann find't nirgends Rast
O weh!
Ihn jagt die Knut' in wilder Hast
Juchhe!
Und stolpernd über Leichen fällt
Der dicke, kleine, große Held
Und schrei't: mon dieu! mon dieu!

76.

Fluchlieder S. 3; das Lied steht auch nach einem flieg. Bl. bei Zarnack 2, 7, danach bei Erlach 2, 465, wol auch Bernhardi's Liederlexicon 2, 350. H. Beitzke (Zeitgenosse), Gesch. der Deutschen Freiheitskriege, 1. Bd. Berl. 1854. S. 93:

„Mit Mann und Roß und Wagen
Hat sie der Herr geschlagen &c.

war damals ein weitverbreitetes Volkslied. Schon in diesem Liede, ziemlich dem ersten der damals erschienenen, ist der Spott reichlich ausgegossen. Aber es kamen noch Zerrbilder von dem kläglichen Zustande der Franzosen auf dem Rückzuge, Satyren, Possen &c. in großer Menge zum Vorschein." Zarnacks Lied ist in einigem anders, das Wichtige gebe ich an.

1 Mit Mann und Roß und Wagen
So hat sie Gott geschlagen.
Es irrt durch Schnee und Wald umher
Das große mächtge Franschenheer.
Der Kaiser auf der Flucht,
Soldaten ohne Zucht.
Mit Mann und Roß und Wagen
So hat sie Gott geschlagen.

2 Jäger ohne Gewehr,
Kaiser ohne Heer,

1, 3. Zarn. Es kriecht im Schnee umher Der mächtigen Franzen Heer.

Heer ohne Kaiser,
Wildniß ohne Weiser.
Mit Mann und Roß und Wagen
So hat sie Gott geschlagen.

3 Trommler ohne Trommelstock,
Cuirassier im Weiberrock,
Ritter ohne Schwert,
Reiter ohne Pferd.
Mit Mann und Roß und Wagen
So hat sie Gott geschlagen.

4 Fähnrich ohne Fahn',
Flinten ohne Hahn,
Büchsen ohne Schuß,
Fußvolk ohne Fuß.
Mit Mann und Roß und Wagen
So hat sie Gott geschlagen.

5 Feldherrn ohne Witz,
Stückleut' ohne Geschütz,
Flüchter ohne Schuh,
Nirgend Rast und Ruh.
Mit Mann und Roß und Wagen
So hat sie Gott geschlagen.

6 Speicher ohne Brod,
Aller Orten Noth,
Wagen ohne Rad,
Alles müd und matt,
Kranke ohne Wagen,
So hat sie Gott geschlagen.

2, 3. 4. Z. der Stiefel ohne Sporn, die Ohren abgefrorn. 3, 2. buchstäblich, Leipziger erzählen es noch, die es gesehen haben. Im dritten Fluchtl.: Wo mag bedeckt mit Lorbeerkränzen des Kaisers heilge Schaar wohl sein? Ach! zu bescheiden um zu glänzen, hüllt sie ein Weibermantel ein. 5, 1. Witz gewiß noch mehr im alten Sinn, den Witz verlieren hieß unsinnig werden, ja wahnwitzig. 5, 4. Z. an keinem Orte Ruh. 6, 1. Z. mit Hunger ohne Brot, alle Zeilen haben bei Z. eine Vorschlagsilbe, Auftakt, dessen Stehn oder Fehlen in der Mel. unerheblich ist. 6, 4. Z. das Herz im Leibe matt. Der Refrain ist dem Untergang der Egypter im rothen Meer entlehnt.

76b.

Petrus und der Kaiser.

Fluchtlieder S. 18 fg. Parodie eines Kinderspielspruchs Wunderh. 3, 441 (Simrocks Kinderbuch Nr. 450) **Pilatus wollte wandern, sprach Petrus** rc.; der Spruch ist unverändert, nur statt Pilatus der Kaiser gesetzt. Ein wenig anders ist der Kinderspruch in Erks Volksl., erste Samml. Heft 3. Nr. 21 und in dess. Liederhort S. 404 als 'Trinklied'. Auch bei Soltau 590 ist ein Kinderspruch zu einem Spottlied auf die Franzosen gebraucht, ein anderer in den Fluchtliedern S. 22: **Husaren kommen reiten, den Säbel an der Seiten! Hau dem Schelm Franzoß ein Ohr ab** rc. unverändert. Ich lasse die Interpunction des Originals, vgl. S. 254.

1 Der Kaiser wollte wandern
Sprach Petrus.
Von einer Stadt zur andern
Juchheisasa andern
Sagt der Kaiser.

2 Jetzt kommen wir vor ein Wirthshaus
Sprach Petrus.
Frau Wirthin schenkt uns Wein heraus
Juchheisasa Wein heraus
Sagt der Kaiser.

3 Womit willst du ihn bezahlen?
Sprach Petrus.
Ich hab' noch einen Thaler
Juchheisasa einen Thaler
Sagt der Kaiser.

4 Wo hast du denn den Thaler bekommen?
Sprach Petrus.
Ich hab' ihn den Bauern genommen,
Juchheisasa, Bauern genommen
Sagt der Kaiser.

5 Jetzt hast du keinen Seegen
Sprach Petrus.
Daran ist nichts gelegen,
Juchheisasa nichts gelegen,
Sagt der Kaiser.

6 Jetzt kömmst du nicht in Himmel ein
Sprach Petrus.
So reit ich auf einen Schimmel hinein
Juchheisasa, Schimmel hinein
Sagt der Kaiser.

7 So fällst du herunter und brichst das Bein
Sprach Petrus.
So rutsch ich auf dem Hintern hinein,
Juchheisasa, Hintern hinein
Sagt der Kaiser.

77.

Auszug zum Freiheitskriege.

Flieg. Bl. aus Halle (Soltaus Nachlaß). Die Melodieangabe von Körners Jägerlied („Leyer und Schwert von Theodor Körner, Lieutenant im Lützowschen Freicorps. Berl. 1815" S. 42) ist wol nicht vom Dichter, Körners Lied rührt nach dem Register in L. u. Schw. selbst erst aus d. J. 1813 her; dessen Vorbild vielmehr, Schubarts Caplied, ist vom Dichter parodiert worden. Schubarts Lied war sehr verbreitet und beliebt, der wehmüthig patriotische Ton darin mit einiger Empfindsamkeit sprach eben das weiche Gemüth jener Zeit an. Auch in der Parodie ist neben dem beginnenden Aufschwung noch etwas Weiches der Art, sie hat vermuthlich damals allgemeiner gefallen, als Körners Lieder mit ihrer Gluth und etwas herben Energie. Rührend ist es, wie Preußisch und Deutsch vermengt sind, aber das war ja gar nichts Neues.

Mel. Frisch auf, ihr Jäger frei und flink.

1 Auf, auf! ihr Preußen, seid nun stark!
Zum Abschied reicht die Hand!
Es liegt zwar auf der Seele schwer,
Doch deutsche Freiheit gilt uns mehr
Für's theure Vaterland. :|:

2 Ein dichter Kreis von Lieben steht,
Ihr Brüder, um uns her,
Uns knüpft ein Gott, ein festes Band
An's liebe deutsche Vaterland,
Drum greifen wir zur Wehr. :|:

3 So reicht den grauen Eltern noch
Zum letzten Mal die Hand,
Und küsset Brüder, Schwestern, Freund',
Und alle, die es gut gemeint,
Umschlingt das theure Pfand. :|:

4 Vergesset auch des Liebchens nicht,
Und bleibt ihr stets getreu,
Die Trennung ist zwar bittrer Schmerz,
Doch schlägt in uns ein deutsches Herz,
Wir Preußen sind noch frei. :|:

5 Lebt nun, ihr theuren Freunde, wohl,
Es muß geschieden sein,
Dereinst nach dieser kurzen Zeit
Sehn wir uns dort in Ewigkeit
Und werden uns dann freu'n. :|:

6 An Deutschlands Gränze füllen wir
Mit Erde unsre Hand,
Und küssen sie, dies sei der Dank,
Für deine Liebe, Speis' und Trank,
Du liebes Vaterland. :|:

7 Wenn nun der Feinde Schaaren sich
An unsern Reihen bricht,
So jauchze, liebes Preußenland,
Du edles theures Vaterland,
Denn Gott verläßt uns nicht. :|:

8 Und wenn wir dann nach schwerem Kampf
Als Sieger wiederkommen,
Dann strecken wir empor die Hand
Und preisen den, der unser Land
In seinen Schutz genommen. :|:

78.

Die Schlacht an der Katzbach.

26. Aug. 1813.

Handschriftliches Liederbuch eines preußischen Soldaten aus den Vierziger Jahren; ein Invalidenlied.

1 Und die Katzbach das ist euch ein grausamer Fluß,
Der machte dem Napoleon gar bittern Verdruß.
Es zählte jedes Heer schier an achtzigtausend Mann,
Und da zogen auch wir Blücherschen Husaren heran,
An der Katzbach, an der Katzbach.

2 Das Wort war gegeben, das hieß Sieg oder Tod!
Und ein Regen goß vom Himmel, wie die Schockschwerenoth.
Da schrie der Vater Blücher, der Tag ist erwacht,
Frisch auf mein Trompeter und blase zur Schlacht,
An der Katzbach, an der Katzbach.

3 Der Trompeter der blies und der Teufel gieng los,
Und bis Nachmittag wehrte sich tapfer der Franzos,
Da rief der Vater Blücher, Kinder seid ihr alle da?
Zeigt euch wie tapfre Preußen, der König Hurrah!
An der Katzbach, an der Katzbach.

4 Marsch vorwärts die Colonnen, und Donner links und rechts,
Und Guß auf Guß, und die Hitze des Gefechts!
Hei das war eine Lust, hei das war auch eine Hatz,
Wie wir packten die wilde französische Katz,
An der Katzbach, an der Katzbach.

1, 1. Sehr viele Volksl. beginnen so mit **und** (Nr. 87[a]), ältere (Uhl. 754. 840. 952. Rochholz 200) und bes. neuere, am häufigsten die kurzen Tanzreime, Gsätzle, Schnaderhüpfeln, die oft mitten aus einer Gedankenreihe, aus einem Empfindungsnetze eine plötzliche Äußerung herauswerfen. Selbst Opitz beginnt ein Lied (Poet. Wälder, 2. Buch) **Und wer ist dies Liecht der Jugend**; auch neuere Dichter, wie Arndt. 2, 1. Ich kann nicht finden, ob das wirklich die Parole war. 4, 2. den ganzen Tag und die folgende Nacht Regengüsse, verdunkelte Landschaft.

5 Ein Quarré stand wie Mauern, und da schrien wir drauf!
Da ward aus dem Quarré bald von Leichen ein Hauf.
Und die Reiter und die Rosse und Kanonen hinterdrein,
Die jagten in die Neiß und in Katzbach hinein!
An der Katzbach, an der Katzbach.

6 Und als der Sieg errungen war, da beteten wir,
Gott, gieb den todten Brüdern im Himmel Quartier.
Ach schon lange ist es her, und schon lange bin ich müd!
O schlief doch bei den Brüdern der alte Invalid
An der Katzbach, an der Katzbach!

5, 2. ein franz. Bataillon ward von einem York'schen Bataillon (dem 2. des brandenb. Regiments unter Maj. v. Othegraven) umzingelt und mit den Kolben erschlagen, daß es auf einem Haufen lag, Pulver war nicht zu brauchen. Der Husar scheint die That sich mit zuzuschreiben.

79.

Der Übergang bei Wartenburg.

3. Oct. 1813.

„Preußisches Militair-Liederbuch. Eine gediegene Auswahl von Gesängen für das Pr. Milit. 2c. Gesammelt von einem Preußen. Guben 1846." Nr. 118. S. 78. Melodie und manches im Ton vom Prinz Eugenius. Zu der entscheidenden Umgehung der feindlichen Stellung über Bleddin rückten preuß. Bataillone über die Brücken, „in fröhlichster Stimmung, den Prinzen Eugenius singend." Droysen, Leben York's.

1 Aus dem Hauptquartier in Jessen
Schrieb nach reiflichem Ermessen
Vater Blücher den Befehl:
Morgen früh soll York marschiren,
Übern breiten Elbstrom führen
Sein Armeecorps ohne Fehl.

2 Darauf schlug man Nachts zwei Brücken,
Daß man konnt hinüberrücken,
Zu verjagen dort den Feind,

Der auf Wartenburg sich stützte,
Den der hohe Elbdamm schützte,
Und des Siegs gewiß sich meint.

3 Früh zog Sieholm drauf entgegen
Der Scharfschützen Kugelregen
Von dem hohen Elbwall her,
Und die feindlichen Kanonen
Blitzten auf die Bataillonen
Ein verheerend Feuermeer.

4 Mit dem Reste der Brigade
Eilt Prinz Carl am Elbgestade
Feindes Flanke zu umgehn.
Von ihm wird Bleddin genommen,
Mancher Camrad mußt umkommen,
Durft des Kampfes Lohn nicht sehn.

5 In vierstündgem Tirailliren
Muß vergeblich manövriren
General-Major von Horn.
Da stellt er sich an die Spitzen:
Laßt die Bajonetts nur blitzen!
Nun entbrennt des Kampfes Zorn.

6 Durch Morast und durch Granaten
Müssen sie drauf vorwärts waten
Nach dem wohl besetzten Wall,
Den sie muthig nun besteigen,
Graf Bertrand muß ihnen weichen,
Und der Feind flieht überall.

7 Wartenburg war bald genommen,
Und es waren umgekommen

3, 1. Oberstlieut. v. Sjöholm mit drei Bataillonen gieng zuerst über die kaum fertigen Brücken. Der mit Schützen und Kanonen starkbesetzte, so schon schwer zugängliche Elbdamm stand wie eine Festung entgegen. 4, 2. Prinz Karl von Mecklenburg; nach angestrengten vergeblichen Versuchen und schweren Verlusten bereitete erst diese Umgehung einen möglichen ernsten Angriff auf die Hauptmacht Bertrands in Wartenburg vor. 5, 5. „Ein Hundsfott, wer noch einen Schuß thut! zur Attake

Von dem Feind dreitausend Mann,
Und nach acht gar blutgen Stunden
Hat das Yorksche Corps gefunden
Eine freie Siegesbahn.

8 Genral York thät wohl verspüren,
Wie er müsse honoriren
Heut das zweite Bataillon,
Zog den Hut vor jedem Streiter,
Und das Heer zog jubelnd weiter,
Wollte keinen andern Lohn.

Gewehr rechts!" gegen den Elbdamm. 8, 4. Das zweite Bat. des Leibregiments unter Horn erstürmte den Damm, der Feind hatte Sturm für unmöglich gehalten; die Stürmenden, vom langen Kampf müde und hungrig, mußten zuvor unter dem feindl. Feuer bis an die Brust durch einen Sumpf. Beim Defilieren am nächsten Tag zog York, der ernste, strenge, der vor allem schwer zum Lob zu bringen war, überall nur Pflichterfüllung sah, den Hut vor dem ersten Zuge jenes Bataillons und hielt ihn in der Hand, bis der letzte Zug vorüber war, mit den Worten: „Dieß ist das brave Bataillon, vor dem die ganze Welt Respect haben muß!"

80.

Die Schlacht bei Leipzig.

Auf einem flieg. Bl., Leipzig bei Cleve, mit der Überschrift „An die Vergangenheit" offenbar im Sinn Matthison'scher Erinnerungswehmuth. Das Lied gehört in die Classe der zu Nr. 66 besprochenen, rührt etwa von einem Landschullehrer her, und muß wirklich im Gesang weit gewandert sein, denn W. v. Plönnies hat es im Odenwald aufgezeichnet und ist ihm dort mehr als einmal begegnet, „es gehört offenbar zu den vielgesungensten unsrer Gegend und muß bald nach dem Kriege hier heimisch geworden sein" (briefliche Mitth.). L. Erk, Neue Samml., 2. Heft Nr. 20 brachte es mündlich aus dem Brandenburgischen und vom Niederrhein, mit einer ansprechenden, weichen Melodie. Auch das flieg. Bl. ist aus neuester Zeit, das Lied muß also noch von den Käufern verlangt werden; daß es gleich damals sich schnell verbreitet hat, beweist auch Nr. 88 in seltsamer Weise. Das Lied ist in allen drei Fassungen auffallend wenig verschieden, jede hat hie und da etwas von dem vermuthlich Ächteren; nur das Wichtigere geb ich an. — In H. Pröhle's Sammlung fliegender Blätter (s. zu Nr. 98) find ich das Lied auf einem flieg. Bl. aus der Zeit bald nach dem Kriege in einer Gestalt, wie es die 'Schwarzen' sangen in Bezug auf Waterloo (Und schon beim ersten Trommelwirbel Verlorn wir unsern Herzog dort), mit einzelnen Zügen schon aus Nr. 88 (Bei Waterloo stand eine Eiche, Wo ich des Tags gerastet hatt), doch in vierzeiligen Strophen.

1 Einstmals saß ich vor meiner Hütte,
An einem schönen Sommertag;
Da dankt ich Gott für seine Güte,
Weil alles friedlich um mich lag.
Ich lebte damals recht zufrieden,
Mit frohem Muth und heiterm Sinn
Legt ich mich nach der Arbeit nieder,
Dort auf mein hartes Lager hin.

2 Des Nachts saß ich beim Mondenscheine,
Und hörte auch die Nachtigall,
Die mir vor meiner Hütt' alleine
Ein Loblied sang mit frohem Schall.
Ich lebte damals recht zufrieden,
Hab nichts von böser Welt gekannt;
Allein es schwand mein stiller Frieden,
Und nun ist alles abgebrannt.

3 Bei Leipzig, o ihr lieben Leute!
Wo meine Hütt' ist abgebrannt,
Hört' ich von einem großen Streite,
Und Kriegsgeschrei durchs ganze Land.
Ich hörte die Kanonen knallen
Und auch ein schreckliches Geschrei:
Ich hörte die Trompeten schallen
Und Trommeln wirbelten dabei.

4 Auf einmal kam ein dicker Nebel,
Der Tag verkroch sich in die Nacht;
Das Blitzen von viel tausend Säbeln

2, 1. Erk Diesmal saß ich beim M., flieg. Bl. u. Plönnies Des Nachts sah ich den Monden scheine (doch Pl. des Mondes Scheinen). 2, 3. mir das flieg. Bl. u. Pl., Erk nur. 2, 6. Pl. und Erk Und nicht v. b. W. gekannt (Erk erk.). 2, 8. so Pl., Erk und flieg. Bl. Und meine Hütt ist abgebrannt. 4, 3. Erk vieler tausend Säbel, Pl. von viel tausend Säbel.

Hat viele Menschen umgebracht.
Die Blitze vom Kanonenfeuer
Erleuchteten den Jammerort;
Da kamen Menschen, Ungeheuer,
Ich lief aus meiner Hütte fort.

5 Nun mußt ich in dem Pulverdampfe
Noch übers blut'ge Schlachtfeld gehn,
Und in dem langen Todeskampfe
Die armen Menschen leiden sehn.
Ich sah viel tausend dort zerhauen,
Im Blute schwimmend weit umher.
Ach, Gott! das Elend anzuschauen,
Das schmerzte mich unendlich sehr.

6 O, Friedensgöttin! komm hernieder,
Die Menschheit seufzte längst nach dir;
Gieb Eltern ihre Söhne wieder
Und heile alle Wunden hier.
Doch ach! ich seh dein Auge thränen,
Du schweigst. Wohlan! wir sind bereit,
Zu kämpfen gegen die Hyänen,
Bis du einst rufest aus dem Streit.

4, 6. Erk den Donnerort, Pl. (das Blitzen) Erleuchtete den ganzen Ort. 4, 7. Pl., Erk Menschenungeheuer. 5, 1. Pl. Jetzt muß ich nach vollbrachtem Kampfe. 5, 3. Pl. Und im Geruch vom Pulverdampfe. Str. 6 ist bei Pl. verdorben, der Schluß: Dann wollen wir mit Freundeswort Die Friedenslieder singen fort. Oben ist die Interpunction und Schreibung des flieg. Blattes beibehalten.

80b.

Preußisches Soldatenlied

von 1813.

Hoffmann von Fallersleben und E. Richter, Schlesische Volkslieder mit Melodien. Leipzig 1842. Nr. 258 mit der Mel. und mehrern Varianten. Im Allg. D. Lieder-Lexikon Nr. 1762 mit nur vier Str. nach einem flieg. Bl., auch in Kretzschmers

Volksl. Nr. 192 mit vier Str. „aus den Jahren 1813 bis 1815, gemacht und gesungen im Colbergschen Regiment". Hoffmann bemerkt dazu: „Es ist viel wahrscheinlicher, daß dieß L. im schlesischen Heer unter Blücher entstand und sich von da aus verbreitete"; vgl. Nr. 89. Die Mel. ist, außer in der 3. 4. Zeile (das Hurrah nicht gerechnet), eine weitverbreitete, die bei Soldaten und Handwerksburschen zu den beliebtesten gehört, ich hörte sie oft als Marschlied singen, bes. mit dem beliebten Liede „Als ich an einem Sommertag", das auch bei Erk, erste Samml. Heft 2. Nr. 64 diese Mel. hat (mit demselben dreimaligen und zuletzt lang ausgesponnenen Hurrah), bei Hoffmann und Richter S. 155 eine andere. Jene Mel. hat einen so markierten Takt, daß das Lied gewiß vorzugsweise Marschlied war, wie die folgende Nr. 81.

1 Wir Preußen ziehen in das Feld
Hurrah, hurrah, hurrah!
Fürs Vaterland und nicht fürs Geld.
Hurrah, hurrah, hurrah!
Unser König ist ein braver Held,
Er zieht mit seinem Heer ins Feld,
Und Er soll leben! :|:
Und Er soll leben mit Hurrah!
Hurrah, hurrah, hurrallerallera! :|:
Und Er soll leben! :|:
Und Er soll leben mit Hurrah!

2 Bei Leipzig war die große Schlacht,
Die haben die Preußen mitgemacht;
Da standen hunderttausend Mann,
Die fingen auf Einmal zu feuern an
Auf die Franzosen. :|: u. s. w.

3 Und als Napoleon das vernahm,
Da sprach er gleich: ich armer Mann!
Mein Generale sind all verlorn,
Und meinen Soldaten ist bange wordn
Vor so viel Leuten. :|:

1, 1. Lex. So ziehn wir Pr. 1, 3. Lex. U. K. der ist ein tapferer H. 1, 4. Varianten bei Hoffm. Er lebt wie ein Vogel in der Welt, Er geht wie ein V. wol in das Feld, s. Nr. 89, 5. 2, 1. Var. Bei Hainau war die erste Schlacht, 26. Mai, allerdings die erste die seit Jena die preußische Reiterei machte, die erste die seit Jena die Preußen allein schlugen, und die erste glänzende; vgl. Nr. 89. 2, 2. Var. Die Napoleon mit den Preußen hat gemacht.

4 Und als der helle Tag anbrach,
Und man das blutige Schlachtfeld sah,
So waren alle Felder roth
Von lauter lauter Franzosenblut,
Sie mußten sterben. :|:

5 Mit dem König von Preußen hats keine Noth,
Der König von Preußen hat Geld und Brot.
Napoleon, hättst du mit uns Friede gemacht,
Und hättst nicht mehr an Rußland gedacht,
Wärst Kaiser geblieben. :|:

6 Wer hat denn dieses Lied erdacht?
Das haben die lustigen Preußen gemacht,
Wir habens gesungen, wir habens erdacht,
Wir habens dem König zu Ehren gemacht,
Und Er soll leben! :|:
Und Er soll leben mit Hurrah!
Hurrah, hurrah, hurrallerallera! :|:
Und Er soll leben! :|:
Und Er soll leben mit Hurrah!

4, 3. Var. **Da flossen ja alle die Berge so roth**, paßte freilich nicht auf Leipzig, wird wol von einer Schlacht in Schlesien sein. Im LLex. **alle die Wasser**. 4, 4. LLex. **Von l. jungem Fr.**, in den Schlachten 1813 kämpften ja meist junge, selbst blutjunge Leute, eben erst ausgehoben. 5, 2. Ein häufiger Zug in Soldatenliedern, z. B. bei Meier S. 196: **Der König von Würtemberg hat auch noch Geld, Hat auch noch schöne Leute.** 5, 3 ff. Dasselbe singen die Nassauer von sich, wie die originellsten Soldatenlieder überhaupt oft durch alle deutschen Bundesheere wandern (Nr. 87); die Nassauer haben übrigens ein Recht so zu singen sich bei Waterloo redlich verdient, wenn es bloße Tapferkeit thäte. 6, 2. Var. **wir Herrn Soldaten**, LLex. **die lustigen Füsiliere.**

81.

Lied der freiwilligen Jäger.

W. Bernhardi's Allg. D. Lieder-Lexikon 2, 347 Nr. 1418. Fink's Musikalischer Hausschatz der Deutschen, Leipzig 1843 Nr. 517. H. Beitzke, Gesch. der Deutschen Freiheitskriege 1, 280 erwähnt es: „ein Lieblingsmarschlied der freiwilligen

Jäger". Es wurde aber ein Preußenlied daraus ('Preußen' statt 'Jäger'), so in einem flieg. Bl. aus Halle (Soltaus Nachlaß) und einem andern aus Delitzsch; denselben Anfang hat ein Husarenlied b. Solt. 604. Die Mel. wol wie beim vorigen.

1 Mit frohem Muth und heiterm Sinn, hurra! :|:
Ziehn Jäger wir nach Frankreich hin, hurra! :|:
Erwerben uns dort Ruhm und Glück,
Das Liebchen lassen wir zurück,
Und scheiden, und scheiden, und scheiden mit hurra! :|:

2 Frei ohne Zwang ziehn wir ins Feld, hurra! :|:
Nicht durch das Loos, nicht für das Geld, hurra! :|:
Vereinigt durch ein heilig Band,
Mit Gott für König, Vaterland
Ziehn fröhlich wir, hurra! :|:

3 Dort steht der Feind, ihr Jäger vor, hurra! :|:
Schön tönt uns dieser Ruf ins Ohr, hurra! :|:
Das Horn erschallt, die Büchse kracht,
Wir rücken muthig in die Schlacht,
Und alles ruft Hurra! :|:

4 Seht, wie der stolze Franke flieht, hurra! :|:
Wenn er die freien Jäger sieht, hurra! :|:
Zu rächen ist des Frevels viel,
Sieg oder Tod ist unser Ziel,
Frisch Jäger drauf! hurra! :|:

5 Mit Gott wird uns der Sieg zu Theil, hurra! :|:
Heil, Friedrich Wilhelm, ewig Heil! hurra! :|:
Dann ehrt er uns im Siegerkranz,
Der Vater unsers Vaterlands,
Heil König dir, hurra!

1, 1. Das Hurrah für den Gesang dreimal, so das Liederlex. und ein flieg. Bl. 1, 2. 'Jäger wir', so auch Beitzke, der den Anfang anführt; Soltaus flieg. Bl. wir Preußen, das and. Preußen wir. 2, 1. LLex. Frei ziehn wir Preußen. 2, 4. Fink fürs teutsche Vaterland. 2, 5. LLex. Heil König &c. 3, 3. Solt. d. B. knallt. 3, 5. Fink mit H. 4, 2. so Fink; LLex. uns deutsche J., flieg. Bl. die tapfern Preußen. 4, 3. so alle. 4, 4. s. Nr. 88, 4, 8. 4, 5. so nur das Lex.; flieg. Bl. Drauf Brüder. 5, 2 ff. bei Fink fehlt die Str., Lex. Heil Vaterland, ja dir sei Heil! Sie winden uns den S., die

6 Und kehren wir mit Ruhm zurück, hurra! :|:
Machts treue Liebchen unser Glück, hurra! :|:
In Deutschland an dem heimschen Heerd
Sind wir dann Preußens Namen werth,
Und jauchzen froh Hurra! :|:

Väter u. V. Heil König! Heil Deutschland! wir jauchzens froh, H.! scheint gemacht, oder nicht? 6, 3. so Lex.; flieg. Bl. am Herz in unserm h. H. 6, 4. Lex. des preußschen, Fink des teutschen.

82.

Deutscher Siegesjubel.

Flieg. Bl. aus Halle (Soltaus Nachlaß), ein anderes aus Delitzsch in meiner Sammlung, in letzterm als Melodie: Dunkel ist schon jedes Fenster ꝛc. (Erk, Neue Samml. 2. Bd. 6. Heft Nr. 34); beide wenig verschieden.

1 Freuet euch, ihr deutschen Brüder,
unter Becherklang!
Laßt ertönen Jubellieder
nach so langem Drang!

2 Offen steht der Freiheitshafen,
der verschlossen war,
Denn wir waren Frankreichs Sklaven
ganzer sieben Jahr.

3 Diese Jahre sind verschwunden,
Gott, dich loben wir!
Deutschland hat nun überwunden,
Gott, dir danken wir!

4 Alexander, Rußlands Kaiser,
du brachest die Bahn,
Deutschlands Fürsten, Oestreichs Kaiser
schlossen sich dir an.

5 Friedrich Wilhelm, Volksbeglücker!
zogest selbst ins Feld,
strafest Deutschlands Unterdrücker,
Heil dir, großer Held!

6 Friedrich Wilhelms, Franzens Krieger,
Heil euch lebenslang!
Ihr, Napoleons Besieger,
habet großen Dank!

7 Schwedens Kronprinz, Preußens Blücher,
Retter aus Gefahr!
Durch euch waren wir nun Sieger,
Heil euch immerdar!

8 Siehe da die große Stunde
winket uns herbei,
singet alle in der Runde:
Deutsche, wir sind frei!

9 Deutsche Fürsten, ihr sollt leben,
die ihrs redlich meint!
Deutschlands Retter sollen leben,
jeder deutsche Freund!

10 Künftig wollen wir vertrauen
kühner Helden Muth,
deutsche Mädchen, deutsche Frauen,
freut euch solchem Blut!

7, 3. nur? ist das Lied in der schlesischen Armee gedichtet, in der so viele Gebildete dienten? vielleicht bald nach der Schlacht bei Möckern; im Siegesjubel könnte der Kronprinz wol so glänzend mit bedacht sein, seine zweideutige Rolle vergessen. 10, 4? dieser sonst volksmäßige Dativ (S. 435) paßt doch nicht in dieß Lied. Das Delitzscher Bl. **freut euch hohen Glücks!** — Die unrhythmische, scheinbar silbenzählende Zeile 4, 2 läßt hören, daß das Lied in der Melodie gedichtet wurde. Die 'sieben Jahre' 2, 4 scheinen typisch geworden, bei Hackländer, Wachtstubenabentheuer (1853) 2, 65 singen Kanoniere, offenbar von 1806: **Friedrich Wilhelm saß im Wagen, Zog mit uns ins Feld: Über sieben Jahr wolln wir Frankreich schlagen, Lustig und fröhlich sein, juchhe! Lustig und fröhlich sein.**

83.

Napoleons Noth.

Mündlich, aus der Oberlausitz; für mich wie Nr. 85 aufgezeichnet von Herrn Dr. Ad. Zestermann aus dem Mund eines sächsischen Veteranen; leider fehlt vielleicht gegen Ende mehr. Ein ebenso anfangendes Lied aus Schwaben bei E. Meier S. 220, aber offenbar entstellt und in Trümmern, nur stückweis dem hiesigen ähnlich.

1 Napoleon der große Held,
Der lief bei Leipzig aus dem Feld,
Der lief wol über Stock und Stein,
Bis daß er kam wol übern Rhein.

2 Dort überm Rhein da hielt er still,
Weil er sich wieder stellen will.
Er sprach, ihr Kinder, halt euch fein,
Sonst büßen wir ganz Frankreich ein.

3 Auf Kaiser Franz hätt ich vertraut,
Auf den hätt ich mein Glück gebaut:
Er hat sich von mir excusiert
Und mich dazu recht angeschmiert.

4 Das Rußland soll verwünschet sein,
Dort weil ich alles büßte ein;
Ich hatte weder Schreck noch Leid,
Eh ich zurück kam ins Baireuth.

5 . . . .
. . . .
Ich traue keinem Russen mehr,
Und wenns gleich Alexander wär.

1 2. Meier: zog b. L. in das Feld. 1, 4. M. kommen ist an den Rhein. 2, 1. M. Und an dem Rh. Str. 3. als Bruchstück aus dem Harz auch bei Pröhle, Weltl. u. geistl. Volkslieder ꝛc. Aschersl. 1855 S. XXXII: Dem Kaiser Franz hab ich getraut, Auf ihn hätt ich ein Haus gebaut, Jedoch er hat sich excusiret Und mir gewaltig angeschmieret. 4, 2. Diese Umstellung scheint ächt. 4, 4. seltsam! bezieht es sich etwa auf die Sage, daß einst Napoleon im Schlosse zu Baireuth übernachtend von der weißen Frau heimgesucht worden sei? 5, 1. 2. aus dem schwäb. Lied paßte etwa 3, 1. 2 zur Ergänzung:

Ach wär ich nicht nach Rußland nein,
So hätt ich meine Kron noch fein.

6 Napoleon, was gedenkst du dir,
Hast du zum Frieden kein Papier?
Das wirst du nun und nimmermehr,
Was du gewollt, der Erde Herr.

7 Napoleon, nun laß es sein,
Sonst büßt du deine Länder ein.
Es ist dir kein Monarche gut,
Die Sachsen haben noch hohen Muth.

6, 3. 'wirst' von mir, dictiert wurde 'sollst'. 7, 4. 'oder auch die Östreicher', gab der Sänger an.

84.

Die preußischen Husaren.

Mündlich, vom Mittelrhein, aufgezeichnet durch J. W. Wolf, mir mitgetheilt von W. v. Plönnies. „In der freudigsten Begeisterung schrieb der alte Soldat den ganzen noch übrigen Raum des Papierschnitzels voll mit Hurrah!“ Wolf.

1 Als unser König riefe,
Auf, Kinder, wacker mit — Hurrah!
Da seind wir all mit Freuden
Gefolgt mit Sack und Pack — Hurrah!

2 Da sprach der alte Blücher:
Nun vorwärts, Kinder, marsch — Hurrah!
Wir müssen den Franzosen geben
Lexion in deutscher Sprach — Hurrah!

3 Mit unsern blanken Säbeln
Ihn schreiben auf das Fell — Hurrah!
Daß wir keine Schlafmützen seind
Und jeder von uns ein Held — Hurrah!

3, 2. Im Antwerp. Liederb. von 1544 Hor. belg. 11, 285. 279 antworten die Landsknechte, die Heinsberg aufgeben sollen, auf Begehren einer schriftl. Antwort: Met spiesen ende mit cortouwen ende der ghelijck Hebben wi leeren (gelernt) schrijven wel .. Si schrijven so dapper met pulver en bly.

4 Übern Rhein warn sie gekommen
Und riefen viv Lamperör — Hurrah!
Da schrien wir vivat Friedrich Wilhelm!
Und schlugen auf die Musjö — Hurrah!

5 Daß ihnen die rothe Tinte
Lief über den dünnen Leib — Hurrah!
Als wir die Säbel schwenkten,
Liefen sie zum Zeitvertreib — Hurrah!

6 Mit ihren langen Besenstielbeinen
Warn sie so schnell übern Rhein — Hurrah!
Allong, allong, vit, vit, marsché,
Die Preußen sind strenge Herrn — Hurrah!

7 Kö Diabel hol die Lesongen,
Die sie uns geben heut — o weh!
So strenge Professöre
Sind nicht in ganz Frankereich — o weh!

8 O weh, mein arme Finger,
Darauf sie mich geklopft — o weh!
O weh, mein Leib, mein Tintenfaß,
Darein sie ihre Federn gezopft — o weh!

9 Und da sprach unser König,
Friederich Wilhelm — Hürrah!
Nun ists genüg, laßt sie laufen,
Die armen bangen Schelm — Hurrah!

10 Ihr seid meine braven Kinder,
Habt euer Sach gut gemacht — Hurrah!
Nun gehet hübsch nach Hause,
Bis ich euch wieder ruf — Hurrah!

11 Dafür soll er auch leben
Mit Vivat und Hurrah! — Hurrah!
Der Teufel hol das Franzosenpack,
Juchheisa und Hurrah! — Hurrah!

85.

Die sächsische Landwehr bei Tournay.

30. März 1814.

Mündlich, aus der Oberlausitz, s. Nr. 83. Unglückliches Gefecht eines Theiles der Armee in Belgien, meist Sachsen, Landwehr die hier zum ersten Mal ins Feuer kam, unter dem General von Thielemann bei Courtray und Tournay gegen General Maison, an demselben Tage an welchem die Hauptarmee vor Paris erschien, der Montmartre erstürmt wurde und Paris capitulierte.

1 Sag an, mein lieber Landwehrmann,
Was du bei Doornick hast gethan?
Schützen vor zum Tiraillieren,
Landwehr will schon retirieren!

2 Ach Gott, da gab es große Noth,
Liefen wir nicht fort, sie schossen uns todt!
Schützen vor zum Tiraillieren,
Landwehr will schon retirieren!

3 Sie warfen Gewehr und Tornister weg,
Und liefen durch den tiefsten Dreck.
Schützen vor zum Tiraillieren,
Landwehr will schon retirieren!

4 Sie fragten alle Bauersleut:
Ist denn der Weg nach Sachsen weit?
Schützen vor zum Tiraillieren,
Landwehr will schon retirieren!

1, 3. Den an Zahl überlegnen Franzosen gegenüber, die gewaltig andrangen, hätte Prinz Paul von Würtemberg seine ganze Brigade, Neulinge, in Tirailleure aufgelöst, die nun in coupiertem Terrain, in der noch neuen Gefechtkunst ganz ungeübt, rathlos umherirrten unter scharfem Feuer der 'Spanier', wie sie mir ein betheiligter Landwehrmann nannte, d. h. französischer Garden die im Sommer 1813 erst aus Spanien geholt worden waren, gebräunt und stolz. 4, 2. In einem ältern fränkischen Liede bei Ditfurth 2, 168 (Jourdans Rückzug, s. zu Nr. 91) in Str. 6: (die Franzosen) Fragten unterwegs dabei, Wie weit noch nach Wiene sei.

5 Der Hauptmann Braus hat das Commando,
Die Schützen standen wie eine Wand.
Schützen vor zum Tiraillieren,
Landwehr will schon retirieren!

6 Der General Thielemann hat befohln:
Der Teufel soll die Landwehr holn!
Schützen vor zum Tiraillieren,
Landwehr thut schon retirieren!

5, 1. Die Brigade von Brause sollte das Gefecht halten, war aber selbst „durch das Schicksal der andern Brigade in ein nachtheiliges Gefecht verwickelt worden, und der am Ende erfolgende Rückzug konnte nicht ganz ohne Verwirrung und Verlust ausgeführt werden." K. v. Hüttel, „Freih. v. Thielemann, eine biogr. Skizze." Berl. 1828 S. 59. Die Schützen (so heißen in der sächs. Armee die leichten Truppen) von Brause werden wol dieß Spottlied auf die Landwehr aufgebracht haben. 6, 1. Derselbe Thielemann, der einst ein soldatisches Urtheil über Schillers Reiterlied in Wallensteins Lager abgeben sollte, Schillers Briefwechsel mit Körner 4, 29. 34.

86.

Napoleon auf Elba.

In J. W. Wolfs Zeitschrift für Deutsche Mythologie und Sittenkunde 1. Bd. Gött. 1853 S. 98 mitgetheilt von W. v. Plönnies unter einigen andern Volksliedern als Proben seiner handschr. Sammlung aus dem Odenwalde. Das Lied ist leider nicht vollständig; auch wird der Text hie und da versungen sein.

1 Ach was hab ich Gram und Sorgen,
Jetzt verlasset mich mein Glück.
Ich werd aus dem Land geführet
Und darf schauen nicht zurück.
Ich werd gleichsam transportieret,
Wie man die Gefangnen führet,
Nach der Insel Elba zu,
Wo ich lebe stets in Ruh.

1, 5. gleichsam, d. i. eigentlich 'ebenso wie', gleich sam, s. Schmeller 2, 425; vgl. Nr. 48, 3.

2 Ruhe ist mir schon versprochen,
Aber denk ich jetzt zurück,
Ich hab manche Kron zerbrochen,
Das plagt mich all Augenblick.
Ich hab manches Land verheeret,
Wie auch manche Stadt zerstöret,
Und vergossen so viel Blut,
Daß es mir bald wehe thut.

3 . . . .
. . . .
. . . .
. . . .
Schweden, ihr seid unterthänig,
Sonst verliert ihr euren König,
Euren König, eure Kron,
Denn ich heiß Napoleon.

4 Wer wird mich dann überwinden,
Ich bin Herr der ganzen Welt!
Da wollt ich mich nach Rußland wenden,
Das war aber ganz gefehlt.
Die großbärtigen Kosacken
Wollten mich herzhaft anpacken,
Darum hab ich meine Flucht
In das Frankenreich gesucht.

5. Wenn ich denk an jene Zeiten,
Dort an das Egyptenland,

2, 3. Pl. schon manche. 2, 5. Pl. schon manches. Die Wehmuth des Zurückdenkens schlug jedenfalls nachher in Stolz um, es folgte wie Str. 3. 4 zeigen, eine stolze Recapitulation seiner Großthaten, in Str. 3 ist noch ein Rest von seinem diplomatischen Gebahren in Bezug auf den russ. Krieg; eben deshalb mag mehr fehlen als die vier Zeilen, deren Verlust der Strophenbau erkennen läßt; auch der rechte Schluß ist vielleicht nicht da, man erwartet ein Zurückkommen auf Elba im Anfang. — Der Volkswitz spielte übrigens damals derb mit dem Weggesetzten, z. B. in einem Liede: Wo wird denn jetzt der Napoleon sein? Er sitzt auf der Insel und hütet die Schwein (Mitth. v. Plönnies); in einem andern handelt er nun mit Schwefelholz (Scheible, Volkswitz 9, 190): Er geht die Straßen auf und ab, Und ruft, wer kauft mir Schwefelholz ab.

Wo ich meine braven Leute
Selbst durch eigne Schuld verlor:
Ich hab sie hineingeführet
Und bin ihnen desertieret.
Das war auch nicht recht gethan,
Daß ich führt ein solchen Plan

87a.

Das Lied der schwarzen Husaren.

Der Tod des Herzogs von Braunschweig-Oels.

16. Juni 1815.

Flieg. Bl. aus Halle (Soltaus Nachl.); auch, wenig abweichend, bei Wilibald Walter, Samml. Deutscher Volksl. ꝛc. S. 194 mit der Unterschrift 'Braunschweigisch'. Das Lied wurde das eigentliche Besitzthum, gleichsam das Heiligthum der schwarzen Husaren; als die Truppe des Herzogs 1818 aus Frankreich zurückkehrend ohne ihren Herzog in Braunschweig einrückte unter einer Ehrenpforte weg, da sangen die Husaren im langsamen Schritt reitend dieß Lied, unter Kanonendonner und Thränen der Braunschweiger; so erzählte mir ein 'Schwarzer', der da mitsang, das ist dann in der folg. Fassung als besondre Str. 3 aufgenommen.

1 Und als der erste Schuß
Unserm Herzog gieng durch die Brust:
Unser Herzog, der ist verlören,
Ach wären wir Schwarzen nicht geboren!
Wir Schwarzen rufen Hurrah, Hurrah!
Ganz muthig stehn wir da.

2 Ganz schwarz sind wir montiert,
Und blutig ausstaffiert:
Vor dem Czako tragen wir den Todtenkopf,
Wir haben verloren unsern Herzog,
Wir Schwarzen rufen Hurrah, Hurrah!
Ganz muthig stehn wir da.

3 Herzog Oels, der tapfre Mann,
Der führte uns Schwarzen voran.

Unser Herzog, der ist verloren,
Ach wären wir Schwarzen nicht geboren!
Wir Schwarzen rufen Hurrah, Hurrah!
Ganz muthig stehn wir da.

4 Nach Braunschweig brachten sie ihn nein,
Wo mancher Brave ihn beweint,
Unser Herzog, der ist verloren,
Ach wären wir Schwarzen nicht geboren!
Wir Schwarzen, wir rufen Hurrah, Hurrah!
Ganz muthig stehn wir da.

87b.

Mündlich, aus dem Odenwald, mir mitgetheilt von W. v. Plönnies. So hat sich das schöne Lied, eins der bedeutendsten überhaupt, trotz seiner ganz besonderen Beziehung erhalten und verbreitet, denn auch in andern deutschen Heeren wird es noch gesungen, 1849 hörte man es die preußische Landwehr singen, und wie es sich anderwärts festgesetzt hat, zeigen z. B. Plönnies' Notizen aus dem Darmstädtischen (brieflich): „wird in Hessen vielfach, besonders von den Soldaten gesungen; es gibt auch Varianten davon, die den localen Bedürfnissen angepaßt sind, z. B. An dem Czako da tragen wir den (hessischen) Löwenkopf, wir haben verloren so manchen armen Tropf, wir Hessen wir rufen Hurrah ꝛc. Mit Blau sein wir montieret, mit Roth sein wir ausstaffieret ꝛc." Das blutig im Refrain haben auch die Schwarzen selbst schon gesungen; merkwürdig ist die Blücher gewidmete Schlußstrophe, die wahrsch. früh hinzukam und dann zur Zeit auch die Notiz seines Todes (1819) aufnahm; wer weiß, ob nicht dieselbe Ehre auch andern Helden widerfahren ist und noch widerfahren wird.

1 Herzog Oels der tapfere Held,
Der führt uns Schwarze in das Feld:
Unsern Herzog den haben wir verloren,
Ach wären wir Schwarzen nie geboren!
Und wir Schwarzen wir rufen Hurrah!
Ganz blutig stehn wir da.

2 Ganz schwarz sind wir montieret,
Mit Blut sind wir ausstaffieret,
Auf dem Czako da tragen wir den Todtenkopf,

Und wir haben verloren wol unsern Herzog,
Und wir Schwarzen wir rufen Hurrah!
Ganz blutig stehn wir da.

3 Nach Braunschweig traten wir herein,
Und fiengen alle an zu schrein:
Unsern Herzog den haben wir verloren,
Ach wären wir Schwarzen nie geboren!
Und wir Schwarzen wir rufen Hurrah!
Ganz blutig stehn wir da.

4 Fürst Blücher der tapfere Held,
Der führt uns Deutsche ins Feld,
Fürst Blücher der ist uns gestorben —
Und wir Deutsche wir sein noch nicht verdorben!
Wir Deutschen wir rufen Hurrah!
Ganz muthig stehn wir da.

Waterloo.

88.

Flieg. Bl. aus Halle (Soltaus Nachl.); diese eine Quelle kann leider den Text nicht sichern. Umarbeitung von Nr. 80, an der gar manches merkwürdig ist: daß ein Soldat, wenn man 6, 7 wir trauen darf, dieß empfindungsweiche Lied mit seinem bürgerlichen Ton wählen konnte für eine Schlacht wie diese und in einer Zeit wie diese (das Lied mußte also doch schon bekannt und beliebt sein, selbst in den Regimentern); daß die Form umgesetzt ist durch Verkürzung der Zeilen, also auf eine andere Mel.; am meisten aber, wie der alte bürgerliche Ton und der neue soldatisch-patriotische verschmolzen sind oder vielmehr äußerlich neben und durch einander gestellt (es mußte also in den Gemüthern ebenso aussehen), je ein Vers um den andern in dem alten und dem neuen Ton. Ich weiß kein Beispiel, das einen so merkwürdigen Blick in das Werden und Weben des Volksgesangs gäbe; selbst der Sinn beider Theile scheint äußerlich sich so wenig zu einigen, daß man es für einen Scherz halten könnte, wenn der Gegenstand und die Quelle danach wären. Die Verkürzung ist übrigens so günstig für Kraft und Sinn der alten Strophen, daß man diese Gestalt für die ältere halten möchte, wenn man irgendwie jenes Lied aus diesem erklären könnte. Die Mel. scheint nach 2, 1. 2 sicher die damals sehr beliebte schöne zu sein: Auf, auf zum fröhlichen Jagen (vergl. Hoffmann v. F., Hor. belg. 2, 100), welche frische Kraft mit einer gewissen Weichheit selbst wunderbar verbindet. Daß in den deutschen Regimentern 1813 sentimentales Element wolvertreten war, beweist ihr wunderbar weiches Lied: „Holde Nacht, dein dunkler Schleier Hüllet mein Gesicht vielleicht zum letzten Mal ꝛc.“, das Blücher und Gneisenau dem schlesischen Heer zu singen untersagten (Erk, erste Samml. Heft 6 S. 27); der sächsische Veteran (zu Nr. 83) dictierte es noch Herrn Dr. Zestermann als ein soldatisches Hauptlied jener Zeit.

1 Ich saß bei meiner Hütte
wohl in dem Sonnenstrahl,
dankt' Gott für seine Güte,
für Freuden ohne Zahl.
Bei Brüssel stand die Eiche,
da ruht' ich Tag und Nacht,
da hört' ich ein Geräusche
von großer Kriegesmacht.

2 Es fängt schon an zu tagen,
auf, auf! ihr Pionier!
voran zum Brückenschlagen,
ihr muth'gen Pontonier!
Sapeurs, hebt eure Schanzen,
es nahet sich die Schlacht,
Franzosen müssen tanzen,
frisch auf, Musik gemacht!

3 Trompeten hört' ich schallen,
ein schreckliches Geschrei,
Kanonen hört' ich knallen,
angst wurde mir dabei,
und durch der Trommel Brausen
verließ ich meinen Ort,
setzt' mich auf einen Räsen
ohnweit dem blut'gen Ort.

4 Auf, auf! Kartätschen fliegen,
geschwind, Artillerie!
voran, ihr stolzen Jäger,
ihr kämpftet stets mit Müh',

2, 1 wörtlich aus dem Lied Auf, auf zum fröhlichen Jagen (Erk, erste Samml., Heft 1, Nr. 46), oder aus Fouqué's danach gedichtetem Frisch auf zum

zieht dem Tyrann entgegen,
der uns verschlingen will;
wir scheuen nie den Regen,
Sieg oder Tod das Ziel!

5 Da fiel ein starker Nebel,
der Tag verschwand in Nacht,
das Klirren tausend Säbel
hat manchen umgebracht.
Ich mußte nach dem Kampfe
durch's blut'ge Schlachtfeld gehn,
im Rauch und Pulverdampfe
die Menschheit leiden sehn.

6 Dort auf dem rechten Flügel,
ihn kennen wir ja schon,
der mit gewohntem Siege:
es war ja Wellington.
Der Franzmann war geschlagen,
in dieser Schreckenszeit,
wir thaten ihn verjagen,
zerstören weit und breit.

7 Vorwärts! rief Vater Blücher,
Vorwärts! und folgt mir nach.
Sie drangen mit dem Greise
in starker Reihe nach.
Blücher ließ dem flieh'nden Feinde
keine Zeit und keine Ruh,
spuckte stets im Avanciren
Kartätschen auf sie zu.

fröhlichen Jagen (Erk, Bd. 2, Heft 2, Nr. 14). 4, 7. 'Kugelregen' war seit dem 16. Jh. so gewöhnlich, daß diese Kürzung natürlich war. 4, 8. vgl. Nr. 81, 4, 4. Str. 7 scheint aus einem andern Liede hierhergekommen, sie scheint sachlich nicht an rechter Stelle, hat auch in Zeile 4—6 noch fremden Rhythmus. 7, 3. In J. G. Cramers Lied: „Feinde ringsum rc." (1792. C. F. Becker, Lieder und Weisen vergangner Jahrh. 2, 74) sang man damals 6, 2 **Greis mit den silbernen Haaren, Blücher wo sind die Gefahren** (Erk, 1. Sammlung 2, 21), so hier schlechthin **der Greis.**

89.

Mündlich, aus dem Odenwalde, mitgeth. von W. v. Plönnies in Wolf's Zeitschr. für D. Mythol. und Sittenkunde 1, 97, außer Str. 3, die mir derselbe zur Ergänzung brieflich zukommen ließ. Das Lied ist großentheils in einen schon bestehenden Schlachtliedrahmen hineingesungen (s. zu Nr. 65), der sich mit andern berührt. Um das zähe Leben solcher Liedformen zu begreifen, muß man bedenken, wie für einen, der in singlustige geschlossene Kreise eintritt (Handwerksburschen, Soldaten, Studenten) es nöthig ist, ja oft eine gewisse Zeit erst dazu aufgewandt wird, daß er den bestimmten Kreis der beliebten, gleichsam gestempelten Lieder und Weisen lerne; es war gewiß von jeher so.

1 Bei Waterloo war die erste Schlacht,
Die der Kaiser Napoleon mit Engelland gemacht,
Mit Cavallerie.
Und da ward ja auf einmal das Feld so roth
Von lauter ja lauter Franzosenblut,
Sie mußten sterben.

2 Als Napoleon früh erwacht
Und die vielen Völker sah
Beisammen stehen,
Ei da waren ja auf einmal so viel hunderttausend Mann,
Die fiengen alle ja auf einmal zu feuern an
Auf die Franzosen.

3 Ei da kam ein stolzer Officier daher,
Der wollte bitten um Quartier:
Schenkt mir mein Leben!
Ach nein, ach nein, französisches Blut,
Geschossen mußt du werden,
Es kost dich dein Leben.

4 Als Napoleon das vernahm,
Da sprach er gleich: Ich armer Mann,
Was will das werden?
All meine Generäle die sein todt,
Und alle meine Soldaten leiden große Noth
In diesem Streite.

1, 1. S. Nr. 80b, 2. Hoffmann, schles. Vl. Nr. 260, 2. 1, 3. Nr. 80b, 4. 2, 1. Hoffm. Nr. 260, 1. 3, 2. Plönnies um Pardon; aber der Reim fehlte schwerlich gerade hier, Quartier war so schon im 17. Jh. gebräuchlich. 4, 1. s. Nr.

5 General Blücher das war so ein tapfrer Held,
Er streicht wie ein Adler wol über das Feld,
Vorn an der Spitze.
Ach hättest du Friede mit Engelland gemacht,
Hättst nicht an den Kaiser von Rußland gedacht,
Wärst Kaiser geblieben.

6 Der Kaiser Napoleon bildte sich ein,
Ein unüberwindlicher Kaiser zu sein
Allhier auf Erden.
Das hat der liebe liebe Herrgott gethan:
Er machte den Napoleon zum armen Mann,
Kann nicht mehr streiten.

80b, 3. Hoffm. Nr. 260, 3. 5, 2. s. die Var. zu Nr. 80b, 1. 5, 4. s. Nr. 80b, 5. 5, 5. urspr. wol an Rußland, vgl. S. 471.

90.

Der letzte Gang.

Scheible's Volkswitz der Deutschen über den gestürzten Bonaparte 2c. 11. Bändchen, Stuttg. 1850, S. 158 ff. als das vierte von: Vier Jahrmarktlieder von 1815. Es scheint in Niederdeutschland aufgekommen, in dieser Weise den Dialekt und Hochdeutsch in dialogischem Lied in komischen Contrast zu bringen; so in dem Vorbild dieses Lieds: **En Groffmed sat in goder Ro**, und in zwei andern sehr verbreiteten: **Hör doch Gretchen nur zwei Worte** (Erk 3. Bd. 1, 30), schon vor etwa hundert Jahren beliebt (s. Weimar. Jahrb. 2, 192. 187); und: **Dunkel ist schon jedes Fenster** (Erk 2. Bd. 6, 36 ff.). Mit welchem Behagen aber wird man dieß Blücherlied gesungen und gehört haben, in der trefflich komischen Melodie!

1 Vaddr Blücher sat in goder Ro, :|:
Und schmokt sine Pip Tobak derto.
Citi, cita, citum. :|:

2 Da kloppt em wat an sine Dör,
Dat was de höllische Postcurier.

3 Und dadrin stund et schwart up wieß,
Der Napl wär wedder in Paris.

4 Ei sprak de Blücher, dat wär mi woll,
Is denn de Kerel meg duwelsdoll?

5 T'is god, nu maken wi noch en Gang,
Mi wurd hie so de Tied schon lang.

6 Glieks [illegible] ik in de Stiwweln rin,
Ik will em schon te packen krien.

7 Mank de Bene den Rappen, de Kling in de Hand,
Jocht he nu flugs nach Nedderland.

8 Un as de Näpl em kommen sach,
Da wurd em um de Herzküte schwach:

9 Potz Himmel Mohren Tausendsassa!
Da hat mir der Teufel den Blücher schon da!

10 Der, dacht ich, säße von hier noch weit,
Denn ich bin kaum zur Hälfte bereit.

11 Det is schon recht, gaht mi nix an,
Man glieks vor't Messer, Herr Urian.

12 Ach Blücher, liebster Blücher mein,
So blüchre doch nur so arg nicht drein.

13 Hab nichts mit dir und sprech nur dort
Mit Wellington ein einzigs Wort.

14 Det Plouschen dat solt du blieben lan,
Ik wer di nich vom Nacken gahn.

3, 1. **wieß** halb hochd.; einiges zu Hochdeutsche glaubte ich entfernen zu dürfen. 7, 1. **mank**, zwischen. 8, 2. **Küte**, **Köte**, Kasten. 12, 2. vgl. „**fuggern**, **verfuggern**, in der Pfalz bes. unter Kindern: durch Hin- und Herhandeln etwas gewinnen," Mone's Anzeiger 4, 73, bair. schachern, Schmeller 1. 516; schweiz. sogar von Diebereien, Stalder 1, 402. 14, 1. **plauschen**, schwätzen.

15 Ach Blücher, ach erbarme dich,
Hab Mitleid und verschone mich.

16 Sieh, ich verschwör es hoch und hehr,
Ich komm auch nach Berlin nicht mehr.

17 Ei Schnickschnack un den Düwel och,
Dat Beerken hangt di so woll te hoch!

18 Ach Blücher, ach was denkst denn du,
Du schlägst ja gar unhöflich zu!

19 Geh, laß mich aus, ich räume dir
Die Brüßler Lande auch dafür.

20 Holt Moul, Kujon, un säch-keen Wort,
Heel ut ganz Frankrich mußt du fort.

21 Und wat Vaddr Blücher gesait, det traff,
De Kerel mußt von de Hütsche raff.
Citi, cita, citum. :|:

19, 2. in einem L. in Soltaus Nachl. (Napoleons Anrede an sämmtliche Monarchen: **Ach mein Vater und mein Bruder** ꝛc.) verspricht er ihm sogar das Königreich Preußen, wenn er auf seine Seite treten wolle. 20, 1. holt, d. i. hol(d de)t. 20, 2. heel, ganz.

91.

Das Ende der Franzosenwirthschaft.

Aus einer nicht bezeichneten Quelle abschr. in Soltaus Nachlaß; das Lied ist älter, dieß nur eine Gestalt von 1815; dem Ursprung vielleicht ganz nahe steht das Lied bei Scheible, Volkswitz 11, 188 ff. mit 18 Str. (flieg. Bl.), obwol auch schon mit Beziehung auf die Freiheitskriege, es zählt da in ziemlich derber Sprache die Sünden der Franzosen gegen das Reich auf, wie sie nur Lumpen, Viehseuche, Unflat und Gestank u. s. w. herein gebracht hätten, gegen den Schluß heißt es: **Das franz. Teufelgepack ist nicht werth eine Pfeif Tobak, Gott behüt uns vor Franzosen in dem Land und in den Hosen.** Zahmer und kürzer, mehrfach eigenthümlich, doch mit der urspr. Geltung für 1796 (Jourdans Rückzug) in 7 Str. mündl. aus Franken bei Ditfurth 2, 168. Auch hier gekürzt, gemildert, Brüssel hineingebracht, auch sonst zugedichtet.

1 Ihr Franzosen, geht nach Haus,
Weil nun eure Macht ist aus;
Laßt euch mit euren Freiheitskappen
Nicht im deutschen Reich ertappen,
Weil die Deutschen sind mit Macht
Gegen euch jetzt aufgebracht.

2 Mit zerrißnen Strümpf und Schuh
Kamen sie nach Deutschland zu,
Daß man euch, ihr Lumpengesindel,
Mußte schaffen Schuh und Strümpfe,
Und die Hemder dutzendweis,
Denn die alten warn voll Läus.

3 Kam'n sie zum Bauer ins Quartier,
Hieß es gleich: Schaff Wein und Bier!
Und was sie nicht konnten saufen,
Ließen sie auf die Erde laufen,
Traten oft das liebe Brot
Mit den Füßen in den Koth.

4 Hell war ihn kein Wein genug,
Sie zerschlugen Glas und Krug,
Sie zerhieben Tisch und Bänke,
Schüssel, Teller, Stühl und Schränke,
Und ein recht französischer Hans
Ließ auch oft kein Fenster ganz.

5 Kein Mädchen auf der Straße mehr
Blieb von Schand und Laster leer,

1, 1. Ditf. Ihr Fr. haltet ein, schlagt nicht gleich so hitzig drein; bei Scheible wie hier. 1, 3 ff. = Scheible; Ditf. anders. 1, 6. aufgebracht, nicht bloß gemüthlich, sondern auch wirklich, im alten Sinn, haben sich erhoben; vgl. 'in Harnisch (bringen) gerathen', sich rüsten, dann zornig werden. 3, 2. Scheible besser: Lauft ihr raus n. D. zu. 3, 3. Sch. Lumpenzipfel. 3, 4. Sch. Sch. u. Stiefel. 4, 3. Sch. in den Schänken (: Bänke). 4, 5. Sch. Und manch jung franz. Schwanz, vgl. Schmeller 3, 544. Str. 5 nicht bei

Andern griffet ihr in die Taschen,
Uhr und Gelder zu erhaschen,
Nahmet alles weg mit List,
Sagtet nur: ist gut für mik!

6 Ihr französische Freiparthie
Stahlt dem Bauer all sein Vieh,
Zoget wie die Räuberbande
Hin und her im deutschen Lande;
Wo auch etwas war versteckt,
Brachtet ihrs wie Wölf geschleppt.

7 Als sie kamen vor Brüssel,
Zog man ihnen gleich aufs Fell,
Da kam Blücher mit Roß und Reutern,
Blies den groben Bärenhäutern
Rauch und Pulver in die Näsen,
Und sie liefen wie die Hasen.

8 Da giengs an ein Retirieren,
Und nach Frankreich zu Marschieren;
Da giengs an ein Laufen, Jagen,
Ließen stehn die Pulverwagen,
Mußten Kugeln, zentnerschwer,
Alles wieder geben her.

9 Meine Herren von Paris,
Sagt mir, wie gefällt euch dies?
Eurer Freiheit Hinterlaß
Ist in Deutschland ganz verhaßt,
Und ihr tragt nur Spott und Hohn
Euch zum Fluche nun davon.

Scheible. 6, 1. Freibeuter. 6, 3. 4. bei Sch.: Nahmen Kleid, Wäsch und Bettziechen, Ließen die Federn davonfliegen. 7, 1. Brüssell mit franz. Betonung, also nach lebendigem Gehör an Ort und Stelle. 7, 3. bei Sch. Str. 14. (Ditf. 7) Erzherzog Karl gegen Jourdan und Bernadotte bei Teining, Amberg Aug. 1796: Doch als sie bei Regensburg Nach Wien wollten brechen durch, Kam Prinz Karl m. R. u. R. Und blies diesen B. R. u. P. in den Hals Und verjagt sie aus der Pfalz. 8, 5. Kugeln? bei Sch. das Geld. 9, 3. 4. bei Sch. Ihr Freiheits- und Gleichheitslehrer Seid der ganzen Welt Zerstörer.

92.

Der Preußen Gruß an die Pariser.

Flieg. Bl. aus Halle (Soltaus Nachlaß); nach dem Terzett in der Zauberflöte: Seid uns zum zweiten Mal willkommen, ihr Männer, in Sarastro's Reich. Auch dieß Lied läßt sehen, wie man in den deutschen Heeren Blücher als den Helden des Dramas ansah.

Mel. Seid uns zum zweiten Mal willkommen.

1 Wir sind euch freilich nicht willkommen,
Ihr hättet gern bis gestern noch
Uns wacker ins Gebet genommen,
Hilft aber nichts, wir kommen doch,
Ihr habt es sicher selbst empfunden,
Der erste Abschied war zu kahl,
Drum haben wir uns neu verbunden,
Und kommen jetzt zum zweiten Mal,
Und sichern gern auf längre Zeit
Euch unsers Anblicks Rüstigkeit.

2 Für Leute, die sich länger kennen,
Braucht's nicht der Complimente, nun,
Glaubt's nur, uns ist der Schluck zu gönnen,
Den wir aus euren Gläsern thun,
Drum füllt uns fleißig Flasch und Schüssel,
Ergreift behend den Küchenspieß,
Ihr suchtet euch ein Bett zu Brüssel,
Wir halten Mittag zu Paris,
Trifft unsre Bitt' ein offnes Ohr,
So tanzt bei'm Essen uns was vor.

3 Fürwahr ein heillos lust'ges Leben,
Man ist von Lug und Schelmerei,
Von Arglist und Verrath umgeben,
Und hält sich doch den Rücken frei,
Wer Eide bricht, kommt in die Hölle,
Welch Plätzchen aber bleibt der List,
Mit welcher ihr in Blitzesschnelle
Den Meineid selbst zu brechen wißt,

Fürwahr ihr seid durch Spruch und Schwert
Fast zum Entsetzen aufgeklärt.

4 Ihr seht, wir sprechen frei und offen,
Gefressen hättet ihr uns gern,
Nun wir bei euch erst eingetroffen,
Ist aller Ingrimm von euch fern.
Zu spielen wißt ihr gute Karte,
Ihr windet euch mit gleichem Glück
Von Ludewig zu Bonaparte,
Von Bonapart' zu Ludewig.
Ergötzt man gaukelnd euren Sinn,
So kriecht ihr noch wo anders hin.

5 Horcht! Fern ertönt's von Rosses Tritten,
Es blinkt der Fähnlein goldner Knauf,
Der deutsche Herzog kommt geritten,
Macht Platz, und führt euch höflich auf!
Und sorgt, daß ja ihm alles werde,
Was ihn erfreu'n und laben mag;
Der alte Herr war viel zu Pferde,
Seitdem er unterm Pferde lag,
Drum seid auf seine Ruh bedacht,
Nachdem ihr Unruh ihm gemacht.

6 Schafft Herberg' auch für Roß und Reiter,
Für Fußvolk und für Feldgepäck,
Für Marketender und so weiter,
Wir ziehn so bald nicht wieder weg,
Schwatzt vor den Ohren eurer Gäste
Nicht von Kasern und Mattenzelt,
Stehn überall so viel Palläste,
Vormals erbaut von deutschem Geld,
Drum ziemt es sich, daß Deutsche nun
Im Eigenthum der Deutschen ruhn.

93.

Bertrands Abschied.

In Soltaus Nachlaß nach einem Hallischen flieg. Bl., er kannte den Namen des Treuen nicht; das Lied wird aber hier zu Lande noch viel verlangt und verkauft als 'Bertrands Abschied'; Soltaus flieg. Bl. hatte die 4. Strophe nicht, die ich (nebst andern Besserungen) aus einem Leipziger flieg. Bl., einem handschr. Soldatenliederbuch (sächs.) und dem Liederlex. Nr. 1303 nehme, sie steht zuweilen auch als 5. Str., überhaupt sind die Fassungen sehr verschieden. Es ist bezeichnend, fast wolthuend nach dem vorigen Hohn, das Interesse des Volks für Bertrands Treue und an des Kaisers Leiden zu sehn, wie man sich das dachte, merkwürdig auch die Stellung der Gemüther dem Zustand des Kaisers gegenüber, fast in französischem Sinn; vielleicht ist das L. nach einem franz. Vorbild, es klingt fast wie Beranger. Ein 'Abschied Napoleons' (Nun Frankreich lebe wohl) aus Schwaben bei Meier S. 221, etwas anders auf flieg. Blättern hier zu Lande (O Frankreich lebe ewig wohl). — Geblüht wird das Lied haben in der Zeit, als man in ähnlich idealisierter Weise und in tiefster Theilnahme das Unglück der Polen besang, es hat wenigstens denselben Grundton wie die Polenlieder, die das Volk heute noch nicht vergessen hat, deren Melodien wenigstens wol noch länger leben werden.

1 Leb' wohl, du theures Land, das mich geboren!
Die Ehre ruft mich wieder fern von hier;
Doch ach! die süße Hoffnung ist verloren,
Die ich gehegt, zu ruhen einst in dir.
Der Held, deß Name füllt die weite Erde,
Gab Lieb' und Freundschaft mir nicht blos zum Schein,
Ich war im Glück und Unglück sein Gefährte,
Ich will auch treu ihm bis zum Tode sein. :|:

2 Wie viele sonnten sich an seinem Blicke,
Und dankten seiner Güte Ehr' und Glück;
Doch kaum verfolgte ihn des Schicksals Tücke,
So wichen treulos sie von ihm zurück.
Doch mich schreckt nicht der Wechsel dieser Erde,
Ich war ihm treu, und werd' es ewig sein;
Ich war im Glück und Unglück sein Gefährte,
Ich will auch treu ihm bis zum Tode sein. :|:

1, 7. Var. Ich war in Ruhm und Glück stets s. G. 1, 8. Var. nun im Unglück mit ihm, treu in Noth und Tod ihm. 2, 1. Var. Viel tausend, auch in s. Bl. 2, 3. Var. verließ der Sieg des Helden Schritte.

3 Ein nackter Fels, fern von Europa's Küste,
Ist zum Gefängniß ewig uns bestimmt;
Kein Freundestrost dringt je in diese Wüste,
Kein Wesen Theil an unserm Schicksal nimmt.
Doch wenn ich Tröster meinem Kaiser werde,
So soll mein Schicksal dennoch glänzend sein:
Ich war im Glück und Unglück sein Gefährte,
Ich will auch treu ihm bis zum Tode sein. :|:

4 Ich bin Soldat, mein höchstes Gut die Ehre,
Ich liebe sie auch ohne Glanz und Lohn;
Nicht daß mein Name einstens sich verkläre,
Nicht darum folgte ich Napoleon;
Er hat nun nichts auf Gottes weiter Erde,
Wie könnt ich je den Undank mir verzeihn?
Ich war im Glück und Unglück sein Gefährte,
Ich will auch treu ihm bis zum Tode sein. :|:

5 Und ist die Siegesbahn dir auch verschlossen,
Winkt dir kein Lorbeer mehr, und keine Kron',
Hat dich die Welt aus ihrem Schooß verstoßen,
Wird dieser Fels dein Grab, Napoleon,
Vergebens ruft die Welt mich dann zurücke,
Ich kann nur dir des Herzens Triebe weih'n!
Ich war ja stets des Helden Freund im Glücke,
Ich werd auch über'm Grabe treu dir sein. :|:

3, 2. and. '**mir bestimmt**' u. s. w. lassen Napoleon reden. 3, 4. Var. **Kein W. ist das Theil am Schmerz hier n.** 4, 2. Var. **Glanz und Thron,** Napoleon redend. 4, 4. Var. **Ich folgte gerne dir Napoleon.** Die Anrede an den Kaiser, die einzeln schon früher vordringt, hab ich in Str. 5 durchgeführt, sie war im Soldatenliederbuch in Strophe 4, die da als letzte stand; diese Wendung des Standpunkts am Ende schien mir ursprünglich.

94.

Der Mann mit dem kleinen Hut.

Noch eine Stimme endlich aus dem Volk für den Kaiser selbst; haben doch Gebildete seiner Zeit Abgötterei genug mit ihm getrieben, warum sollte seine Kraft dem gemeinen Mann weniger imponieren? W. v. Plönnies stellte mir seine Aufzeichnung zur Verfügung als „das Mainzer Lied von dem Mann mit dem kleinen Hut" (die 5. Str. schon in Wolf's Zeitschr. f. D. Myth. u. Sittenk. 1, 98). Es ist urspr., wie das vorige und folgende, eins von denen, die dem Volk in den Mund gedichtet werden, wie das bes. in den Zwanziger, Dreißiger Jahren geschehen zu sein scheint, die durch Jahrmarktssänger wandern und wenn sie fassen, den Lauf eines Volkslieds antreten; das Volk singt sie sich zurecht. Manches wird nicht sein, wie es ursprünglich war, wie 2, 1. 4, vielleicht fehlen auch Strophen.

1 Wer wars der wo aus niederm Stande
Die Kaiserkrone setzt aufs Haupt?
Wer wars der aus dem Korserlande
Mit Lorbeern seine Stirn umlaubt?
Der in Gefahren stand mit Kraft und Muth:
Das war der Mann mit dem kleinen Hut.

2 Wer wars der wo bei Sturm und Regen
Stets seinen Feinden furchtbar blieb?
Wer wars der auch in Rußlands Wüsten
Die Stirn in düstre Falten rieb?
Dem wo die Ehre mehr galt als Gut:
Das war der Mann mit dem keinen Hut.

3 Doch eins das schlug den Helden nieder,
Und gab ihm einen Stich ins Herz;
Sein treuen Sohn sah er nicht wieder,
Da blutet ihm sein Vaterherz,
Weil er nicht bei ihm im Grabe ruht,
Das schmerzt den Mann mit dem keinen Hut.

1, 1. wo dient in südlichen und rheinischen Dialekten (fränk., bair., pfälz.) als allgemeines Relativ, vgl. Schmeller 4, 5; hier scheint es nur das gewöhnliche Relativ der zu verstärken. 3, 3. Die romantisch empfindsame Theilnahme, die der Herzog von Reichstadt bei den Zeitdichtern fand, machte sich bes. zur Zeit seines Todes in der Fluth der Zeitblätter so breit, daß davon wol etwas unters Volk dringen mußte; Bilder von ihm unter Bildern von Napoleons Generalen und Schlachten, wie

4 O wenn wir es denn so mit Recht betrachten,
Wie schnell das Menschenglück vergeht,
So müssen wir den großen Kaiser achten,
Der immer furchtbar noch dasteht.
Dem wo die Ehre mehr galt als Gut,
Das war der Mann mit dem kleinen Hut.

* * *

5 O sehet hin am Rhein die Mainzer Kinder,
O sehet sie am linken Rheinstrom stehn,
Für alle wärs ein Glück, für sie nicht minder,
Wenn sie noch könnten mit dem Kaiser ziehn.
Sie rufen all als Kind schon Napoleon!
Denn er war Kaiser auf seinem Thron.

6 O sehet hin, am Kirchhof alte Greise,
O sehet sie betrübt am Denkmal stehn,
Sie alle waren bei den frohen Siegen,
Die mit Kameraden jetzt zur Leiche gehn.
Sie alle rufen als Greis noch Napoleon!
Denn er war Kaiser auf seinem Thron.

ich mich erinnere, waren noch in den Dreißiger Jahren die besten Artikel der sächsischen Jahrmarktsbilderhändler. 4, 1. **mit Recht** aus **recht** entstellt; so beginnt ein Leineweberlied bei Hoffmann, schles. VL. Nr. 219: **Ach wie wunderlich gehts, wenn man es recht will betrachten**; das sind so Wendungen, die für den gemeinen Mann ganz andere Kraft haben als für den der sie täglich braucht. 4, 4. gesungen wird: **furchtbarer noch steht.** Str. 5. 6, wie der Refrain ausweist, sind aus einem andern Lied zugezogen, die gleiche Melodie wird das vermittelt haben; Str. 6 scheint aus einem Lied beim Begräbniß eines Napoleonischen Veteranen.

95.

Eine neue Arie vom Held Chassee.

(Dec. 1832.)

Flieg. Bl., Halle bei J. C. Dietlein (in Soltaus Nachlaß). Ich erinnere mich noch deutlich, welch aufgeregte Theilnahme die heldenmüthige Vertheidigung der Citadelle von Antwerpen und ihr endlicher Fall in allen Kreisen fand; Wort und Bild sorgten für Verbreitung. Die Melodie ist wol sicher die von Holtei's Polenliede, die damals und lange eine Art Herrschaft besaß: Denkst du daran mein tapfrer Lagienka. Nicht bloß für Zeit- und Tendenzlieder diente sie, selbst für Liebeslieder; in demselben Hallischen flieg. Bl. ist ein solches: 'Denkst du daran, an jene schöne Stunde, als ich zum ersten Male dich erblickt?' ꝛc.

1 Hart an der Schelde stehet eine Feste,
von einem Franken-Heere schwer bedroht;
Held Chassee, der vertheidigt sie aufs beste,
mit seinen Tapfern, treu bis in den Tod.
Er weiß, die Uebermacht wird ihn besiegen,
doch soll's nach hartem Kampfe nur geschehn,
und muß er endlich dennoch unterliegen,
so wird er doch stets ehrenvoll dastehn.

2 „Für König Wilhelm und für unsre Ehre,
da opfern wir gern unser treues Blut!“
So ruft der tapfre Held zum keinen Heere,
und Hollands Krieger kämpfen voller Muth;
denn trotz der Vielen auch, die ihn bekriegen,
läßt er es schweren Kampfes nur geschehn,
und muß er endlich dennoch unterliegen,
so wird er doch stets ehrenvoll dastehn.

3 Schon zwanzig Tage spielen die Geschütze,
der Stücke Donner währet Tag und Nacht,
die Dunkelheit erleuchten nur die Blitze,
die Kugeln fallen, daß die Veste kracht.
Auch seine Schlünde haben nicht geschwiegen,
der Feind muß einen harten Kampf bestehn:
doch muß er endlich dennoch unterliegen,
so wird er doch stets ehrenvoll dastehn.

4 Und die Belagrer müssen's schwer empfinden,
was er mit seinem treuen Corps vermag,
er grüßet sie aus allen Feuerschlünden,
ununterbrochen wirksam Nacht und Tag.
Der alte Held läßt sich nicht leicht besiegen;
nur nach dem härtsten Kampfe kanns geschehn,

4, 4. gedr. Tag und Nacht.

und muß er streitend dennoch unterliegen,
so wird er doch stets ehrenvoll dastehn.

5 Die Veste brennt, es stürzen die Gebälke,
Tod und Verheerung herrschen überall,
der Dampf steigt hoch auf bis in die Gewölke,
und schrecklich dumpf hört man der Trümmer Fall.
Doch Chassee läßt sich nicht so leicht besiegen;
nur nach dem schwersten Kampfe kann's geschehn,
und muß er streitend dennoch unterliegen,
so wird er doch stets ehrenvoll dastehn.

6 Nun erst beräth er sich mit den Getreuen,
das Wasser fehlt, das Obdach ist zerstört,
sein tapfres Heer vom Untergang befreien,
ist jetzt der Wunsch, der Chassee's Herz beschwert.
Er übergiebt die Festung auch mit Ehren,
zwar ungern nur, allein es muß geschehn;
der Feind läßt selbst Hochachtung ihm gewähren,
so wird er doch stets ehrenvoll dastehn.

7 Seht, wie sein König lohnet seine Treue,
von seiner Brust nimmt er das Ordensband,
beweiset so ihm seine Huld aufs Neue,
denn gnädig hat er es ihm zugesandt.
Es ist Beweis von Wilhelms edlen Zügen,
er weiß, was möglich war, das ist geschehn:
denn mußt er endlich dennoch unterliegen,
so wird er doch stets ehrenvoll dastehn.

7, 7. gedr. muß.

96.

Das Treffen bei Kandern.

20. April 1848.

Von Hessen-Darmstädtischen Soldaten gesungen, mir mitgetheilt von W. v. Plönnies; derselbe schrieb mir dazu: „Wir Darmstädter sind damals innerhalb eines Jahres dreimal in Baden eingerückt, Frühjahr 1848 gegen Hecker — mein Regiment stürmte damals Freiburg, ein anderes schlug Hecker bei Kandern — Herbst 48 gegen Struve, Frühjahr 49 wieder gegen Struve.“ Man sieht, in den Regimentern war durch die dreißig Friedensjahre der alte soldatische Schlachtenton doch nicht abhanden gekommen, höchstens etwas gedämpft.

1 Als Hecker ist kommen
In den Schwarzwald hinein,
Der Kaiser von Deutschland
Das wollt er gleich sein.

2 Die Kron und den Zepter
Das hätt er gern gehabt,
Da habn ihn da habn ihn
Die Soldaten ertappt.

3 Den Zweck zu erreichen
Schickt er sein Adjutant,
Der gibt als Verräther
Dem General die Hand.

4 Als er sich gewendet
Zu seiner frechen Rott,
Da schossen die Schurken
Den General zu todt.

5 Jetzt kommen Dragoner
Und die Hessen in Wuth,

Str. 1. 2, wie das ganze Lied, nach einem älteren von Napoleon, bei Meier, Schwäb. Volksl. S. 224: Und als er ist kommen nach Rußland hinein, Ein russischer Kaiser das wollt er gleich sein. Die Krone, das Scepter hat er bei sich gehabt, da haben ihn die russischen Kosacken ertappt. 4, 4. Friedr. v.

Sie kämpfen wie Löwen,
Bis mächtig floß das Blut.

6 Da laufen die Feigen
Alsbald in die Flucht,
Und warfen ihre Waffen
Hinein in die Fluth.

7 Gelt Hecker, gelt Hecker,
Das Blatt hat sich gewendt,
Du hast ja bei Kandern
Dein Schnurrbart verbrennt.

8 Den Schnurrbart verbrennt
Und die Sensen verlorn,
Gelt Hecker, gelt Hecker,
Jetzt kommen die Morn!

9 Ihr König und Kaiser,
Mit dem Hecker ists aus —
Was bekommen Soldaten,
Wenn sie kommen nach Haus?

10 Sie haben ja gekämpft
Für das deutsche Parlament,
Und Deutschland zu Ehren,
Von vielen erkennt.

Gagern. 7, 1. bei Meier: Gelt, gelt, Bonapartle, das Blatt hat sich gwandt, Und du hast ja bei Moskau die Nase verbrannt. 8, 4. Das sind die alten schulmeisterlichen mores, die gelehrt wurden; man hört auch in Sachsen und Thüringen: 'ich habe alle More davor', Ängste, ich hab ein Haar darin gefunden. 9, 3 erinnert an die Klagen über Undank in Soldatenliedern, z. B. schwäbisch bei Meier S. 201 sehr ausführlich, zum Schluß: Einen schlechten Dank hat der Soldat, der seine Glieder verloren hat; vgl. schles. bei Hoffmann Nr. 246, 2. 10, 4. 'nun nach langem Verkennen', meinten wol die Soldaten.

97.

Die Hannoveraner in Schleswig.

(8. Mai 1848.)

Mitgetheilt nach mündlicher Quelle von Herm. Krause im Bremer Sonntagsblatt 1854 Nr. 6, 5. Febr., und mir von demselben noch besonders zur Aufnahme übersandt, wofür ich hier meinen besten Dank ausspreche; er bemerkt dazu: „Derselben Melodie, aber dem Texte anderer Bataillone gehören folg. Bruchstücke an:

Da waren unser dreißig tausend Mann,
Die fiengen alle auf einmal zu feuern an
Wol auf die Dänen, wol auf die Dänen,
wol auf die Dänen, mit Hurrah!
Und da ward auf einmal das Feld so roth,
Von lauter ja lauter Dänenblut,
Denn sie mußten sterben, sie mußten sterben,
sie mußten sterben, mit Hurrah!"

Er spricht auch von dem Refrain eines plattdeutschen Liedes aus diesem Kriege, das zu kennen höchst wünschenswerth wäre. Das Lied ist, wie auch Krause bemerkt, in der Form eines älteren gesungen, s. S. 466. 482; den Stoff gab ein unbedeutendes Gefecht. Generallieut. Halkett meldete damals aus dem Hauptquartier Ulderup, 8. Mai (Auszug): „Heute landeten die Dänen ziemlich früh, von Alsen kommend, auf unserm Ufer, um die am 6. Mai angefangne Arbeit der Einebnung des Brückenkopfs fortzusetzen. Da sie durch die Strandbatterien und Schiffe gut gedeckt waren, wurde der feindlichen Tirailleurkette eine gleiche entgegengestellt ..., bis Nachmittags 3 Uhr ein Bayonnetangriff unserer (der hannöv.) Tirailleure (mit Hurrah), namentlich der Schützen des 2. Bataillons 4. Infanteriereg. das Gefecht beendigte. Unser Verlust war nur unbedeutend." Nach einer Meldung der Börsenhalle Rendsburg 10. Mai wäre sogar nur ein Braunschweiger getödtet worden. Jene Schützen 2. Bat. 4. Reg. werden also das Lied gerade in dieser Form gesungen haben, Andere in anderer.

1 Aus Lüneburg sind wir ausmarschiert,
Hurrah, hurrah, hurrah!
In Schleswig sind wir einquartiert,
Hurrah, hurrah, hurrah!
Wir gedenken an unsre Liebste nicht,
Denn leider die lassen wir zurück.
Und zu Schleswig, und zu Schleswig, und zu
Schleswig mit Hurrah!
Hurrah, hurrah, hurrah la la la la.

2 Und als der achte Mai anbrach,
Hurrah, hurrah, hurrah!
Und wir bei unserem Frühstück warn,
Hurrah, hurrah, hurrah!
Da fieng der Dän zu bombardieren an,
Und wir Deutschen schossen muthig gegen an;
Denn er muß weichen, denn er muß weichen, denn
er muß weichen mit Hurrah u. s. w.

3 Und als der Däne sah den deutschen Muth,
Hurrah, hurrah, hurrah!
Da ward ihm ganz sonderlich zu Muth,
Hurrah, hurrah, hurrah!
Er sprach, ich lasse mich nicht wieder sehn,
Denn ich weiß, daß die Deutschen tapfer stehn;
Ja ich gestehe es, ja ich gestehe es, ich gestehe es
mit Hurrah u. s. w.

4 Wer hat denn dieses Liedlein erdacht?
Hurrah, hurrah, hurrah!
Dieß hat das ** Infanterie-Regiment gemacht,
Hurrah, hurrah, hurrah!
Sie haben es gesungen, sie haben es erdacht,
Und dem König von Hannover zu Ehren gebracht;
Und er soll leben, und er soll leben, er soll leben
mit Hurrah u. s. w.

98a.

Ein Lied aus dem Schleswig-Holsteinschen Heere.

Das Lied stammt aus dem J. 1848, ich habe es aber in zwei verschiedenen Fassungen und lege beide vor, weil ich die etwa ursprüngliche Gestalt aus ihnen nicht zu entwickeln vermag; selbst das Zeitverhältniß beider zu einander ist mir unklar, weil mir beide zugleich Zusätze von 1849 zu enthalten und doch auch Spuren der ersten Gestalt vor einander voraus zu haben scheinen. Das Lied ist jedenfalls frühzeitig, spätestens im Mai 1848 im Schleswig-Holsteinschen Heer entstanden, hat aber die Einwirkung der folgenden Ereignisse und Zustände, auch solcher von 1849 an sich erfahren; mit deren Wechsel mag es eine manigfach wechselnde Gestalt gehabt haben, vergleicht sich also dem obigen Lied aus dem 30jähr. Krieg Nr. 54. Die erste Fassung verdanke ich der freundlichen Mittheilung von Herrn Heinr. Pröhle in Wernigerode, der mir seine reiche Sammlung neuerer fliegender Blätter zur Einsicht und theilweisem Gebrauch übersandte, wofür ich hier meinen besten Dank abstatte; vgl. dessen „Weltliche und geistliche Volkslieder und Volksschauspiele. Aschersleben 1855.“ S. XXV ff. Daselbst fand ich es auf einem flieg. Bl. aus Hamburg „Gedrückt bei J. Kahlbrock Wwe., Grünsood Nr. 52.“ Es hat hier zwei Strophen (3. 10) voraus vor der zweiten Fassung. Letztere stammt aus dem handschr. Liederbuch eines sächs. Soldaten, der mit den sächs. Reichstruppen in Schleswig-Holstein focht; derselbe hörte es beim Einmarsch April 1849 von Kindern singen mit Begleitung der Ziehharmonika und erzählte, es sei dann schnell auch unter den deutschen Truppen herumgekommen, sie hätten es, sagte er, alle Tage abgeleiert. Die Melodie, kräftig und frisch, war mir unbekannt, ich habe sie leider nicht gemerkt. Das Lied ist, abgesehen von seinem vaterländischen Werthe, ein Augenbeweis aus der Gegenwart, wie solche Lieder mit dem Gang der Dinge fließen und werden und wachsen. Der Sachse versicherte mich, es habe sich damals unter ihnen dichtend geregt was nur irgend mit den Reimen umzugehen gewußt, manchmal seien alle Tage neue Lieder in Umlauf gekommen, besonders unter den Artilleristen. Ich fand in seinem Buch eine kleine Zahl solcher Erzeugnisse, freilich mehr Gedichte als Lieder, aber keins ohne Wärme, zum Theil mit erschütternden Ausdrücken soldatisch gefärbter Vaterlandsliebe, mit wolthuender kameradschaftlicher Innigkeit, auch mit Zügen jener deutschen Gefühlsweichheit, die aber vom Heldenmuth übertönt wird; hier und da auch prächtiger Spott gegen den Feind.

1 Auf Deutsche, präsentierts Gewehr,
Und ruft ein Vivat hoch!
Es leb' Prinz Friederich von Noer,
Der tapfer mit uns focht!

2 Bei der Stadt Schleswig, blutger Schlacht,
Empfieng der Feind den Lohn,
Den Dänen ward Kehraus gemacht
Vom deutschen Bataillon.

3 Wem dort der Muth den Sieg verlieh,
Gekrönt für immerdar,
War Schleswig-Holsteins Infantrie
Und seine Reiterschar.

4 Halloh zu Roß, frisch auf zu Fuß,
Den Dänen Schmach und Weh!
Schaut wie der Rothfrack flüchten muß
Wie ein gejagtes Reh.

5 Das Treffen hier bei Sundewitt —
Der Däne glaubte schon,
Ich mache meine Schmach jetzt quitt,
Doch bitter war sein Lohn.

6 Ob auch manch tapfrer Deutscher fiel,
Der Däne wankte doch,
Bei der Kanonen brüllend Spiel
Schallts Deutschland lebe hoch!

7 Frisch auf, der Däne wanket schon,
Die Kolben nicht gespart,
Gefangen ward selbst der Spion,
Das ist ja Dänen Art.

8 Ist Hadersleben euch bekannt,
Das uns den Sieg verlieh?
Seht dort des Feindes Schiff in Brand
Von Holsteins Batterie.

9 Herzog Karl von Holstein Beck war da,
Schaut das von der Tannsche Corps,
Es rückt mit freudigem Hurrah,
Mit frohem Muthe vor.

10 Seht Schleswig-Holsteins tapfre Schar,
Wie sie die Stadt erstürmt,
Obgleich die Brück zerschellet war,
Ein Höchster droben schirmt.

11 Heil Friedrich dir, du hoch zu Roß,
Dir Halkett, von der Tann!
Kommt ihr, so ist der Teufel los,
Da flieht der Dannemann.

12 Auf Deutschland, spreng der Dänen Joch
Für ewig immerdar,
Drum alle unsre Krieger hoch!
Hoch unsre tapfre Schar!

13 Die Eichen werden nicht gefällt,
Dem Hause Holsteins Ehr!
Heil dem Augustenburger Held,
Prinz Friederich von Noer!

98b.

1 Auf Deutsche präsentiert Gewehr,
Und ruft ein Vivat hoch!
Es lebt Prinz Friederich von Nöhr,
Der tapfer mit uns focht.

2 Bei der Stadt Schleswig blutgen Schlacht
Empfieng der Feind sein Lohn,
Der Däne ward herausgejagt
Vom dritten Bataillon.

3 Hallo zu Roß, frisch auf zu Fuß!
Dir Däne Schmach und Weh!
Seht wie der Rothfrack flüchten muß
Wie ein gejagtes Reh.

4 Das Treffen hier bei Sundewitt —
Der Däne glaubte schon,
Er machte seine Sach jetzt quitt,
Doch bitter ward sein Lohn.

5 Frisch auf du Deutsches Bundesheer,
Der Däne wanket schon,
Bei Kanonendonner brüllend Spiel
Schallts Deutschland lebe hoch!

6 Frisch auf du Deutsches Bundesheer,
Die Kolben nicht gespart,
Gefangen ward selbst der Spion,
Das ist ja Dänen Art.

7 Ist Eckernförde euch bekannt,
Das uns den Sieg verlieh?
Seht dort das Dänsche Schiff in Brand
Von Holsteins Batterie.

8 Herzog Karl von Holsteins Bataillon,
Schaut das von Tannsche Corps,
Er rückt mit fröhlichem Hurrah,
Mit hohem Muthe vor.

9 Heil Friederich, der hoch zu Roß!
Der starke von der Tann!
Kommt er, so ist der Teufel los,
Da flieht der Dansķe Mann.

10 Auf Deutsche, sprengt der Dänen Joch
Auf ewig immerdar!
Und macht euch gänzlich von ihm los,
Hoch unsrer tapfern Schar!

11 Die Eichen werden nicht gefällt,
Dem Hause Holsteins Ehr!
Heil dem Augustenburger Held
Prinz Friederich von Nöhr!

11, 1 bezieht sich auf die Schlußstrophe des Liedes „Schleswig-Holstein meerumschlungen“: Theures Land, du Doppeleiche Unter einer Krone Dach u. s. w.

99.

Der Sturm auf die Düppeler Schanzen.

13. April 1849.

Erschien gedruckt im Leipziger Tageblatt, Jahrg. 1849 Nr. 117. 27. April, erste Beilage. Ich zweifelte wol, ob ich es hier einreihen dürfte; aber wer es auch gedichtet haben mag, von einem Betheiligten ist es gewiß und schwerlich vor dem Schreibpult gemacht. Mich erinnert es an Fouqués Schills-Lied oben Nr. 69, es ist so unmittelbar, so ohne Mittelglied aus dem Ereigniß herausgesungen, hat so sehr die Grundlage der frischen Thatsächlichkeit, ist so voll einer ganzen, gleichen, vollen und umfassenden Stimmung wie das echte Volkslied — kurz es ist wol entstanden wie eben das

Volkslied entsteht. Selbst die scheinbar ironisierenden Anklänge an das alte Soldatenlied verschwinden in der beherrschenden Stimmung, sie können vom Dichter unmöglich in ernstlichem Spott gemeint sein. Wären die Ereignisse anders gegangen, das Lied wäre wol sicher ein längeres Besitzthum des sächsischen Heeres geworden, es ist übrigens in der hiesigen Kaserne wolbekannt. Ein künstlich in den Volkston hineingedichtetes Lied auf denselben Kampf und in derselben Melodie, nur von der Baiern Seite gefaßt, steht in Karl Stöber's Erzähler aus dem Altmühlthale, Stuttgart 1851 S. 249 fg.; es ist wolgelungen, und doch wie anders als dieses:

Dänen in den Düppler Schanzen,
Seid ihr aufgelegt zu tanzen
Mit den Bayern einen Reihn?
Der Generalmarsch wird geschlagen,
Einen Tanz mit euch zu wagen,
Von dem Schloß zu Gravenstein.

Stille ziehn die deutschen Brüder
Ohne Trommelschlag und Lieder
In die finstre Nacht hinein.
Sollten sie den Edelhirschen
Und den Haas im Lager bürschen,
Könnten sie nicht leiser sein u. s. w.,

d. h. so kräftig und gut es vielfach ist, immer geht einmal in Reimen und in hübschen Gedanken dem Volkston der Athem aus, es schlägt um in Stubendichtung; davon hier nichts, so etwas dichtet sich nur, wenn man eben mitten drin gewesen ist mit tausend Andern und im Ohr noch die Kanonen knallen und die Siegesstimmung in der Brust bebt und die frische Luft übers Zelt weht und der Puls des Einzelnen gleichsam in demselben Takt schlägt mit tausend anderen — und das ist eben die Luft in der das Volkslied wächst.

Mel.: Prinz Eugenius der edle Ritter.

1 Der Baier und Sachs in Sundewitt-Ecken
Thäten die Köpf zusammenstecken
Wider des Dänen Hinterlist,
Daß sie möchten ihm ausbüchsen
s'Düppeler Nest, ganz voller Füchsen,
Mit Pulver und Blei in kurzer Frist.

2 Sie kamen überein, daß fruh gen Vieren
Sollen die Baiern aufmarschieren

1, 4. büchsen, mit der Büchse schießen, ein altes Wort, s. Grimms Wb. 2, 477; schon im 15. Jh. in Konrad Stolles Erfurter Chronik S. 25, da machen die

Samt den Hessen vor der Schanz!
Und der Sachs von Norderseiten
Soll auch tapfer zuwärts schreiten,
Zu attaquieren mitten im Tanz.

3 Der Bair und Heß nun wie der Teufel
Spießt übern Hauf ohn eingen Zweifel
Dänsche Vorposten mit Bajonett;
Daß sie sichs nicht mehr jetzunder
Kunnten nehmen höchlich Wunder,
Woher so fix das kommen thät.

4 Das Dänenvolk kriegt Todesschrecken,
Wie es hörte sich aufwecken
Von dem Geknalle piff! paff! puff!
Faßte hurtig sich beim Schopfe,
Fuhr heraus aus'm Bruckenkopfe
Mit Artollerie die Schanz hinuf.

5 Läßt die Kartätschen prasseln, pfeifen,
Daß Aller Haar sich möchten steifen
In die kerzengrade Höh!
Sein' Infanterie thät debouchieren,
Auf den Baier losmarschieren
Bis funfzig Schritt ganz in die Näh.

6 Der aber läßt sie unbeklommen
So trefflich nah zum Schuß sich kommen,
Brennt Knadderada! zum Morgengruß;
Daß der Dänen gar sehr viele
Lassen die Haut in diesem Spiele,
Sintemal Blei kein Hirsenmus.

7 Richtger Stund kommen auch die Sachsen
Nun von Nord her angewachsen

Böhmen vor Soest 1447 Graben und Wall vor sich, also das man or (ihrer) uß der stad nicht gebuchsen kunde. 4, 6. hinuf (mhd. hin ûf) ist gut sächsisch; auch Artollerie, ebenso bairisch, im 16. Jh. Artolerey (Schmeller 1, 112), Artlarei, Arcolei, Arkelei und noch anders; die jetzige Form ist aus dem Franz. neu hergestellt worden, noch vor 100 Jahren Artollerie (Schm. a. a. O.). 6, 2.

Vor das Düppeler Bollenwerk;
Denn man will zuruck nicht bleiben,
Wo es hitzig gilt zerreiben
Des Dänen goliath'sche Stärk'.

8 Doch der Dän zeigt sich zu Wasser,
Sehr handgreiflich war es, daß er
Niest dem Sachsen in die Flank;
Bomb, Granaten und Schrappnellen
Thät er auf den Pelz ihm prellen,
Daß die Luft wie Hölle stank.

9 So aus See, aus Schanz, von Alsen
Gehts dem Sachs haarscharf zu Halsen,
Mancher Kamrad muß beißen ins Gras.
Die zu rächen um die Wetten
Legt man ein die Bajonetten:
Drauf, Donnerwetter! Marsch, fürbaß!

10 Alsobald hat man die ganzen
Tod und Wunden speinden Schanzen
Festen Sturmschritts in Gewalt;
Prinz Albert jung, ein tapfrer Degen,
Als Kamerad im Kugelregen,
Feuert an, wo's platzt und knallt.

11 Die Dänen mußt es grimmig wurmen,
Daß so fix sie ließen wegsturmen
Sich die trutzge Düppler Höh:
Brannten noch zahllos Nasenstüber
Aus Grobgeschütz von Alsen rüber,
Thäten noch manchem Deutschen weh.

12 Das lassen die sich nicht verdrießen,
Thun nur aus Flinten wiederschießen,

trefflich klingt gerade, als wäre der Dichter ein Etymolog. 8, 3. das ferne Losbrennen der Geschütze, im Alsener Sund, wol vom gedämpften, mehr zischenden Klange **niesen** genannt; vgl. Nr. 4, 2, 3. 10, 4. gegenwärtig Kronprinz; die Berichte rühmten, wie er mitten in der Gefahr thätig gewesen, von den Soldaten in und nach dem Kampfe mit häufigen Hurrahs begrüßt.

Gaben kein Fußbreit Land drum nach.
Nun dräut ihr Russen, dräut Franzosen,
Wollt ihr ein Zusammenstoßen:
Holt bei den Deutschen gleiche Schmach!

Hurrah!

100.

Der Sturm auf Friedrichstadt.

4. Oct. 1850.

Mittheilung von Herrn W. v. Plönnies, in der Aufzeichnung eines Kameraden aus der Erinnerung; er schrieb mir erläuternd: „Mir scheint die vierte Jägercompagnie des 1. Corps darin besungen zu werden, deren erster Zug unter dem trefflichen Hauptmann Behrens der Sturmcolonne auf dem Eiderdeich traurigen Andenkens die Tete machte; ein andrer Theil der Compagnie ward in Böten gegen ein dänisches Werk eingeschifft; der Rest, bei dem ich mich befand, hielt während des Sturms die vordersten Erdwerke des Eiderdeichs. Behrens kam mit zerschmetterter Hand zurück und starb am Krampf.“ Der Aufzeichner bemerkte dazu: „die Melodie recht schön, beinahe ganz wie Latour d'Auvergne [Wer ist der Held, der ernst vor meinen Fahnen In Jugendkraft einhergeht stolz und kühn? 2c. Liederlex. Nr. 2174]; in den Zeilen: Hört ihr 2c. mit Begleitung eines Glöckchens.“ Der Refrain scheint einem Lied entlehnt, das erst in neuerer Zeit aufgekommen sein muß (ich fand es mehrfach in neueren flieg. Bll., auch in dem Liederbuch jenes sächs. Soldaten von den Reichstruppen, s. Nr. 98); es beginnt: „Wir haben (Ich habe) den Frühling gesehen, Die schönsten der Blumen begrüßt“, hat vierzeilige Strophen und den Refrain:

Hört ihr die Glocken, sie läuten zur Ruh :|:
Läuten ja läuten zur Ruh,
Läuten zur süßesten Ruh —

auch: Läute, ja läute nur zu, Läute zur süßen Ruh. Das Lied und die Mel. des Refrains athmen eine Art resignierter Sterbenswehmut, nicht süßlich sentimental. Ähnliche Stimmung ist in folgendem Lied, mit kriegerischem Beisatz; es erinnert an die Liederklasse, der hier Nr. 72. 93. 95 angehören, hat vielleicht mit Nr. 93 gleiche Melodie. Nach alle dem glaubt ich das schöne Lied hier anschließen zu dürfen, es gilt von ihm ungefähr was vom vorigen Liede gesagt ist.

1 Es steht ein Häuflein wackrer deutscher Krieger
Vor Friedrichstadt aus Schleswigs Heldenheer.
Sie unterlagen, doch sie waren Sieger
Und von den Hundert lebt nicht einer mehr.

Sie waren jung vom Mutterherz gerissen,
Sie standen draußen in der blutgen Schlacht;
Die edle Freiheit, die die Deutschen grüßen,
Macht sie zu Helden in des Sturmes Nacht.

Und ein Glöcklein von dem nahen Thurme,
Es läutet immer hell hinaus zum Sturme —
Hört ihr das Glöcklein, es läutet voran,
Es läutet zum Sturme, zum Tod Mann für Mann,
Zum Tod Mann für Mann.

2 Aus Friedrichstadt, aus gut verschanzten Wällen
Es tobt der Tod auf diese kleine Schar,
Sie standen fest, obgleich wie aus der Hölle
Ein Feuermeer auf sie gerichtet war.
Voran! voran! laßt euch vom Tod nicht schrecken,
Es gilt der Ehre, s'gilt dem Vaterland!
Und wenn die Kugeln all uns niederstrecken,
Wir weichen nicht, wir sterben Hand in Hand!

Und ein Glöcklein von dem nahen Thurme,
Es läutet immer hell hinaus zum Sturme —
Hört ihr das Glöcklein, es läutet voran,
Es läutet zum Sturme, zum Tod Mann für Mann,
Zum Tod Mann für Mann.

3 Das Schlachtfeld bebte unter ihren Tritten
Und blutge Thränen rollten in den Sand,
Sie standen noch, obschon aus ihrer Mitte
Der tapfre Führer fiel fürs Vaterland.
Und immer fort, um nie zurückzukehren,
Zur theuren Heimat, zu dem Vaterhaus,
Sie stehn und fallen auf dem Feld der Ehren,
Ein Hurrah schallt, noch ist der Kampf nicht aus.

Und ein Glöcklein von dem nahen Thurme
Es läutet immer hell hinaus zum Sturme —
Hört ihr das Glöcklein, es läutet voran,
Es läutet zum Sturme, zum Tod Mann für Mann,
Zum Tod Mann für Mann.

4 Schon war die kleine Schar fast aufgerieben,
Neun standen noch und kämpften muthig fort.

Ein Offizier, von Mitleid angetrieben,
Rief laut: Pardon! ergebt euch auf mein Wort!
Doch wie aus einem Munde schallts hinüber:
Vom Dänen nimmt der Deutsche nicht Pardon,
Wir sind bereit zu sterben oder siegen! —
Sie starben um der Helden Lorbeerkron.

Und ein Glöcklein von dem nahen Thurme
Es läutet immer hell hinaus zum Sturme —
Hört ihr das Glöcklein, es läutet voran,
Es läutet zum Sturme, zum Tod Mann für Mann,
Zum Tod Mann für Mann.

Um jedoch nicht mit einem Weh- und Mißton die fünfthalb Jahrhunderte schließen zu müssen, will ich um ein Jahr zurückgreifend einen Kinderreim zuletzt setzen. In der Kinderpoesie finden sich mehrfach politische Stoffe; in einem schwäb. Auszählspruche bei Ernst Meier, Deutsche Kinderreime aus Schwaben S. 39 heißt es:

Zipperle pipperle pump,
Der Kaiser ist e Lump,
Er reitet über Feld
Und bringt e Sack voll Geld —

und ebenda S. 136 in einem Spiele:

Birle birle bump,
Der Kaiser ist ein Lump.

Das 'Geld' wird von einer schwäb. Reichsstadt geborgtes sein und der Kaiser wol gar Karl V.; denn aus dem 18. oder 17. Jh. ist der Spruch schwerlich, aber Ulmer oder Augsburger Kinder des 16. Jh., die Sonntags ihre Väter von Politicis handeln hörten, konnten schon so etwas aufschnappen. Kindersprüche aus dem 17. Jh., in denen der Schwede, Oxenstiern figurieren, gibt es mehrere. Aus dem 18. Jh. wol wäre, wenn man trauen dürfte, was das Wunderhorn (n. A.) 3, 432 in einem Kinderspruche gibt: Wenn die Kinder auf der Erde herum rutschen':

Kann Deutschland nicht finden,
Rutsch alleweil drauf rum.

In der Leipziger Gegend (Abtnaundorf) zählen die Kinder u. a. auch so aus:

Napoleons Sohn,
König von Rom,
War viel zu klein,
Kaiser zu sein.

In Mecklenburg nun singen die Kinder (Mitth. von Herrn Prof. Zarncke):

Pip Dän pip,
Din Schonen bist du quiet,
För de Wismar hestu lange legen,
För Gadebusch hestu Släge kregen,
Pip Dän pip. :|:

Die Danziger Kinder wandten das auf ein Vorkommniß in ihrer Stadt in den Neunziger Jahren des vorigen Jahrh. an, die Engländer mit ihren Schiffen (Galeeren) verhöhnend (Mittheilung von Herrn Dr. Mannhardt):

Pip Blaurock pip,
De Gallersch geist du quiet,
Bim Landskrog bistu utgestegen,
Bim Holm do hestu Schmer gekregen,
Pip Blaurock pip,
De Gallersch geist du quiet.

Nach dem 5. April 1849 aber sangen die Holsteiner Kinder in Kiel und sonst (Deutsche Zeitung, Mai 1849):

Pip Dän pip,
Tau Water bistu rip,
Din Christian in de Luft is flagen,
Din Giftjung hebbens ok dot slagen,
Pip Dän pip,
Tau Water bistu rip.

Pip Dän pip,
Sei seldn (gaben) di ne Kniep
Up din gewaldich grotes Mul
Tau Eckernföhr, do set ne Ul (saß eine Eule)
Pip Dän pip,
Din leringe Büdel kniep.

Register.

Druck von Breitkopf und Härtel in Leipzig.

Fr. L. von Soltau's

Deutsche Historische Volkslieder,

Zweites Hundert.

Aus Soltau's und Leyser's Nachlaß und anderen Quellen

herausgegeben mit Anmerkungen

von

H. R. Hildebrand,
Dr. ph., Lehrer an der Thomasschule zu Leipzig.

Leipzig,
Verlag von Gustav Mayer.
1856.

Lightning Source UK Ltd.
Milton Keynes UK
UKHW022214140219
337291UK00006B/476/P